SVT 1re S

Sciences de la vie et de la Terre

PROGRAMME 2011

Sous la direction de
Marc Jubault-Bregler, professeur au lycée Louis-Barthou de Pau

Grégory Bailly, professeur au lycée agricole de Tilloy-les-Mofflaines
Cédric Bordi, professeur au lycée Léopold-Sédar-Senghor de Magnanville
Marie-Josée Broussaud, professeur au lycée Voltaire d'Orléans
Marion Burgio, professeur au lycée Louis-Barthou de Pau
Sylvain Courbet, professeur au lycée international de Saint-Germain-en-Laye
Jean-Michel Dupin, professeur au lycée Michel-de-Montaigne à Bordeaux
Jean-Marie Fourneau, professeur au lycée Frédéric-Mistral de Fresnes
Céline Goisset Le Bris, professeur au lycée Chaptal de Paris
Éric Le Bris, professeur au lycée Albert-Camus de Paris
Éric Rainouard, professeur au lycée de Briançon
Véronique Ricard, professeur au lycée Ozenne de Toulouse
Françoise Saintpierre, professeur au lycée Lakanal de Sceaux
Bruno Savoye, professeur au lycée Théophile-Gautier de Tarbes
Jean-Marc Vallée, professeur au lycée Dessaignes de Blois

Remerciements

Sylvain Morel et toute son équipe de la société Sordalab

Michel Zelvelder pour ses relectures critiques

Jean Christophe Leray ; Jean-Yves Abt et Muriel Darroman pour leur participation active
à la préparation des expériences réalisées pour cet ouvrage.

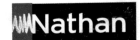

À la découverte

Pour chaque partie

Quatre pages d'introduction

▶ **Le thème** de la partie

▶ **La problématique** de la partie

▶ **Un rappel** des acquis au collège

Pour chaque chapitre

Ouverture

▶ **De grands documents** déclencheurs

▶ **La problématique** du chapitre

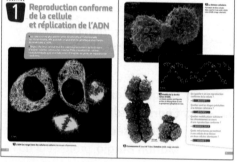

Les doubles pages « Activités »

▶ **Le problème à résoudre** sous forme de questions

▶ **Des guides** pour les réalisations

▶ **Le projet** qui permet de répondre au problème

▶ **Le vocabulaire**

▶ **De grands documents** lisibles et facilement exploitables

▶ **Des guides** pour les réalisations

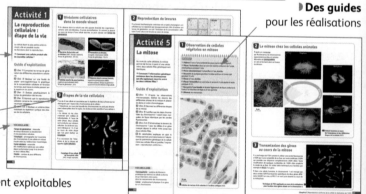

« Bilan des activités » et « Retenir »

▶ **Reprise des notions** construites dans les activités pour aller à l'essentiel de ce qu'il faut avoir compris et mémorisé

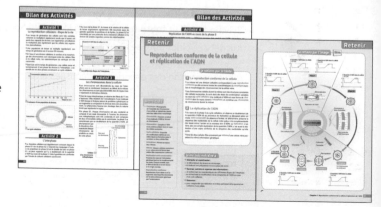

© Éditions Nathan, 2011
ISBN : 978-2-09-172289-4

de votre manuel

« Envie de sciences »

▶ **Des sujets attrayants et des débats de société** pour donner envie de s'intéresser à la science, susciter des vocations scientifiques et former l'esprit citoyen

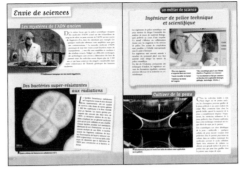

Exercices

▶ Une page **d'évaluation des capacitiés expérimentales** avec les critères de réussite et les conditions attendues

▶ **Un exercice guidé** accompagné d'un guide de résolution

▶ **Des exercices d'application** variés

▶ **Des tests rapides**

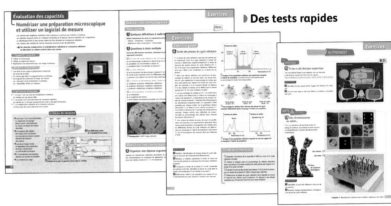

Synthèse de thème

▶ Pour replacer les notions abordées dans une perspective de culture générale et scientifique

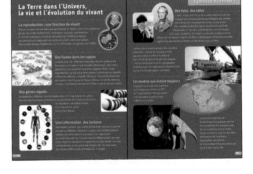

Pistes de recherche

▶ Des pages pour un prolongement interdisciplinaire des connaissances en TPE et un accompagnement personnalisé

Exercices de type Bac

▶ Des exercices de synthèse de type Bac pour s'entraîner à l'examen

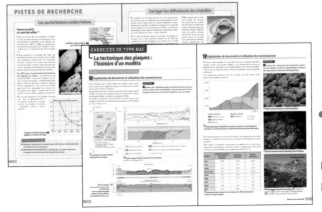

En fin de manuel

▶ **Des fiches de méthode**

▶ **Un lexique**

Sommaire

Expression, stabilité, variation du patrimoine génétique

▶ L'une des propriétés caractéristiques du vivant est sa capacité à se reproduire. L'information génétique portée par l'ADN est ainsi transmise de cellule à cellule et de génération en génération. Pourtant, au fil des temps, des innovations apparaissent et sont à l'origine de nouvelles espèces qui, grâce à la sélection naturelle, peuvent s'installer dans les milieux.

Comment des modifications de l'ADN peuvent-elles être à l'origine de variations génétiques ?

1 Un plant de camomille portant un caractère mutant.

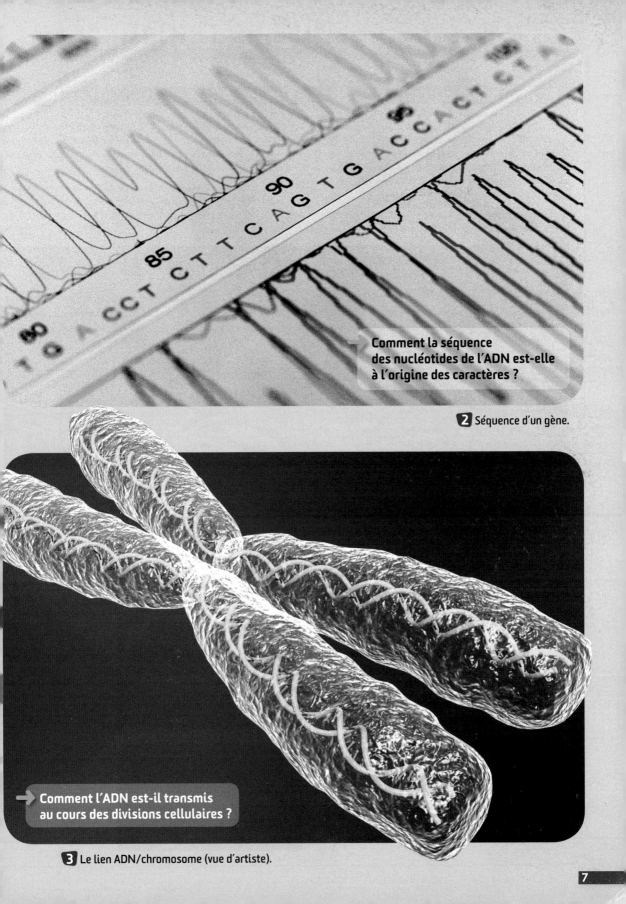

> Comment la séquence des nucléotides de l'ADN est-elle à l'origine des caractères ?

2 Séquence d'un gène.

→ Comment l'ADN est-il transmis au cours des divisions cellulaires ?

3 Le lien ADN/chromosome (vue d'artiste).

Les Acquis du collège et du lycée

1 Reproduction conforme de la cellule et ADN

Chaque chromosome est constitué d'ADN et représente le support de l'information génétique. Une molécule d'ADN est formée de deux brins enroulés l'un autour de l'autre en une double hélice. Chaque brin est constitué d'une séquence de nucléotides et les séquences des deux brins sont complémentaires l'une de l'autre.

La division d'une cellule humaine est préparée par la copie de chacun de ses chromosomes. Lors de la division cellulaire l'ADN peut se pelotonner, ce qui rend visibles les chromosomes, puis ceux-ci se séparent de façon à ce que les deux cellules obtenues soient génétiquement identiques entre elles et à la cellule initiale.

Les cellules de l'organisme à l'exception des cellules reproductrices possèdent la même information génétique que la cellule-œuf dont elles proviennent par divisions successives.

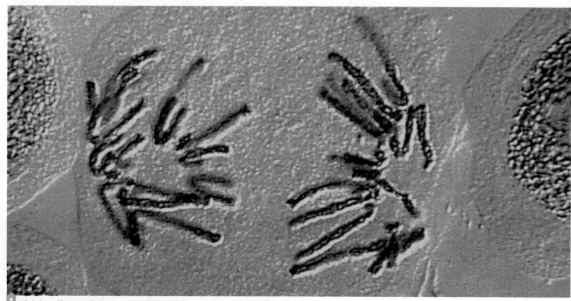

1 Division d'une cellule de Jacinthe des bois.

2 L'expression du patrimoine génétique

Toutes les cellules des êtres vivants possèdent un ou plusieurs chromosomes. Dans les cellules eucaryotes, les chromosomes sont présents dans le noyau. Chaque chromosome possède de nombreux gènes dont chacun porte une information génétique qui lui est propre.

Les protéines, molécules constituées de l'assemblage d'acides aminés, résultent de l'expression du programme génétique.

L'information génétique contenue dans un gène d'une espèce peut être transférée dans une autre espèce et s'y exprimer : c'est la transgénèse. La transgénèse montre que dans chaque gène, l'information génétique y est inscrite dans un langage universel.

2 Poisson zèbre.

3 Poisson zèbre génétiquement modifié

Un être vivant présente des caractères communs à son espèce, mais aussi des variations individuelles qui lui sont propres. Les caractères qui se retrouvent dans les générations successives sont des caractères héréditaires. Les caractères d'un être vivant sont en partie héréditaires, et en partie influencés par le milieu.

Les caractères héréditaires sont déterminés par des gènes. L'information portée par un gène peut exister sous plusieurs formes appelées allèles qui se distinguent par quelques différences dans la séquence en nucléotides.

4 Maïs Indien. La couleur des grains est déterminée par des gènes possédant plusieurs allèles. C'est la combinaison de ces allèles qui donne la couleur définitive.

4 ADN et biodiversité
SVT 6e 5e 2de

Une molécule d'ADN peut subir une modification spontanée et ponctuelle de sa séquence appelée mutation. Une mutation dans la séquence d'un gène provoque l'apparition d'un nouvel allèle et augmente ainsi la diversité génétique au sein d'une population. L'exposition à un facteur mutagène tel que les ultra-violets altère la molécule d'ADN et augmente la probabilité d'apparition de mutations.

La diversité des allèles est un des aspects de la biodiversité. La biodiversité est à la fois la diversité des espèces et la diversité génétique au sein des espèces.

Diversité génétique chez le Grizzly. 5
Les grizzly à pelage blond sont assez rares et s'expliquent par une mutation d'un gène.

QUIZ

Animation interactive

	VRAI	FAUX
Une molécule d'ADN est constituée de deux brins de même séquence nucléotidique.	☐	☐
La quantité d'ADN dans la cellule double juste avant la division cellulaire.	☐	☐
La division cellulaire aboutit à la formation de deux cellules possédant la même information génétique.	☐	☐
Dans les cellules eucaryotes, le matériel génétique est stocké dans le cytoplasme.	☐	☐

	VRAI	FAUX
Dans une cellule eucaryote, chaque chromosome ne possède qu'un seul gène.	☐	☐
La transgénèse correspond au transfert d'un gène d'une espèce vers une autre.	☐	☐
Les caractères d'un individu sont tous héréditaires.	☐	☐
Le milieu de vie peut modifier un caractère d'un être vivant.	☐	☐
Les facteurs mutagènes favorisent l'apparition de mutations dans la séquence d'un gène.	☐	☐
Au sein d'une population, les individus n'ont pas toujours les mêmes allèles d'un gène.	☐	☐

→ Voir réponses p. 407

Reproduction conforme de la cellule et réplication de l'ADN

▶ La cellule est la plus petite unité structurale et fonctionnelle des êtres vivants, elle possède un patrimoine génétique sous forme de molécules d'ADN.

▶ Depuis Pasteur, on sait que les cellules proviennent de la division d'autres cellules. Lorsque les cellules filles possèdent les mêmes caractéristiques que la cellule mère d'origine, on parle de reproduction conforme.

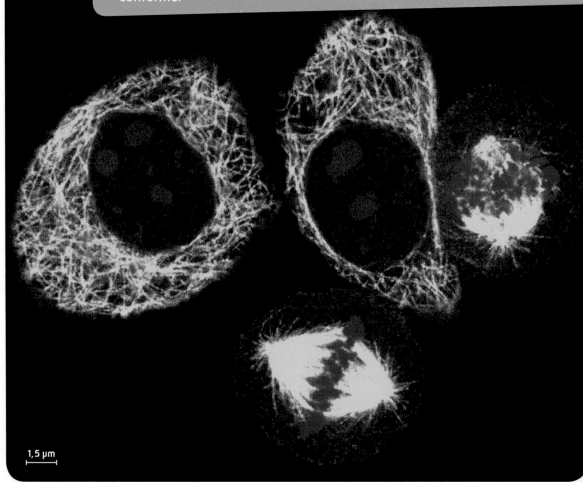

1,5 µm

1 **L'ADN (en rouge) dans des cellules en culture** (microscopie à fluorescence).

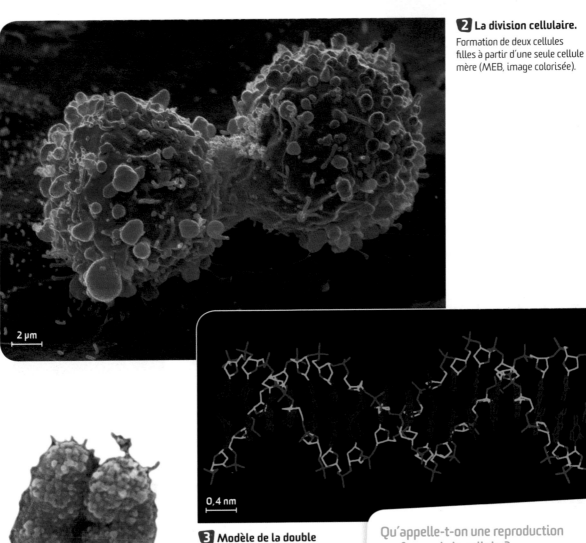

2 **La division cellulaire.**
Formation de deux cellules
filles à partir d'une seule cellule
mère (MEB, image colorisée).

2 µm

0,4 nm

3 **Modèle de la double hélice d'ADN.**
Les bases azotées sont figurées
en bleu, le désoxyribose en vert,
le groupement phosphate en rose.

Qu'appelle-t-on une reproduction
conforme de la cellule ?

➔ Activité 1

Quelles sont les étapes préalables
à la division cellulaire ?

➔ Activité 2

Quelles modifications subissent
les chromosomes au cours
d'une reproduction conforme ?

➔ Activités 3 et 4

Quels mécanismes permettent
à une cellule de se diviser
en deux cellules identiques ?

➔ Activité 5

0,5 µm

4 **Chromosomes X** (rose) **et Y** (bleu) **humains** (MEB, image colorisée).

Activité 1

La reproduction cellulaire : étape de la vie

La cellule étant la plus petite unité du vivant, elle en possède toutes les fonctions dont la reproduction.

→ **Comment une cellule produit-elle de nouvelles cellules ?**

Guide d'exploitation

1 (Doc 1) Comparez les temps de génération des différentes populations cellulaires.

2 (Doc 2) Réalisez sur une feuille de papier semi-logarithmique le graphique de la concentration cellulaire en fonction du temps, puis tracez la droite passant par le maximum de points.

3 (Doc 2) Évaluez graphiquement le temps de génération des levures.

4 (Doc 3) Montrez que la reproduction cellulaire conserve les caractéristiques du caryotype cellulaire.

5 (Doc 2 et 3) Réalisez un schéma bilan traduisant la répétition cyclique des phases de vie cellulaire.

VOCABULAIRE

Temps de génération : intervalle de temps nécessaire au doublement d'une population cellulaire.

Caryotype : photographie de l'ensemble des chromosomes d'une cellule en mitose classés selon leur taille et leur morphologie.

Cycle cellulaire : ensemble des modifications subies par une cellule depuis sa formation jusqu'à sa division en deux cellules filles.

Ploïdie : nombre de jeux différents de chromosomes.

1 Divisions cellulaires dans le monde vivant

▶ On observe dans la nature une très grande diversité des organismes : certains sont unicellulaires, d'autres pluricellulaires. En suivant le devenir au cours du temps d'une cellule donnée, on peut calculer son **temps de génération**.

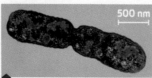

a Bactérie *Escherichia coli* en division (MET, fausses couleurs). Temps de génération : 40 min.

b Paramécie en division, eucayote unicellulaire (MEB). Temps de génération : 10,4 h.

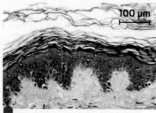

c Cellules souche de peau humaine, organisme pluricellulaire (MO). Temps de génération : 24 h.

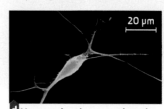

d Neurone dans le cerveau humain, organisme pluricellulaire (MEB, fausses couleurs). Temps de génération : quasiment aucune division à l'âge adulte.

3 Étapes de la vie cellulaire

▶ La vie d'une cellule se caractérise par la répétition de deux phases qui se distinguent par l'aspect des chromosomes de la cellule :
• l'interphase, au cours de laquelle les chromosomes ne sont pas directement observables dans le noyau. Sa durée est très variable d'une cellule à l'autre ;
• la mitose, où les chromosomes sont visibles et individualisés. À l'issue de cette phase, deux cellules sont produites par division cellulaire. Sa durée est souvent inférieure à 1 h. C'est au cours de cette étape que l'on peut réaliser un **caryotype**.

▶ La succession de l'interphase et de la mitose est appelée **cycle cellulaire**.

Caryotype d'une cellule **a** de drosophile mâle (MO, image colorisée).

2 Reproduction de levures

❯ La levure *Saccharomyces cerevisiae* est un petit champignon uni-cellulaire qui se reproduit par bourgeonnement. Afin d'estimer son temps de génération, on suit l'évolution de la concentration cellulaire d'une culture de levures au cours du temps.

RÉALISER

1. **Prélever** une goutte de suspension d'une culture de levures récemment diluée et dénombrer les cellules en utilisant une lame de microscope quadrillée Kova.

2. **Refermer** le flacon de culture avec un bouchon en coton et incuber la culture sous agitation à 30 °C.

3. **Refaire le dénombrement** des levures toutes les 15 min pendant 1 h 30.

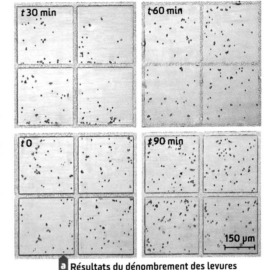

a Résultats du dénombrement des levures (MO).

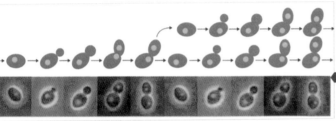

b Observation d'une cellule de levure pendant deux générations successives (MO). Le matériel génétique est marqué en bleu par fluorescence (en haut : schéma d'interprétation).

On peut isoler les chromosomes d'une cellule en la faisant éclater en milieu de mitose. Le matériel chromosomique est alors photographié puis les chromosomes sont triés et classés en fonction de leur taille, de leur aspect, etc. On obtient alors le caryotype de la cellule propre à l'espèce.

Le caryotype permet aussi de déterminer la **ploïdie** d'une cellule. Par exemple, chaque cellule de drosophile possède deux jeux de chacun de ses quatre chromosomes, soit quatre paires de chromosomes, on dit qu'elle est diploïde. On écrit alors que chaque cellule de drosophile contient $2\,n = 8$ chromosomes.

 Cellule en interphase

 Division cellulaire

Cellule en interphase

Division cellulaire

Cellule en interphase

| INTERPHASE | MITOSE | INTERPHASE | MITOSE | INTERPHASE |

Suivi de cellules b humaines sur deux générations.

Activité 2

L'interphase

Entre deux divisions, la cellule est dite en interphase. Durant cette période, elle connaît différentes modifications.

→ **Quels sont les différents évènements se déroulant au cours de l'interphase ?**

Guide d'exploitation

1 (Doc 1) Comparez les caractéristiques des cellules en phase G1, S et G2 puis proposez une hypothèse sur l'évènement se déroulant au cours de la phase S.

2 (Doc 2) Réalisez un graphique représentant la quantité d'ADN en fonction du temps au cours d'un cycle cellulaire. On partira d'une quantité Q arbitraire d'ADN en début de phase G1. Cela confirme-t-il votre hypothèse précédente ?

3 (Doc 3) Dégagez les principaux évènements se déroulant lors des phases G1 et G2.

4 En conclusion, complétez le graphique précédent de façon à faire apparaître les caractéristiques des différentes étapes de l'interphase.

---

1 Étapes de l'interphase

▶ L'interphase est la phase la plus longue du cycle cellulaire. Elle se subdivise généralement en trois étapes distinctes et de durée variable appelées G1, S et G2.

▶ Dans une culture de cellules, on peut déterminer à quel moment de l'interphase se trouvent les cellules en étudiant les caractéristiques de leur noyau. Pour cela, on étudie la quantité d'ADN présente à l'aide d'iodure de propidium, marqueur fluorescent qui se fixe spécifiquement entre les bases azotées de chaque molécule d'ADN.

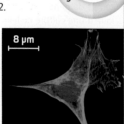

Cellule en culture. L'ADN est marqué **a** en rouge par l'iodure de propidium.

▶ Dans une culture de cellules humaines, toutes les cellules ne sont pas synchrones ; elles sont chacune à un moment différent du cycle. On les marque à l'iodure de propidium puis on analyse la fluorescence et le diamètre de chacune. Les résultats sont reportés dans un graphique dans lequel chaque cellule est représentée par un point. La fluorescence mesurée est directement proportionnelle à la quantité d'ADN dans la cellule.

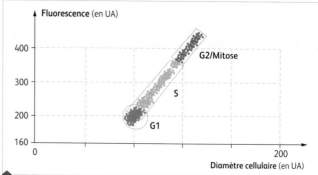

b Résultats expérimentaux du marquage à l'iodure de propidium d'une culture cellulaire non synchrone.

---

2 La phase S

▶ On réalise une culture de cellules humaines dont le cycle cellulaire est synchrone. Leur temps de génération de 24 h se répartit ainsi :
G1 = 12 h ; S = 6 h ; G2 = 5 h ; Mitose = 1 h.

▶ Une fraction de cette culture est régulièrement prélevée au cours d'un cycle cellulaire complet, puis les cellules sont marquées à l'iodure de propidium. La fluorescence moyenne des cellules est alors quantifiée.

Temps (en heure)	0	8	12	14	16	18	23	24
Fluorescence moyenne (en unités arbitraires)	200	202	201	263	335	403	401	202

Résultats expérimentaux du marquage à l'iodure de propidium d'une culture cellulaire synchrone.

3 Les phases G1 et G2

▶ Les phases G1 et G2 sont les abréviations de « Gap1 » et « Gap2 », signifiant un intervalle entre la phase S et la mitose.

▶ La durée de la phase G1 est très variable d'un type cellulaire à un autre. Elle est quasi-nulle pour une cellule-œuf en division et peut atteindre plusieurs mois pour des cellules à multiplication lente (cellule du foie par exemple).

D'une manière générale, les cellules d'un organisme passent la majeure partie de leur vie en phase G1.

▶ Les techniques actuelles permettent de mesurer précisément la masse et le volume de chaque cellule d'une population, puis d'analyser leur contenu moléculaire par microspectroscopie. On suit l'évolution de ces paramètres dans une population de levures de bière (*Saccharomyces cerevisiae*).

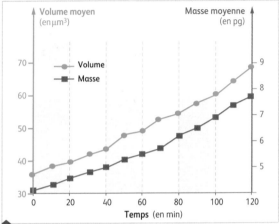

a Évolution de la masse et du volume moyen d'une cellule de levure au cours de l'interphase.

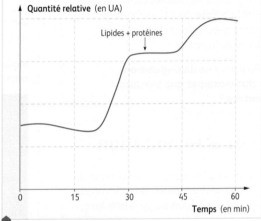

b Mesure de la quantité relative en lipides et protéines au cours de la phase G1 dans une cellule de levure de bière.

▶ Au cours de la phase G2, la cellule continue à croître, mais cette phase se caractérise principalement par une modification des organites cellulaires, comme les mitochondries et les chloroplastes.

▶ Des études ont permis de suivre l'évolution du volume total des mitochondries dans des cellules en division d'un petit végétal : l'arabette des dames (*Arabidopsis thaliana*).

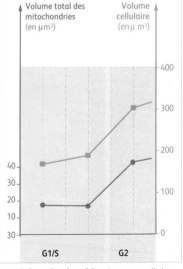

c Évolution du volume total des mitochondries dans une cellule de bourgeon d'*Arabidopsis thaliana*.

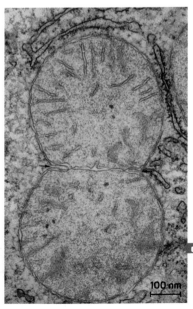

d Division d'une mitochondrie dans une cellule en culture (MET, image colorisée).

Activité 3

Les chromosomes dans la cellule

Les chromosomes, visibles au microscope durant la mitose, sont toutefois bien présents dans le noyau tout au long de la vie de la cellule.

→ **Pourquoi ne distingue-t-on les chromosomes que pendant la mitose ?**

Guide d'exploitation

1 (Doc 1) Décrivez les modifications de l'état des chromosomes dans le noyau d'une cellule au cours du cycle cellulaire.

2 (Doc 1) Indiquez comment les chromosomes sont disposés dans le noyau.

3 (Doc 2) Montrez en quoi l'organisation de l'ADN en interphase favorise son stockage dans le noyau.

4 (Doc 2 et 3) Comparez le nombre de chromatides d'un chromosome en phase G1 et en début de mitose puis établissez une relation entre vos observations et les caractéristiques de la phase S.

5 (Doc 3) Réalisez un schéma légendé d'un chromosome métaphasique.

VOCABULAIRE

Chromatine : complexe d'ADN et de protéines présent dans le noyau des cellules eucaryotes.

Chromatide : filament constitué d'une molécule d'ADN et formant un chromosome.

1 Les chromosomes au cours du cycle cellulaire

▶ Le Muntjac indien est un cervidé dont le nombre de chromosomes par cellule est le plus bas chez les mammifères : $2n = 6$. En réalisant, sur une culture de cellules de Muntjac indien, un marquage fluorescent spécifique de l'ADN de chaque chromosome (blanc pour le chromosome 1, vert pour le chromosome 2 et rouge pour le chromosome X), on a pu suivre le devenir des chromosomes en microscopie à fluorescence.

a Muntjac indien.

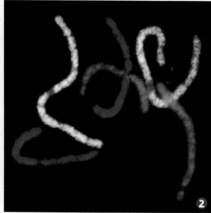

b Chromosomes de Muntjac dans le noyau en interphase ❶ et au début de la mitose ❷ (microscopie à fluorescence).

▶ La même technique a été utilisée pour suivre le devenir des 46 chromosomes d'une cellule humaine au cours du cycle cellulaire. Les données obtenues permettent de construire un modèle de l'état de chaque chromosome dans le noyau d'une cellule.

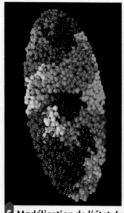

c Modélisation de l'état des chromosomes d'une cellule humaine lors du passage de la fin de l'interphase au début de la mitose.

2 Les chromosomes en interphase

▶ Au cours de l'interphase, grâce à la microscopie électronique, on peut observer dans le noyau des fibres de **chromatine** ressemblant à des colliers de perles et constituées chacune d'une molécule d'ADN régulièrement enroulée autour de protéines globulaires.

▶ Au début de l'interphase, en phase G1, chaque chromosome ne possède qu'une seule molécule d'ADN.

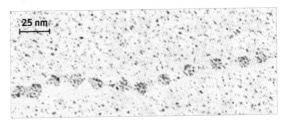

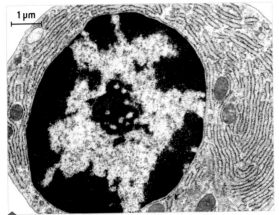

a Noyau d'une cellule contenant les chromosomes en interphase (MET).

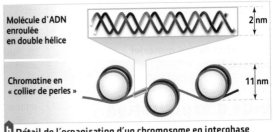

b Détail de l'organisation d'un chromosome en interphase et schéma d'interprétation.

3 Les chromosomes mitotiques

▶ Le maximum de condensation de la chromatine est atteint au milieu de la mitose. Les chromosomes sont alors appelés **chromosomes métaphasiques**. Contrairement à la phase G1, les chromosomes en début de mitose se caractérisent par la présence de **deux chromatides** liées au niveau du centromère. La position du centromère permet de distinguer, le plus souvent, un bras long et un bras court du chromosome.

▶ Chaque chromatide est constituée de l'association entre une molécule d'ADN et de nombreuses protéines formant la charpente du chromosome.

Chromosome **a** métaphasique humain (MEB, couleurs artificielles).

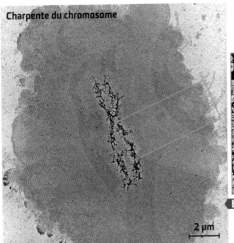

b **Fantôme de chromosome** (MET).
Un chromosome métaphasique est traité chimiquement de façon à provoquer la dispersion de l'ADN qu'il contient ; la charpente protéique reste visible et délimite les contours du chromosome avant traitement.

Activité 4

Réplication de l'ADN au cours de la phase S

La phase S est une étape de doublement de la quantité d'ADN permettant à chaque chromosome de passer de une à deux chromatides.

→ **Comment la cellule assure-t-elle la réplication de son matériel génétique ?**

Guide d'exploitation

1 (Doc 1) Réalisez pour chaque hypothèse un schéma précisant la structure des molécules d'ADN attendues à la seconde génération.

2 (Doc 1 et 2) Indiquez si les résultats expérimentaux obtenus par Meselson et Stahl après une génération permettent de valider l'une des hypothèses ? Après deux générations ? Justifiez votre réponse.

3 (Doc 3) Réalisez un schéma d'une fourche de réplication, vous distinguerez par une couleur différente les brins d'ADN parentaux et nouveaux.

4 (Doc 1 à 3) Justifiez qu'après la phase S, les deux chromatides d'un chromosome possèdent bien la même information génétique.

VOCABULAIRE

Enzyme : molécule protéique permettant d'accélérer une réaction chimique dans la cellule.

1 Les hypothèses possibles pour la réplication

▶ Dans leur désormais célèbre article de 1953, Watson et Crick ont proposé un modèle de l'ADN en double hélice dans lequel les quatre nucléotides sont complémentaires deux à deux.

▶ Quelques semaines plus tard, et sur la base de la règle de complémentarité, ces mêmes scientifiques ont proposé un modèle de séparation des deux brins d'ADN sur lesquels les nucléotides libres peuvent se fixer puis s'assembler afin de former deux molécules d'ADN identiques. Toutefois ce modèle de réplication semi-conservative n'était pas le seul proposé dans les années 1950.

a La structure de la molécule d'ADN.
Les quatre nucléotides ont été colorés avec une couleur différente.

▶ **Hypothèse 1** : les deux brins d'ADN de la molécule mère restent ensemble après avoir servis de modèle. C'est la **réplication conservative**.

▶ **Hypothèse 2** : chaque molécule fille d'ADN contient un brin de la molécule mère d'ADN et un brin nouvellement synthétisé. C'est la **réplication semi-conservative**.

▶ **Hypothèse 3** : les deux molécules filles d'ADN comportent des fragments d'ADN parental et d'ADN nouvellement synthétisé. C'est la **réplication dispersive**.

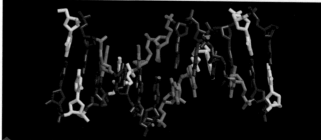

	Réplication conservative	Réplication semi-conservative	Réplication dispersive
Molécule d'ADN parental			
Molécules d'ADN de première génération			

b Les trois hypothèses du mode de réplication de l'ADN.

2 Expérience historique de Meselson et Stahl

◗ En 1958, Matthew Meselson et Franklin Stahl ont mis au point un protocole permettant de distinguer l'ADN nouvellement répliqué par rapport à l'ADN « ancien ».

◗ Des bactéries sont cultivées pendant plusieurs jours sur un milieu contenant un isotope « lourd » de l'azote (^{15}N). L'azote est l'un des atomes entrant dans la constitution des bases azotées de l'ADN.

◗ Ces bactéries sont ensuite transférées sur un milieu ne contenant que de l'azote « léger » (^{14}N) et permettant la synchronisation des divisions cellulaires : à partir de ce moment là, tout nouveau brin de l'ADN produit ne contiendra que de l'azote « léger » et pourra être distingué des brins d'ADN « anciens et lourds ».

◗ Des bactéries sont prélevées à différents moments et leur ADN est soumis à une centrifugation. Au cours de la centrifugation, les molécules d'ADN se positionnent dans le tube en fonction de leur densité : la densité de la molécule d'ADN est directement liée à la proportion des atomes d'azote ^{14}N ou ^{15}N qu'elle contient.

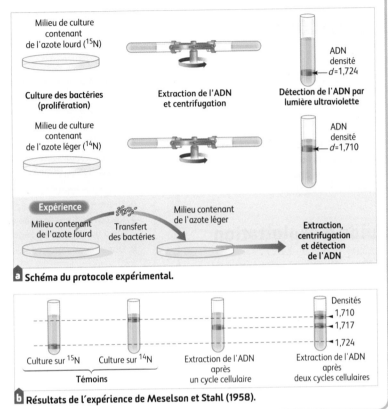

a Schéma du protocole expérimental.

b Résultats de l'expérience de Meselson et Stahl (1958).

3 Mécanismes moléculaires de la réplication

❝ Au cours de l'année 1958, Arthur Kornberg met en évidence l'existence dans les cellules d'une **enzyme** capable de synthétiser de nouvelles molécules d'ADN à partir d'ADN préexistant, de nucléotides et d'énergie. Il appela cette nouvelle enzyme l'ADN polymérase. ❞

◗ Les flèches indiquent les fourches de réplication : siège de la copie de l'information génétique.

◗ Au niveau d'une fourche de réplication, les deux brins de l'ADN se séparent puis les nucléotides contenus dans le noyau se fixent par complémentarité sur les nucléotides des deux brins d'ADN parentaux (appelés brins matrice). Ces nucléo-

tides sont ensuite associés entre eux par l'ADN polymérase. L'ADN polymérase progresse dans le même sens que l'ouverture de la molécule d'ADN matrice.

◗ Un œil de réplication est délimité par deux fourches de réplication et correspond à la région dans laquelle l'ADN a été répliqué. L'ADN entre deux yeux de réplication n'a pas encore été répliqué.

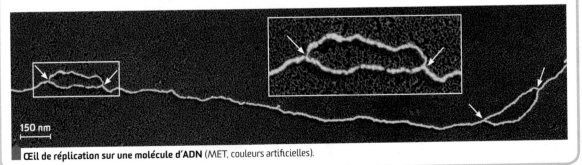

Œil de réplication sur une molécule d'ADN (MET, couleurs artificielles).

La mitose

Au cours du cycle cellulaire, la mitose permet de former, à partir d'une cellule mère, deux cellules filles génétiquement identiques.

→ Comment l'information génétique contenue dans les chromosomes est-elle également répartie entre les deux cellules filles ?

Guide d'exploitation

1 (Doc 1) D'après les observations microscopiques, réalisez les dessins des différentes phases de la mitose et placez-les dans un ordre chronologique.

2 (Doc 2) Décrivez les différentes étapes de la mitose.

3 (Doc 3) Justifiez que les deux chromatides du chromosome 1 soient bien marquées de façon identique par les sondes fluorescentes.

4 (Doc 2 et 3) Schématisez le devenir du chromosome 1 avec les allèles d'un gène marqué depuis la cellule mère jusqu'aux deux cellules filles.

5 En conclusion, expliquez en quoi la mitose permet une transmission à l'identique du patrimoine génétique de la cellule mère aux cellules filles et justifiez l'expression « reproduction conforme ».

VOCABULAIRE

Cytosquelette : système de filaments protéiques qui donne à la cellule sa forme et qui intervient, entre autre, dans les mouvements des chromosomes.

Locus : emplacement physique d'un gène sur un chromosome.

1 Observation de cellules végétales en mitose

RÉALISER

1. Prélever 5 mm d'une extrémité de jeune racine (ail ou oignon).

2. Placer l'échantillon dans un verre de montre contenant de l'acide chlorhydrique pendant 5 min.

3. Rincer abondamment l'échantillon à l'eau distillée.

4. Recouvrir de quelques gouttes d'orcéine acétique et laisser agir pendant 15 min.

5. Rincer à l'eau distillée.

6. Placer l'échantillon sur une lame et recouvrir d'une goutte d'acide acétique 45 %.

7. Recouvrir d'une lamelle et écraser légèrement de façon uniforme à l'aide d'un bouchon de liège ou d'une gomme.

8. Observer au microscope.

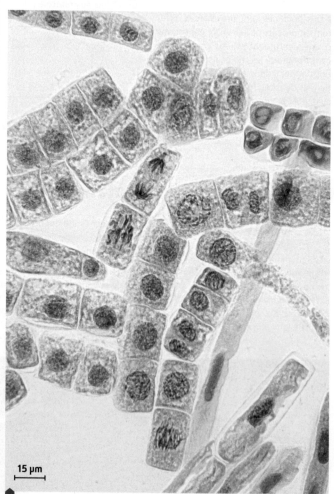

15 µm

Cellules de racines d'ail colorées à l'orcéine acétique (MO).

2 La mitose chez les cellules animales

▶ Après un marquage par fluorescence, les chromosomes apparaissent en bleu et certains éléments du **cytosquelette** en vert et forment ainsi un fuseau de division.

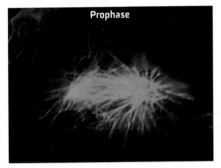
Prophase

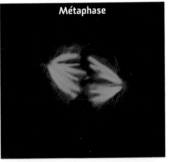
Métaphase

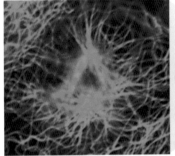
4 µm

Anaphase

INTERPHASE — MITOSE

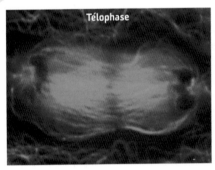
Télophase

◀ **Cellule épithéliale de rein de rat kangaroo au cours de l'interphase et des différentes étapes de la mitose** (MO en fluorescence).

3 Transmission des gènes au cours de la mitose

▶ La technique de FISH consiste à utiliser une sonde fluorescente d'ADN qui a pour propriété de se fixer sur toute molécule d'ADN qui possède une séquence complémentaire (ADN cible). Toute modification de quelques nucléotides de l'ADN cible empêche la sonde de se fixer. On utilise cette technique pour localiser par exemple le **locus** d'un gène.

▶ Dans une cellule humaine, le chromosome 1 est marqué par deux sondes ADN fluorescentes spécifiques de deux gènes différents (MASP2 en rose, et RPL11 en vert) puis observé au cours de la métaphase.

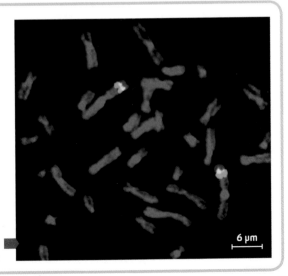
6 µm

Technique de FISH appliquée au cours de la métaphase pour localiser deux gènes situés sur le chromosome 1.

Bilan des Activités

Activité 1

La reproduction cellulaire : étape de la vie

▶ Les temps de génération des cellules sont très variables, certaines se multiplient rapidement tandis que d'autres ont perdu leur capacité de division. Les organismes unicellulaires se multiplient plus rapidement que les cellules des organismes pluricellulaires.

▶ Une population de levure se multiplie rapidement, son temps de génération est d'environ 90 minutes.

▶ À l'issue d'une division cellulaire, le nombre et la morphologie des chromosomes sont identiques entre les cellules filles et la cellule mère. Les caractéristiques du carotype ont été conservées.

▶ Quel que soit le temps de génération, une cellule passe alternativement d'une phase de division à l'interphase. L'ensemble de ces deux phases constituent un cycle cellulaire.

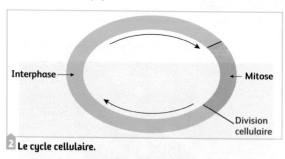

1 Croissance d'une population de levures.

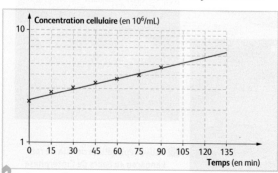

2 Le cycle cellulaire.

Activité 2

L'interphase

▶ Le diamètre cellulaire est régulièrement croissant depuis la phase G1 vers la phase G2. L'intensité du marquage à l'iodure de propidium en phase G2 est le double de celui en phase G1, on peut supposer qu'il y a doublement de la quantité d'ADN au cours de la phase S. Cette hypothèse est confirmée par l'étude de cultures cellulaires synchrones.

▶ Au cours de la phase G1, la masse et le volume de la cellule de levure augmentent rapidement. Elle accumule aussi de grandes quantités de protéines et de lipides. La phase G2 se caractérise par une poursuite de la croissance cellulaire et la division de certains organites comme les mitochondries.

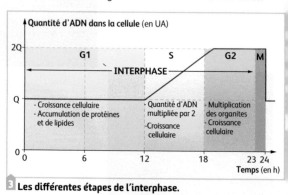

3 Les différentes étapes de l'interphase.

Activité 3

Les chromosomes dans la cellule

▶ Les chromosomes sont décondensés au cours de l'interphase puis se condensent fortement au début de la mitose. Les chromosomes ne sont pas entremêlés dans le noyau mais s'organisent en domaines distincts.

▶ Dans le noyau interphasique, on observe des fibres de 11 nm d'épaisseur. Elles résultent de l'enroulement d'une molécule d'ADN longue et linéaire autour de protéines cylindriques ce qui augmente sa compaction et diminue donc son encombrement. Ce phénomène favorise son stockage dans le volume limité que représente le noyau.

▶ En phase G1, chaque chromosome est peu condensé et composé d'une seule chromatide. À l'inverse, les chromosomes métaphasiques sont très condensés et sont composés de deux chromatides reliées par le centromère. La phase S caractérisant par un doublement de la quantité d'ADN, on peut proposer que la deuxième chromatide de chaque chromosome est produite au cours de cette phase.

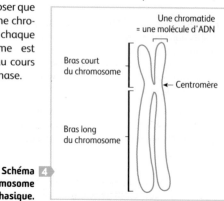

Schéma **4** d'un chromosome métaphasique.

Activité 4

Replication de l'ADN au cours de la phase S

▶ Dans l'expérience de Meselson et Stahl, les résultats après une génération cellulaire permettent d'exclure l'hypothèse d'une réplication conservative à cause de la densité intermédiaire de l'ADN obtenu. Après deux générations, la présence d'ADN ne possédant que de l'azote léger valide l'hypothèse de la réplication semi-conservative uniquement.

	Réplication conservative	Réplication semi-conservative	Réplication dispesive
Molécule d'ADN parental			
Molécules d'ADN de la première génération			
Molécules d'ADN de la deuxième génération			

5 Les trois hypothèses du mode de réplication de l'ADN.

▶ Chaque nouveau brin produit par l'ADN polymérase est complémentaire du brin matrice et chaque nouvelle molécule d'ADN comporte donc un brin déjà présent dans l'ADN parental et un brin nouveau. Au cours de la phase S, et en absence d'erreurs, l'ADN polymérase produit deux copies identiques de chaque molécule d'ADN : les deux chromatides constituant chaque chromosome en fin de phase S possèdent donc la même information génétique.

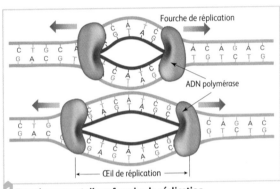

6 Fonctionnement d'une fourche de réplication

Activité 5

La mitose

Prophase	Métaphase	Anaphase	Télophase
Les chromosomes se condensent et l'enveloppe nucléaire disparaît.	Les chromosomes, attachés au cytosquelette, se disposent sur plan equatorial.	Les chromosomes fils à une chromatide migrent vers les pôles de la cellule.	Les chromosomes se décondensent, les enveloppes nucléaires se reconstituent et les deux cellules s'individualisent.

7 Les différentes étapes de la mitose.

▶ La mitose se décompose en quatre étapes successives : prophase, métaphase, anaphase et télophase.

▶ Un chromosome à deux chromatides possède sur chaque chromatide un allèle de chaque gène. Grâce à la réplication semi-conservative, ces allèles sont identiques sur les deux chromatides. Lors de l'anaphase, les chromatides se séparent au niveau du centromère assurant que chaque cellule fille reçoit une chromatide de chaque chromosome. Les cellules filles produites sont identiques entre elles et à la cellule mère, la reproduction cellulaire est conforme.

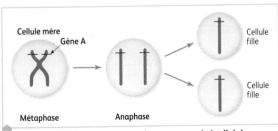

8 Transmission des allèles d'un gène au cours de la division cellulaire conforme.

Reproduction conforme de la cellule et réplication de l'ADN

Je retiens par le texte

1 La reproduction conforme de la cellule

▶ La mitose est une division cellulaire correspondant à une reproduction conforme car elle conserve toutes les caractéristiques du caryotype (nombre et morphologie des chromosomes) de la cellule mère.

▶ Les chromosomes, visibles durant la mitose, sont des structures constantes des cellules eucaryotes. Ils sont dans des états de condensation variables au cours du cycle cellulaire. Une molécule d'ADN est sous forme de chromatine dans le noyau durant l'interphase, et constitue une chromatide de chromosome durant la mitose

2 La réplication de l'ADN

▶ Au cours de la phase S du cycle cellulaire, on observe un doublement de la quantité d'ADN dû au processus de réplication se déroulant selon un mode semi-conservatif. En absence d'erreur, ce phénomène préserve la séquence des nucléotides de la cellule mère grâce à la complémentarité des bases entre l'ancien et le nouveau brin d'ADN. La réplication n'est donc pas une simple duplication de la quantité d'ADN, c'est aussi la réalisation d'une copie conforme de la séquence des nucléotides qu'elle porte.

▶ Ainsi les deux cellules filles provenant par mitose d'une cellule mère possèdent la même information génétique.

MOTS CLÉS

Caryotype : Photographie de l'ensemble des chromosomes d'une cellule en métaphase classés selon leur taille et leur morphologie.

Chromatide : Filament constitué d'une molécule d'ADN et formant un chromosome.

Chromatine : Complexe d'ADN et de protéines présent dans le noyau des cellules eucaryotes.

Cycle cellulaire : Ensemble des modifications subies par une cellule depuis sa formation jusqu'à sa division en deux cellules filles.

Interphase : Période qui sépare deux mitoses.

Mitose : Division cellulaire permettant à une cellule mère de former deux cellules filles (reproduction conforme).

Réplication semi-conservative : Processus de copie de l'information génétique basé sur la complémentarité des bases. Chaque nouvelle copie d'ADN est formée d'un brin ancien et d'un brin nouveau.

Reproduction conforme : Reproduction d'une cellule ou d'un organisme dans lequel les descendants ont la même information génétique que l'unique parent.

Je me suis entraîné à

■ **Manipuler et expérimenter :**
● en dénombrant des levures au microscope ;
● en réalisant une préparation microscopique de racine.

■ **Recenser, extraire et organiser des informations :**
● en recherchant les caractéristiques des différentes étapes de l'interphase ;
● en recherchant les modifications de la compaction de l'ADN au cours d'un cycle cellulaire.

■ **Raisonner :**
● pour comprendre que réplication et mitose participent à la reproduction conforme d'une cellule.

Je retiens par l'image

Animation interactive

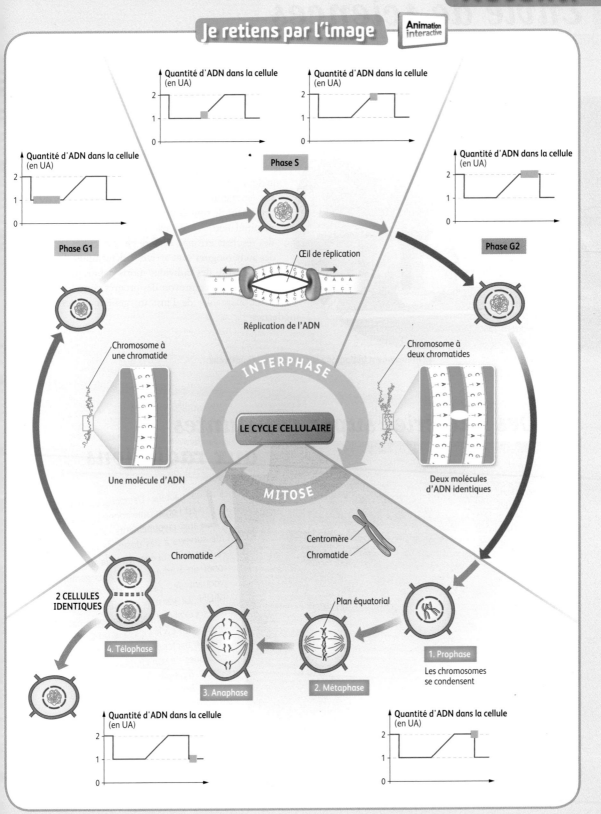

Quantité d'ADN dans la cellule (en UA)

Phase S

Quantité d'ADN dans la cellule (en UA)

Quantité d'ADN dans la cellule (en UA)

Phase G1

Phase G2

Œil de réplication

Réplication de l'ADN

Chromosome à une chromatide

Chromosome à deux chromatides

INTERPHASE

LE CYCLE CELLULAIRE

MITOSE

Une molécule d'ADN

Deux molécules d'ADN identiques

Chromatide

Centromère
Chromatide

2 CELLULES IDENTIQUES

Plan équatorial

4. Télophase

3. Anaphase

2. Métaphase

1. Prophase

Les chromosomes se condensent

Quantité d'ADN dans la cellule (en UA)

Quantité d'ADN dans la cellule (en UA)

Chapitre 1. Reproduction conforme de la cellule et réplication de l'ADN **25**

Envie de sciences

Les mystères de l'ADN ancien

De la même façon que la police scientifique récupère des molécules d'ADN actuel sur des échantillons de sang ou de salive, on peut extraire de l'ADN ancien à partir de fragments d'os, dans des sépultures par exemple. Les quelques molécules obtenues sont amplifiées mais gare aux contaminations ! La moindre molécule d'ADN provenant de tout être vivant actuel (bactérie, mains du manipulateur,…) sera elle aussi amplifiée et conduira à des résultats erronés. Malgré ces difficultés techniques, des archéologues sont arrivés à déterminer des liens de parenté entre des individus morts depuis plus de 2 000 ans, ce qui laisse entrevoir des progrès considérables dans notre connaissance de l'histoire génétique des hommes modernes.

■ Prélèvement biologique sur une momie égyptienne.

Des bactéries super-résistantes aux radiations

La bactérie *Deinococcus radiodurans* est l'organisme connu le plus résistant aux rayonnements, elle est capable de survivre à des doses de rayons gamma 1 000 fois supérieures à la dose mortelle pour un Homme. Les rayons gamma provoquent des cassures des deux brins de l'ADN. La résistance extrême de ces bactéries s'explique par un génome particulier ainsi qu'un cycle cellulaire un peu modifié. Chaque bactérie possède huit exemplaires identiques de son chromosome : en cas de cassure multiple de son ADN, la bactérie associe les fragments indemnes de tous ses chromosomes de façon à retrouver son ADN original intact. Ce n'est qu'après cette étape de réparation que la réplication de l'ADN peut s'enclencher et la bactérie se diviser.

■ Quatre cellules de *Deinococcus radiodurans* (MET).

Ingénieur de police technique et scientifique

Les ingénieurs de police scientifique ont pour mission de diriger l'ensemble des analyses de traces de matériels biologiques prélevés au cours d'une enquête. Ce travail s'effectue en collaboration étroite avec les magistrats et les services de police. Des actions de coopération sont possibles à l'échelle internationale dans le cadre d'Interpol.

Les ingénieurs sont souvent amenés à encadrer du personnel placé sous leur autorité voire diriger un service de police scientifique.

Du fait de l'évolution permanente des techniques d'analyse, les ingénieurs suivent des formations régulières, certains peuvent effectuer de la recherche en criminalistique.

www.lesmetiers.net

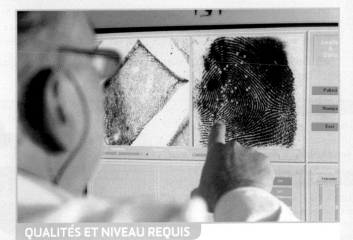

QUALITÉS ET NIVEAU REQUIS

▸ Être très rigoureux et organisé dans son travail

▸ Savoir travailler en équipe

▸ Maîtriser les bases de l'anglais

▸ Bac scientifique puis 5 ans d'étude (diplôme d'ingénieur en sciences)

▸ Le recrutement se fait par concours en fonction de la spécialité (biologie, géologie, toxicologie, chimie...)

Cultiver de la peau

Chez les individus brûlés à très haut degré sur de petites surfaces, les chirurgiens peuvent greffer de la peau prélevée à un autre endroit du corps. Mais comment faire chez les grands brûlés quand la majorité de la peau a complètement disparu ? Auparavant, les médecins utilisaient de la peau prélevée chez d'autres individus, mais cette technique entraînait un risque élevé de rejet par le patient.

Des scientifiques ont alors développé de la peau « artificielle » : quelques cellules de peau encore vivantes sont prélevées chez le patient puis mises en culture dans un milieu contenant des molécules activant le cycle cellulaire. Après trois semaines de culture, on obtient une grande surface de peau en parfait état qui peut être greffée chez le patient sans risque de rejet.

■ Décollement de peau du fond d'une boîte de culture avant application sur le patient.

Numériser une préparation microscopique et utiliser un logiciel de mesure

Les racines des végétaux subissent une croissance continue permettant d'explorer un substrat toujours riche en matières minérales et d'assurer ainsi la nutrition de l'organisme. Le développement d'une racine mêle à la fois divisions et croissance cellulaire. Les noyaux des cellules de racine mesurent environ 6 µm de diamètre.

➔ **On cherche à déterminer si multiplication cellulaire et croissance cellulaire se déroulent au même endroit dans une racine.**

Capacités évaluées

▸ Utiliser un microscope
▸ Utiliser un logiciel de mesure
▸ Représenter une observation par une image numérique

Matériel disponible

▸ Une lame d'une coupe longitudinale d'extrémité de racine de jacinthe
▸ Un microscope relié à un appareil photo numérique
▸ Des logiciels de traitement d'image, de mesure (ex : Mesurim) et de présentation numérique (ex : OpenOffice Writer ou Impress)

Conclusions attendues

▸ 1. La zone 1 est une zone de multiplication cellulaire, les cellules ont une petite taille.
▸ 2. Les zones 2 et 3 sont des zones de croissance cellulaire, les cellules ne s'y divisent quasiment plus mais s'allongent fortement.
▸ 3. La multiplication cellulaire et la croissance cellulaire ont lieu dans des zones distinctes de la racine.

Critères de réussite

➔ Les zones 1 et 3 sont numérisées. Le champ du microscope dans la zone 1 doit présenter au moins une figure de mitose identifiée.

➔ La longueur des cellules de chaque zone numérisée est mesurée en prenant comme référence la longueur des noyaux.

➔ Les deux images titrées et légendées sont présentées de façon comparative sur une feuille numérique.

➔ L'interprétation des résultats obtenus est exacte et complète.

➔ Le matériel est rangé.

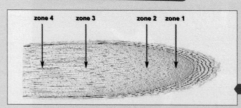

zone 4   zone 3   zone 2   zone 1

1 Les différentes zones de l'extrémité d'une racine.

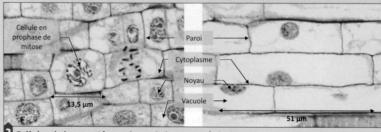

Cellule en prophase de mitose

Paroi

Cytoplasme

Noyau

Vacuole

13,5 µm

51 µm

2 Cellules de la zone 1 à gauche et de la zone 3, à droite.

Évaluer ses connaissances

Tests rapides

Animation interactive

1 Quelques définitions à maîtriser

Définir brièvement les mots ou expressions suivants :
- Mitose • Interphase • Caryotype
- Réplication semi-conservative • Chromatide

2 Questions à choix multiple

Parmi les affirmations suivantes, choisissez la (ou les) réponse(s) exacte(s).

1 Au cours du cycle cellulaire, les chromosomes :
a. sont davantage condensés en phase M qu'en interphase.
b. possèdent une chromatide en phase G1.
c. possèdent deux chromatides en phase G1.

2 Le cycle cellulaire :
a. est la succession de deux phases, la phase G1 et la phase M.
b. est de durée constante entre les différentes cellules.
c. permet à une cellule d'en donner deux identiques.

3 La mitose se décompose, dans l'ordre, en :
a. anaphase, prophase, métaphase, télophase.
b. prophase, télophase, anaphase, métaphase.
c. prophase, métaphase, anaphase, télophase.

4 La photographie 1 montre une cellule :
a. en interphase.
b. en anaphase de mitose.
c. dont chaque chromosome possède une chromatide.

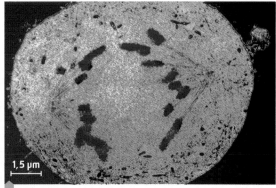

1,5 µm

Photographie 1 (MET, image colorisée).

5 Dans le cycle cellulaire :
a. la phase G2 est une phase d'inactivité cellulaire.
b. la réplication de l'ADN a lieu uniquement en phase S.
c. la phase G1 est une phase de croissance cellulaire.

6 La réplication de l'ADN est :
a. conservative.
b. semi-conservative.
c. dispersive.

7 La division cellulaire est une reproduction :
a. qui conserve le nombre mais pas la morphologie des chromosomes.
b. qui conserve le nombre et la morphologie des chromosomes.
c. qui conserve la morphologie mais pas le nombre des chromosomes.

3 Analyse d'un document

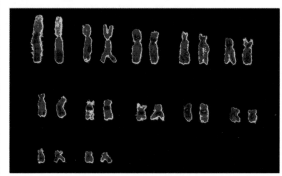

Parmi les affirmations suivantes, choisissez la (ou les) réponse(s) exacte(s).

1 Ce document :
a. est un caryotype réalisé en métaphase de mitose.
b. est un caryotype réalisé en anaphase de mitose.
c. montre des chromosomes à deux chromatides.

2 La cellule utilisée pour réaliser cette photographie :
a. est une cellule humaine.
b. est haploïde.
c. contient 2 n = 24 chromosomes.

Restituer ses connaissances

4 Organiser une réponse argumentée

Exposez les mécanismes cellulaires permettant la conservation des caractéristiques du caryotype de génération en génération dans une cellule contenant 2 n = 4 chromosomes.

5 Élaborer un texte illustré

À l'aide d'un texte court illustré par des schémas, présentez les différentes étapes de la mitose.

Exercices

Exercice guidé

6 Durée des phases du cycle cellulaire

▶ La durée du cycle cellulaire, ainsi que des phases qui le constituent, varie d'un type cellulaire à l'autre. On cherche à déterminer expérimentalement la durée de chacune des quatre phases du cycle cellulaire (G1, S, G2 et M) pour trois populations cellulaires différentes ainsi que l'effet d'une irradiation sur la durée de ces phases.

▶ Dans une culture cellulaire non synchrone, le pourcentage de cellules se trouvant dans une phase donnée du cycle représente le pourcentage du temps que dure cette phase par rapport à la durée du cycle complet. Par exemple, si à un moment donné, on observe 5 % des cellules en mitose, on en déduit que la mitose représente 5 % du cycle cellulaire complet.

▶ Les pourcentages de cellules en G1, S et G2/M dans une culture sont déterminés à l'aide d'un marquage à l'iodure de propidium. La fluorescence de chaque cellule est ensuite analysée ; l'intensité de la fluorescence est directement proportionnelle à la quantité d'ADN possédée par chaque cellule. Sur le graphique obtenu (document 1), on détermine les cellules en phases G1, S et G2/M en fonction de l'intensité de la fluorescence mesurée, chaque surface ainsi délimitée est proportionnelle au pourcentage des cellules dans chacune des phases (document 2).

▶ Une culture de cellules de peau de souris en prolifération est soumise à un rayonnement ultraviolet. Deux heures après exposition, la proportion des cellules dans les différentes phases du cycle cellulaire est déterminée par marquage à l'iodure de propidium (document 3). Les UV provoquent des cassures dans les molécules d'ADN.

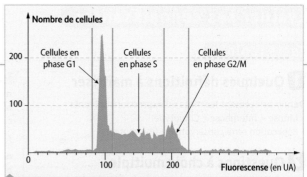

1 Analyse d'une population cellulaire non synchrone marquée à l'iodure de propidium. La surface des pics est proportionnelle au pourcentage de cellules dans chaque phase.

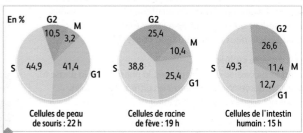

2 Pourcentage de cellules dans chacune des phases du cycle cellulaire déterminée après marquage à l'iodure de propidium.

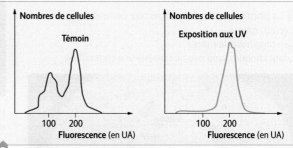

3 Analyse d'une population cellulaire exposée ou non aux rayons UV et marquée à l'iodure de propidium.

QUESTIONS

1 Justifiez l'identification de chaque phase du cycle cellulaire en fonction de l'intensité de la fluorescence.

2 Réalisez un tableau exprimant la durée en heure de chacune des phases du cycle pour les trois types cellulaires proposés

3 Comparez la durée de la phase G1 et de l'ensemble des phases S+G2+M. Identifiez la phase du cycle dont la durée varie fortement d'une cellule à une autre ?

4 Déterminez l'effet d'une exposition aux rayons UV sur le déroulement du cycle cellulaire? Justifiez votre réponse.

Guide de résolution

1 Rappeler l'évolution de la quantité d'ADN au cours d'un cycle cellulaire complet.

2 Utiliser la relation entre le pourcentage de cellules observées dans une phase et la durée relative de cette phase par rapport à la durée d'un cycle complet.

3 Calculer la somme des durées des phases S, G2 et M et la comparer à la durée de la phase G1 dans chaque type cellulaire.

4 Déterminer la phase du cycle cellulaire dans laquelle se trouve la majorité des cellules après irradiation. En déduire si les cellules exposées aux UV peuvent terminer leur cycle cellulaire.

Appliquer ses connaissances

7 Une expérience pour déterminer le mode de réplication

Le BrdU est un nucléotide modifié qui peut être utilisé par la cellule à la place d'un nucléotide à thymine (appelé thymidine).

Des cellules de mammifère sont cultivées pendant deux cycles cellulaires et de façon synchrone dans un milieu contenant du BrdU. Les cellules sont prélevées pendant la métaphase de la deuxième division cellulaire puis les chromosomes sont colorés à l'acridine orange et observés en microscopie optique à fluorescence. Les chromatides qui contiennent du BrdU dans un seul des deux brins de la molécule d'ADN apparaissent jaune tandis que les chromatides dont la totalité de la double hélice d'ADN contient du BrdU apparaissent très orangés.

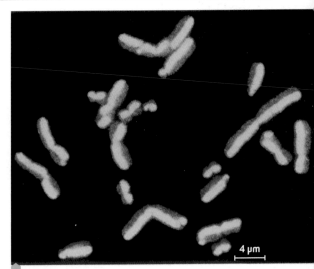

Résultats expérimentaux :
chromosomes après traitement au BrdU (MO).

QUESTIONS

1 Rappelez quelles sont les différentes hypothèses concernant le mode de réplication de l'ADN.

2 Expliquez à l'aide de schémas quelle hypothèse est validée par cette expérience.

3 On cultive ces cellules pendant un cycle supplémentaire sans Brdu et on observe les chromosomes au cours de la troisième division cellulaire. Observerait-on la même coloration des chromosomes dans toutes les cellules ? Justifiez votre réponse.

8 Observation de chromosomes

On réalise une préparation de chromosomes à partir d'une culture de levures dont les cycles cellulaires sont synchrones.

Les résultats sont présentés dans la photographie ci-contre. Les flèches indiquent les zones d'ouverture de la molécule d'ADN.

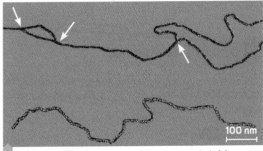

Préparation de chromosomes (MET, image colorisée).

QUESTIONS

1 Indiquez combien de chromosomes sont visibles.

2 Au cours de quelle étape du cycle cellulaire cette préparation a-t-elle été réalisée ? Justifiez votre réponse.

3 Réalisez un schéma présentant la structure de l'ADN au niveau des zones fléchées.

9 Le cycle cellulaire des cellules embryonnaires

Chez les amphibiens, la première étape du développement après la fécondation s'appelle la segmentation. Elle se caractérise par une intense prolifération des cellules embryonnaires qui se divisent toutes les 30 min environ. On suit l'évolution de la quantité d'ADN dans une de ces cellules au cours de deux cycles cellulaires successifs.

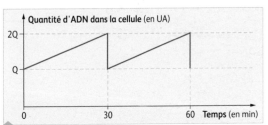

Évolution de la quantité d'ADN dans une cellule embryonnaire d'amphibien au cours de la segmentation.
Deux cycles cellulaires sont représentés.

QUESTIONS

1 Identifiez les phases du cycle cellulaire parcourues par une cellule au cours de la segmentation. Que remarquez-vous ?

2 Proposez une hypothèse sur l'évolution de la taille moyenne des cellules embryonnaires au cours de la segmentation.

Exercices

Appliquer ses connaissances

10 Mesure de la vitesse de réplication

▷ Des cellules humaines sont cultivées pendant 20 min en présence d'un nucléotide fluorescent vert, puis pendant 20 min en présence d'un nucléotide fluorescent rouge. Ces nucléotides ne peuvent être incorporés que dans l'ADN en cours de réplication. À l'issue du marquage, les molécules d'ADN sont observées en microscopie à fluorescence.

▷ Cette technique permet de mesurer la vitesse de réplication qui s'obtient en divisant la longueur du segment de couleur verte (ou rouge) par le temps d'incubation en présence du nucléotide fluorescent. On peut l'appliquer aussi bien sur les chromosomes nucléaires que sur l'ADN contenu dans certains organites des cellules eucaryotes (mitochondries et chloroplastes).

QUESTIONS

1 Calculez la vitesse de réplication dans les cellules humaines.

2 Comparez les vitesses de réplication des différents organismes, que remarquez-vous ?

3 Le génome humain a une taille proche de celui de la souris. Calculez le temps nécessaire à la réplication complète du génome d'une cellule humaine dans le cas d'une seule origine de réplication par chromosome. Est-ce compatible avec vos connaissances sur le temps de génération des cellules humaines ? Qu'en déduisez-vous ?

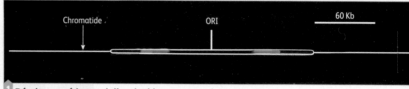

1 **Résultat expérimental d'un double marquage chromosomique** par nucléotides fluorescents vert et rouge.
ORI : origine de réplication. 1 kb = 1000 paires de bases.

Organisme	Taille du génome (en pb)	Nombre d'origines de réplication	Vitesse de réplication (en paires de bases/min)
Bactérie	$4,6.10^6$	1	60 000
Levure	12.10^6	500	3 600
Mouche du fruit	$1,2.10^8$	3 500	2 600
Souris	3.10^9	25 000	2 200

2 **Vitesse de réplication et nombre d'origines de replication chez différents organismes.**

11 Une cellule atypique

▷ Un gène du chromosome 21 est marqué en fluorescence rose par la technique de FISH dans une cellule prélevée chez un fœtus humain.

QUESTIONS

1 Indiquez à quelle étape du cycle cellulaire cette photographie a été réalisée.

2 Que remarquez-vous ?

3 Précisez de quelle maladie ce fœtus est-il atteint ?

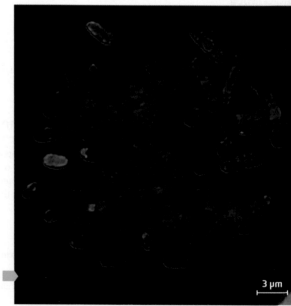

Résultat expérimental du marquage FISH d'un gène du chromosome 21 (MO).
Les chromosomes ont été colorés en bleu.

3 µm

La science AUTREMENT

In ENGLISH

12 To be a cell division supervisor

On the official Nobel prize website, one can become a cell division supervisor the time of a game :
http://nobelprize.org/educational/medicine/2001/cellcycle.html

QUESTIONS

1 Describe the key signal which triggers the division of a skin cell.

2 List the main steps a cell must follow to achieve a complete cell cycle.

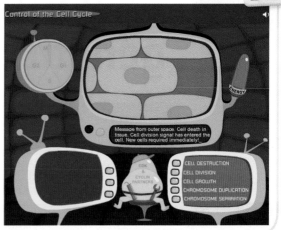

ARTS & sciences

13 Des chromosomes au salon...

Il n'y a jamais eu de barrières entre art, design et science. Les artistes se sont toujours considérablement inspirés des découvertes scientifiques.

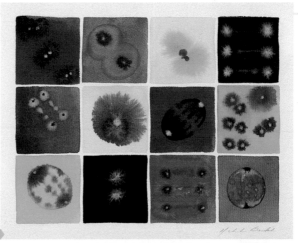

Des cellules. **1**

Une table. **2**

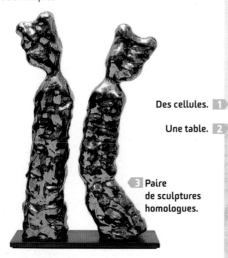

3 Paire de sculptures homologues.

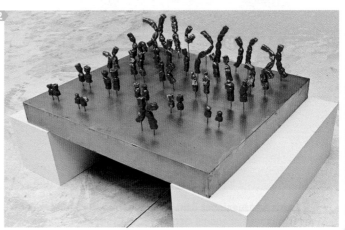

QUESTIONS

1 Identifiez à quoi fait référence chacune de ces œuvres.

2 Associez chaque représentation artistique à une phase du cycle cellulaire.

L'expression du patrimoine génétique

▶ L'ADN porte l'ensemble des informations nécessaires à la vie cellulaire : c'est la molécule informative des cellules. Chez les organismes eucaryotes, l'ADN est localisé dans le noyau des cellules.

▶ On compte environ 25 000 gènes chez l'Homme et davantage encore de protéines qui déterminent l'ensemble des caractères de notre espèce.

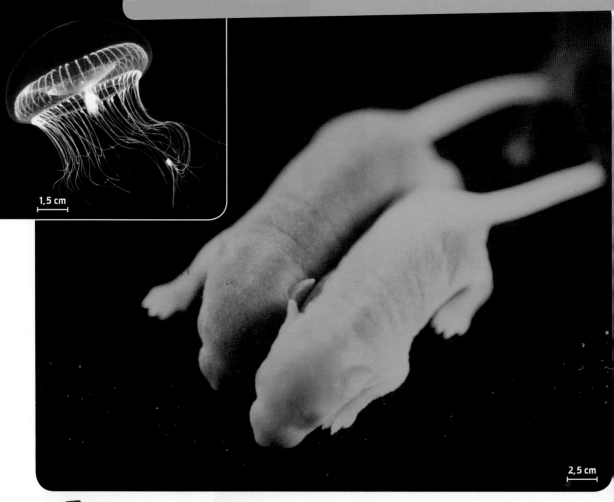

1,5 cm

2,5 cm

1 Souris transgéniques dans lesquelles on a introduit le gène à l'origine de la fluorescence chez la méduse *Aequorea victoria* (en haut à gauche).

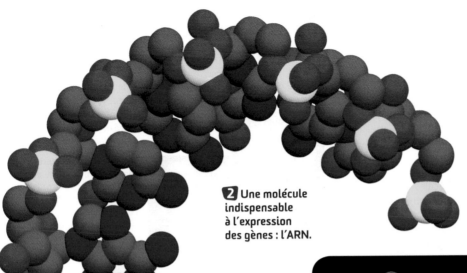

2 Une molécule indispensable à l'expression des gènes : l'ARN.

0,1 nm

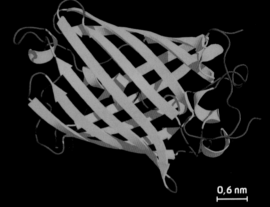

0,6 nm

3 Protéine GFP en structure moléculaire tridimentionnelle.

4 Marshall Nirenberg (1927- 2010), biochimiste et prix Nobel de physiologie et de médecine pour sa découverte du code génétique.

Comment se réalise l'expression de l'information génétique ?

➡ Activités 1 et 2

Quels sont les processus permettant le passage de la séquence d'une molécule d'ADN à la séquence d'une protéine ?

➡ Activités 3 et 5

Comment expliquer qu'un gène puisse être à l'origine de plusieurs protéines ?

➡ Activité 6

Activité 1

Une correspondance ADN-protéine

Les protéines sont des molécules du vivant caractérisées par une très grande diversité, à la fois dans leur structure et leur fonction. Certains caractères génétiques, comme la fluorescence de la méduse, sont directement associés à la présence d'une protéine.

→ **Quelle relation peut-on mettre en évidence entre ADN et protéine ?**

Guide d'exploitation

1 (Doc 1) Relevez les observations indiquant une possible relation entre ADN et protéine.

2 (Doc 2) Réalisez un schéma explicatif à l'échelle cellulaire de l'expérience de transgénèse. En quoi cette expérience confirme-t-elle le lien entre ADN et protéine ?

3 (Doc 3) Recherchez l'origine moléculaire de la différence de propriétés de ces deux molécules protéiques.

4 (Doc 3) Comparez les séquences nucléotidiques des deux gènes impliqués dans ce caractère.

5 (Doc 3) Proposez une relation entre ADN et protéines.

1 La GFP : une protéine fluorescente

▶ La GFP est une protéine fluorescente verte de 238 acides aminés découverte en 1962. La teinte de la fluorescence peut légèrement varier entre des populations différentes de méduses, la transmission de ce caractère est héréditaire.

Modèle de la structure de la GFP. Trois acides aminés sont mis en évidence par des couleurs différentes: sérine 65 (jaune), tyrosine 66 (rouge) et glycine 67 (bleu).

2 Une approche expérimentale du lien ADN-protéine

▶ On réalise une expérience de **transgénèse** sur des bactéries. Des fragments d'ADN porteurs de l'information génétique responsable du caractère fluorescent sont extraits de cellules de méduse *Aequorea victoria*. Des bactéries sont ensuite prélevées sur une boîte de pétri et mises en suspension dans un tube contenant la solution d'ADN de méduse. Les bactéries sont alors soumises à un choc thermique qui désorganise temporairement leur enveloppe et permet l'entrée des molécules d'ADN dans leur cytoplasme.

▶ Les cellules ainsi traitées sont étalées sur une boîte de pétri et mises en culture pendant 24 h.

a **Prélèvement d'une colonie bactérienne.**

b **Mise en suspension des bactéries dans le milieu de culture ❶ et étalement sur boîte de pétri ❷.**

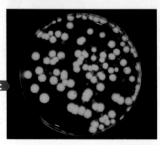

Résultat expérimental. **c**
Les bactéries incubées avec de l'ADN portant le gène de fluorescence, observées sous une lampe UV, révèlent la fluorescence.

3 Les protéines, expression de l'information génétique

❱ Il existe des protéines GFP qui fluorescent dans des longueurs d'onde différentes. Pour comprendre l'origine de la différence de propriété de fluorescence, on compare la **séquence** des acides aminés de ces deux protéines.

❱ Afin de rechercher la nature de la relation entre ADN et protéine, on analyse la séquence nucléotidique des gènes porteurs de l'information « caractère fluorescent ».

Étalement de trois cultures de bactéries **a** transgéniques obtenues avec de l'ADN porteur du « caractère fluorescent » dans différentes longueurs d'onde.

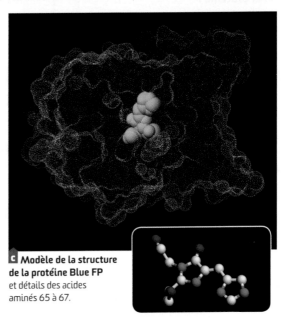

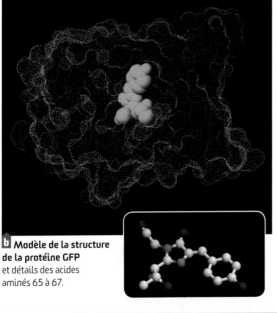

b Modèle de la structure de la protéine GFP et détails des acides aminés 65 à 67.

c Modèle de la structure de la protéine Blue FP et détails des acides aminés 65 à 67.

d Portion des séquences en nucléotides de deux gènes porteurs de l'information « caractère fluorescent ».

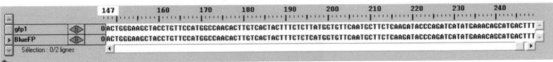

e Portion des séquences en acides aminés de deux protéines fluorescentes.

Activité 2

De l'ADN à la protéine, une relation indirecte

Des cellules eucaryotes à qui on a ôté le noyau peuvent toujours réaliser la synthèse de protéines durant un certain laps de temps.

→ **Comment mettre en évidence l'existence d'un intermédiaire entre ADN et protéine ?**

Guide d'exploitation

1 (Doc 1) Quel problème biologique relatif à la relation ADN-protéine soulève la localisation du processus de synthèse des protéines dans la cellule ?

2 (Doc 2) Précisez la localisation cellulaire de l'ARN.

3 (Doc 3) Déterminez le rôle joué par l'ARN dans le processus de synthèse des protéines.

4 (Doc 4) En quoi ces résultats expérimentaux valident-ils la réponse précédente ?

5 En conclusion, illustrez par un schéma de cellule eucaryote la fonction jouée par l'ARN dans la relation ADN-protéine.

1 Localisation cellulaire de la synthèse protéique

▶ La culture de cellules dans un milieu contenant des acides aminés radioactifs va permettre de repérer la localisation du processus de synthèse des protéines.

▶ Pour cela, on incube les cellules pendant quelques minutes avec de la leucine radioactive puis on réalise une autoradiographie (Voir Fiche technique).

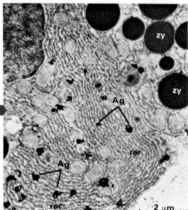

Autoradiographie d'une cellule animale en culture après incubation avec un acide aminé radioactif. Les points noirs permettent de localiser la radioactivité, c'est-à-dire les protéines nouvellement synthétisées.

2 L'ARN, une molécule de la famille de l'ADN

RÉALISER

1. Prélever un fragment d'épiderme d'oignon et le déposer dans une goutte de vert de méthyle pyronine sur une lame.

2. Recouvrir d'une lamelle.

3. Observer au microscope. La coloration au vert de méthyle pyronine permet de distinguer l'ADN coloré en vert, de l'ARN coloré en rose.

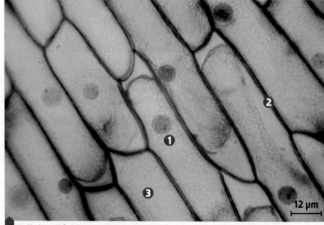

Cellules d'épiderme d'oignon coloré au vert de méthyle pyronine.
On distingue les noyaux ❶, les parois ❷ et les cytoplasmes ❸ des cellules.

3 Relation ARN-protéine

▶ Lorsqu'elles sont placées dans un milieu contenant du lactose, certaines bactéries sont capables de synthétiser une enzyme : la β-galactosidase. Cette enzyme permet la consommation du lactose.

▶ **Expérience 1**

Après avoir placé ces bactéries dans un tel milieu, on dose la quantité de deux molécules présentes dans le cytoplasme de la cellule : la β-galactosidase et une molécule d'ARN particulier, l'ARN messager.

▶ **Expérience 2**

L'injection d'ARN messager extrait d'une bactérie cultivée dans un milieu avec du lactose et injectée dans le cytoplasme d'une cellule cultivée en absence de lactose, provoque la synthèse de β-galactosidase dans cette dernière.

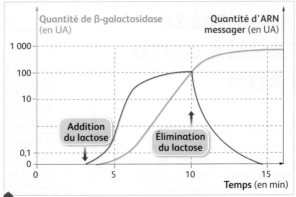

Évolution de la quantité d'ARN messager et de l'activité de la β-galactosidase dans une cellule bactérienne.

4 L'ARN, un intermédiaire mobile

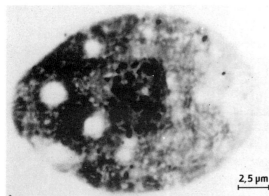

▶ Afin de localiser la synthèse des ARN, on incube des cellules avec des éléments radioactifs constitutifs de ceux-ci. On réalise deux autoradiographies à deux temps d'incubation différents.

▶ La microscopie électronique permet de visualiser les structures fines de la cellule, en particulier les détails des organites comme le noyau.

a Autoradiographie réalisée juste après incubation.

2,5 µm

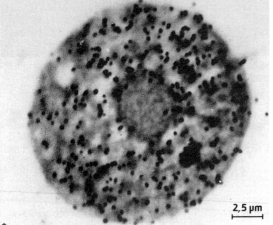

b Autoradiographie réalisée 30 min après incubation.

2,5 µm

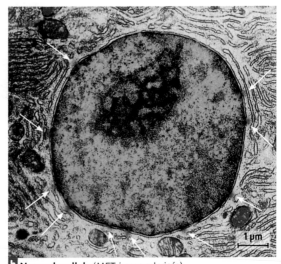

1 µm

b Noyau de cellule (MET, image colorisée).
Les flèches indiquent la présence de pores dans l'enveloppe nucléaire.

Activité 3

La synthèse d'ARN à partir d'ADN

La localisation nucléaire de l'ADN chez les eucaryotes et la synthèse cytoplasmique des protéines nécessitent un intermédiaire : l'ARN. La synthèse d'ARN à partir d'ADN est appelée la transcription.

➜ **Quelles sont les caractéristiques du mécanisme de la transcription qui conduit à la synthèse des ARN ?**

Guide d'exploitation

1 (Doc 1) Comparez la molécule d'ADN et la molécule d'ARN, afin de montrer que la molécule d'ARN peut aussi porter une information.

2 (Doc 2) Identifiez le brin transcrit sur la molécule d'ADN puis précisez la loi de complémentarité concernant le nucléotide à uracile.

3 (Doc 2 et 3) Expliquez en quoi le processus de transcription assure un transfert de l'information depuis l'ADN vers l'ARN.

4 Justifiez le choix du terme « transcription » pour décrire la synthèse de l'ARN et le choix de l'adjectif « messager » pour l'ARN synthétisé.

VOCABULAIRE

Enzyme : molécule protéique permettant d'accélérer une réaction chimique.

Apparier : associer par paire des éléments selon une règle prédéfinie. Dans le cas de l'ADN, A avec T et C avec G.

Polymérisation : réaction chimique qui lie des molécules de même nature (ADN = polymère de nucléotides).

1 Comparaison des structures moléculaires ADN-ARN

❯ On peut comparer avec le logiciel RASTOP la structure de l'ADN à celle de l'ARN.

RÉALISER

1. Ouvrir deux fenêtres en cliquant sur « Fichier/Nouveau » 📄.

2. Réorganiser les fenêtres avec l'icône ⊞.

3. Cliquer dans une fenêtre pour la rendre active. Le bandeau supérieur de la fenêtre devient bleu.

4. Charger le fichier ADN dans la fenêtre de gauche, et le fichier ARN dans la fenêtre de droite.

5. Choisir un affichage boules et bâtonnets pour chaque molécule 🔧.

6. Colorer les nucléotides par des couleurs différentes en cliquant dans le menu sur « Atomes/Colorer par/Forme » pour chaque molécule.

7. Faire pivoter les molécules à l'aide de la souris afin de les observer dans différentes orientations.

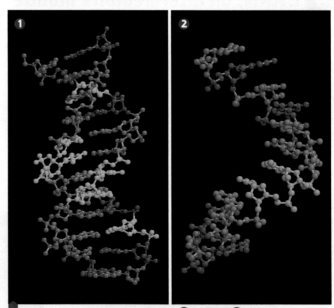

a **Représentation des molécules d'ADN ❶ et d'ARN ❷.**
Les nucléotides sont identifiés par des couleurs différentes : adénine (bleu), thymine (vert), guanine (rose), cytosine (orange) et uracile (gris).

	ADN	ARN
Nucléotides	Adénine Cytosine Guanine Thymine	Adénine Cytosine Guanine Uracile
Glucide	Désoxyribose	Ribose
Nombre de nucléotides	10^6 à 10^8 nucléotides par chromosome	100 à 1 000 nucléotides

b **Tableau comparatif des constituants de l'ADN et de l'ARN.**

2 Comparaison de séquences entre ADN et ARN

▶ Contrairement aux molécules d'ADN, constituées de deux brins complémentaires l'un de l'autre, les molécules d'ARN ne comportent qu'un seul brin.

▶ La synthèse d'une molécule d'ARN s'effectue à partir d'un seul des deux brins de l'ADN, appelé brin transcrit, et selon la règle de complémentarité des bases.

RÉALISER

1. Afficher les séquences de l'ADN et de l'ARN de la chaîne de globine alpha en cliquant sur « Fichier/Thèmes d'étude/ Expression de l'information génétique/ Globine alpha/Gène et ARNm codant ».

2. Sélectionner les séquences en cliquant sur le carré à gauche du nom de chaque séquence.

3. Réaliser une comparaison simple entre ces séquences à l'aide du bouton [ATGC]. La séquence Alpha brin1 est prise comme référence ; seules les différences avec la séquence de référence sont indiquées, les identités sont représentées par un trait d'union.

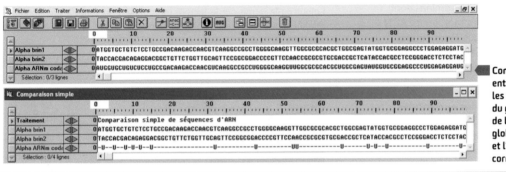

Comparaison entre les séquences du gène de l'alpha globine humain et l'ARN correspondant.

3 La transcription dans la cellule eucaryote

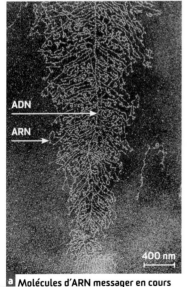

a **Molécules d'ARN messager en cours de synthèse** (MET, image colorisée).

▶ L'étude de la synthèse de l'ARN montre qu'elle nécessite de l'ADN, des nucléotides et la présence d'une **enzyme** : l'ARN polymérase. Cette synthèse se déroule dans le noyau chez les cellules eucaryotes. La fixation de l'ARN polymérase sur une molécule d'ADN déclenche le début de la transcription par l'ouverture de la double hélice d'ADN. Les nucléotides de l'ARN **s'apparient** alors par complémentarité avec les nucléotides du brin d'ADN transcrit. L'ARN est synthétisé par **polymérisation** de ces nucléotides sous l'action de l'ARN polymérase qui permet l'établissement de liaisons chimiques entre deux nucléotides successifs. Le déplacement de l'ARN polymérase le long de la molécule d'ADN assure donc l'élongation de l'ARN.

▶ Chaque ARN qui sert d'intermédiaire entre ADN et protéine est appelé ARN messager. Une même séquence d'ADN peut être transcrite plusieurs fois et permettra la synthèse de nombreuses copies d'ARN messager identiques.

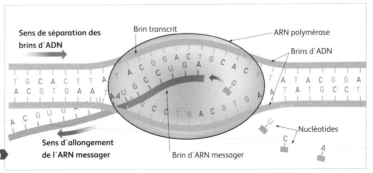

Modèle du processus de synthèse b de l'ARN : la transcription.

Activité 4

Un système de correspondance, le code génétique

Les protéines sont constituées d'une séquence d'acides aminés dont il existe vingt variétés, mais pour l'ADN et l'ARN il n'existe que 4 nucléotides différents : adénine, thymine ou uracile, guanine et cytosine.

→ **Quelle est la correspondance entre la séquence des nucléotides de l'ARN et la séquence des acides aminés des protéines ?**

Guide d'exploitation

1 (Doc 1) Déterminez le nombre de nucléotides nécessaires au codage d'un acide aminé.

2 (Doc 2) Déterminez les acides aminés codés par les codons : UUU, AAA, UCU, CUC.

3 (Doc 3) Identifiez le codon indiquant le début de la séquence codante sur l'ARN puis, à l'aide du code génétique, déterminez les fonctions particulières des codons UGA, UAG et UAA.

4 (Doc 2 et 3) Relevez les informations permettant d'affirmer que le code génétique est redondant.

5 (Doc 4) Identifiez les écarts à l'universalité du code génétique.

VOCABULAIRE

Facteur mutagène : facteur de l'environnement pouvant provoquer une modification ponctuelle d'une séquence de nucléotides.

1 Une première approche du système de correspondance

▶ En 1961, l'équipe de Francis Crick et Sydney Brenner cherche à identifier le nombre X de nucléotides (ou X est un entier) nécessaires pour coder un seul acide aminé. Cette séquence de X nucléotides est appelée un codon.

▶ Ils utilisent des bactéries qu'ils infectent avec un virus ayant été soumis à un **facteur mutagène** dont la particularité est d'induire l'addition ou le retrait de nucléotides de l'ADN viral.

▶ Crick et Brenner supposent que toute modification de l'ADN provoquera un décalage lors de la lecture de l'information génétique. Ce décalage se traduira par une modification de la séquence des acides aminés constituant les protéines produites par le virus. Toutefois, ils supposent aussi que l'ajout ou le retrait par le facteur mutagène d'un codon exactement ne modifiera que ponctuellement la séquence protéique, ce qui ne perturbera pas la fonction de la protéine.

▶ Ils suivent alors l'activité d'une protéine indispensable à l'infection des bactéries par le virus.

a Sydney Brenner, biologiste moléculaire, prix Nobel de Médecine en 2002.

Modification du nombre de nucléotides dans l'ADN viral	Séquence en acides aminés de la protéine de référence	Infection bactérienne
0	Normale	OUI
+1 ou −1	Mutée (nombreux acides aminés modifiés)	NON
+2 ou −2	Mutée (nombreux acides aminés modifiés)	NON
+3	Mutée (un acide aminé supplémentaire, le reste de la séquence est identique)	OUI
−3	Mutée (un acide aminé manquant, le reste de la séquence est identique)	OUI

b Modification de la séquence de l'ADN viral et effet sur la séquence protéique.

2 Vers une élucidation du code génétique

▶ Au cours de la même année 1961, Nirenberg et ses collaborateurs mettent au point un protocole permettant d'élucider le code génétique.

▶ Ils préparent tout d'abord des extraits de cytoplasme dépourvus d'ARN mais contenant les 20 acides aminés et tous les éléments nécessaires à la synthèse des protéines. Ils ajoutent ensuite à cette préparation des ARN messager de synthèse dont la séquence est connue puis analysent la séquence des protéines obtenues.

▶ En essayant plusieurs combinaisons de nucléotides, les scientifiques ont, en l'espace de deux ans, décrypté l'intégralité du code génétique. Ces travaux ont de plus confirmé ce qu'avait prévu l'équipe de Crick : chaque acide aminé est codé par un triplet de nucléotides appelé codon ; il en existe 64 différents.

ARN messager de synthèse	Séquence protéique obtenue
...UUUUUUUUUUUUU...	...Phe-Phe-Phe-Phe...
...AAAAAAAAAAAA...	...Lys-Lys-Lys-Lys...
...UCUCUCUCUCUC...	...Ser-Lys-Ser-Lys...

a Résultats des expériences de Nirenberg.

Protocole suivi par l'équipe de Nirenberg **b** afin d'élucider le code génétique.

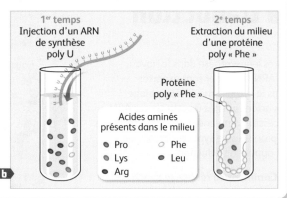

1er temps
Injection d'un ARN de synthèse poly U

2e temps
Extraction du milieu d'une protéine poly « Phe »

Protéine poly « Phe »

Acides aminés présents dans le milieu
- Pro
- Phe
- Lys
- Leu
- Arg

3 Des codons aux fonctions particulières

▶ Il existe des codons particuliers permettant à la machinerie cellulaire d'identifier le début et la fin du message génétique sur chaque molécule d'ARN messager. On peut les mettre en évidence en analysant des séquences d'ARN et les séquences des protéines correspondantes.

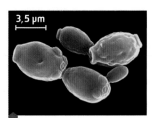

0	10	2	420	430	440	4	1040

```
0 AUGGUGCUGUCUCCUGCCGA ... UCCAAAUACCGUUAA
0 MetValLeuSerProAlaAs ... SerLysTyrArg
0 AUGGUGCACCUGACUCCUGA ... GCUAAUGCCCUGGCCCACAAGUAUCACUAA
0 MetValHisLeuThrProGl ... AlaAsnAlaLeuAlaHisLysTyrHis
0 AUGGGUCAUUUCACAGAGGA ... GCCCAGUGCCCUGUCCUCCAGAUACCACUGA
0 MetGlyHisPheThrGluGl ... AlaSerAlaLeuSerSerArgTyrHis
0 AUGGUGCAUCUGACUCCUGA ... GCUAAUGCCCUUGGCUCACAAGUACCAUUGA
0 MetValHisLeuThrProGl ... AlaAsnAlaLeuAlaHisLysTyrHis
```

c Correspondance des séquences d'ARN messager et des protéines synthétisées.

RÉALISER

1. Afficher une molécule d'ADN codante dans la fenêtre en cliquant sur « Banque de séquences » puis sélectionner la molécule retenue (par exemple « alphacod.adn »).

2. Cliquer sur « Traiter/convertir » puis « ARN messager et peptidique ».

3. Réitérer ce procédé pour chaque molécule.

4 Un code universel ?

▶ Les expériences de transgénèse se fondent sur le principe d'universalité du code génétique : toute cellule est capable de déchiffrer un ADN étranger et de le traduire en une protéine de séquence identique à celle de l'organisme d'origine.

▶ Pourtant l'universalité du code génétique semble connaître quelques exceptions.

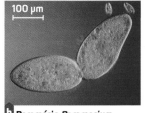

3,5 µm

a Champignon *Candida albicans* (MEB, image colorisée).

100 µm

b Paramécie *Paramecium tetraurelia* (MO, image colorisée).

Extrait de séquence d'ARN codant	UGG CUG UUU	Extrait de séquence d'ARN codant	GUU AGA UAG
Traduction	Trp – Ser – Phe	Traduction	Val – Arg – Glu

c Code génétique chez *Candida albicans* et *Paramecium tetraurelia*.

Activité 5

De l'ARN aux protéines : la traduction

Après leur synthèse dans le noyau, les ARN messager sont exportés dans le cytoplasme. L'assemblage des acides aminés à partir de ces ARN nécessite toute une machinerie cellulaire. Le processus de synthèse protéique est appelé la traduction.

→ **Comment se réalise la synthèse d'une protéine ?**

Guide d'exploitation

1 (Doc 1) Relevez les données qui permettent de montrer que les ribosomes sont nécessaires à la synthèse protéique mais ne contiennent pas l'information génétique.

2 (Doc 2) En quoi l'organisation d'un ribosome permet-elle d'expliquer le contact ribosome-ARN observé dans le document 1 ?

3 (Doc 3) Indiquez les éléments nécessaires à la réalisation de chacune des étapes de la traduction. Précisez les propriétés du ribosome semblant intervenir dans ces étapes.

1 Les ribosomes

▶ Les ribosomes sont des structures cytoplasmiques de 20 à 30 nm de diamètre.

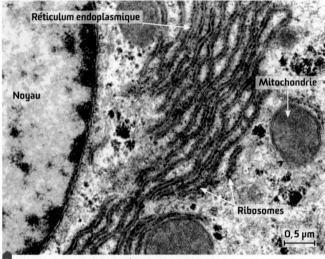

a **Ribosomes à la surface du réticulum endoplasmique** (MET, image colorisée).

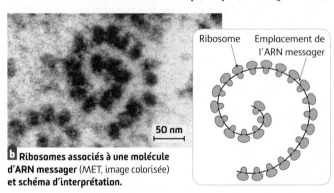

b **Ribosomes associés à une molécule d'ARN messager** (MET, image colorisée) **et schéma d'interprétation.**

▶ Afin de mieux comprendre le rôle des ribosomes, on réalise une expérience de traduction *in vitro* à partir d'extraits cytoplasmiques contenant une source d'énergie et des acides aminés radioactifs mais dépourvus d'ARN messager et de ribosomes.

▶ On rajoute ensuite de l'ARN messager et/ou des ribosomes aux extraits cytoplasmiques puis on recherche la présence de protéines radioactives indiquant que la traduction a bien eu lieu.

Éléments rajoutés aux extraits cytoplasmiques	Résultats de l'expérience
ARNm seul	Pas de protéine
Ribosomes seuls	Pas de protéine
ARNm + ribosomes	Présence de protéines radioactives
ARNm lapin + ribosomes de poulet	Présence de protéines radioactives de lapin
ARNm de poulet + ribosomes de lapin	Présence de protéines radioactives de poulet

c **Résultats expérimentaux de traductions *in vitro*. ARNm = ARN messager.**

2 Organisation des ribosomes

▶ Un ribosome est un complexe macromoléculaire constitué de deux sous-unités distinctes :
– une petite sous-unité au travers de laquelle passe l'ARN messager et qui assure la reconnaissance entre codons de l'ARN et acides aminés correspondants ;
– une grande sous-unité permettant la formation des liaisons chimiques entre acides aminés, directement responsable de l'élongation de la chaîne protéique.

▶ Le glissement du ribosome le long de l'ARN permet une lecture continue des codons successifs et la synthèse de la protéine.

Représentation 3D simplifiée d'un ribosome. ▶

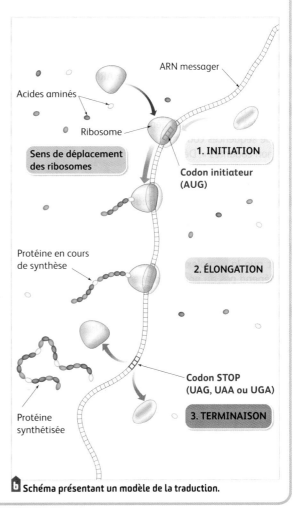

Chaîne d'acides aminés

Grande sous-unité

Site de polymérisation des acides aminés

Petite sous-unité

ARN messager

3 Les mécanismes de la traduction

▶ L'ensemble des données expérimentales recueillies permet de construire un schéma global présentant un modèle du mécanisme de traduction.

La traduction est subdivisée en trois étapes successives :
❶ l'initiation, ❷ l'élongation, ❸ la terminaison.

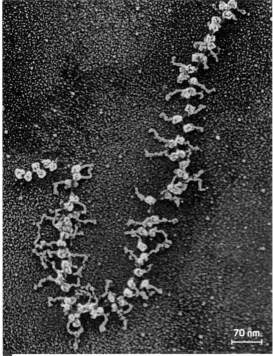

ⓐ Synthèse de protéines (MET, image colorisée).
On distingue les ribosomes en bleu, l'ARN messager en rose et les protéines synthétisées en vert.

70 nm

ARN messager

Acides aminés

Ribosome

Sens de déplacement des ribosomes

1. INITIATION

Codon initiateur (AUG)

Protéine en cours de synthèse

2. ÉLONGATION

Codon STOP (UAG, UAA ou UGA)

3. TERMINAISON

Protéine synthétisée

ⓑ Schéma présentant un modèle de la traduction.

L'expression du patrimoine génétique

1 La relation ADN-protéine

▶ L'ADN porte l'information nécessaire à la synthèse des protéines : chaque molécule protéique est formée de l'assemblage d'acides aminés, dont l'ordre et la nature sont déterminés par une séquence de nucléotides de l'ADN.

2 Une synthèse protéique en deux grandes étapes

▶ La synthèse des protéines se réalise en deux grandes étapes : chez les eucaryotes, la transcription a lieu dans le noyau et permet la synthèse d'une molécule d'ARN messager, composée d'une séquence de nucléotides A, U, C et G complémentaires de la séquence du brin transcrit de l'ADN.

▶ La traduction assure ensuite dans le cytoplasme le passage de l'ARN messager à la protéine : le code génétique est le système de correspondance entre triplet de nucléotides de l'ARN (codon) et acide aminé. Il est redondant et, à quelques exceptions près, commun à tous les êtres vivants.

3 La maturation des ARN chez les eucaryotes

▶ Dans une cellule eucaryote, l'information génétique est formée de séquences codantes séparées par des séquences non codantes. Dans de nombreux cas, la transcription produit d'abord un ARN pré-messager, une maturation (ou épissage) assure l'élimination des parties non codantes et la formation d'un ARN messager mature qui migrera ensuite dans le cytoplasme. Certains ARN messager sont directement produits par la transcription.

▶ Un même ARN pré-messager peut subir, suivant le contexte, des maturations différentes et donc être à l'origine de plusieurs protéines différentes.

MOTS CLÉS

ARN messager : Molécule composée de tout ou partie des séquences codantes de l'ADN d'un gène.

ARN pré-messager : Molécule d'ARN complémentaire du brin transcrit de l'ADN d'un gène et n'ayant pas encore subi de maturation.

Codon : Triplet de nucléotides de l'ARN.

Code génétique : Système de correspondance entre codons de nucléotides de l'ARN et acides aminés d'une protéine.

Épissage : Étape de transformation d'un ARN pré-messager en ARN messager (mature) dans une cellule eucaryote.

Traduction : Décodage d'une séquence de nucléotides d'un ARN en une séquence d'acides aminés de protéine.

Transcription : Mécanisme permettant la copie d'une séquence de nucléotides d'un brin d'ADN en une séquence de nucléotides complémentaire d'un ARN.

■ **Manipuler, modéliser :**
● en colorant spécifiquement ADN et ARN ;
● en utilisant un logiciel pour comparer la structure des protéines et des acides nucléiques ;
● en étudiant les modèles de molécules sur un logiciel.

■ **Recenser, extraire et organiser des informations :**
● en utilisant les résultats des expériences d'autoradiographie ;
● en interprétant les expériences d'approche historique.

Je retiens par l'image

Animation interactive

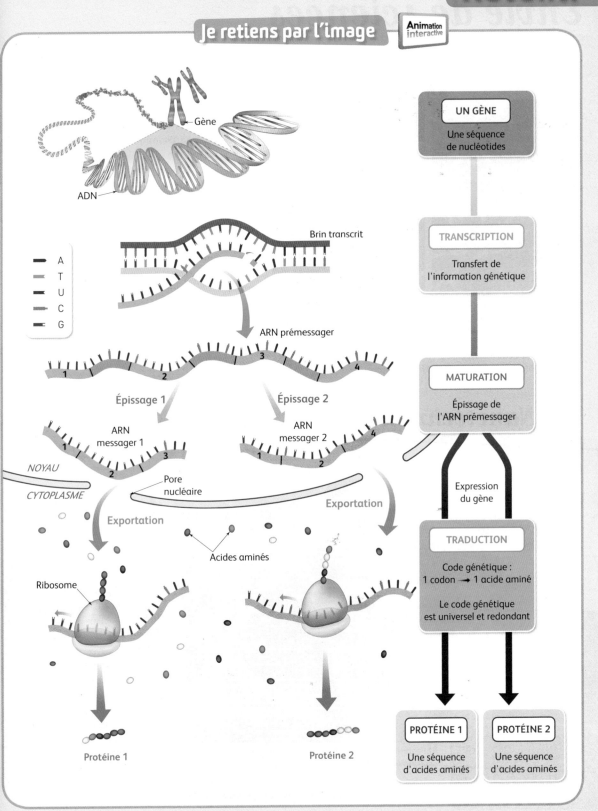

Gène

ADN

Brin transcrit

A
T
U
C
G

ARN prémessager

1 — 2 — 3 — 4

Épissage 1 — Épissage 2

ARN messager 1

ARN messager 2

NOYAU
CYTOPLASME

Pore nucléaire

Exportation — Exportation

Acides aminés

Ribosome

Protéine 1 — Protéine 2

UN GÈNE
Une séquence de nucléotides

TRANSCRIPTION
Transfert de l'information génétique

MATURATION
Épissage de l'ARN prémessager

Expression du gène

TRADUCTION
Code génétique :
1 codon → 1 acide aminé

Le code génétique est universel et redondant

PROTÉINE 1
Une séquence d'acides aminés

PROTÉINE 2
Une séquence d'acides aminés

Envie de sciences

La chirurgie du gène

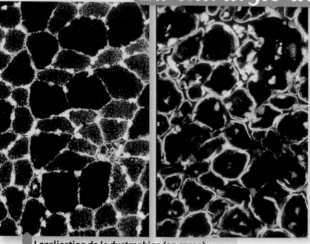

La dystrophine est une protéine qui protège la membrane plasmique des cellules musculaires lors de la tension mécanique créée par les cycles répétitifs de contraction–relaxation du muscle. La dystrophie de Duchenne est une maladie de dégénérescence musculaire liée le plus souvent à des mutations par perte de nucléotides du gène de la dystrophine, ce qui entraîne la présence prématurée d'un codon stop : la protéine n'est alors plus fonctionnelle. Des essais de réparation consistent à éliminer des séquences de nucléotides du gène non indispensables pour le fonctionnement de la protéine afin de rattraper le « bon » cadre de lecture : la dystrophine produite est légèrement tronquée, mais elle reste fonctionnelle.

■ Localisation de la dystrophine (en rouge) dans une cellule musculaire (membranes plasmiques en vert).

Nanotechnologie : des fils d'araignée pour recoudre les plaies

Les protéines dont les araignées se servent pour construire leur toile sont très résistantes à la torsion. Des glandes à soie élaborent ces protéines que l'araignée étire avec ses pattes et assemble en fibres particulièrement solides. Il est aujourd'hui possible d'en produire en grande quantité grâce à des bactéries génétiquement programmées. C'est un progrès de taille pour les biomatériaux, avec de nombreuses applications potentielles : fil pour recoudre les plaies, réparation des fibres nerveuses endommagées. Écologiquement, c'est aussi une diminution de l'utilisation des matières premières fossiles requises pour les fibres synthétiques actuelles !

1 Protéines de la soie d'une toile d'araignée (MEB, image colorisée).

2 La toile d'une araignée, des protéines fibreuses très résistantes.

Technicien en génomique

Les plateformes génomiques permettent d'accéder à des équipements performants d'analyse du génome. Le technicien est assistant de chercheur, il participe à la préparation d'échantillons pour le séquençage, à des projets de génotypage visant à localiser les variations génétiques au sein du génome, à la recherche de nouvelles techniques.

QUALITÉS ET NIVEAU REQUIS

▸ Bon sens de l'organisation, rigueur et méthode

▸ Une maîtrise suffisante de l'outil informatique et des bases d'anglais

▸ Qualités humaines liées au travail en équipe

▸ Diplôme BTS biotechnologie en deux ans (après le bac)

▸ Une poursuite d'étude est envisageable (licence professionnelle, écoles d'ingénieurs)

De l'injection d'ADN dans l'œil !

Des maladies inflammatoires peuvent toucher l'œil et être à l'origine d'une cécité. Des chercheurs (INSERM, CNRS) ont mis au point une technique d'injection d'ADN directement dans un muscle de l'œil (coloré en rouge sur la photo de gauche) : la protéine anti-inflammatoire (colorée en vert sur la photo de droite) s'exprime alors uniquement dans les muscles ciliaires de l'œil (les cellules voisines colorées en bleu n'expriment pas cette protéine).

Cette technique de grande précision ouvre des perspectives thérapeutiques intéressantes pour le traitement de nombreuses maladies oculaires, du fait d'une injection locale et mieux tolérée de molécules thérapeutiques.

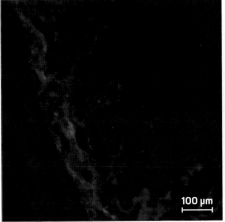
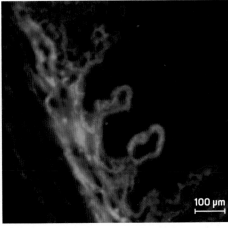

100 µm   100 µm

■ Marquage des muscles ciliaires par immunofluorescence (légendes des couleurs dans le texte).

Les gènes du HLA

Le système HLA est constitué de très nombreux gènes codant pour des protéines exprimées sur la membrane des cellules et permettant au système immunitaire de détecter la présence de molécules étrangères à l'organisme. Ces gènes possèdent de très longues séquences de nucléotides mais les ARN messager retrouvés dans le cytoplasme des cellules sont beaucoup plus courts.

➜ **Comment expliquer la différence de longueur entre les gènes du HLA et les ARN messager dont ils dirigent la synthèse ?**

Capacités évaluées

▶ Utiliser les fonctionnalités des logiciels pour réaliser une comparaison avec discontinuité des séquences
▶ Représenter des résultats sous forme d'un schéma explicatif

Matériel disponible

▶ Logiciel Anagène et séquence des gènes et ARN messager de HLA-A0201 et HLA-B2705

Conclusions attendues

▶ **1.** Le gène HLA-A0201 possède 8 séquences codantes et 9 séquences non codantes.
▶ **2.** Le gène HLA-B2705 possède 7 séquences codantes et 8 séquences non codantes.
▶ **3.** Ces gènes sont transcrits en ARN pré-messager qui sont ensuite épissés, les ARN messager obtenus sont de plus petite longueur que les gènes dont ils sont issus.

Critères de réussite

➜ Les séquences sont affichées correctement faisant apparaître une étude comparative des molécules : comparaison avec discontinuité.

➜ L'analyse et l'interprétation des résultats sont exactes et sont regroupées dans un schéma traduisant de façon précise l'épissage subi par chacun des ARN pré-messager.

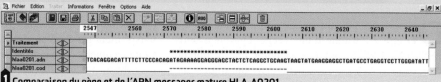

1 Comparaison du gène et de l'ARN messager mature HLA-A0201.

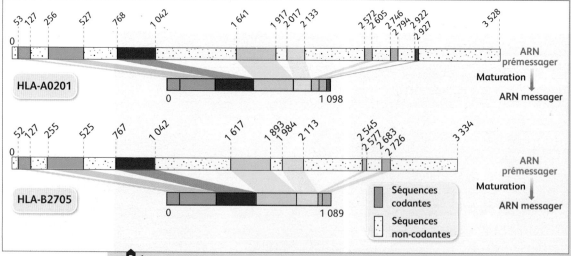

2 Épissage des ARN pré-messager des gènes HLA-A0201 et HLA-B2750.

Évaluer ses connaissances

Tests rapides

Animation interactive

1 Quelques définitions à maîtriser

Définir brièvement les mots ou expressions suivants :
● Transcription ● Traduction ● ARN pré-messager
● Code génétique ● Codon ● Épissage.

2 Questions à choix multiple

Parmi les affirmations suivantes, choisissez la (ou les) réponse(s) exacte(s).

1 Dans la cellule, on trouve des ARN :
a. dans le cytoplasme.
b. dans le noyau.
c. dans les ribosomes.

2 La transcription :
a. permet la synthèse d'ARN.
b. réalise la synthèse des protéines.
c. se déroule dans le noyau.

3 Les ribosomes :
a. participent à la transcription.
b. participent à la traduction.
c. sont présents dans le noyau.
d. sont présents dans le cytoplasme.

4 L'épissage :
a. est une modification de l'ADN.
b. est une modification des ARN messager.
c. est une modification d'une protéine.
d. est une modification des ARN pré-messager.

5 Un codon est :
a. un triplet de nucléotides de l'ADN.
b. un triplet de nucléotides de l'ARN.
c. un triplet d'acides aminés.

6 Une protéine :
a. est synthétisée dans le cytoplasme.
b. est synthétisée dans le noyau.
c. est un assemblage d'acides aminés.
d. a une séquence de 20 acides aminés.

3 Analyser un document

Chez les bactéries, la transcription et la synthèse des protéines ont lieu dans le cytoplasme.
La photographie ci-dessous a été obtenue chez une bactérie en cours de synthèse protéique.

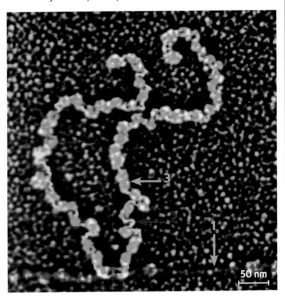

1 Les flèches légendant la photographie sont, dans l'ordre :
a. 1 : ARNm ; 2 : ADN ; 3 : ribosome.
b. 1 : ribosome ; 2 : ARNm ; 3 : ADN.
c. 1 : ADN ; 2 : ARNm ; 3 : ribosome.

2 Chez les bactéries, la synthèse des différentes molécules ADN, ARNm, protéines est localisée dans le cytoplasme car :
a. les cellules sont petites.
b. il n'y a pas de noyau.
c. il y a peu de protéines à synthétiser.

Restituer ses connaissances

4 Réaliser un schéma légendé

Réalisez un schéma légendé qui illustre les propos, ci-contre, de F. Gros.

5 Organiser une réponse argumentée

Expliquez, en utilisant des schémas, comment une séquence nucléotidique de l'ADN peut produire des protéines différentes.

> Monod avança alors l'idée, conçue par F. Jacob et lui, qu'existait peut-être un ARN, jusque-là non décrit […]. Il le baptisa messager pour rendre compte du fait qu'il devait s'agir d'une molécule fabriquée à partir d'ADN, sans doute transportée au niveau des ribosomes […]. Une telle hypothèse était à l'époque très osée.
>
> F. Gros, *Les secrets du gène*.

6 Les herbicides, une menace pour la biodiversité

▶ Le glyphosate est un puissant herbicide, principe actif du *Roundup®*, mais qui agit aussi sur de nombreux organismes vivants : il constitue une menace pour les sols qui tendent à devenir des systèmes artificiels n'accueillant qu'un nombre limité d'organismes vivants.

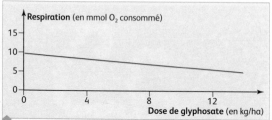

1 Effet du glyphosate sur le métabolisme de bactéries vivant dans le sol.

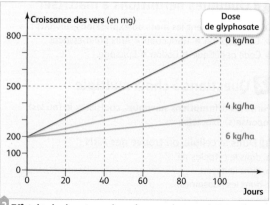

2 Effet du glyphosate sur la croissance des vers de terre dans un champ.

▶ Le glyphosate inhibe la synthèse d'une protéine, la EPSP synthase, une enzyme dont les plantes ont absolument besoin pour la synthèse d'acides aminés qui entrent dans la structure de vitamines ou encore de molécules de croissance.

▶ Pour rendre des plantes cultivées (soja ou coton par exemple) résistantes au glyphosate, les agronomes ont introduit dans les plantes des versions mutées du gène de EPSP synthase : elles synthétisent une version différente de cette enzyme appelée CP4.

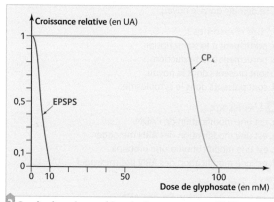

3 Courbe de croissance des plantes avec enzyme EPSP (gauche), et avec enzyme CP4 (droite).

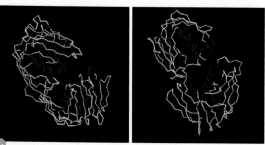

4 Représentation de la structure de l'enzyme mutée CP4 (gauche) et EPSP synthase non mutée (droite).

▶ Une autre technique consiste à introduire dans des plantes de nombreuses copies de gènes de l'EPSP synthase : elles produisent alors jusqu'à 20 fois la quantité normale de EPSP synthase, leur permettant de croître malgré l'inhibition du glyphosate.

QUESTIONS

1 Montrez les effets du glyphosate sur les organismes vivants du sol.

2 Expliquez comment des transgénèses permettent l'acquisition d'une résistance au glyphosate.

3 Justifiez en quoi l'utilisation de tels herbicides constitue un danger pour la biodiversité.

Guide de résolution

1 Décrire les résultats de chaque expérience puis les interpréter de façon à mettre en évidence l'impact de l'herbicide sur les êtres vivants.

2 Comparer la croissance des plantes selon la nature et la quantité de l'enzyme EPSP synthase présente dans les cellules. La fonction d'une protéine dépend de sa conformation spatiale.

3 Rappeler l'effet du glyphosate sur les organismes du sol ainsi que sur les plantes non transgéniques. Étendre la réflexion à l'échelle d'un champ cultivé.

Appliquer ses connaissances

7 Une expérience historique de colinéarité entre ADN et protéine

La tryptophane synthétase est une enzyme qui assure la synthèse d'un acide aminé, le tryptophane, chez une bactérie (Escherichia coli). De nombreuses mutations dans la séquence nucléotidique sont à l'origine de l'absence de synthèse de tryptophane.

La cartographie des positions des mutations sur le chromosome bactérien et celle des acides aminés modifiés dans la chaîne polypeptidique a été réalisée.

QUESTION

Expliquez en quoi cette expérience a été d'une importance primordiale dans la connaissance des relations ADN-protéine.

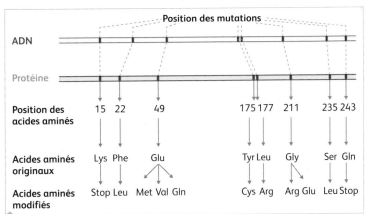

Position des mutations

| ADN | | | | | | | | |
| Protéine | | | | | | | | |

Position des acides aminés	15	22	49		175	177	211	235	243
Acides aminés originaux	Lys	Phe	Glu		Tyr	Leu	Gly	Ser	Gln
Acides aminés modifiés	Stop	Leu	Met	Val Gln	Cys	Arg	Arg Glu	Leu	Stop

Cartographie des mutations sur le chromosome bactérien et la chaîne polypeptidique.

8 Une hybridation ADN-ARN

En augmentant la température, on peut facilement séparer les deux brins d'un fragment d'ADN codant pour une protéine du blanc d'œuf : l'ovalbumine.

Si l'ARN codant pour la même protéine est placé dans le milieu, un appariement (ou hybridation) a lieu entre le brin transcrit de l'ADN et l'ARN.

QUESTIONS

1 Identifiez sur la molécule d'ADN les séquences codantes impliquées dans la synthèse de la protéine ovalbumine.

2 Expliquez la différence de taille des molécules appariées (résultat de l'hybridation).

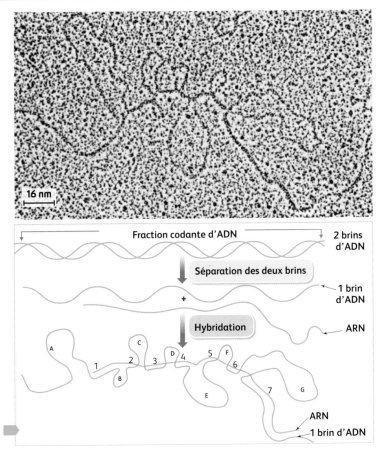

16 nm

Fraction codante d'ADN	2 brins d'ADN

Séparation des deux brins

1 brin d'ADN

+

Hybridation

ARN

A 1 B 2 C 3 D 4 5 F 6 E 7 G

ARN

1 brin d'ADN

Hybridation ADN-ARN et schéma d'interprétation.

Appliquer ses connaissances

9 Le génome mitochondrial

▶ Les mitochondries possèdent un génome qui leur est propre, leur permettant de synthétiser une dizaine de protéines. L'ADN mitochondrial évolue indépendamment de l'ADN nucléaire et ses modifications au cours du temps ont permis de construire l'arbre phylogénétique ci-dessous.

▶ Sur cet arbre, sont indiqués différents codons et les acides aminés qui leur correspondent.

QUESTIONS

1 En vous aidant du code génétique cellulaire, remarquez les originalités du code génétique mitochondrial.

2 Quel est l'intérêt de la comparaison des codes génétiques de mitochondries dans l'établissement de liens de parenté entre organismes ?

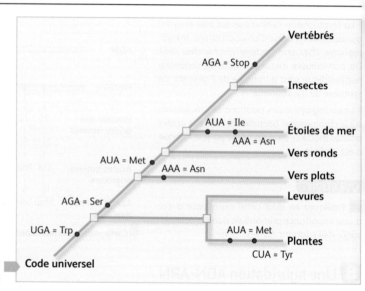

Établissement de liens de parenté à partir du génome des mitochondries

10 Induction de la synthèse protéique chez les végétaux

▶ L'auxine est une hormone végétale qui agit sur la croissance de la plante, en contrôlant l'allongement de ses cellules grâce à la synthèse de protéines spécifiques.

▶ Ces protéines vont permettre d'augmenter l'élasticité de la paroi cellulaire.

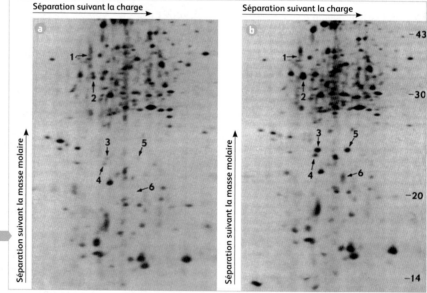

Autoradiographie d'acides aminés synthétisés en l'absence ⓐ ou présence ⓑ d'auxine chez le pois. Chaque tache correspond à un acide aminé.

QUESTIONS

1 Comparez les résultats des deux électrophorèses ; décrivez les différences pointées par les flèches.

2 Justifiez que l'auxine contrôle l'expression génétique du pois.

3 Donnez quelques conséquences de l'action de l'auxine sur le pois.

La science AUTREMENT

ARTS & représentation scientifique

11 Les molécules du vivant !

▶ De nombreux artistes se sont inspirés des molécules du vivant et en particulier des protéines pour la réalisation de sculptures.

▶ Pour la première sculpture, l'artiste, Julian Voss-Andreae, s'est inspiré de la GFP (Green Fluorescent Protein), alors que c'est le collagène qui a servi de modèle à la deuxième sculpture ; le collagène est la protéine la plus abondante de notre organisme, elle confère à nos tissus une grande résistance à l'étirement.

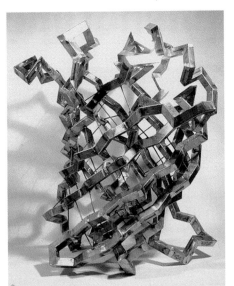

QUESTIONS

1 Précisez ce que représentent les montants en acier des sculptures.

2 Réalisez le schéma d'une petite partie de chaque sculpture. Légendez en relation avec la structure des protéines.

1 Représentation d'une molécule de GFP.

Représentation d'une molécule de collagène. **2**

ARTS & génie génétique

12 De nouvelles plantes pour les artistes

▶ Les techniques du génie génétique ont également inspiré quelques artistes à l'origine de l'apparition d'une nouvelle forme d'art : l'art transgénique. L'introduction de gènes étrangers au sein de plantes, par exemple, font en effet apparaître de bien curieux organismes.

2 L'Edunia Kac (présenté en avril 2009 au Weisman Art Museum). Un « plantimal » ou fleur transgénique exprimant dans ses vaisseaux rouges une séquence d'ADN de l'artiste codant pour l'hémoglobine.

« Cactus Project » **1**
(Laura Cinti).
Cactus transgénique dans lequel ont été insérés des gènes de kératine, une protéine fibreuse de la peau et des cheveux.

QUESTIONS

1 Montrez en quoi ces œuvres d'artistes sont inspirées d'une relation entre ADN et protéines.

2 Rappelez le principe de la technique de transgénèse appliquée aux deux exemples précédents.

3 Des gènes à la réalisation des phénotypes

▶ Un organisme peut être décrit par un certain nombre de caractères. Ces caractères qui constituent son phénotype permettent de le définir aussi bien au sein de son espèce qu'entre individus.

▶ Si de nombreux caractères sont sous la dépendance de l'information génétique, d'autres sont sous l'influence de l'environnement.

1 Variation du phénotype entre deux tigres dont l'un est albinos.

2 Bien que possédant la même information génétique, un neurone et une hématie n'ont pas le même phénotype (MEB, images colorisées).

5 µm

1,3 µm

3 Iguane du désert *(Dipsosaurus dorsalis).*

Son corps change de couleur au cours de la journée : très sombre le matin , il devient beaucoup plus clair en début d'après-midi.

Comment caractériser un phénotype ?
→ **Activités 1 et 2**

Comment expliquer le rôle des protéines et la complexité de certains phénotypes ?
→ **Activités 3**

Comment le phénotype cellulaire est-il contrôlé ?
→ **Activité 4**

Activité 1

Les différentes échelles d'un phénotype

Un phénotype peut se définir à plusieurs échelles. Afin de comprendre comment se réalise un phénotype, on peut étudier le cas d'une maladie : la drépanocytose.

→ **Comment définir un phénotype aux différentes échelles du vivant ?**

Guide d'exploitation

1 (Doc 1) Relevez les informations montrant que la pratique d'une activité sportive ou intellectuelle est rendue très difficile lors d'une crise de drépanocytose.

2 (Doc 2) Comparez le frottis sanguin d'un individu sain à celui d'un individu drépanocytaire.

3 (Doc 3) Comparez le contenu cytoplasmique des deux types d'hématies.

4 (Doc 4) Proposez une explication aux résultats de l'électrophorèse.

5 (Doc 1 à 4) Représentez sous forme d'un tableau les différences phénotypiques relevées aux différentes échelles d'observation.

VOCABULAIRE

Anémie : diminution de la concentration en hémoglobine dans le sang.

1 Les symptômes multiples de la drépanocytose

▶ L'anémie falciforme, ou drépanocytose, est particulièrement fréquente sur le continent africain. Les personnes atteintes font régulièrement des crises drépanocytaires au cours desquelles elles présentent une **anémie** plus ou moins grave, des essoufflements, des vertiges, des céphalées. Ces symptômes très généraux peuvent être accompagnés de douleurs articulaires et de fièvre.

▶ Une analyse sanguine met en évidence un nombre anormalement faible d'hématies fonctionnelles par millilitre de sang, ce qui s'accompagne aussi d'une augmentation de la viscosité sanguine et de la formation de caillots à l'origine des douleurs articulaires.

2 Examens cellulaires

RÉALISER

1. Observer à l'aide d'un microscope optique un frottis sanguin de deux individus, l'un sain, l'autre drépanocytaire.

2. Comparer ces deux frottis.

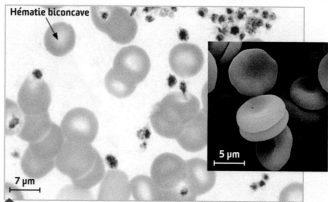

Hématie biconcave

5 µm

7 µm

a Frottis sanguin (MO) et hématies (MEB) d'un individu sain.

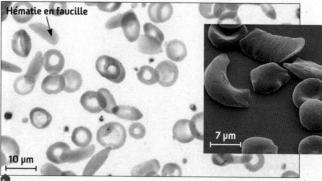

Hématie en faucille

7 µm

10 µm

b Frottis sanguin (MO) et hématies (MEB) d'un individu drépanocytaire.

3 Étude du contenu en hémoglobine des hématies

▶ Le cytoplasme des hématies humaines contient de l'hémoglobine, protéine qui fixe et transporte le dioxygène dans l'organisme. L'hémoglobine dite A est présente à l'état soluble dans les hématies.

▶ Chez les individus drépanocytaires, les hématies en faucille (hématies falciformes) contiennent de l'hémoglobine condensée sous forme de fibres réunissant plusieurs molécules d'hémoglobine dite S.

`1 μm`

a **Hématie d'un individu sain** (MET, image colorisée).

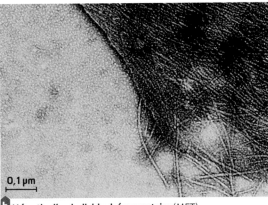

`0,1 μm`

b **Hématie d'un individu drépanocytaire** (MET).
On distingue les fibres d'hémoglobine S.

4 Des hémoglobines différentes

▶ Afin de comparer la nature chimique de l'hémoglobine présente chez les individus sains et malades, on réalise une électrophorèse. Cette technique permet de séparer des protéines en fonction de leur charge électrique. Les protéines sont constituées d'un assemblage d'acides aminés pouvant être porteurs, ou non, d'une charge électrique.

RÉALISER

1. Placer la bande d'acétate de cellulose dans la cuve.

2. Réaliser les dépôts d'hémoglobine de deux individus sains et d'un individu malade à l'aide d'une micropipette.

3. Refermer la cuve en prenant soin de disposer la borne négative (noire) du côté des dépôts.

4. Brancher le générateur et laisser migrer 60 min à 130 volt.

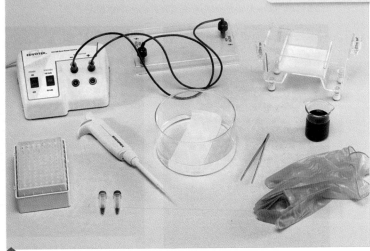

a **Matériel expérimental nécessaire à la réalisation d'une électrophorèse.**

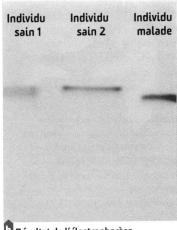

Individu sain 1   Individu sain 2   Individu malade

b **Résultat de l'électrophorèse.**

Activité 2

Du génotype au phénotype

La présence d'hémoglobine S est à l'origine du phénotype drépanocytaire.

→ **Quelle est l'origine de l'hémoglobine S ?**
→ **Comment expliquer son effet ?**

Guide d'exploitation

1 (Doc 1) Relevez des arguments permettant de confirmer que cette maladie est génétique.

2 (Doc 2) Comparez les séquences des hémoglobines HbA et HbS.

3 (Doc 1 et 2) Déterminez l'origine génétique de cette différence, et précisez la dominance ou la récessivité de ces allèles.

4 (Doc 1 et 2) Donnez le génotype des individus I-1, I-2, II-1, II-2 et II-5.

5 (Doc 3) Expliquez pourquoi les molécules d'HbS s'assemblent en fibres.

6 Réalisez un schéma bilan rendant compte des phénotypes drépanocytaires aux différentes échelles.

VOCABULAIRE

Diploïdie : se dit d'une cellule ou d'un organisme qui possède chaque chromosome en double exemplaire.

Zygote : œuf.

Hétéro- : préfixe qui signifie différent.

Homo- : préfixe qui signifie identique.

Récessif : version d'un gène qui ne s'exprime pas au niveau du phénotype s'il n'est présent qu'en un seul exemplaire.

Dominant : version d'un gène qui s'exprime toujours au niveau du phénotype.

Allèle : l'une des variations possibles d'un gène.

1 Une maladie héréditaire

▶ Hormis les cellules impliquées dans la reproduction (gamètes), les cellules d'un individu sont des cellules **diploïdes** ; chaque chromosome est présent en double exemplaire, l'un provenant de la mère de l'individu et l'autre provenant de son père.

▶ Les gènes étant précisément localisés sur les chromosomes, un individu possède donc deux copies d'un même gène. Les copies des gènes provenant chacune d'un parent, elles peuvent porter des allèles différents. Dans ce cas, on dit que l'individu est **hétérozygote** pour le gène considéré. Si les deux allèles sont identiques, on dit que l'individu est **homozygote**. Par exemple, le gène qui gouverne la synthèse de la globine β de l'hémoglobine est localisé sur le chromosome 11.

▶ La drépanocytose a rapidement été suspectée d'être d'origine génétiques. L'étude d'arbres généalogiques permet de confirmer cette hypothèse et de déterminer la **récessivité** ou la **dominance** des **allèles**.

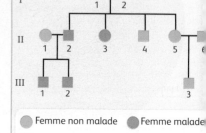

○ Femme non malade ● Femme malade
□ Homme non malade ■ Homme malade

Arbre généalogique d'une famille dans laquelle existe cette maladie.

3 Comparaison des hémoglobines A et S

▶ Le logiciel Rastop permet de mettre en évidence un ou plusieurs acides aminés et de les colorer.

Dans la molécule d'hémoglobine A, l'acide glutamique (Glu 6) a été repéré en vert. Dans la molécule d'hémoglobine S, trois acides aminés ont été repérés en rouge (Val 6), bleu (Leu 88) et rose (Phe 85).

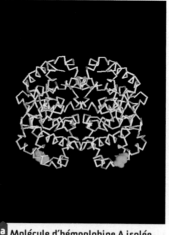

a Molécule d'hémoglobine A isolée.

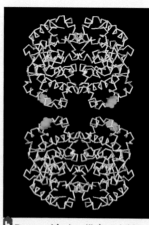

b Deux molécules d'hémoglobine A dans un même environnement.

2 Étude comparative des séquences HbA et HbS

RÉALISER

1. **Cliquer** sur « Fichier », puis « Thèmes d'étude ».

2. **Sélectionner** l'item « Relation génotype-phénotype », puis choisir « Phénotype drépanocytaire ».

3. **Valider** en cliquant sur OK. Les séquences de nucléotides des allèles et d'acides aminés des protéines s'affichent.

4. **Sélectionner** les séquences à comparer en cliquant sur le carré gris, à gauche du nom de chaque séquence. Le nom des séquences sélectionnées apparaît sur fond blanc.

5. **Effectuer** la comparaison sachant que la première séquence sert de référence pour la comparaison ; les différences s'affichent, les similitudes sont repérées par des tirets.

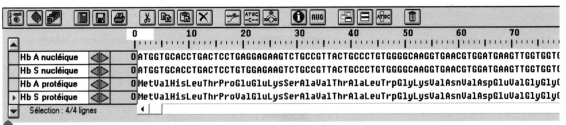

	0 10 20 30 40 50 60 70
Hb A nucléique	0 ATGGTGCACCTGACTCCTGAGGAGAAGTCTGCCGTTACTGCCCTGTGGGGCAAGGTGAACGTGGATGAAGTTGGTGGT(
Hb S nucléique	0 ATGGTGCACCTGACTCCTGTGGAGAAGTCTGCCGTTACTGCCCTGTGGGGCAAGGTGAACGTGGATGAAGTTGGTGGT(
Hb A protéique	0 MetValHisLeuThrProGluGluLysSerAlaValThrAlaLeuTrpGlyLysValAsnValAspGluValGlyGly(
▶ Hb S protéique	0 MetValHisLeuThrProValGluLysSerAlaValThrAlaLeuTrpGlyLysValAsnValAspGluValGlyGly(
▼ Sélection : 4/4 lignes	

Séquence nucléique et protéique correspondant aux hémoglobines A et S (logiciel Anagène).

« HbA nucléique » et « HbS nucléique » correspondent aux séquences en nucléotides des allèles A et S du gène responsable de la synthèse des globines beta des hémoglobines A et S.
« HbA protéique » et « HbS protéique » désignent les extraits des séquences en acides aminés des globines beta des hémoglobines A et S.

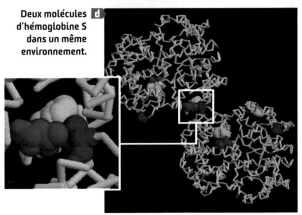

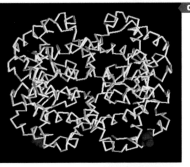

c **Molécule d'hémoglobine S isolée.**

Deux molécules d d'hémoglobine S dans un même environnement.

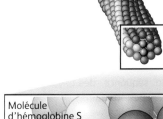

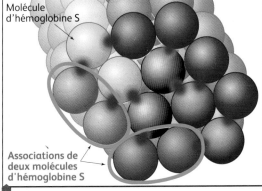

Molécule d'hémoglobine S

Associations de deux molécules d'hémoglobine S

e **Fibre formée par la réunion de polymères d'hémoglobine S.**
Certaines associations entre les molécules d'hémoglobine S sont figurées en vert, celles entre les polymères apparaissent en bleu. Elles assurent la stabilité de la fibre.

Activité 3

Complexité des relations génotype/ protéines/ phénotype

Le phénotype peut être le résultat d'interactions complexes entre plusieurs molécules.

→ **Comment les protéines sont-elles à l'origine de phénotypes complexes ?**

Guide d'exploitation

1 (Doc 1) Comparez les séquences du gène de la tyrosinase entre un individu sain et un individu albinos.

2 (Doc 1) Réalisez un tableau décrivant le phénotype albinos aux différentes échelles.

3 (Doc 2) Déterminez quels sont les allèles dominants et récessifs d'après l'examen de l'arbre généalogique fourni.

4 (Doc 2) Déterminez les génotypes des différents membres de cette famille.

5 (Doc 2) Analysez la séquence des allèles à l'origine des groupes sanguins, et formulez une hypothèse explicative à l'existence du groupe O.

1 L'albinisme oculo-cutané

▶ Les individus albinos ont des yeux de teinte claire, une vision des reliefs diminuée, un **strabisme** alternant, un développement altéré des voies nerveuses visuelles. Ils présentent une hypersensibilité à la lumière, ainsi qu'une dépigmentation de la peau, à l'origine d'un teint très pâle.

▶ Tous ces symptômes sont associés à un déficit en mélanine, pigment intervenant à la fois dans la coloration de la peau et dans les processus de vision.

▶ La synthèse de ce pigment à partir de tyrosine fait intervenir plusieurs réactions chimiques successives, dont chacune est contrôlée par une protéine.

▶ Initialement décrites chez l'Homme, les caractéristiques du phénotype albinos se retrouvent aussi communément chez un grand nombre d'espèces de vertébrés comme l'écureuil, le crocodile, la souris, le lapin…

a Des animaux albinos.

b Des réactions successives.

RÉALISER

1. **Cliquer** sur « Fichier », puis « Banque de séquences ».

2. **Sélectionner** l'item « Le gène de la tyrosinase ».

3. **Choisir** les séquences à afficher « tyrcod1.cod » et « tyralba1.cod ».

4. **Valider** en cliquant sur OK. Les séquences de nucléotides des allèles s'affichent.

5. **Comparer** ces séquences en adoptant la démarche décrite page 65.

		1125	1130	1140	1150	1160	
Traitement		0					
tyrcod1.cod		0	CAGGTACAGGGATCTGCCAACGATCCTATCTTCCTTCTTCACCAT
tyralba1.cod		0	------------------------A-------------------
Sélection : 0/3 lignes							

c Comparaison des séquences de deux allèles du gène responsable de la synthèse de la tyrosinase.
L'allèle « tyrcod1.cod » est présent chez les individus sains, tandis que l'allèle « tyralba1.cod » est possédé par des individus albinos.

2 Détermination des groupes sanguins chez l'Homme

▶ Dès les premières tentatives de transfusion, on a pu observer que, dans certains cas, il y avait agglutination des globules rouges avec formation de caillots entraînant la mort des patients. Ainsi furent découverts les groupes sanguins.

▶ Les différents groupes sanguins sont définis par la présence, ou l'absence, de molécules appelées marqueurs à la surface des hématies. Ces molécules sont constituées d'une partie membranaire, appelée substance H, sur laquelle se fixe une molécule de glucide : soit le N-acétylgalactosamine pour le marqueur A, soit le galactose pour le marqueur B.

▶ Ainsi, un individu de groupe A ne possède sur ses hématies que des molécules A ; un individu de groupe B ne possède que des molécules B ; un individu AB possède des molécules A et des molécules B et un individu O ne possède ni A, ni B.

▶ On s'intéresse à une famille pour laquelle on détermine les groupes sanguins de ses membres.

▶ La synthèse des marqueurs membranaires des groupes sanguins s'effectue en plusieurs étapes dont la dernière est gouvernée par une enzyme. Cette enzyme est codée par un gène localisé sur le chromosome 9. On connaît plusieurs allèles pour ce gène :

– l'allèle A code l'enzyme A qui permet la fixation du N-acétylgalactosamine sur la substance H ;
– l'allèle B code l'enzyme B qui permet la fixation du galactose sur la substance H ;
– l'allèle O code l'enzyme O défectueuse qui ne permet aucune modification de la substance H.

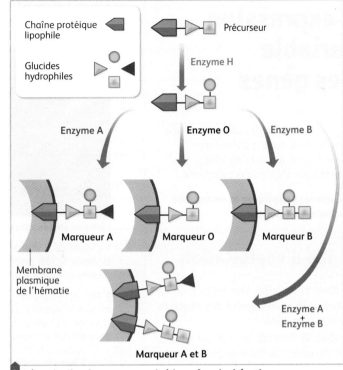

a Détermination du groupe sanguin à la surface des hématies.

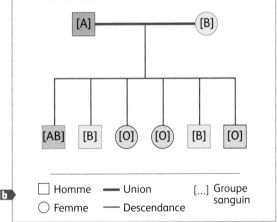

Arbre généalogique de la famille étudiée. **b**
Le groupe sanguin est précisé
pour chaque membre de la famille.

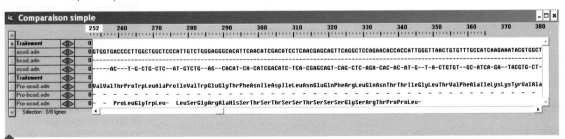

c Extrait des séquences de l'ADN et des protéines correspondant aux allèles A, B et O.

Activité 4

L'expression variable des gènes

Les protéines présentes dans une cellule et intervenant dans le phénotype peuvent varier au cours du temps, ou entre cellules d'un même organisme.

→ **Comment expliquer la variabilité protéique cellulaire ?**

Guide d'exploitation

1 (Doc 1) Proposez une explication au processus de jaunissement des végétaux placés à l'obscurité.

2 (Doc 2) Réalisez un tableau comparatif décrivant la conséquence aux différentes échelles phénotypiques de la présence ou non d'un polluant dans l'eau sur le têtard.

3 (Doc 1 et 2) Justifiez l'affirmation : « certains phénotypes dépendent de facteurs environnementaux ».

4 (Doc 3) Analysez les résultats expérimentaux et proposez une explication.

5 (Doc 4) Proposez une explication au mode d'action du gène GATA-1 dans la différenciation des hématies.

6 (Doc 4) Expliquez la classification du gène GATA-1 parmi les gènes dits « de régulation ».

VOCABULAIRE

Étiolée : qualifie une plante qui a jauni.

1 Lumière et expression des gènes

▶ La chlorophylle est indispensable à la photosynthèse, elle donne leur couleur verte aux plantes. Pourtant, un végétal vert placé à l'obscurité va perdre sa chlorophylle et jaunir.

a Plante **étiolée** à droite.

▶ L'étude de la voie de synthèse de la chlorophylle a permis de mettre en évidence le rôle prépondérant de la protéine Glutamyl-tRNA reductase codée par le gène HEMA-1.

▶ Afin de comprendre le phénomène de jaunissement à l'obscurité, on a mesuré la quantité d'ARNm du gène HEMA-1 présent dans des cellules chlorophylliennes en fonction de l'éclairement. La quantité d'ARNm d'un gène témoin, n'intervenant pas dans ce processus, est aussi analysée.

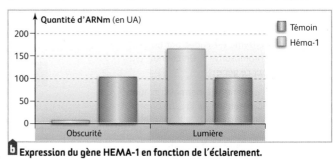

b Expression du gène HEMA-1 en fonction de l'éclairement.

2 Des OGM détecteurs de pollution

▶ La compréhension du mécanisme de régulation de la synthèse protéique par des facteurs de l'environnement a permis la mise au point de têtards transgéniques. On a ainsi introduit dans les cellules de ces organismes des gènes s'exprimant lorsque certaines substances sont présentes dans la cellule, telles que des polluants. Grâce à des manipulations de l'ADN, le gène qui s'exprimera est celui de la GFP, une protéine verte fluorescente, normalement absente de ces organismes.

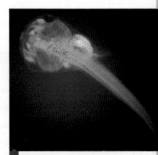

Têtard transgénique s'allumant en fluorescence au contact d'un polluant.

3 Un même génotype, des phénotypes cellulaires différents

▶ L'ensemble des cellules d'un organisme proviennent d'une cellule-œuf qui s'est divisée par mitose. Ces cellules possèdent donc le même génotype. Pourtant, un neurone ne ressemble pas à une cellule de foie. Afin de rechercher la cause de ces différences, on analyse les protéines présentes dans ces deux cellules. Pour cela, on prélève des cellules, et on réalise une extraction des protéines qui sont ensuite séparées par électrophorèse en deux dimensions.

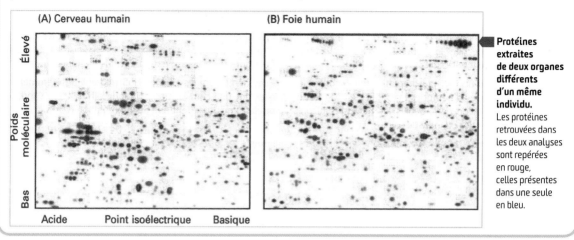

(A) Cerveau humain **(B) Foie humain**

Poids moléculaire : Élevé / Bas

Acide — Point isoélectrique — Basique

Protéines extraites de deux organes différents d'un même individu.
Les protéines retrouvées dans les deux analyses sont repérées en rouge, celles présentes dans une seule en bleu.

4 Les hématies, un exemple de cellule différenciée

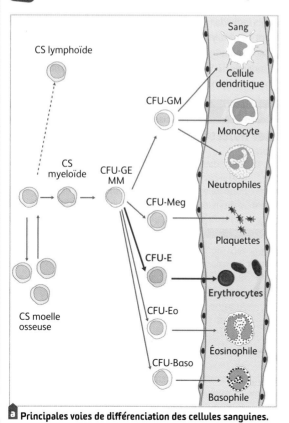

▶ Les hématies sont des cellules différenciées de l'organisme, les seules à exprimer le gène de la beta globine, protéine constitutive de l'hémoglobine. Les hématies se forment à partir de cellules souches localisées dans la moelle rouge des os.

▶ Le processus de différenciation des hématies a été en partie compris grâce aux observations suivantes :
– le blocage du fonctionnement d'un gène dénommé GATA-1, inhibe la formation des hématies ;
– le dosage des ARNm issus de la transcription du gène GATA-1 et de la bêta globine dans les cellules CFU-E permet d'obtenir une courbe (document b) ;
– l'étude de la structure de la protéine GATA-1 montre qu'elle est capable de se fixer sur l'ADN, et en particulier à proximité du gène de la beta globine.

Sang — Cellule dendritique — CS lymphoïde — CFU-GM — Monocyte — CS myeloïde — CFU-GE MM — Neutrophiles — CFU-Meg — Plaquettes — CFU-E — Erythrocytes — CS moelle osseuse — CFU-Eo — Éosinophile — CFU-Baso — Basophile

ⓐ Principales voies de différenciation des cellules sanguines.

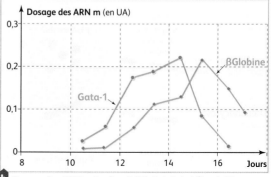

Dosage des ARN m (en UA) — βGlobine — Gata-1 — Jours

ⓑ Dosage des ARNm du gène GATA-1 et de la bêta globine au cours de la différenciation des hématies.

Des gènes à la réalisation des phénotypes

1 Les protéines : un intermédiaire entre gènes et caractères

▌ Les protéines cellulaires proviennent de l'expression des gènes. Chaque protéine va donc exprimer un caractère, constituant le **phénotype** moléculaire de la cellule.

▌ Les enzymes, protéines capables de favoriser des réactions chimiques, vont déterminer des phénotypes moléculaires complexes. Ainsi, le **génotype**, qui regroupe l'ensemble des gènes et de leurs allèles portés par les chromosomes d'une cellule, est-il à l'origine direct ou indirect du phénotype moléculaire de la cellule.

2 Le phénotype se décline à plusieurs échelles

▌ Le phénotype moléculaire se répercute à d'autres échelles : cellule, organe, organisme. En général, toute modification du phénotype à une échelle modifie le phénotype aux échelles supérieures.

3 Complexité de l'expression génétique

▌ L'existence de plusieurs allèles pour un même gène conduit à une certaine diversité des protéines et des caractères qu'elles déterminent.

▌ Par ailleurs, certains facteurs internes ou externes à la cellule peuvent influencer l'expression des gènes. Ainsi, l'ensemble des protéines qui se trouvent dans une cellule et qui définissent son phénotype moléculaire dépend :
– de son patrimoine génétique (diversité des allèles) ;
– de la nature des gènes qui s'expriment sous l'effet de facteurs internes ou externes.

Le phénotype moléculaire résulte donc de l'expression régulée du génotype.

MOTS CLÉS

Génotype : Ensemble des gènes présents dans les chromosomes d'une cellule.

Phénotype : Le phénotype est l'ensemble des caractères apparents (morphologique, chimique…) d'un organisme, d'une cellule, résultant de l'expression du génotype.

■ **Manipuler et expérimenter :**
● en réalisant une électrophorèse.

■ **Exploiter des résultats en utilisant les technologies de l'information et de la communication :**
● en utilisant un logiciel de visualisation moléculaire.

■ **Comprendre qu'un effet peut avoir plusieurs causes :**
● en étudiant les conséquences d'une maladie génétique à différentes échelles.

Je retiens par l'image

Animation interactive

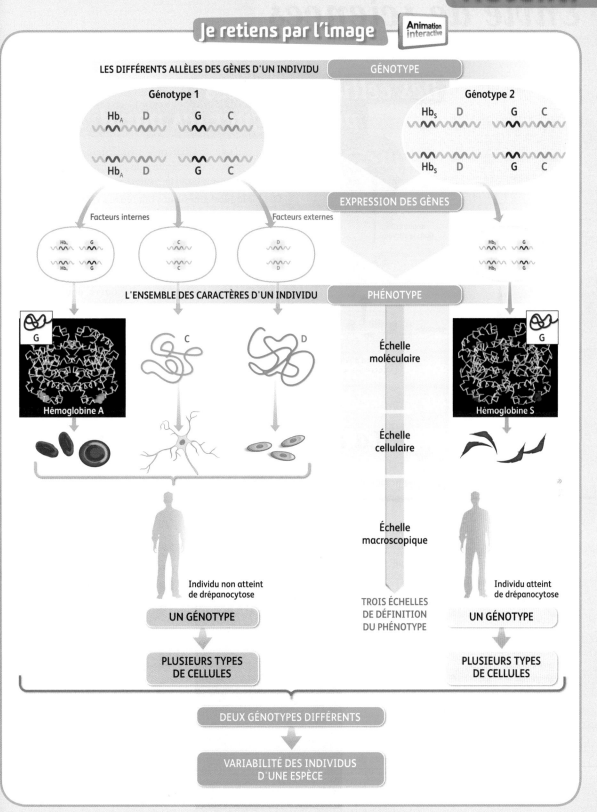

LES DIFFÉRENTS ALLÈLES DES GÈNES D'UN INDIVIDU — GÉNOTYPE

Génotype 1

Hb_A D G C

Hb_A D G C

Génotype 2

Hb_S D G C

Hb_S D G C

EXPRESSION DES GÈNES

Facteurs internes   Facteurs externes

L'ENSEMBLE DES CARACTÈRES D'UN INDIVIDU — PHÉNOTYPE

G
Hémoglobine A

G
Hémoglobine S

C

D

Échelle moléculaire

Échelle cellulaire

Échelle macroscopique

Individu non atteint de drépanocytose

Individu atteint de drépanocytose

TROIS ÉCHELLES DE DÉFINITION DU PHÉNOTYPE

UN GÉNOTYPE

UN GÉNOTYPE

PLUSIEURS TYPES DE CELLULES

PLUSIEURS TYPES DE CELLULES

DEUX GÉNOTYPES DIFFÉRENTS

VARIABILITÉ DES INDIVIDUS D'UNE ESPÈCE

Envie de sciences

Des cellules souches pour soigner les paralysies ?

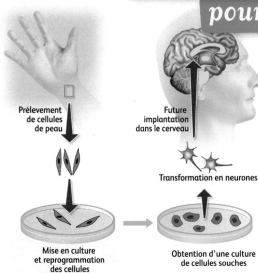

Prélèvement de cellules de peau

Mise en culture et reprogrammation des cellules

Transformation en neurones

Future implantation dans le cerveau

Obtention d'une culture de cellules souches

◀ Obtention de neurones à partir de cellules de peau et application médicale possible.

La maladie de Charcot se manifeste par la destruction progressive de neurones du cerveau, provoquant une perte de tonus musculaire, suivie d'une paralysie.

Des biologistes américains ont réussi à cultiver des cellules souches à partir de cellules de peau reprogrammées d'une patiente atteinte de cette maladie. Ces cellules souches ont ensuite été transformées en neurones, cellules justement détruites par la maladie.

Les neurones sont des cellules très difficiles à cultiver *in vitro*. Cette avancée scientifique ouvre donc de nombreuses perspectives dans la compréhension et le traitement des maladies neurodégénératives.

La reconnaissance biométrique

Dans Minority Report, l'agent John Anderton (Tom Cruise), tente d'échapper à une identification automatique dans le métro, basée sur la reconnaissance des motifs de son iris.

Le principe exploite la grande variabilité des motifs iridiens (La probabilité de rencontrer deux individus ayant le même iris est de 10^{-72} ; deux vrais jumeaux ayant par exemple des iris distincts). Il s'avère donc théoriquement fiable.

Cependant, de nombreux problèmes subsistent au moment de la prise de vue : la cible est petite (1 cm), mobile, présente une surface courbe propice aux reflets, peut-être masquée par un clignement de paupière, etc. L'iris change par ailleurs de taille en fonction de l'intensité de l'éclairage.

Ce procédé d'identification biométrique existe déjà, même s'il n'est pas aussi « performant » que celui présenté dans le film. Par exemple, à Tokyo, certains immeubles sont équipés de systèmes de reconnaissances autorisant l'accès aux habitants d'un immeuble.

TOM CRUISE

MINORITY REPORT

◀ La reconnaissance biométrique dans un film d'anticipation.

Assistant ingénieur à l'INRA

Dans l'unité mixte de recherche de neurobiologie sensorielle, l'assistant ingénieur étudie la capacité de certains pollens à protéger les abeilles des maladies. Le milieu scientifique apicole étant très restreint, des partenariats scientifiques sont monnaie courante, par exemple avec l'Institut apicole de Roumanie.

Le travail de terrain est complété par un travail de laboratoire, consistant, entre autres, à analyser les lipides contenus dans les grains de pollen.

L'effet des substances étudiées est ensuite testé par l'unité expérimentale d'Entomologie, qui nourrit les abeilles avec ces lipides et observe leurs effets sur le développement et la santé des abeilles, avec pour objectif de trouver des réponses aux nombreuses pathologies qui touchent actuellement ces hyménoptères, si utiles pour l'homme.

QUALITÉS ET NIVEAU REQUIS

▷ **Aimer travailler en équipe**
▷ **Maîtriser une langue étrangère (l'anglais principalement)**
▷ **Être rigoureux mais aussi créatif**
▷ **Baccalauréat scientifique**
▷ **Master en écologie ou en biologie et physiologie animale**

Le phénotype change dans l'espace

En apesanteur, la physionomie des spationautes se modifie : leur visage s'arrondit. En effet, le sang, qui n'est plus attiré vers le sol, reflux vers le visage, ce qui gonfle les tissus. C'est en fait un tiers des cinq litres de sang qui quitte les jambes pour s'accumuler au-dessus de l'abdomen.

Cet effet, qui peut être spectaculaire (surtout quand les cheveux se dressent sur la tête…), est sans gravité pour l'organisme.

Le cœur, lui, devient « paresseux ». Sur Terre, il doit se contracter avec suffisamment de force pour faire remonter le sang des membres inférieurs. Au moment du retour sur Terre, le muscle cardiaque affaibli n'assure plus ce rôle : le sang stagne dans les jambes, et le cerveau est privé de dioxygène : c'est l'évanouissement. Pour éviter cela, des exercices physiques sont indispensables pendant le séjour spatial.

Enfin, alors qu'un homme perd 20 % de sa masse osseuse au cours de sa vie, un spationaute peut perdre cette même proportion en 6 mois. Le squelette se décalcifie, devient poreux et fragile, car il n'est plus sollicité mécaniquement.

Eileen Collins dans l'ISS.

La couleur de l'œil chez la drosophile

▶ La drosophile est un insecte mesurant moins de 3 mm de long. La couleur des yeux de la drosophile résulte de la présence de deux pigments, l'un rouge vif, l'autre brun.

▶ On dispose de drosophiles mutantes aux yeux de différentes couleurs. Afin de comprendre l'origine de ces phénotypes, on réalise une chromatographie des pigments présents dans les yeux de chacune d'elles.

➡ **On cherche à déterminer le phénotype moléculaire des cellules des yeux de différentes souches de drosophiles.**

Capacités évaluées

▶ Réaliser une chromatographie
▶ Exprimer et exploiter des résultats
▶ Adopter une démarche explicative

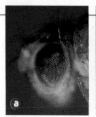

1 **Des yeux de drosophile de différentes souches :**
ⓐ Sauvage.
ⓑ Brown.
ⓒ Sépia.

Matériel disponible

▶ Drosophiles sauvages, *Brown* et *Sepia*
▶ Papier à chromatographie
▶ Pinces
▶ Cuve à chromatographie
▶ Papier d'aluminium
▶ Agitateurs en verre
▶ Solution de développement (isopropanol-ammoniaque à 1 %, solution à 1:1)

GTP → Bioptérine (bleu) → Isoxanthoptérine (bleu)
Bioptérine → Sépiaptérine (jaune)
Bioptérine → Drosoptérine (rouge-orange) → Œil rouge-brique
Tryptophane → Xanthommatine (brun) → Œil rouge-brique

Conclusions attendues

▶ **1.** Les cellules des yeux de drosophiles sauvages possèdent de grandes quantités de xanthommatine brune ainsi que de drosoptérine rouge, ce qui donne cette couleur rouge brique aux yeux.

▶ **2.** Les cellules des yeux de drosophiles *Brown* sont marrons. Elles sont incapables de synthétiser la bioptérine à partir de GTP et ne possèdent que de la Xanthommatine.

▶ **3.** Les cellules des yeux de drosophiles *Sepia* sont incapables de produire de la drosoptérine à partir de bioptérine, elles accumulent des pigments brun, bleu et jaune ce qui donne la couleur sépia (marron clair) aux yeux.

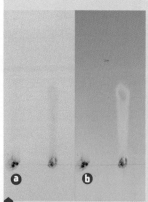

2 **Chromatographie obtenue :**
ⓐ Vue en lumière naturelle.
ⓑ Vue sous lumière ultra-violette.

Critères de réussite

➡ Seules les têtes des mouches sont utilisées pour faire le dépôt et celui-ci est situé au-dessus du niveau du solvant.

➡ La migration est réalisée dans le noir et stoppée avant que le front de migration n'atteigne l'extrémité du papier à chromatographie.

➡ Respect des conditions d'hygiène et de sécurité.

➡ Les résultats de la chromatographie sont exprimés sous forme d'un tableau

Pigments des yeux de drosophiles	Sauvages	*Brown*	*Sepia*
Xanthommatine (brun)	++	++	++
Bioptérine (bleu)	+	-	+
Drosoptérine (orange-rouge)	++	-	-
Isoxanthoptérine (bleu)	+	-	+
Sepiaptérine (jaune)	+	-	++

Évaluer ses connaissances

Tests rapides

Animation interactive

1 Quelques définitions à maîtriser

Définir brièvement les mots ou expressions suivants :
• Phénotype • Allèle • Dominance • Récessivité.

2 Questions à choix multiple

Parmi les affirmations suivantes, choisissez la (ou les) réponse(s) exacte(s).

1 Un allèle est dominant :
a. lorsqu'il s'exprime à l'état homozygote.
b. lorsqu'il s'exprime à l'état hétérozygote.
c. lorsqu'il ne s'exprime qu'à l'état hétérozygote.
d. lorsqu'il empêche tout autre allèle de s'exprimer.

2 Un allèle récessif s'exprime :
a. à l'état homozygote.
b. à l'état hétérozygote.
c. uniquement dans des conditions spécifiques d'environnement.
d. chez un porteur sain.

3 Le phénotype d'une cellule :
a. ne dépend jamais de son génotype.
b. dépend de la nature de ses protéines.
c. peut varier en fonction de facteurs externes.
d. peut différer de celui d'une autre cellule de l'organisme.

4 Un porteur sain d'une maladie génétique :
a. est hétérozygote pour le gène mis en cause dans la maladie.
b. est lui-même malade.
c. peut transmettre l'allèle morbide à sa descendance.
d. aura dans sa descendance des enfants malades.

5 Dans la drépanocytose, les hématies sont déformées :
a. suite au changement de forme de l'hémoglobine.
b. suite à la polymérisation de l'hémoglobine.
c. suite au passage dans les petits vaisseaux sanguins.
d. à cause d'interactions avec les autres hématies.

3 Analyser un document

L'alcaptonurie est une maladie métabolique héréditaire qui se caractérise par des urines qui noircissent au contact de l'air. L'arbre généalogique montre la transmission de cette pathologie dans une famille, dont les individus atteints sont représentés en rouge.

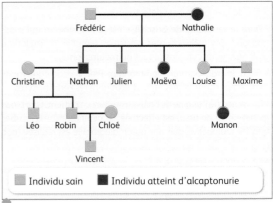

☐ Individu sain   ■ Individu atteint d'alcaptonurie

Arbre généalogique d'une famille atteinte d'alcaptonurie.

Parmi les affirmations suivantes, choisissez la (ou les) réponse(s) exacte(s).

1 Nathalie :
a. est homozygote pour l'allèle morbide.
b. transmettra à ses enfants un allèle morbide.
c. est hétérozygote pour l'allèle morbide.

2 Louise :
a. est porteuse saine de l'allèle morbide.
b. est homozygote pour l'allèle normal.
c. transmettra à ses enfants un allèle morbide.
d. a reçu une allèle morbide de son père Frédéric.

2 Manon :
a. a reçu un allèle morbide de chacun de ses parents.
b. a reçu deux allèles morbides de son père.
c. aura obligatoirement des enfants malades.

Restituer ses connaissances

4 Organiser une réponse argumentée

En une quinzaine de lignes, résumez comment l'environnement peut moduler l'expression du génotype.

5 Élaborer un texte illustré

Le phénotype se définit d'abord à l'échelle moléculaire, puis à l'échelle de la cellule, de l'organe, et de l'individu. Justifiez ces liens de causalité à l'aide d'un schéma en vous appuyant sur l'exemple de votre choix. Vous préciserez les ordres de grandeurs (en mètre) des objets représentés.

Exercice guidé

6 L'albinisme

▶ Cette pathologie héréditaire est un syndrome caractérisé par une faible pigmentation des phanères (peau, cheveux) et de l'iris. Il peut être associé à des troubles oculaires (document 1).

▶ La peau est pigmentée grâce à un pigment, la mélanine, synthétisé dans les mélanocytes (cellules du derme), puis transportés dans les kératinocytes (document 2).

▶ Dans l'albinisme oculo-cutané, une des enzymes de la chaîne de synthèse de la mélanine est défectueuse.

▶ Dans le syndrome de Griscelli, c'est la myosine Va qui n'assure pas le transport des mélanosomes (vésicules remplies de mélanine) dans les prolongements cytoplasmiques du mélanosome.

▶ Enfin, le transporteur membranaire PAR 2 peut également être déficient, empêchant la mélanine d'atteindre les kératinocytes.

▶ On recherche l'origine de l'albinisme chez un patient. Une biopsie cutanée (prélèvement de tissu) est effectuée. La peau est mise à incuber avec de la tyrosine radioactive, puis une autoradiographie est réalisée (document 3).

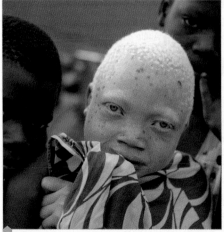

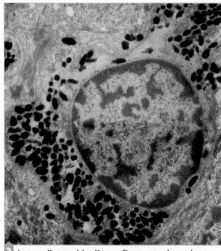

1 Un individu albinos (Tanzanie).

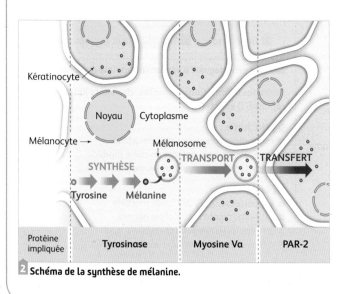

2 Schéma de la synthèse de mélanine.

3 Autoradiographie d'un mélanocyte du patient étudié après 60 min d'incubation.

QUESTIONS

1 Expliquez que le phénotype albinos est sous la dépendance de plusieurs gènes.

2 Justifiez du type d'albinisme dont le patient est atteint.

Guide de résolution

1 Énumérer le nombre d'enzymes ou de protéines qui interviennent dans la synthèse de la mélanine et son transport vers les kératinocytes.

2 Faire un dessin du cliché d'autoradiographie et légender avec les indications du schéma d'interprétation du document 2. Localiser la substance radioactive (lorsque la tyrosine radioactive vient d'être ajoutée au milieu, tout le cytoplasme est sombre sur le cliché).

Appliquer ses connaissances

7 Détermination de la caste chez les abeilles

▶ Une ruche comprend plusieurs rayons constitués d'alvéoles. Lors du vol nuptial, la reine conserve les spermatozoïdes des mâles dans un organe : la spermathèque.

▶ Lors de la ponte dans les alvéoles, un œuf non fécondé donnera naissance à un mâle alors qu'un œuf fécondé donnera naissance à une femelle soit ouvrière soit reine.

▶ Au bout de quatre jours, le taux d'une protéine contrôlant le développement est 10 fois supérieur chez une larve de la futur reine que chez les ouvrières.

▶ On sépare des œufs fécondés en deux lots. En fonction du mode de nutrition de chaque lot, on obtient des individus de caste différentes.

QUESTION

1 Après une recherche rapide sur Internet, comparez brièvement la morphologie d'une reine et d'une ouvrière puis justifiez si le phénotype sexuel dépend du génotype.

2 Justifiez si le phénotype de caste dépend de l'environnement ou du génotype.

3 Émettez une hypothèse liant la nourriture et le développement larvaire.

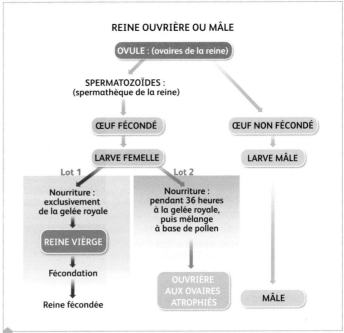

Déterminisme du sexe chez les abeilles.

8 La forme de l'œil chez la drosophile

▶ La drosophile présente une variabilité de la forme de l'œil. L'œil des insectes est constitué d'un assemblage de facettes, sa taille est donc proportionnelle au nombre de facettes. Le phénotype sauvage (le plus fréquent) coexiste avec les phénotypes ultrabar et infrabar (allèles mutés à partir de l'allèle sauvage).

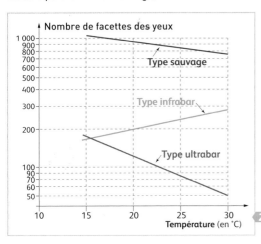

▶ Une variabilité de la taille des yeux est observée entre individus dont les larves ont été élevées dans des environnements de températures différentes.

1 Œil de la drosophile (MEB, fausses couleurs) et variations de la forme de l'œil pour les mutants bar.

QUESTIONS

1 Montrez que la forme de l'œil est sous la dépendance du génotype.

2 Montrez que, pour un génotype donné, une variabilité existe. Indiquez-en la cause.

3 Indiquez dans quelles conditions il est possible d'obtenir le même phénotype pour des drosophiles de génotypes différents.

4 Pourrait-on obtenir un individu mutant infrabar de phénotype sauvage ? Justifiez votre réponse et la méthode pour l'obtenir.

2 Nombre de facettes en fonction de la température d'élevage et du génotype.

Exercices

9 Morphologie des résineux

▶ En Norvège, les épicéas présentent des formes particulières de ramification des branches selon l'altitude. À basse altitude, la forme appelée en « peigne » domine, associée surtout à des chutes de neige souvent mouillée qui pèse lourdement sur les branches. À moyenne altitude, la neige est rarement humide et c'est la forme en « brosse » qui existe jusqu'à la limite supérieure de la forêt. Au-dessus de cette limite, là où des vents violents et des brouillards givrants entraînent la formation de glace sur les branches, on ne rencontre que la forme dite « plate » où l'air circule facilement entre les branches.

▶ Ces différentes formes sont appelées écotypes : la graine d'un épicéa en peigne donnera naissance à une plantule qui deviendra un épicéa en peigne, quel que soit le milieu où elle aura été plantée.

▶ Dans la forêt landaise, le diamètre des troncs peut être plus ou moins homogène. Si une parcelle est bien gérée, une distance minimum est respectée entre les différents arbres. Si la parcelle est mal gérée, les arbres sont trop proches et leur développement inégal. Une graine de la parcelle du haut, plantée dans la parcelle du bas, pourra donner un arbre chétif ou vigoureux.

Forme en peigne

Forme plate

Forme en brosse

1 Différentes silouhettes d'épicéas en Norvège.

2 Morphologie des pins maritimes de deux forêts landaises, entretenue (en haut) ou non (en bas).

QUESTIONS

1 Résumez, sous forme de schémas, comment la forme des épicéas leur permet de s'adapter au milieu.

2 Justifiez si l'écotype est déterminé par le génotype ou l'environnement.

3 Décrivez la taille des troncs et la répartition des branches basses entre deux parcelles à la gestion différente.

4 Émettez une hypothèse expliquant les différences de croissance.

5 Justifiez si la taille du tronc est déterminée par le génotype ou l'environnement.

La science AUTREMENT

10 L'évolution de la taille des hommes

▶ L'amélioration des conditions de vie expliquerait l'augmentation de la taille moyenne de la population depuis quelques dizaines d'années. Une étude menée en France montre que, en un siècle, c'est-à-dire quatre générations, la taille moyenne des hommes a gagné 11 cm, celle des femmes 8 cm. Sommes-nous pour autant les plus grands des *Homo sapiens* ?

▶ Les références historiques sont souvent difficilement exploitables, car le système métrique date de 1795. Ainsi, la Bible mentionne que Goliath, le géant vaincu par David, mesurait 6 coudées et 1 empan, soit entre 2,90 m et 3,25 m !

▶ Une étude américaine (document 2), se basant sur l'étude de milliers de squelettes déterrés de sites funéraires du Nord de l'Europe, a montré que la taille moyenne est passée de 173,4 cm (IXe et XIe siècles) à 167 cm (XVIIe et XVIIIe siècles). Ce n'est qu'à la fin du XXe siècle que ce « retard » a été comblé.

▶ Parmi les nombreux facteurs pouvant expliquer ces variations, le climat et ses conséquences sur l'agriculture sont souvent cités. L'optimum climatique médiéval s'oppose au « petit âge glaciaire » de la Renaissance (document 3).

1 Couverture du livre de chasse de Gaston Fébus (1389).

QUESTIONS

1 Relevez, dans la couverture du livre de chasse de Gaston Fébus (document 1), les indices pouvant indiquer que la taille au Moyen-âge était importante. Des éléments contradictoires sont-ils présents ?

2 Sur un graphique de la taille en fonction du temps (en siècles), placez les points correspondant à l'étude américaine. Tracez la courbe et interprétez.

3 Mettez en relation ces résultats avec l'évolution climatique au cours du second millénaire et justifiez si la taille de l'homme dépend plutôt du génotype ou de l'environnement.

Période	Taille
IXe siècle	173,4
XIIe - XIIIe siècle	171,5
XVe - XVIe siècle	171,4
XVIIe siècle	167,5
XVIIIe siècle	166,2
XVIIIe - XIXe siècle	169,8
Fin du XIXe siècle	169,7
1950	172,5

2 Évaluation de la taille moyenne des hommes.

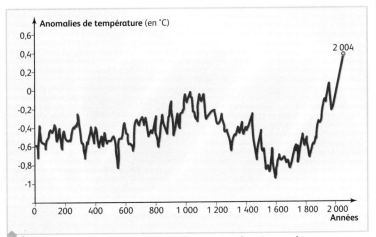

3 Évolution des températures reconstituée depuis le début de notre ère.

CHAPITRE 4

Variabilité génétique et mutation de l'ADN

▶ Lors de la mitose, la cellule-mère produit deux cellules-filles génétiquement identiques entre elles et à la cellule-mère.
On observe ainsi une transmission conforme de l'information génétique de génération en génération.

▶ Pourtant, il existe une grande diversité des individus au sein de chaque espèce.

▶ Cette diversité et l'apparition de caractères nouveaux ont pour origine des modifications dans les séquences d'ADN appelées mutations.

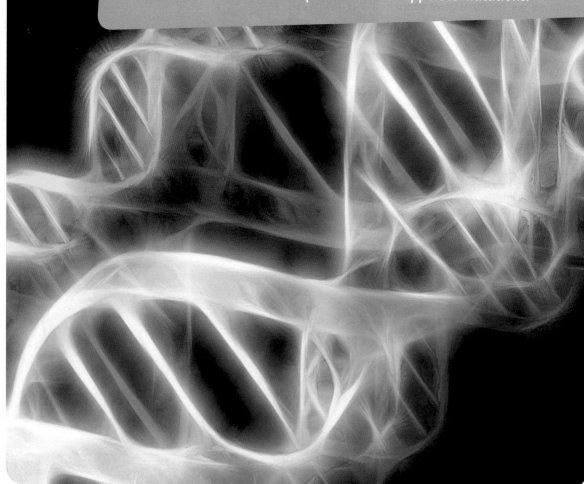

1 L'ADN, support universel de l'information génétique.

2 La diversité des phénotypes au sein d'une même espèce.

Au-dessus, l'équipe de France de football lors de la coupe du monde de 1998.
À droite, différents individus d'une même espèce de coccinelles asiatiques.

Quelle est l'origine
des mutations ?

→ Activités 1 et 2

Comment expliquer la fréquence
d'apparition des mutations ?

→ Activité 3

Quel est le devenir d'une mutation
dans un organisme ou
une population ?

→ Activité 4

3 Un exemple d'une grande biodiversité dans un écosystème récifal.

Activité 1

L'apparition de caractères nouveaux

Dans une population, les descendants ont des phénotypes très proches de leurs parents. Pourtant, il apparaît quelquefois des caractères nouveaux dans une population.

→ **Comment expliquer l'apparition de nouveaux caractères et leur fréquence ?**

Guide d'exploitation

1 (Doc 1) Relevez les arguments montrant que les mutations sont des phénomènes rares et spontanés quelle que soit l'espèce observée.

2 (Doc 2) Décrivez les différentes mutations qui peuvent affecter une séquence d'ADN et proposez une explication à l'origine du phénotype mutant chez la levure.

3 (Doc 3) Relevez les arguments montrant que la réplication peut être à l'origine de l'apparition de mutations.

4 (Doc 3) Un éditeur est une personne qui corrige le manuscrit d'un auteur ; par analogie, on parle de fonction d'édition pour l'ADN polymérase. Montrez en quoi ces résultats suggèrent une fonction d'édition de l'ADN polymérase.

VOCABULAIRE

Mutant : individu porteur d'une modification de l'ADN ou mutation.

Taux d'erreur : fréquence d'erreur dans la réplication de l'ADN.
Exemple : 10^{-7} = une erreur de nucléotide pour dix millions de nucléotides répliqués.

Taux de mutation : fréquence d'apparition des mutations. Il correspond au rapport du nombre de mutants sur le nombre d'individus normaux observés.
Exemple : 10^{-8} = un mutant pour cent millions d'organismes.

1 Des individus singuliers au sein d'une population

▶ Au fil des générations, il apparaît parfois un individu avec des caractères qui n'étaient pas présents dans la population initiale.

a Un kangourou albinos dans une population du parc d'Émancé à Rambouillet.

▶ Une population de drosophiles aux yeux rouges depuis des générations a été élevée en laboratoire dans des conditions qui n'ont pas varié depuis la première génération. Il apparaît parfois des drosophiles aux yeux blancs.

b Un mutant aux yeux blancs dans une population aux yeux rouges.

▶ Ces individus présentent un caractère nouveau : ce sont des **mutants**. La fréquence d'apparition d'un nouveau caractère dans une population ou **taux de mutation** peut être estimée en laboratoire.

Organisme étudié	Caractère étudié	Taux de mutation estimé
Escherichia coli (bactérie)	Incapacité à utiliser le lactose comme source d'énergie	2.10^{-7}
	Apparition de la résistance à un antibiotique	10^{-8}
Maïs (végétal)	Forme ridée des graines au lieu d'une forme lisse	10^{-5}
	Couleur pourpre des graines au lieu de jaune	10^{-6}
Drosophile (insecte)	Yeux blancs et non rouges	4.10^{-5}
	Yeux bruns et non rouges	3.10^{-5}

c Taux de mutation chez quelques espèces selon le caractère étudié.

2 Caractérisation des mutations

▶ Les bêta-thalassémies sont des maladies dues à une altération de la synthèse de la chaîne bêta de l'hémoglobine, molécule indispensable au transport du dioxygène dans le sang chez l'Homme. Les individus atteints produisent moins ou aucune chaîne bêta, ce qui a des incidences sur les hémoglobines produites.

▶ Les formes les plus sévères de ces maladies entraînent des anémies graves qui nécessitent des transfusions sanguines régulières et des greffes de moelle osseuse.

▶ Plus de 130 mutations sont actuellement référencées pour les bêta-thalassémies. Quelques-unes de ces mutations peuvent être visualisées avec le logiciel Anagène.

RÉALISER

1. **Ouvrir la séquence** « betacod.adn » située dans la banque de séquences dans les dossiers des chaînes de l'hémoglobine, rubrique « bêta ».

2. **Ouvrir** les différentes séquences « thacod.adn » situées dans la rubrique « thalassémie ».

3. **Sélectionner** les séquences à comparer en cliquant sur le carré à gauche du nom de chaque séquence.

4. **Vérifier** que la première séquence correspond bien à l'allèle betacod.adn.

5. **Réaliser une comparaison** à l'aide du bouton. ATGC -C--

6. **Vérifier** l'alignement avec discontinuité. Seules les différences avec la séquence de référence apparaissent. Les nucléotides identiques sont indiqués par un trait d'union, les nucléotides manquants par un tiret bas.

			1	10	20	30	40	50	60
Traitement	◀	▶ 0	Alignement multiple de séquences d'ADN
Identités	◀	▶ 0	****************************** ******************** *** ********
betacod.adn	◀	▶ 0	ATGGTGCACCTGACTCCTGAGGAGAAG_TCTGCCGTTACTGCCCTGTGGGGCAAGGTGAAC
tha3cod.adn	◀	▶ 0	------------------------------ _ ---------------------A------------
tha6cod.adn	◀	▶ 0	------------------------------ _ ------------------ _ ----------
tha7cod.adn	◀	▶ 0	------------------------------C--------------------------------

Comparaison d'extraits de séquences d'allèles du gène codant la chaîne bêta de l'hémoglobine.

3 Réplication et mutation

▶ L'ADN polymérase est une protéine enzymatique responsable de la réplication de l'ADN. Pour cela, elle réalise une copie complémentaire du brin qui lui sert de matrice. Mais comme dans tout processus de copie, comme celui d'un texte ou d'un DVD, il peut y avoir insertion d'erreur dans la copie. Dans le cas de l'ADN, ceci peut donc modifier la séquence des nucléotides et générer des mutations. Afin de caractériser ce phénomène, on étudie en laboratoire des organismes possédant des ADN polymérases plus ou moins efficaces dans la fidélité de la copie.

▶ Il est possible d'estimer le **taux d'erreur** d'une ADN polymérase en dénombrant les mutants présents dans une population. Ceci a été réalisé chez divers organismes possédant différents types d'ADN polymérase.

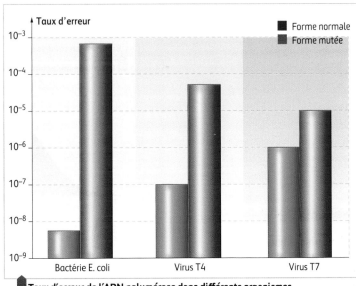

Taux d'erreur de l'ADN polymérase dans différents organismes.
Le taux d'erreur est présenté pour la forme normale et la forme mutée de la protéine.

Activité 2

Environnement et fréquence des mutations

Les mutations sont des phénomènes rares et spontanés dont les apparitions peuvent être associées à l'environnement.

→ **Quelle influence l'environnement peut-il avoir sur la structure de l'ADN ?**

Guide d'exploitation

1 (Doc 1) Relevez les données qui permettent de suspecter les UV comme étant un facteur favorisant l'apparition de mutations.

2 (Doc 2) Construisez, à l'aide d'un tableur, un graphique montrant le nombre total de colonies et le pourcentage de colonies blanches en fonction du temps d'exposition aux UV. Interprétez ces résultats.

3 (Doc 3) Indiquez comment les UV peuvent agir sur l'ADN.

1 Étude épidémiologique : à la recherche d'agents mutagènes

▶ Le bronzage est devenu un phénomène de mode depuis le milieu du siècle dernier. Parallèlement, on observe de plus en plus de cancers de la peau.

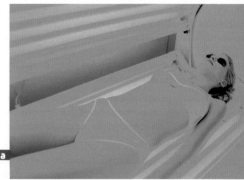

Une femme a bronzant dans une cabine solaire.

▶ Des **études épidémiologiques** permettent de calculer un risque de développer un **mélanome** en fonction de l'exposition au soleil. Pour cela, on dénombre la fréquence des mélanomes dans différentes populations en fonction de leur exposition au soleil par rapport à des populations témoins qui ne s'exposent pas particulièrement au soleil.

▶ On calcule alors un risque relatif qui est le rapport entre le nombre de personnes qui ont un mélanome dans l'étude par rapport à une population témoin. Par définition, la population témoin a un risque relatif de 1.

Exposition solaire	Nombre de cas étudiés	Risque relatif
Exposition intermittente	6 394	1,71
Exposition solaire totale	3 540	1,18
Coups de soleil	4 771	1,91
Exposition dès l'adolescence	1 826	1,73
Exposition dès l'enfance	2 732	1,95
Bronzage en cabines solaires	106 366	2,37

b Risque de mélanome en fonction de l'exposition au soleil.

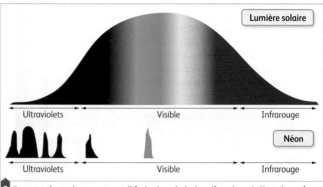

c Comparaison des spectres d'émission de la lumière du soleil et des néons des cabines solaires.

2 Identification expérimentale d'agents mutagènes

❱ La couleur rouge chez les levures est due à un gène défectueux qui entraîne l'accumulation d'un pigment rouge. Les levures sauvages sont blanches. Pour vérifier si les rayons ultraviolets sont des agents mutagènes, on expose des cultures de levures rouges à des doses croissantes d'UV.

1. **Déposer** une goutte de suspension de levure Ade2 au centre de boîtes de culture.

2. **Étaler** les cellules à la surface du milieu de culture.

3. **Exposer** les cellules aux UV pendant 0 à 120 s.

4. **Fermer** les boîtes et les placer à température ambiante pendant une semaine.

5. **Observer et dénombrer** sur chaque boîte les colonies blanches et rouges de levures.

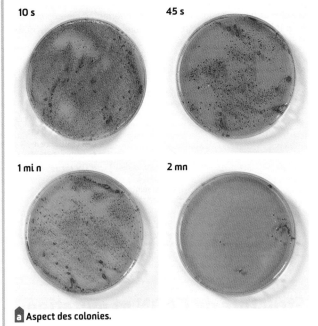

10 s   **45 s**

1 min   **2 mn**

a Aspect des colonies.

Durée d'exposition aux UV en s	0	45	60	90	120
Nombre de colonies rouges	3 000	1 733	597	115	51
Nombre de colonies blanches	0	17	28	10	9
Nombre total de colonies	3 000	1 750	625	125	60

b Résultats d'observation et de comptage.

❱ Pour vérifier que la variation de couleur est bien d'origine génétique, un séquençage du gène *Ade2* impliqué dans la couleur de la levure est réalisé sur des colonies rouges et des colonies blanches de l'expérience.

			60	70	80	90	100	110	120
Traitement	◀ ▶	0							
Ade2Allele1.adn	◀ ▶	0	GGCAGCAAACAGGCTCAACATTAAGACGGTAATACTAGATGCTGAAAATTCTCCTGCCAAACAA						
Ade2Allele2.adn	◀ ▶	0	--T-------------------						

c Comparaison d'extraits de séquences d'allèles du gène responsable de la couleur des levures. Le gène *Ade2* contient 2 518 nucléotides. L'allèle *Ade2Allèle1* est celui porté par les levures rouges et *Ade2Allèle2* celui porté par les levures blanches.

3 L'action des agents mutagènes

❱ L'action des rayons ultraviolets a été étudiée sur des cultures de cellules de peau exposées à des doses croissantes de rayons UV, exprimées en J/cm². Les cassures de l'ADN sont repérées grâce à une technique particulière qui rend le noyau fluorescent lorsque l'ADN est abîmé. Ces cassures vont empêcher la réplication de l'ADN.

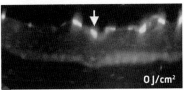

0 J/cm²

30 J/cm²

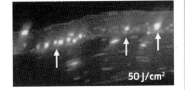

50 J/cm²

Visualisation des cassures dans l'ADN en fonction de la dose d'UV reçue.

Activité 3

Mutations et réparation

L'ADN, comme toute molécule, est susceptible de subir des réactions chimiques et d'être modifié. Le taux de mutation est pourtant faible : de l'ordre d'une mutation pour cent millions de nucléotides répliqués.

→ **Comment expliquer que les taux de mutation soient faibles dans les cellules ?**

Guide d'exploitation

1 (Doc 1) Relevez les arguments indiquant qu'il existe un mécanisme héréditaire qui limite l'apparition de mutations.

2 (Doc 2) Décrivez les effets d'une mutation sur la structure de la molécule d'ADN. Déterminez le diamètre d'une molécule d'ADN normale ou mutée.

3 (Doc 2 et 3) Proposez un modèle expliquant comment les cellules peuvent identifier et réparer des erreurs dans une molécule d'ADN.

4 (Doc 4) Relevez les données montrant que la réparation de l'ADN nécessite plusieurs protéines enzymatiques.

5 (Doc 1 et 4) La réparation de l'ADN est-elle un mécanisme efficace ? Justifiez votre réponse.

VOCABULAIRE

Appariement : association entre deux nucléotides de brins différents.

Dimère de thymine : mutation entraînant la formation de liaisons fortes entre deux nucléotides T successifs de l'ADN.

Mésappariement : erreur d'association qui ne correspond pas à la complémentarité des nucléotides.

---

1 Le contrôle génétique de la réparation de l'ADN

▶ Le *Xeroderma pigmentosum* est une maladie génétique rare qui se manifeste par une très grande sensibilité aux rayons ultraviolets du soleil. Elle provoque, chez les individus atteints, des dommages cutanés et oculaires importants avec souvent l'apparition de cancers.

▶ Des cellules qui n'ont pas été exposées aux UV sont prélevées chez des individus sains et des individus atteints du *Xeroderma pigmentosum* puis soumises à différentes doses d'UV. Le nombre de **dimères de thymine** dans ces cellules est alors déterminé.

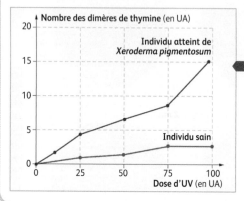

Nombre de dimères de thymine dans des cellules en fonction de la dose d'UV reçue.

---

2 Structure de l'ADN et mutation

▶ La structure régulière de l'ADN est due aux liaisons chimiques entre les bases azotées des deux brins complémentaires.

▶ Si une base d'une paire de nucléotides normalement **appariés** est modifiée, il y a **mésappariement**. Ceci a pour conséquence de modifier la distance entre les brins de la molécule d'ADN.

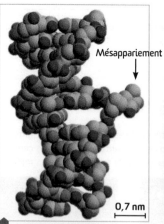

a Modélisation d'une molécule d'ADN comportant un mésappariement.

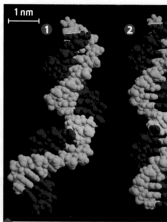

b Modélisation de la structure de l'ADN suite à un mésappariement entre deux bases.
1 ADN normal **2** ADN muté.

3 Des protéines impliquées dans la réparation de l'ADN

▶ L'enzyme XPA est une protéine impliquée dans la réparation de l'ADN. Elle est codée par le gène *Xpa*.

▶ Il est possible de visualiser les contacts entre les protéines de réparation et l'ADN grâce au logiciel Rastop.

RÉALISER

1. Ouvrir le fichier « 1vas.pdb ».
Afficher la protéine et la molécule d'ADN.

2. Colorer chaque nucléotide avec une couleur différente. Pour cela, sélectionner dans Éléments ▼ le « nucléotide A » puis cliquer sur le bouton « nouvelle sélection ». 🔲
Cliquer enfin sur le bouton 🔳 et sélectionner une couleur.

3. Renouveler l'opération pour les nucléotides C, G et T.

4. Cliquer sur l'icône « chaîne » 🔬 puis sélectionner la protéine.

5. Cliquer sur l'item « Sphères de Van der Waals ». 🔬

6. Réaliser un zoom dans la zone de contact entre l'ADN et la protéine.

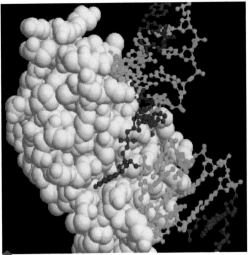

a Une protéine de réparation au contact d'une molécule anormale d'ADN.

Détail de la zone de contact entre la protéine et la zone mutée. Les nucléotides A sont en rouge et les T en violet. **b**

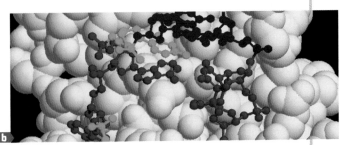

4 De multiples acteurs pour réparer l'ADN

▶ Des tests de résistance aux UV ont été réalisés sur des cellules de plusieurs patients atteints de *Xeroderma pigmentosum*. Des groupes ont ainsi été créés en fonction de la sensibilité de leurs cellules aux UV.

▶ Afin d'identifier l'origine de cette sensibilité, des expériences de transgenèse ont été effectuées dans ces cellules avec les gènes *Xpa* ou *Xpc* susceptibles de coder pour des protéines impliquées dans la réparation de l'ADN.

a Survie des cellules en fonction de la dose d'UV reçue.

Groupe de la cellule	Gène ajouté par transgenèse	Sensibilité des cellules aux UV
Groupe A	*Xpa*	Identique aux cellules normales
Groupe A	*Xpc*	Très élevée
Groupe C	*Xpc*	Identique aux cellules normales
Groupe C	*Xpa*	Élevée

b Quelques résultats d'expériences de transgenèse sur des cellules sensibles aux UV.

Activité 4

Mutations et biodiversité

Les mutations sont des phénomènes rares. Parmi les populations regroupant de nombreux individus, eux-mêmes constitués de nombreuses cellules, des caractères nouveaux devraient donc apparaître régulièrement.

→ **Que devient une mutation dans un organisme ou dans une population ?**

Guide d'exploitation

1 (Doc 1) Comparez dans la famille A les séquences des allèles portés par les cellules normales et les cellules cancéreuses.

2 (Doc 1) Faites de même avec les allèles portés par les cellules saines et cancéreuses de la famille B.

3 (Doc 1) D'après les réponses aux deux premières questions, proposez une origine à ces cancers.

4 (Doc 1) Indiquez si la mutation affecte la lignée germinale ou somatique des individus dans les familles A et B.

5 (Doc 1) Réalisez un schéma montrant le devenir d'une mutation affectant la lignée germinale ou somatique d'un individu. Commencez par la rencontre des gamètes.

6 (Doc 2) Relevez les données montrant une variabilité dans la population humaine pour le gène *ABO*.

7 (Doc 3) Relevez les arguments montrant que des mutations peuvent contribuer à l'apparition de nouvelles espèces.

VOCABULAIRE

Lignée germinale : ensemble des cellules d'un organisme destiné à devenir des gamètes, c'est-à-dire des cellules reproductrices.

Lignée somatique : ensemble des cellules d'un organisme qui ne devient pas des gamètes.

1 Transmission des mutations

▶ Les cancers résultent d'une prolifération anormale de certaines cellules de l'organisme dont le cycle cellulaire est déréglé. Dans plus de la moitié des cancers, le gène codant pour la protéine p53 est muté et est donc impliqué dans l'origine de la maladie. La mutation du gène *p53* peut affecter toutes les cellules mais peut avoir des conséquences variables suivant la lignée cellulaire dans laquelle elle apparaît. Si elle affecte la **lignée germinale** cette mutation devient héréditaire, si non (**lignée somatique**) elle n'est pas transmise aux générations suivantes.

▶ Le cancer étant une maladie fréquente, il n'est pas rare qu'il affecte des individus de générations successives. Pour autant, cette observation ne traduit pas l'hérédité du cancer. Ainsi, des études ont été menées sur certaines familles où des cancers étaient observés à chaque génération.

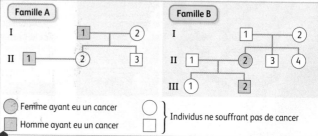

- ⬤ Femme ayant eu un cancer
- ⬛ Homme ayant eu un cancer
- ◯ ▢ } Individus ne souffrant pas de cancer

a **Arbre généalogique de deux familles où sont apparus des cancers.**

▶ Les allèles du gène *p53* ont été séquencés dans les cellules normales (cn) et cancéreuses (cc) de chaque individu des familles A et B. Dans la famille A, les individus I-1 et II-1 possèdent les mêmes allèles. Dans la famille B, les individus ne souffrant pas de cancer présentent les mêmes allèles que l'individu I-1 testé dans cette famille.

			730	740	750	760
			¦''''¦'''¦''''¦''''¦'''¦''''¦'''¦'''			
1al1cn.adn	◄ ► 0		GGCGGCATGAACCGGAGGCCCATCCTCACCATC⌐			
1al2cn.adn	◄ ► 0		────────────────────G────────────────			
1al1cc.adn	◄ ► 0		────────────────────T────────────────			
1al2cc.adn	◄ ► 0		────────────────────G────────────────			

b **Comparaison d'extraits de séquences des allèles du gène *p53*** de cellules normales (cn) et cancéreuses (cc) de l'individu I-1 (famille A).

			730	740	750	760
			¦''''¦'''¦''''¦''''¦'''¦''''¦'''¦'''			
I1al1cn.adn	◄ ► 0		GGCGGCATGAACCGGAGGCCCATCCTCACCATC⌐			
I1al2cn.adn	◄ ► 0		────────────C────────────────			
Traitement	◄ ► 0					
II2al1cn.adn	◄ ► 0		GGCGGCATGAACTGGAGGCCCATCCTCACCATC⌐			
II2al2cn.adn	◄ ► 0		────────────C────────────────			
II2al1cc.adn	◄ ► 0		────────────T────────────────			
II2al2cc.adn	◄ ► 0		────────────C────────────────			
Traitement	◄ ► 0					
III2al1cn.adn	◄ ► 0		GGCGGCATGAACTGGAGGCCCATCCTCACCATC⌐			
III2al2cn.adn	◄ ► 0		────────────C────────────────			
III2al1cc.adn	◄ ► 0		────────────T────────────────			
III2al2cc.adn	◄ ► 0		────────────C────────────────			

c **Comparaison d'extraits de séquences des allèles du gène *p53*** de cellules normales (cn) et cancéreuses (cc) de trois membres de la famille B.

2 La variabilité au sein des espèces

▶ Les groupes sanguins sont dus à la présence ou non de marqueurs à la surface des globules rouges. Ils sont synthétisés en plusieurs étapes dont la dernière dépend d'une protéine codée par le gène *ABO*, présent sur le chromosome 9.

Population	Pourcentage des allèles		
	A	B	O
Aborigène (Australie)	21,9	0	78,1
Anglaise	26,8	5,2	68
Canadienne	25,1	7,2	67,7
Égyptienne	22,6	18,7	58,7
Française	26,3	7,4	66,3
Indienne du Pérou	0	0	100
Navajo (Amérique du Nord)	14,6	0	85,4
Russe	20,9	15,2	63,8
Vietnamienne	13,9	24,4	61,7
Mondiale	24,1	9	66,9

▶ La présence de l'allèle A ou B entraîne la production des marqueurs A ou B à la surface des globules rouges, tandis que l'allèle O n'entraîne la production d'aucun des deux marqueurs.

```
                240        250        260        270
                |''''|''''|''''|''''|''''|''''|''''|''
Identités       ***************** ***************
acod.adn        ¡AAGGATGTCCTCGTGGTGACCCCTTGGCTGGC
bcod.adn        --------------------------------
ocod.adn        ------------------ --------------
```

```
                780        790        800        810
                |''''|''''|''''|''''|''''|''''|''''|''
Identités       *************** ****** *************
acod.adn        CGATTTCTACTACCTGGGGGGGTTCTTCGGGGG
bcod.adn        -------------A-----C-------------
ocod.adn        --------------------------------
```

a Comparaison d'extraits de séquences des allèles A, B et O.
Toutes les différences ne sont pas illustrées.

b Répartition des fréquences alléliques des allèles A, B et O dans quelques populations humaines.

3 Mutations et diversité des espèces

▶ Il existe des gènes qui ont un rôle majeur dans le développement des organismes : les gènes homéotiques. Une mutation dans ces gènes entraîne une modification de la morphologie de l'organisme. Ces gènes se retrouvent dans la majorité des organismes pluricellulaires.

▶ Chez les Vertébrés, certains gènes homéotiques, comme *Hoxc-8*, permettent la mise en place des membres.

Certains Vertébrés, comme les serpents, n'ont pas de pattes ou des pattes postérieures atrophiées.

▶ Les cellules dans lesquelles vont s'exprimer les gènes homéotiques dépendent entre autres de séquences d'ADN régulatrices.

a Morphologie et squelette d'un serpent.

b Squelette de poule.

```
Poulet   GACGTCTGGGCTTAATTGTTTTATGGTTTAAATAAGGTGGACACTCTTTCCTTTGA
Serpent  --------CT--____-|------------------------------
```

c Comparaison d'extraits de séquences régulatrices du gène *Hoxc-8* chez le Poulet et le Serpent.
Les zones encadrées sont essentielles pour déterminer les zones d'expression du gène).

Activité 1

L'apparition de caractères nouveaux

▶ Des mutations apparaissent dans des populations de drosophiles alors que les conditions d'élevage sont identiques. Les mutations sont donc des phénomènes spontanés. La naissance d'un individu albinos dans une population de kangourous ainsi que la fréquence d'apparition de caractères mutants dans différentes espèces sont de l'ordre d'un individu sur dix mille ou un million. Cela montre que les mutations sont rares.

▶ Une séquence d'ADN peut être modifiée par substitution (remplacement), insertion (ajout) ou délétion (suppression) de nucléotides.

▶ Les mutations apparaissent plus fréquemment dans les organismes dont l'ADN polymérase est modifiée. L'ADN polymérase étant indispensable à la réplication de l'ADN, les mutations apparaissent suite à des erreurs lors de la copie du brin matrice.

▶ La modification de l'ADN polymérase augmente le taux d'erreur, ce qui suggère qu'une ADN polymérase fonctionnelle est capable de corriger une partie de ses erreurs.

Activité 2

Environnement et fréquence des mutations

▶ Les études épidémiologiques montrent que les personnes s'exposant davantage au soleil ou bronzant dans les cabines solaires ont plus de risques de développer un cancer de la peau. Ces deux sources lumineuses contenant des rayons ultraviolets (UV), cela suggère que les UV peuvent être des agents mutagènes.

▶ Plus le temps d'exposition aux rayons UV est long, moins il y a de levures qui survivent et plus il y a de colonies blanches. Les UV sont donc des agents mutagènes : ils favorisent l'apparition de mutations dont certaines sont mortelles.

▶ Plus les cellules sont exposées aux UV, plus elles présentent de cassures dans leur ADN. Les UV vont donc induire des cassures dans l'ADN. Cette action a lieu en dehors de la réplication.

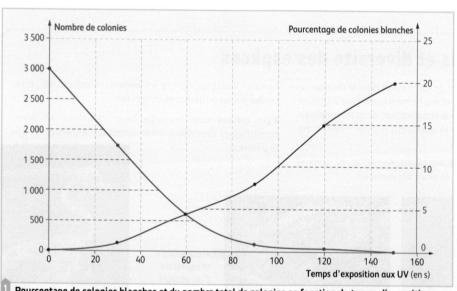

1 Pourcentage de colonies blanches et du nombre total de colonies en fonction du temps d'exposition aux rayons UV.

Activité 3

Mutations et réparation

▶ Les cellules des individus atteints de *Xeroderma pigmentosum* accumulent davantage de mutations que les cellules normales lors d'une exposition aux rayons UV. Cette maladie étant héréditaire et les UV étant un agent mutagène, il existe donc des mécanismes déterminés génétiquement qui limitent l'apparition des mutations.

▶ Une erreur dans l'ADN entraîne une déformation de la molécule. Ces déformations pourraient être reconnues par des protéines enzymatiques qui vont alors localiser la mutation, l'éliminer, puis réparer l'ADN.

▶ Les cellules du groupe A retrouvent une sensibilité identique aux cellules normales uniquement lorsqu'elles reçoivent une version normale du gène *Xpa*. Il en est de même pour les cellules du groupe C et le gène *Xpc*. Il y a donc au moins deux gènes différents, donc plusieurs protéines, impliqués dans la réparation de l'ADN.

▶ La réparation de l'ADN est assez efficace mais n'est pas totale, puisque des mutations apparaissent même dans les cellules ayant un système de réparation intact.

Activité 4

Mutations et biodiversité

▶ Les individus ayant un cancer dans la famille A présentent un allèle muté uniquement dans les cellules cancéreuses. La mutation affecte donc la lignée somatique et n'est pas transmise à la descendance. La mutation identifiée dans les cellules cancéreuses de l'individu II-2 de la famille B est retrouvée également dans les cellules normales et dans toutes les cellules des descendants qui développent un cancer. Cette mutation n'existant pas chez les individus sains, elle affecte donc la lignée germinale dans l'individu II-2 de la famille B qui peut ainsi transmettre l'allèle à sa descendance.

▶ Les allèles des groupes sanguins diffèrent entre eux par au moins trois mutations : deux substitutions et une délétion. Ces allèles sont répartis de manière très différente selon les populations, certaines ne possédant pas un ou deux des trois allèles. Il y a donc une grande variabilité des individus pour le groupe ABO. Cette diversité de caractère est un indicateur de la biodiversité.

▶ Il existe chez le serpent des mutations dans les séquences régulatrices d'un gène homéotique, ce qui modifie l'expression de ce gène, d'où l'absence de pattes. Une mutation des gènes homéotiques peut donc modifier la morphologie des individus et contribuer à l'apparition de nouvelles espèces.

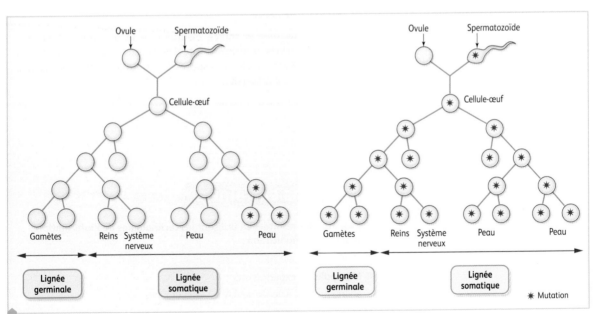

2 **Devenir des mutations germinales et somatiques** (✱ mutation).

Variabilité génétique et mutation de l'ADN

1 L'apparition des mutations

▶ Lors de la réplication, des modifications peuvent survenir dans la séquence d'ADN d'une cellule. Ces erreurs, rares et aléatoires, sont soit spontanées, soit induites par des agents mutagènes l'ADN peut aussi être endommagé en dehors de la réplication, par exemple par les rayons ultraviolets.

▶ La plupart du temps, des enzymes sont capables de détecter les anomalies dans une séquence d'ADN et de les réparer.

▶ Lorsque les erreurs ne sont pas détectées, elles deviennent des mutations qui sont fixées lors de la réplication de l'ADN.

2 Le devenir des mutations

▶ Si la mutation n'empêche pas la survie de la cellule, elle sera transmise aux cellules-filles si la cellule se divise.

▶ Dans le cas des organismes pluricellulaires, une mutation peut affecter une cellule de la lignée somatique ou de la lignée germinale. Une mutation somatique n'apparaîtra que dans les clones de cette cellule, c'est-à-dire seulement dans une partie de l'organisme, mais disparaîtra avec l'individu. Une mutation germinale pourra être transmise à la descendance.

3 Les mutations, un des fondements de la biodiversité

▶ Les mutations sont la source aléatoire de la diversité des allèles. Les allèles sont à la base de la diversité des espèces et de la variabilité des caractères observés au sein des espèces. Les mutations sont donc un des fondements de la biodiversité.

MOTS CLÉS

Agent mutagène : Facteur de l'environnement qui favorise l'apparition de mutations.

Allèle : Variante de la séquence d'un gène présent dans une population.

Mutation : Modification d'une séquence d'ADN. Elle peut concerner un ou plusieurs milliers de nucléotides.

Lignée germinale : Ensemble des cellules d'un organisme destinées à devenir des gamètes, c'est-à-dire des cellules reproductrices.

Lignée somatique : Ensemble des cellules d'un organisme qui ne deviennent pas des gamètes.

Je me suis entraîné à

■ **Exploiter des résultats en utilisant les technologies de l'information et de la communication :**
● en utilisant un tableur.

■ **Manipuler et expérimenter :**
● en montrant l'influence des UV sur les mutations.

■ **Manipuler, modéliser :**
● en montrant la structure de l'ADN muté et sa reconnaissance par les systèmes de réparation.

Je retiens par l'image   **Animation interactive**

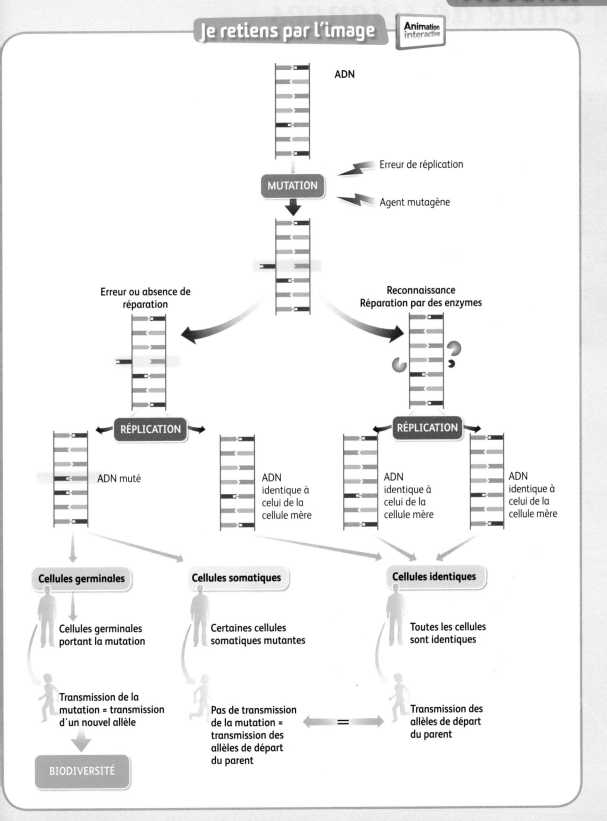

ADN

MUTATION

Erreur de réplication

Agent mutagène

Erreur ou absence de réparation

Reconnaissance Réparation par des enzymes

RÉPLICATION

RÉPLICATION

ADN muté

ADN identique à celui de la cellule mère

ADN identique à celui de la cellule mère

ADN identique à celui de la cellule mère

Cellules germinales

Cellules somatiques

Cellules identiques

Cellules germinales portant la mutation

Certaines cellules somatiques mutantes

Toutes les cellules sont identiques

Transmission de la mutation = transmission d'un nouvel allèle

Pas de transmission de la mutation = transmission des allèles de départ du parent

Transmission des allèles de départ du parent

BIODIVERSITÉ

Envie de sciences

Un vaccin contre certaines mutations

Plusieurs virus perturbent la prolifération des cellules, soit en produisant des protéines qui accélèrent le cycle cellulaire (ce qui augmente le risque de mutation), soit en intégrant leur information génétique directement dans l'ADN des cellules hôtes. Ainsi, trouver des vaccins contre ces virus permettrait non seulement de lutter efficacement contre certaines maladies graves mais aussi de protéger contre certains cancers. C'est le cas depuis 2007 avec un vaccin contre le virus HPV (Human PapillomaVirus) impliqué dans la plupart des cancers du col de l'utérus qui tuent chaque année deux cent mille femmes dans le monde. On estime que huit femmes sur dix sont infectées sans le savoir mais seulement 1 à 3 % d'entre elles développeront un cancer. La vaccination contre le virus HPV est une vaccination indirecte contre un cancer induit par un agent mutagène.

La vaccination contre le cancer du col de l'utérus chez les filles à partir de 14 ans.

Virus modifié contenu dans le vaccin contre le virus HPV.

Breveter des mutations

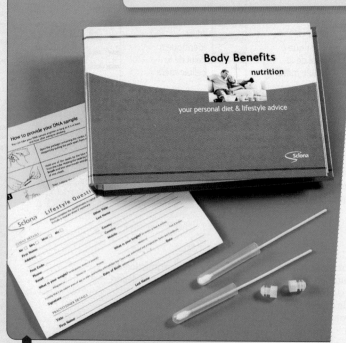

Le cancer du sein touche chaque année 20 000 personnes. Les gènes *BRCA* (Breast Cancer) sont fréquemment impliqués dans ce cancer ainsi que dans les cancers ovariens. Entre 2000 et 2001, l'entreprise Myriad s'est vue accorder une série de brevets par l'Office de la Propriété Intellectuelle du Canada (le bureau canadien des brevets) qui lui donnait le contrôle sur les gènes *BRCA1* et *BRCA2* ainsi que sur un test permettant d'identifier des mutations dans ces gènes (BRACAnalysis®). Après révocation en 2004, l'Office européen des brevets a rétabli les brevets de Myriad, mais sous une forme restreinte. Alors que les brevets ne s'appliquent pas à la nature, les tenants du brevetage des mutations se basent sur le fait qu'il s'agit de séquences mutées à l'origine de maladies et que cela n'est donc plus de l'ordre du naturel. De nombreuses mutations se retrouvent brevetées. Ainsi, environ 20 % du génome humain est aujourd'hui propriété privée.

Un kit de prélèvement de l'ADN pour tester quelques gènes pouvant refléter votre état de santé.

Oncologue

L'oncologue est un médecin spécialiste du traitement des cancers, que l'on appelle aussi cancérologue. Il établit un protocole associant un ou plusieurs traitements afin d'aboutir à la guérison du patient, effectue un suivi régulier au cours du traitement mais aussi après disparition des cellules cancéreuses.

Il peut être amené à tester de nouvelles molécules et à élaborer de nouveaux protocoles de traitement en relation avec d'autres médecins ou pharmacologues.

L'oncologue connaît les processus biologiques d'apparition et de développement des cancers et se tient régulièrement au courant des avancées scientifiques dans ce domaine.

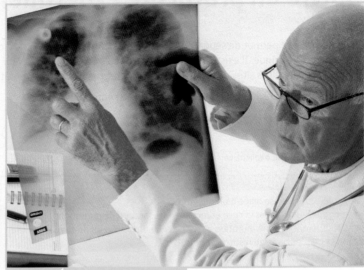

QUALITÉS ET NIVEAU REQUIS

▸ Être rigoureux et organisé dans son travail
▸ Savoir travailler en équipe
▸ Présenter des qualités d'écoute et de dialogue

▸ Aimer la biologie et la physique
▸ Maîtriser les bases de l'anglais
▸ Diplôme d'état de Docteur en médecine (Bac + 9) suivi d'un Diplôme d'Études Spécialisées (DES) d'oncologie en cinq ans

Soigner les mutations : la thérapie génique

La thérapie génique permet d'introduire une version normale d'un gène muté dans les cellules où la mutation altère le phénotype. Des cellules souches de moelle osseuse à l'origine des globules rouges sont prélevées chez un patient. Un allèle fonctionnel du gène de la bêta-globine est introduit dans le génome des cellules grâce à un virus dont l'ADN a été modifié. Ces cellules sont réimplantées dans la moelle osseuse du patient. Un an après, il n'a plus besoin de transfusions sanguines. Des effets secondaires sont redoutés car un gène à l'origine de cancers est surexprimé dans certaines des cellules réimplantées.

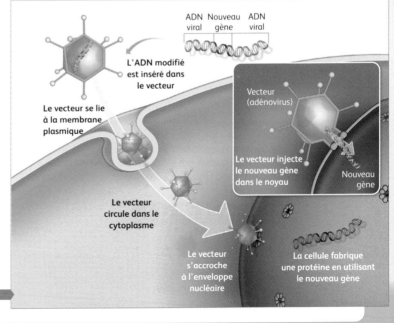

ADN viral Nouveau gène ADN viral

L'ADN modifié est inséré dans le vecteur

Le vecteur se lie à la membrane plasmique

Vecteur (adénovirus)

Le vecteur injecte le nouveau gène dans le noyau

Nouveau gène

Le vecteur circule dans le cytoplasme

Le vecteur s'accroche à l'enveloppe nucléaire

La cellule fabrique une protéine en utilisant le nouveau gène

Le principe d'introduction du « gène médicament » dans la thérapie génique.

Suivre un protocole expérimental

L'électrophorèse permet de séparer des fragments d'ADN selon leur taille dans un gel soumis à un champ électrique. Il existe des enzymes capables de couper l'ADN au niveau de séquences particulières appelées sites de restriction. Ainsi, l'enzyme HindIII reconnaît la séquence AAGCTT.

→ Comment identifier une mutation dans une séquence d'ADN ?

Capacités évaluées

▶ Expérimenter
▶ Appliquer une démarche explicative

Matériel disponible

▶ Une cuve à électrophorèse reliée à un générateur
▶ Un gel d'agarose placé dans la cuve et recouvert de tampon de migration
▶ Deux ADN différant par une mutation et coupés ou non au niveau de séquences particulières par l'enzyme de restriction HindIII

RÉALISER

1. Utiliser la micropipette équipée d'un cône (embout jaune) et préalablement réglée sur 10 µL pour prélever de l'ADN dans le premier tube (ADN 1 coupé par HindIII).

2. Vider le cône dans le premier puits du gel qui se trouve dans la cuve d'électrophorèse. Enlever ensuite le cône.

3. Recommencer l'opération avec les trois tubes suivants : ADN 2 coupé par HindIII, ADN 1 non coupé, ADN 2 non coupé.

4. Brancher le couvercle de la cuve d'électrophorèse.

5. Vérifier au bout de quelques minutes que le colorant bleu se déplace du côté opposé aux puits.

6. Pendant la migration, comparer les profils de la photographie fournie et les expliquer.

7. Arrêter le générateur lorsque le colorant bleu a parcouru les deux tiers du gel.

8. Placer le gel dans une solution d'azure A (colorant de l'ADN) pendant 5 à 10 min.

9. Rincer à l'eau jusqu'à l'apparition de bandes.

10. Comparer les profils obtenus avec la photographie.

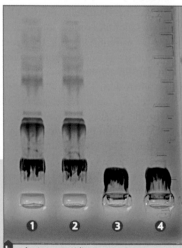

a Réalisation des dépôts dans le gel.

Conclusions attendues

▶ 1. Il y a des différences dans la répartition des bandes entre les ADN 1 et 2.
▶ 2. L'ADN d'organismes identiques ayant été coupé par la même enzyme, il y a donc une mutation dans la séquence 2 au niveau d'une région AAGCTT.

Critères de réussite

→ Les dépôts sont correctement réalisés dans les puits et dans le bon ordre.
→ La migration se fait dans le bon sens.
→ Des bandes apparaissent après coloration.
→ Les différences de profil entre les deux ADN sont identifiées.

b Résultats de l'électrophorèse.

Évaluer ses connaissances

Tests rapides

1 Quelques définitions à maîtriser

Définissez brièvement les mots ou expressions suivants :
• Mutation • Allèle • Lignée somatique • Lignée germinale

2 Questions à choix multiple

Parmi les affirmations suivantes, choisissez la (ou les) réponse(s) exacte(s).

1 L'ADN peut être endommagé :
a. lors de la réplication.
b. uniquement par des agents mutagènes.
c. en dehors de la réplication.
d. par des protéines de la réplication.

2 Les mutations :
a. sont induites par l'environnement.
b. sont rares.
c. génèrent l'homogénéité d'une population.
d. sont à l'origine de la biodiversité.

3 Les mutations sont rares car :
a. l'ADN est insensible à la plupart des agents mutagènes.
b. il existe un système de réparation de l'ADN.
c. les mutations ne sont jamais transmises à la descendance.
d. la lignée germinale est insensible aux agents mutagènes.

4 Les allèles :
a. résultent seulement de facteurs de l'environnement.
b. apparaissent suite à des mutations.
c. apparaissent grâce à des enzymes qui modifient l'ADN.
d. nécessitent plusieurs mutations.

5 Le système de réparation de l'ADN :
a. diminue la fréquence des mutations.
b. permet de corriger les mésappariements.
c. favorise l'apparition des cancers.
d. est peu efficace.
e. est très efficace.

6 Une mutation qui affecte une cellule somatique :
a. est transmise aux cellules-filles.
b. est toujours mortelle pour la cellule.
c. affecte également la lignée germinale.
d. est transmise aux descendants après fécondation.
e. est due à un facteur de l'environnement.

3 Analyser un document

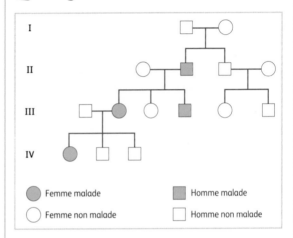

Femme malade — Homme malade
Femme non malade — Homme non malade

Parmi les affirmations suivantes, choisissez la (ou les) réponse(s) exacte(s).

a. La mutation affecte l'homme II-2.
b. La mutation affecte la lignée germinale des individus malades.
c. La mutation n'affecte que la lignée somatique des individus.
d. La maladie affectera forcément les enfants d'une femme malade.
e. On ne peut pas savoir si la mutation à l'origine de la maladie est spontanée ou induite par des agents mutagènes.

Restituer ses connaissances

4 Organiser une réponse argumentée

Rédigez un texte d'une dizaine de lignes dans lequel vous expliquerez comment peuvent apparaître de nouveaux allèles dans une population.

5 Élaborer un texte illustré

À l'aide d'un court texte illustré d'un schéma, expliquez pourquoi les mutations sont des phénomènes rares et spontanés et précisez le rôle de l'environnement sur l'apparition des mutations.

Exercice guidé

6 Les effets secondaires d'Hiroshima

▶ Hiroshima est un village resté tristement célèbre à cause de l'utilisation de la première bombe atomique contre des êtres humains. Des chercheurs se sont intéressés aux effets des radiations sur les survivants.

▶ Les globules rouges possèdent à leur surface des molécules dont l'une est la glycophorine A responsable de variantes des groupes sanguins. Il existe deux formes alléliques du gène : M et N.

▶ Dès que l'individu possède l'allèle N ou M, celui-ci s'exprime à la surface des cellules. Un individu peut donc avoir pour génotype (M/M), (M/N) ou (N/N). Si un allèle est non fonctionnel, le génotype sera écrit (N/O) ou (M/O).

▶ Grâce à des anticorps fluorescents, il est possible de marquer les cellules selon qu'elles portent la forme M et/ou N de la glycophorine A. Un appareil adéquat est alors capable de trier les cellules et de les compter.

▶ Les études sont menées sur des survivants de la bombe atomique qui ont pour génotype (M/N). La quantité de globules rouges porteurs des marqueurs M, N ou les deux figurent sur le document 1.

▶ Des études sur la proportion de globules rouges ne portant qu'un marqueur chez des individus (M/N) ayant survécu sont présentées dans le document 2.

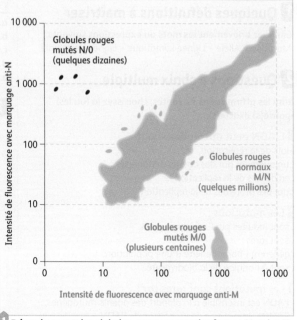

1 Dénombrement des globules rouges portant les formes M et/ou N de la glycophorine A.

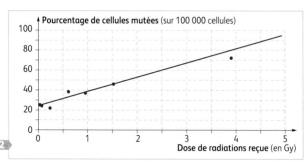

Pourcentage de globules rouges à un seul marqueur en fonction du degré d'exposition aux radiations. **2**

QUESTIONS

1 Interprétez qualitativement et quantitativement les résultats du document 1.

2 Interprétez le document 2 pour conclure sur l'effet des radiations sur les survivants.

Guide de résolution

1 Repérer les cellules que doit normalement posséder l'individu. Repérer les autres formes et expliquer leur apparition en partant des formes sauvages.

Une fois le mécanisme identifié, expliquer la faible proportion des types de cellules à un seul marqueur par rapport à la cellule majoritaire.

2 Établir la relation entre la quantité de radiations et la quantité de cellules à un seul marqueur en montrant la proportionnalité.

Appliquer ses connaissances

7 Approche historique de l'apparition de mutations

▶ *Escherichia coli* est une bactérie qui est un organisme de référence pour les études en laboratoire depuis le début du siècle dernier. Le phage T1 est un virus capable de détruire rapidement des cultures de cette bactérie. Cependant les chercheurs observaient régulièrement l'apparition de colonies résistantes. Ces colonies étaient stables, la résistance était donc héréditaire.

▶ Pour savoir si les mutations sont spontanées ou induites, des chercheurs ont réalisé vingt cultures d'une souche de bactérie sensible au phage T1 qu'ils ont ensuite étalées sur des boîtes de Pétri contenant des phages T1. Chaque bactérie résistante va former une colonie. Les résultats figurent dans le document 2.

QUESTIONS

1 Déterminez, en interprétant les résultats, si l'apparition d'une résistance au phage T1 est un phénomène spontané ou induit par les phages T1.

2 Expliquez à l'aide de schémas les différences entre les cultures 1, 2 et 10.

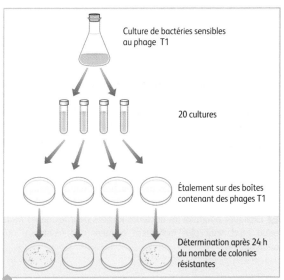

1 Résumé du protocole expérimental pour identifier des mutants résistants au phage T1.

N° de la culture	1	2	3	4	5	6	7	8	9	10	11	12	13	14	15	16	17	18	19	20
Nombre de colonies résistantes	1	0	3	0	0	5	0	5	0	6	107	0	0	0	1	0	0	64	0	35

2 Tableau indiquant le nombre de colonies résistantes au phage T1 dans chaque culture.

8 L'origine de la chorée de Huntington

▶ La chorée de Huntington est une maladie neurodégénérative qui apparaît généralement après 40 ans. Elle est caractérisée par des mouvements involontaires incontrôlés (d'où le nom de chorée), puis des troubles du comportement (dépression, perte de mémoire, agressivité), puis une démence. La mort survient après une quinzaine d'années. En moyenne, la moitié des descendants d'un individu malade développe également la maladie.

▶ Le gène *IT15* codant pour la huntingtine semble impliqué dans la maladie. Ce gène est caractérisé par une répétition de triplets de nucléotides CAG. Des études ont permis de quantifier ces répétitions chez des individus sains et des individus atteints de la chorée de Huntington.

QUESTIONS

1 Formulez une hypothèse sur l'origine de la maladie.

2 Qualifiez les types de mutation permettant la formation des différents allèles par rapport à la forme la plus répandue chez les individus sains.

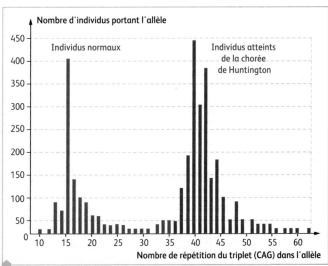

Répartition des allèles du gène *IT15* dans une population.

Exercices

9 La réparation de l'ADN chez les bactéries

▶ La résistance aux antibiotiques est un problème majeur pour la médecine moderne. Il existe des souches de bactéries, dites mutatrices, qui acquièrent beaucoup plus rapidement que les autres des résistances aux différents antibiotiques.

▶ Pour essayer de comprendre d'où vient cette faculté à muter, les chercheurs étudient des souches de bactéries génétiquement modifiées dans lesquelles certains gènes ont été inactivés. Ces souches sont soumises à des doses croissantes d'UV, puis on étudie le pourcentage de colonies survivantes.

QUESTIONS

1 Interprétez les résultats de la souche témoin.

2 Interprétez les résultats des souches génétiquement modifiées et concluez sur le rôle probable des gènes *MutS* et *MutL*.

3 Expliquez pourquoi les bactéries mutées pour les gènes *MutS* et/ou *MutL* vont plus facilement acquérir une résistance aux antibiotiques.

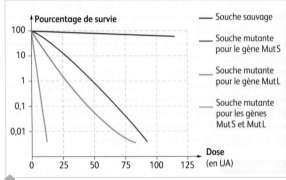

Pourcentage de survie de différentes souches de bactéries en fonction de la dose d'UV reçue.

10 Alimentation et mutation

▶ De nombreux agents de l'environnement sont suspectés d'être des agents mutagènes. Certaines mutations sont à l'origine de cancers de foie. Des études épidémiologiques menées dans différents pays suggèrent que les cancers du foie seraient dus à la contamination de la nourriture par une moisissure qui sécrète une molécule appelée aflatoxine B1.

▶ Afin de tester le pouvoir mutagène de cette substance, on cultive des bactéries normalement incapables de se développer en absence d'histidine dans l'environnement, en présence ou non d'aflatoxine B1, et on étale ces bactéries sur un milieu sans histidine. Les cancers se produisant essentiellement au niveau du foie, des extraits de foie de rat sont ajoutés ou non dans les cultures. Le protocole et les résultats sont schématisés ci-contre :

QUESTIONS

1 Comparez les résultats des expériences 1 et 3.

2 Expliquez pourquoi on ajoute des extraits de foie de rat dans les expériences 2 et 4.

3 Concluez sur une des origines des cancers du foie.

Test de mutagenèse de l'aflatoxine B1.

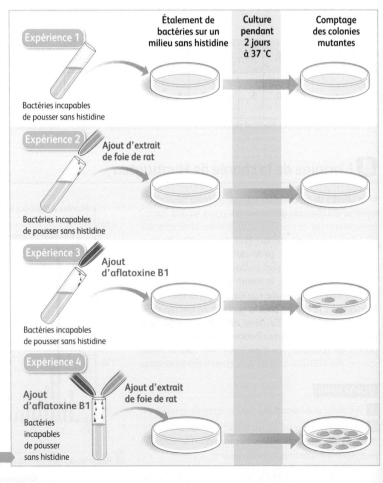

La science AUTREMENT

ARTS & sciences

11 Les mutants au cinéma

▶ Depuis les travaux de génétique et surtout depuis la première bombe atomique, les mutations fascinent les artistes spécialisés dans le fantastique, que ce soit en littérature, dans les bandes dessinées ou au cinéma. Prenons quelques exemples classiques adaptés au cinéma.

• Peter Parker acquiert des capacités d'araignée après avoir été mordu par une araignée génétiquement modifiée. Il deviendra Spiderman.

• Le docteur Bruce Banner se transforme en un colosse vert nommé Hulk lorsqu'il est stressé ou en colère à la suite d'une surexposition à des rayons radioactifs gamma.

• Les X-men sont des personnages qui ont acquis des superpouvoirs grâce à des mutations d'origine inconnue : capacité à lancer des rayons lasers avec les yeux pour Cyclope, télépathie et télékinésie pour Jean Grey, ailes et sang avec des capacités de guérison pour Angel, par exemple.

▶ De nombreux films fantastiques présentent des êtres humains qui deviennent des monstres après avoir été infectés par des virus ou suite à des expériences ratées.

▶ Plus récemment, dans le film d'animation *Monstres contre Aliens*, le personnage Susan Murphy devient aussi grand qu'un immeuble après avoir reçu une météorite sur la tête.

1 Spiderman, un mutant ou un humain transgénique ?

Les X-men. **2**

3 L'incroyable Hulk.

Le scientifique Seth Brundle **4** après une expérience ratée de téléportation dans *la Mouche*.

QUESTION

Pour chacun des exemples présentés, discutez de la validité scientifique de l'origine des mutations et des effets de celles-ci sur le phénotype des personnages.

La tectonique des plaques : l'histoire d'un modèle

▶ Demeurés bien longtemps mystiques, les visages de la Terre ont évolué au cours des temps et se sont enrichis d'arguments scientifiques : des modèles hypothétiques et modifiables se sont substitués aux dogmes.

▶ Depuis sa première formulation en 1967, la théorie de la « Tectonique des plaques » a prouvé sa valeur prédictive et s'est affinée grâce aux nombreuses données que les progrès techniques ont livrées à la communauté scientifique.

Comment est née l'idée d'une mobilité horizontale de la lithosphère ?

1 La structure du globe : vision du XVIIᵉ siècle.

→ Comment l'océanographie a-t-elle contribué à la formulation et à l'enrichissement de la théorie de la « Tectonique des plaques » ?

2 L'observation océanographique.

À gauche, un sous-marin submersible d'exploration à grande profondeur, le Nautile. Ce submersible peut intervenir jusqu'à 6 000 mètres de fond. À droite, des pillow lavas (ou laves en coussin) observés à la surface du plancher océanique.

Comment les observations par satellites de la Terre ont-elles permis de renforcer cette théorie ?

3 Extrait de la carte mondiale du mouvement des plaques, établie à partir des données satellitales.

1 Séismes et volcanisme

SVT 4e

▶ Les séismes résultent d'une **rupture brutale** des roches en profondeur et se manifestent par des déformations à la surface de la Terre.

Des contraintes s'exerçant en permanence sur les roches conduisent à une accumulation d'énergie qui finit par provoquer leur rupture au niveau d'**une faille** :

– **le foyer du séisme** est le lieu où se produit la rupture ;

– à partir du foyer, la déformation se propage sous forme d'**ondes sismiques** enregistrables.

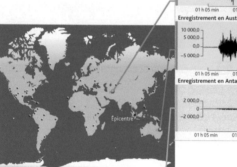

▶ Les séismes sont particulièrement fréquents dans certaines zones de la surface terrestre. Ils se produisent surtout dans les chaînes de montagnes, près des fosses océaniques et aussi le long de l'axe des dorsales.

▶ Le volcanisme est l'arrivée en surface de **magma** qui donne naissance à des coulées de laves ou à des explosions.

▶ Un magma est un mélange de roches fondues, de gaz et de quelques éléments solides qui l'accompagnent au cours de sa remontée vers la surface. Il provient de la **fusion de roches** et a séjourné plus ou moins longtemps dans un **réservoir magmatique** situé à quelques kilomètres de profondeur.

▶ Le refroidissement du magma et sa solidification donnent naissance aux **roches volcaniques** dont la **structure** est constituée de **cristaux** englobés par un verre.

▶ La structure d'une roche volcanique conserve les traces de ses conditions de formation : plus la vitesse de refroidissement est lente, plus les cristaux formés sont gros et occupent une part importante dans la roche.

1 Sismogrammes enregistrés lors du séisme du 26/12/2004 en Indonésie (d = distance à l'épicentre).

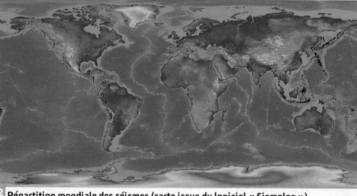

2 Répartition mondiale des séismes (carte issue du logiciel « Sismolog »).

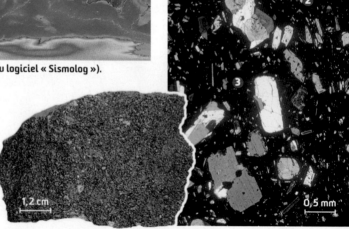

Échantillon d'andésite observé à l'œil nu **3** et lame mince d'andésite vue au microscope optique en lumière polarisée et analysée. **1** Gros cristaux (feldspath), **2** Microlites (micas et autres minéraux), **3** Verre.

▶ En surface, la Terre est structurée en deux couches concentriques aux caractéristiques différentes : la **lithosphère**, superficielle et rigide, qui repose sur l'**asthénosphère**, moins rigide.

▶ La lithosphère est découpée en **plaques mobiles** délimitées par des frontières où se concentre l'essentiel des activités sismique et volcanique.

▶ À raison de quelques centimètres par an, les plaques se forment et s'écartent à l'axe des dorsales. Elles se rapprochent et s'enfouissent vers l'asthénosphère au niveau des fosses océaniques.

▶ Le mouvement des plaques lithosphériques sur l'asthénosphère assure le **déplacement des continents**, l'ouverture et la **fermeture des océans**.

▶ L'affrontement des plaques engendre des déformations de la lithosphère et aboutit à la formation des **chaînes de montagnes**.

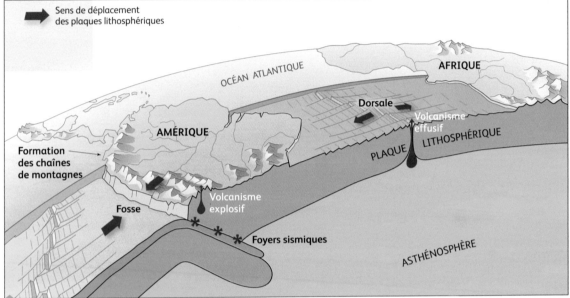

4 **La lithosphère : un puzzle de plaques mobiles sur l'asthénosphère.**

QUIZ **Animation interactive**

	VRAI	FAUX
● Le foyer est l'endroit de l'endroit de la surface sous lequel se produit la rupture à l'origine d'un séisme.	☐	☐
● L'épicentre d'un séisme est l'endroit de la surface où sont émises les ondes sismiques.	☐	☐
● Le volcanisme correspond à la formation de magma en profondeur.	☐	☐
● Les roches volcaniques ont une structure entièrement cristallisée.	☐	☐
● Les gros cristaux contenus dans les roches volcaniques témoignent du refroidissement rapide de la lave après émission à la surface de la Terre.	☐	☐
● Dans une roche volcanique, le verre est constitué de nombreux cristaux visibles au microscope optique.	☐	☐

	VRAI	FAUX
● Les plaques lithosphériques reposent sur l'asthénosphère.	☐	☐
● Les mouvements des plaques sont responsables de la fermeture des océans, tandis que le volcanisme est seul responsable de la formation des chaînes de montagnes.	☐	☐
● Une plaque lithosphérique est un secteur lithosphérique particulièrement stable délimité par des frontières où se concentrent la sismicité et le volcanisme.	☐	☐
● L'asthénosphère s'enfonce sous la lithosphère sous les fosses océaniques.	☐	☐
● Au cours du mouvement des plaques, les fonds océaniques s'écartent de part et d'autre des dorsales mais les continents ne se déplacent pas.	☐	☐
● L'écartement des plaques lithosphériques de part et d'autre de la dorsale conduit à une augmentation de la surface globale de la Terre.	☐	☐

→ Voir réponses p. 407

5 Histoire d'un modèle

▶ En 1912 Wegener publie la théorie de la dérive des continents. À en croire l'un de ses collaborateurs, c'est en observant la rupture des plaques de glace en mer qu'il émet l'idée d'une dérive des continents. Cette anecdote n'est pas confirmée par Wegener qui explique que cette idée lui est venue en voyant la concordance des côtes Est et Ouest de l'Atlantique.

▶ Cette théorie, qui ne fut pas admise à l'époque, inspira le modèle de la tectonique des plaques lithosphériques.

1 Des plaques de glace à la dérive...

Harold Jeffreys

Alfred Wegener

2 Alfred Wegener et Harold Jeffreys, deux scientifiques qui se sont opposés violemment au début du XXᵉ siècle.

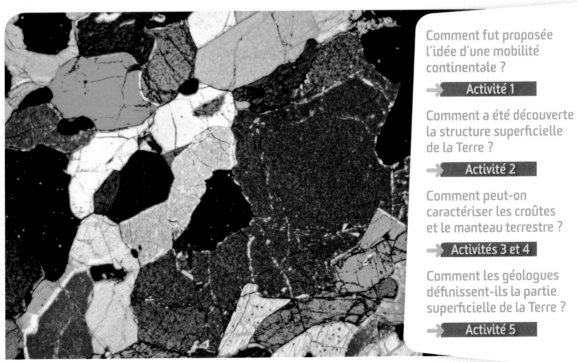

3 Lame mince d'olivine vue au microscope en lumière polarisée analysée.

Comment fut proposée l'idée d'une mobilité continentale ?

→ **Activité 1**

Comment a été découverte la structure superficielle de la Terre ?

→ **Activité 2**

Comment peut-on caractériser les croûtes et le manteau terrestre ?

→ **Activités 3 et 4**

Comment les géologues définissent-ils la partie superficielle de la Terre ?

→ **Activité 5**

Activité 1

La dérive des continents : une idée, des faits

La naissance d'une théorie scientifique : il aura fallu plus de trois siècles pour que naisse et se confirme la théorie de la dérive des continents.

→ **Quels sont les arguments qui ont permis d'élaborer au XXᵉ siècle l'idée de mobilité des continents ?**

Guide d'exploitation

1 (Doc 1) Expliquez l'hypothèse proposée par Alfred Wegener. Était-il le premier à émettre cette idée ?

2 (Doc 1) Précisez les mouvements des continents qu'impliquait l'idée de Suess. Expliquez pourquoi ces mouvements étaient un argument pour Wegener.

3 (Doc 1b) Indiquez en quoi l'étude de la fréquence des altitudes a conforté la théorie de Suess.

4 (Doc 2) Précisez le mérite de Wegener par rapport aux premiers auteurs. Quels sont ses principaux arguments scientifiques ?

5 (Doc 3) Expliquez pourquoi l'hypothèse de Wegener est réfutée.

VOCABULAIRE

Dérive des continents : théorie, défendue par Alfred Wegener, stipulant que les continents étaient initialement rassemblés pour ensuite se scinder en continents distincts.

1 Le contexte de la dérive des continents

> • Vers 1660, Bacon remarque la similitude de forme entre l'Afrique et l'Amérique du Sud.
> • En 1858, Antonio Snider-Pellegrini fait une première allusion à une séparation et à une **dérive des continents** de part et d'autre de l'Atlantique.
> • En 1912, en étudiant le parallélisme des côtes de chaque côté de l'Atlantique, Wegener développe ce qu'il nomme, dans un premier temps, une hypothèse de travail susceptible d'être modifiée : les translations horizontales des continents.

a Position des continents de part et d'autre de l'Atlantique : les prémices d'une théorie.

▶ À l'époque de Wegener, le géologue Suess proposait l'idée qu'il y avait deux « éléments » à la surface du globe : les continents légers qui « flottaient » sur des matériaux plus denses constituant le plancher des océans.

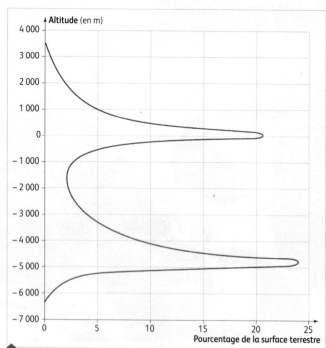

b Distribution des altitudes à la surface de la Terre.

2 Les arguments de Wegener

▶ À la différence de ses prédécesseurs qui formulent des idées de manière purement intuitive, Wegener appuie sa théorie de **dérive des continents** sur un certain nombre de faits scientifiques.

▶ On retrouve, de part et d'autre de l'Atlantique, sur les continents actuels, les fossiles de plantes et d'animaux terrestres datant de 240 à 260 millions d'années (Ma).

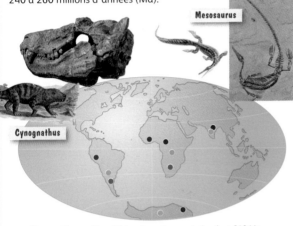

- ● *Cynognathus*, reptile prédateur terrestre ayant vécu il y a 240 Ma
- ● *Mesosaurus*, petit reptile de lacs d'eau douce, il y a 260 Ma
- ● *Lystrosaurus*, reptile terrestre ayant vécu il y a 240 Ma
- ● *Glossopteris*, plante terrestre d'il y a 240 Ma

a La localisation de certains fossiles datant de 250 Ma.

▶ Étonnant, on observe, dans certaines régions des continents actuels, des indices de glaciation datant de 250 Ma.

→ Sens d'écoulement de la glace

b Les traces d'anciennes glaciations.

▶ Pour Wegener, le parallélisme des lignes côtières de l'Atlantique suggère que ces ensembles constituaient deux morceaux d'un même bloc qui se serait fragmenté et dont les parties se seraient ensuite éloignées l'une de l'autre. Les traces de fossiles et de glaciations ne peuvent s'expliquer que par l'existence d'un continent unique à l'origine des temps : la Pangée.

c La solution de Wegener aux observations : la Pangée.

3 L'opposition aux idées de Wegener

▶ En 1924 Harold Jeffreys, géophysicien anglais, s'oppose fortement aux idées de Wegener. Selon lui « la Terre est aussi rigide que l'acier. Comment les continents pourraient-ils se déplacer au sein d'un milieu solide ! ». En effet, l'étude des tremblements de terre et des déformations dues aux marées semble indiquer que la planète est rigide. Il fait aussi remarquer que les forces des marées évoquées par Wegener sont des dizaines de milliers de milliards de fois trop faibles pour déplacer les continents.

▶ D'autres géologues indiquent que l'ajustement des continents qui bordent l'Atlantique n'était qu'approximatif.

Le parallélisme imparfait des côtes. ▶

Activité 2

Les apports de la sismologie

À l'époque de Wegener, les connaissances relatives à la composition et à la structure interne de la Terre demeurent très limitées. Les apports de la sismologie vont permettre d'aller plus loin dans la connaissance de la structure de la Terre.

→ **Comment définir la couche superficielle du globe terrestre ?**

Guide d'exploitation

1 (Doc 1) Donnez les caractéristiques d'un séisme et des ondes sismiques qu'il engendre.

2 (Doc 2) Citez les déviations que peuvent subir les ondes lumineuses et les ondes sismiques lorsqu'elles rencontrent un milieu différent.

3 (Doc 3) Expliquez comment Mohorovicic met en évidence la discontinuité séparant la croûte du manteau.

4 (Doc 4) Reproduisez le schéma de situation et représentez le trajet des ondes PMP. Sachant que la vitesse des ondes P est $V = 6$ km/s, calculez l'épaisseur de la croûte terrestre en sachant que les ondes PMP se propagent dans un milieu homogène, donc à vitesse moyenne constante.

5 (Doc 4) Comparez la profondeur du Moho sous les continents avec celle du Moho sous les océans qui est en moyenne à 6 km.

VOCABULAIRE

Onde : propagation d'une perturbation d'un milieu sans transport de matière.

Sismogramme : enregistrement des ondes sismiques par les sismographes.

Croûte terrestre : enveloppe rigide et superficielle de la Terre.

Discontinuité : surface séparant deux milieux aux propriétés différentes.

1 Les ondes sismiques

▶ Un séisme provient de la rupture brutale des roches en profondeur en un point : le foyer. Il y a dissipation d'énergie, d'une part sous forme de transfert thermique, et d'autre part sous forme de vibrations qui se propagent dans la roche de proche en proche : ce sont les **ondes** sismiques.

▶ Si la station est suffisamment éloignée de l'épicentre, on note sur l'enregistrement trois grands types d'ondes : les ondes P, les ondes S, qui se propagent à l'intérieur du globe, et les ondes de surface, les plus destructrices.

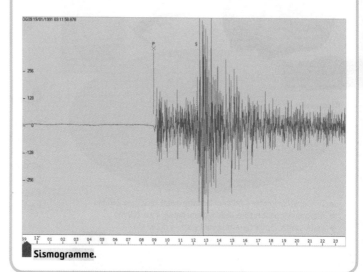

Sismogramme.

2 Des ondes et des lois

▶ On considère qu'une onde sismique se propage comme un rayon lumineux selon les lois de Descartes. Lorsque le rayon lumineux franchit une surface séparant deux milieux ayant des vitesses de propagation différentes alors on a la loi suivante :

$n_1 \times \sin i = n_2 \times \sin r$ où n_1 et n_2 sont les indices du milieu et où i et r les angles d'incidence et de réfraction.

$n = C/V$ où C = vitesse de la lumière et V = vitesse dans le milieu d'où la loi : $V_1 \times \sin r = V_2 \times \sin i$.

RÉALISER

1. Réaliser le montage ci-contre.

2. Observer le trajet du rayon lumineux donc le trajet des ondes lumineuses.

3. Schématiser cette observation.

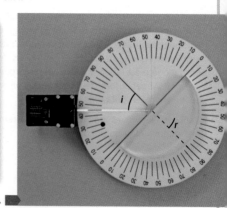

Montage expérimental.

3 Une discontinuité, le MOHO

▶ Pour connaître la structure interne de la Terre, les géologues s'intéressent aux ondes P qui se propagent dans les milieux solides et dans les milieux liquides, et aux ondes S qui ne se déplacent que dans les milieux solides.

▶ Le 8 octobre 1909, André Mohorovicic observe des sismogrammes quand, tout à coup, les stylets zigzaguent : voici les ondes P, puis les ondes S puis… de nouveau des ondes P et de nouveau des ondes S !

JENA   MUNICH

a Quelques sismogrammes analysés par André Mohorovicic.

▶ Des calculs mathématiques confirment l'hypothèse de Mohorovicic : il existe en profondeur une couche qui n'a ni la même densité ni les mêmes propriétés physiques que la croûte terrestre et qui réfléchit et réfracte les ondes.

▶ Selon les propres termes de Mohorovicic une « discontinuité » sépare la **croûte terrestre** de ce qu'il y a en dessous, le manteau. Cette limite est appelée, en son honneur la « **discontinuité** de Mohorovicic » ou « Moho ».

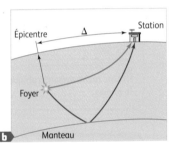

Schéma du trajet des ondes. **b**

Les ondes se sont dédoublées. Ses appareils sont pourtant parfaitement réglés, vérifiés chaque jour par le séismologue méticuleux. Le séisme est identifié, il a lieu sous la ville croate de Popupsko, au Sud de Zagreb, à 40 km de profondeur… Mais pourquoi cette répétition des ondes P et S, comme un écho ?

Mohorovicic arpente son bureau de long en large, fume cigarette sur cigarette, il veut comprendre. Une idée lui vient : les deux trains d'ondes sont partis en même temps du lieu du séisme ; s'ils sont arrivés avec un décalage, c'est donc qu'ils ont dû emprunter deux chemins différents. Connaissant exactement la distance qui sépare ses séismographes de l'épicentre du séisme, ainsi que l'heure précise de la secousse, il calcule que le premier groupe d'ondes P et S a circulé par le chemin le plus direct entre le foyer et l'observatoire, à la vitesse prévue, celle qui correspond à la densité de l'écorce terrestre. En revanche, le deuxième groupe d'ondes P et S a dû rencontrer un milieu de densité différente qui l'a dévié… ”

Extrait de Maurice Kraft :
La Terre une planète vivante ! Collection
« Des livres pour notre temps » Éd. Hachette.

4 Utiliser Sismolog pour calculer la profondeur du MOHO

RÉALISER

1. **Lancer** le logiciel Sismolog.

2. **Ouvrir** le sismogramme de Savoie du 19/01/1991.

3. **Repérer l'heure d'arrivée des ondes P** pour les sismogrammes enregistrés à la **station OG02** : placer le pointeur de la souris au point d'arrivée des ondes P puis cliquer sur le bouton « Onde ».

4. **Repérer** de la même façon **l'heure d'arrivée des ondes S.**

5. **Vérifier** vos résultats en allant sur « Solutions ».
Observer la présence d'un nouveau train d'ondes :
les ondes PMP arrivées à 3 h 12 min 18,580 s entre les ondes P arrivées à 3 h 12 min 15,540 s et les ondes S.
La station OG02 est située à 63,3 km de l'épicentre et le séisme a eu lieu à 3 h 12 min 04.

6. **Schématiser** cette observation.

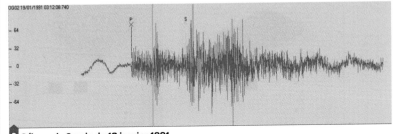

a Séisme de Savoie du 19 janvier 1991.

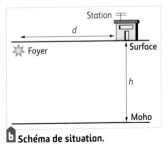

b Schéma de situation.

Activité 3

Les roches de la croûte terrestre

La dualité entre continent et océan se retrouve aussi dans la nature des roches.

→ **Quels types de roches rencontre-t-on sur les continents et sous les océans ?**

Guide d'exploitation

1 (Doc 1 et 2) Citez les roches rencontrées sur les continents et sous les océans. Quelle est la roche représentative des continents, et les roches principales du plancher océanique ?

2 (Doc 3) Comparez dans un tableau les compositions minéralogiques du granite et du basalte (voir Fiche technique).

3 (Doc 1 à 3) Expliquez en quoi l'étude des roches de la croûte justifie la distinction entre une croûte océanique et une croûte continentale.

1 Les roches des continents

▶ Les continents sont constitués de divers types de roches : des roches métamorphiques, des roches magmatiques et des roches sédimentaires.

▶ Les roches de composition granitique sont habituellement considérées comme les plus représentatives de la croûte continentale.

a Une roche magmatique : le granite.

b Une roche métamorphique : le gneiss.

c Une roche sédimentaire : le calcaire.

2 Roches des océans

▶ Pour atteindre la croûte océanique, on réalise des forages en pleine mer. Les carottes de forage montrent le contact entre les sédiments peu épais (gris) et le plancher océanique situé juste au-dessous, constitué de basalte et de gabbro.

Carottes de forage océanique. **a**

b Échantillon de basalte.

c Échantillon de gabbro.

3 Granite et basalte : apport de la microscopie

▶ L'étude minéralogique des roches s'effectue sur des coupes fines de roche (30 μm d'épaisseur) observées au microscope.

▶ L'étude de ces lames minces permet de connaître la composition minéralogique d'une roche, c'est-à-dire la nature des **minéraux** qui la constituent et leur proportion. Elle permet aussi de déterminer la structure, c'est-à-dire la façon dont les minéraux sont assemblés dans la roche.

RÉALISER

1. **Observer les minéraux** en lumière polarisée non analysée.
2. **Rechercher** leur forme et leur couleur.
3. **Étudier** leur teinte en lumière polarisée.

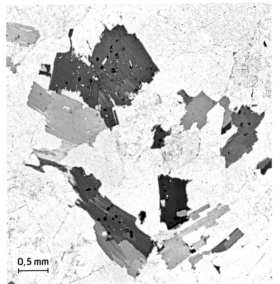

a Lame mince de granite observée au microscope polarisant en lumière polarisée non analysée (LPNA).

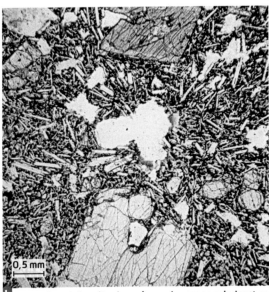

b Lame mince de basalte observée au microscope polarisant en LPNA.

c Lame mince de granite observée au microscope polarisant en lumière polarisée analysée (LPA).

▶ Le granite est une roche magmatique plutonique.

d Lame mince de basalte observée au microscope polarisant en LPA.

▶ Le basalte est une roche magmatique volcanique.

Activité 4

Sous le Moho, le manteau

Grâce à la découverte du Moho, Mohorovicic a défini la croûte comme étant située sur le manteau.

→ **Comment peut-on connaître la nature des roches du manteau ?**

Guide d'exploitation

1 (Doc 1a et 1b) Expliquez comment les géologues peuvent étudier les roches du manteau.

2 (Doc 2) Indiquez la composition minéralogique de la péridotite.

3 (Doc 3) Comparez la densité du granite, du basalte et de la péridotite.

4 En conclusion, à partir de vos connaissances, expliquez et justifiez la phrase suivante : « La croûte repose sur le manteau, constitué de péridotite ».

1 La péridotite, roche représentative du manteau

❯ On ne sait pas faire des forages qui traversent en totalité la croûte terrestre pour atteindre le manteau. Par contre, on peut faire l'étude des roches du manteau grâce aux roches remontées en surface lors de la formation de chaînes de montagnes ou grâce à des échantillons remontés lors d'éruptions volcaniques.

a **Affleurement de péridotite dans le massif du Chenaillet** (Alpes).

❯ Certaines roches volcaniques présentent parfois des enclaves interprétées comme des fragments du manteau remontés à la surface avec le magma. Au cœur de ces échantillons se trouve une péridotite mantellique. Cette inclusion de péridotite permet au géologue d'avoir une idée assez précise de la composition du manteau.

b **Affleurement de basalte renfermant des enclaves de péridotite.**

2 Des lames minces de péridotite

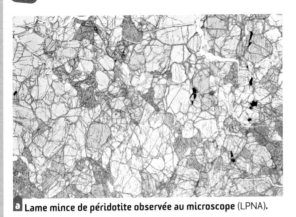

a Lame mince de péridotite observée au microscope (LPNA).

b Lame mince de péridotite observée au microscope (LPA).

▶ La péridotite est constituée essentiellement de deux minéraux :
l'olivine (65 %) et les pyroxènes (30 %).

3 Densité des roches de la croûte et du manteau

▶ On cherche à déterminer la densité d'un échantillon de
granite, d'un échantillon de basalte et d'un échantillon de
péridotite.

RÉALISER

1. Peser chaque échantillon de roche.

2. Déterminer le volume de chaque échantillon.
Ces roches étant non poreuses, la mesure de leur volume
peut s'effectuer en les plongeant attachées par un fil
dans un volume d'eau connu.
Attention : cette mesure doit être la plus précise possible.

3. Calculer la masse volumique de chaque échantillon
(rapport de la masse d'un échantillon sur son volume).

4. Calculer la densité de chaque échantillon (rapport de
sa masse volumique sur la masse volumique de l'eau).

N.B : la masse volumique de l'eau est égale à 1 g/cm³.

a Dispositif.

Plus dense ➤ Moins dense

Péridotite   Basalte   Granite

b Classement des trois roches en fonction de leur densité.

Activité 5

Croûte, manteau et lithosphère

Lorsque les géologues parlent de la couche superficielle du globe, ils préfèrent utiliser le mot de lithosphère plus que celui de croûte !

→ **Qu'est ce que la lithosphère ?**

Guide d'exploitation

1 (Doc 1) Étudiez les variations de la vitesse moyenne des ondes P, S et L lorsque l'on s'éloigne de l'épicentre.

2 (Doc 1) Sachant que plus le séisme est éloigné de l'épicentre, plus les ondes circulent en profondeur, expliquez la relation que l'on peut établir entre la vitesse et la profondeur.

3 (Doc 1b et 2) Indiquez les paramètres susceptibles de faire varier la vitesse des ondes en fonction de la profondeur.

4 (Doc 1 et 2) Justifiez en quoi l'évolution de la vitesse des ondes sismiques en fonction de la masse volumique des matériaux est cohérente avec les données du document 1.

5 (Doc 3) Précisez à quoi correspond la lithosphère en indiquant les couches qui la constituent.

6 (Doc 3) Indiquez ce qui distingue une lithosphère continentale d'une lithosphère océanique et réalisez un schéma comparatif.

VOCABULAIRE

Hodochrone : courbe donnant le temps d'arrivée des ondes sismiques en fonction de la distance à l'épicentre.

Modèle : représentation simplifiée de la réalité.

LVZ : partie moins rigide du manteau où les ondes sismiques sont ralenties. Cette couche constitue la partie supérieure de l'asthénosphère.

1 Propagation et propriétés des ondes sismiques

▶ Les ondes sismiques se propageant dans toutes les directions à la même vitesse, seule la distance *d* des stations à l'épicentre est intéressante.

▶ On rassemble les différents sismogrammes sur un graphique en fonction de la distance *d* et du temps d'arrivée des ondes à ces stations. En repérant les temps d'arrivée des différentes ondes, on peut construire les courbes appelées **hodochrones**.

a **Position des stations à la surface du globe.**

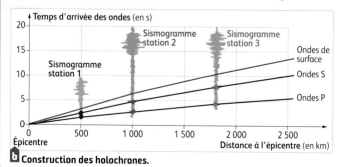

b **Construction des holochrones.**

2 Vitesse des ondes sismiques en fonction de la profondeur

▶ Pour calculer la vitesse des ondes sismiques en fonction de la profondeur, il est nécessaire de disposer d'une relation entre certaines propriétés des matériaux traversés et la vitesse. À faible profondeur, on utilise une loi qui relie la vitesse des ondes à la masse volumique moyenne des roches et à leur densité dans des conditions de pression variées. En profondeur, la pression augmente : les constituants des roches deviennent plus compacts de sorte que leur masse volumique augmente aussi.

▶ Ainsi, les sismologues peuvent déterminer les vitesses des ondes en fonction de la profondeur à partir des mesures des temps de propagation.

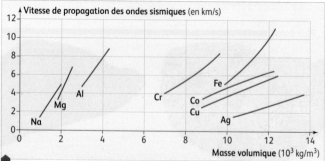

Variation de la vitesse de propagation des ondes sismiques en fonction de la masse volumique de différents éléments.

▶ La vitesse de propagation des ondes sismiques dépend uniquement des propriétés physiques des matériaux traversés. Étudions cette propriété à l'aide d'une expérience analogique.

RÉALISER

1. Relier deux capteurs piézo-électriques à un ordinateur.

2. Disposer ces capteurs sur une longue barre de granite.

3. Créer un choc à l'extrémité de cette barre à l'aide d'un marteau.

4. Enregistrer en stéréo, grâce à un logiciel de son (Audacity par exemple), le passage du train d'ondes par le premier puis le deuxième capteur reliés à la carte son de l'ordinateur.

5. Faire un autre enregistrement avec une autre roche ou une barre métallique voire une barre en bois.

6. Calculer la vitesse des vibrations provoquées par la frappe dans chaque cas.

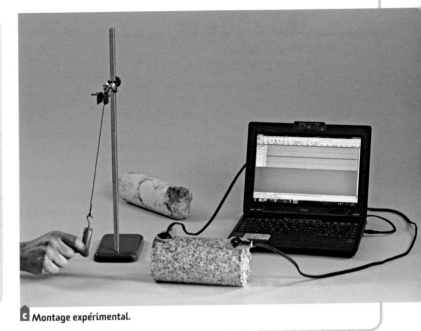

c Montage expérimental.

3 Construction d'un modèle sismologique de la Terre : le modèle PREM

▶ Les sismologues peuvent évaluer indirectement les vitesses de propagation des ondes sismiques en fonction de la profondeur. Ils déduisent ces vitesses des calculs effectués à partir des temps d'arrivée des ondes sismiques des très nombreux séismes. Ils peuvent ainsi préciser les variations des vitesses des ondes P et des ondes S sur les 300 premiers kilomètres de profondeur de la Terre.

▶ Les progrès de la sismologie ont permis à Dziewonski et Anderson d'affiner les résultats de Mohorovicic. En 1981, ils ont construit un **modèle** de la Terre, appelé PREM (Preliminary Reference Earth Model) établissant les vitesses des ondes sismiques jusqu'au centre de la Terre.

▶ Sur les 300 premiers kilomètres, l'étude de la vitesse des ondes P et S montre une zone à moindre vitesse, la **LVZ** (Low Velocity Zone), témoin d'une zone moins rigide. Au-dessus de la LVZ, les géologues définissent une seule zone : la lithosphère.

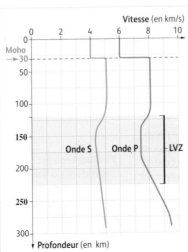

a Variations de la vitesse de propagation des ondes P et S sous les continents.

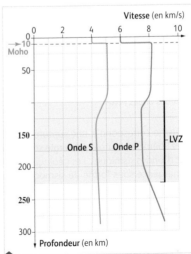

b Variations de la vitesse de propagation des ondes P et S sous les océans.

Bilan des Activités

Activité 1

La dérive des continents : une idée, des faits

▶ Après avoir observé le parallélisme des côtes entre l'Afrique et l'Amérique du Sud, Wegener et quelques prédécesseurs pensent que les continents sont capables de se déplacer horizontalement.

▶ L'étude de la fréquence des altitudes met en évidence deux altitudes principales qui correspondent aux continents et aux fonds océaniques. Ce qui concorde bien avec l'existence de deux couches distinctes de la surface de la Terre, une couche plus dense et une couche plus légère.

▶ Le mérite de Wegener est d'avoir conforté l'hypothèse de la dérive des continents par des arguments scientifiques : parallélisme des côtes, distribution géographique des paléoclimats et de certains fossiles.

▶ Cependant ces idées se heurtent au constat d'un état solide de la quasi-totalité du globe terrestre et au fait qu'il est incapable de proposer un moteur plausible à ces déplacements de continents.

Activité 2

Les apports de la sismologie

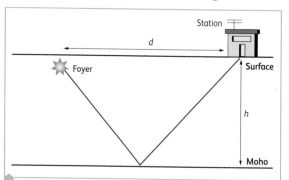

1 Trajet des ondes PMP

▶ Un séisme correspond à une rupture des roches qui provoque une libération brutale d'énergie sous forme de chaleur et surtout d'ondes sismiques. Les géologues peuvent enregistrer leur émergence sous forme de sismogrammes. L'analyse de ces documents montre plusieurs types d'ondes notamment les ondes P ou premières et des ondes S qui ne se propagent pas dans les liquides.

▶ Lorsque les ondes sismiques rencontrent des milieux de propagation différents, elles sont réfléchies et réfractées comme le seraient des ondes lumineuses dans les mêmes circonstances physiques.

▶ C'est d'après l'analyse de nombreux sismogrammes après un tremblement de terre près de Zagreb en 1909, que Mohorovicic interprète certaines ondes comme ayant été réfléchies sur une discontinuité, qui constitue la limite entre la croûte terrestre et le manteau : le Moho.

▶ La profondeur de cette discontinuité est située à 30 km en moyenne sous les continents, ce qui fait que la croûte continentale a une épaisseur beaucoup plus importante que l'épaisseur de la croûte océanique. Il existe donc deux types de croûte.

Activité 3

Les roches de la croûte terrestre

▶ La croûte continentale présente une grande diversité de roches qui affleurent ou sont relativement accessibles, cependant les géologues considèrent que la croûte continentale à une composition granitique. Cette roche entièrement cristallisée contient du quartz, des feldspaths et des micas.

▶ Les roches de la croûte océanique sont récoltées par forage : sous une épaisseur de sédiments on trouve du basalte puis des gabbros. Le basalte contient des cristaux d'olivine, de pyroxène et de feldspaths.

▶ L'étude des roches montre que la dualité continent-océan se retrouve aussi au niveau pétrographique : il existe une croûte continentale granitique et une croûte océanique basaltique.

Granite	Basalte
Quartz	Olivine
Feldspaths	Pyroxènes
Micas	Feldspaths

2 Tableau comparatif de la composition minéralogique du granite et du basalte.

Activité 4

Sous le Moho, le manteau

▶ Le manteau est en grande partie inaccessible, mais on peut cependant parfois trouver des roches du manteau charriées en surface lors de la formation de chaînes de montagnes ou dans certaines roches volcaniques.

▶ Le manteau est constitué de péridotite, essentiellement formée de minéraux ferromagnésiens : pyroxènes et olivine.

▶ La croûte continentale de composition granitique de densité 2,7 et la croûte océanique basaltique de densité 2,9 reposent sur un manteau de densité 3,2.

Activité 5

Croûte, manteau et lithosphère

▶ La vitesse des ondes L ne varie pas lorsque l'on s'éloigne de l'épicentre alors que la vitesse des ondes P et des ondes S augmentent. Sachant que, plus le séisme est éloigné de l'épicentre, plus les ondes circulent en profondeur, on peut dire que la vitesse de propagation des ondes P et S augmente avec la profondeur.

▶ La vitesse des ondes dépend des propriétés physiques des matériaux qu'elles traversent : leur masse volumique notamment qui peut varier en fonction de leur nature mais également en fonction de leur profondeur.

▶ La vitesse de propagation des ondes sismiques peut évoluer en fonction de la nature des matériaux traversés, et pour un matériau donné en fonction de sa profondeur du fait d'une variation de sa masse volumique.

▶ En profondeur, les masses volumiques des roches augmentent : les vitesses des ondes sismiques doivent donc augmenter dans la croûte et dans le manteau avec la profondeur. Le manteau étant plus dense que la croûte, les vitesses des ondes sismiques augmentent lorsqu'elles passent de la croûte au manteau. Ces résultats sont cohérents avec l'évolution de ces mêmes vitesses déduite de l'aspect des hodographes.

▶ Globalement au sein du manteau, la vitesse de propagation des ondes augmente, cependant il existe une zone où elles sont ralenties : la LVZ. Au-dessus de cette zone, la lithosphère est composée de la croûte et de la partie supérieure du manteau.

▶ Il existe deux lithosphères : la lithosphère continentale d'environ 120 km d'épaisseur et la lithosphère océanique qui a une épaisseur moyenne de moins de 100 km.

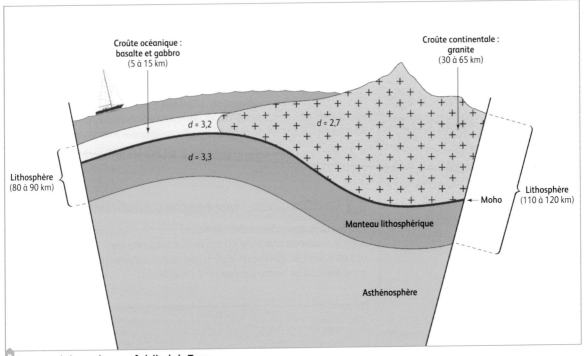

3 Structure de la couche superficielle de la Terre.

Histoire d'un modèle

1 La dérive des continents : une théorie structurée, argumentée et contestée

▶ Au début du XXe siècle Wegener et quelques prédécesseurs évoquent la possibilité d'une mobilité horizontale des continents. Ils appuient leur hypothèse sur quelques constatations : la distribution bimodale des altitudes (continents/océans), les tracés des côtes, la distribution géographique des paléoclimats et de certains fossiles.

▶ Cependant, cette idée novatrice, la dérive des continents, peine à convaincre la communauté scientifique de l'époque qui pense que la Terre est aussi rigide que l'acier, et que les continents ne peuvent pas se déplacer.

2 Deux grands types de croûte terrestre définis et différenciés par la sismologie et la pétrographie

▶ Les études sismiques permettent de préciser la structure interne de la Terre : il existe en profondeur des couches qui n'ont ni les mêmes densités, ni les mêmes propriétés physiques. On définit au sein du globe plusieurs enveloppes concentriques dont la plus externe, la croûte est très peu épaisse par rapport au rayon de la Terre : elle est séparée du manteau sur lequel elle repose, par une discontinuité, le Moho.

▶ Ces études sismiques, complétées par des études pétrographiques, permettent de caractériser et de limiter deux grands types de croûtes terrestres : une croûte continentale constituée majoritairement de granite, épaisse en moyenne de 30 km et une croûte océanique, essentiellement formée de basalte et de gabbro, ayant une épaisseur moyenne de 7 km.

▶ La croûte, continentale ou océanique, repose sur le manteau plus dense constitué de péridotites

3 La lithosphère : une couche superficielle complexe

▶ La modélisation des ondes sismiques en profondeur indique qu'il existe dans le manteau une zone où ces ondes sont ralenties : la LVZ. Au-dessus de cette zone les géologues définissent la lithosphère (croûte continentale ou océanique et partie supérieure du manteau).

MOTS CLÉS

Dérive des continents : Théorie défendue par Alfred Wegener, stipulant que les continents étaient initialement rassemblés pour ensuite se scinder en continents distincts.

Discontinuité : Surface séparant dans le globe terrestre deux milieux ayants des propriétés différentes.

Modèle : Représentation simplifiée de la réalité.

Je me suis entraîné à

■ **Comprendre la notion de modèle scientifique :**
● en étudiant la propagation des ondes sismiques ;
● en suivant l'évolution des faits et des idées.

■ **Observer à différentes échelles :**
● en étudiant des échantillons de roche et de lames minces.

Je retiens par l'image

Animation interactive

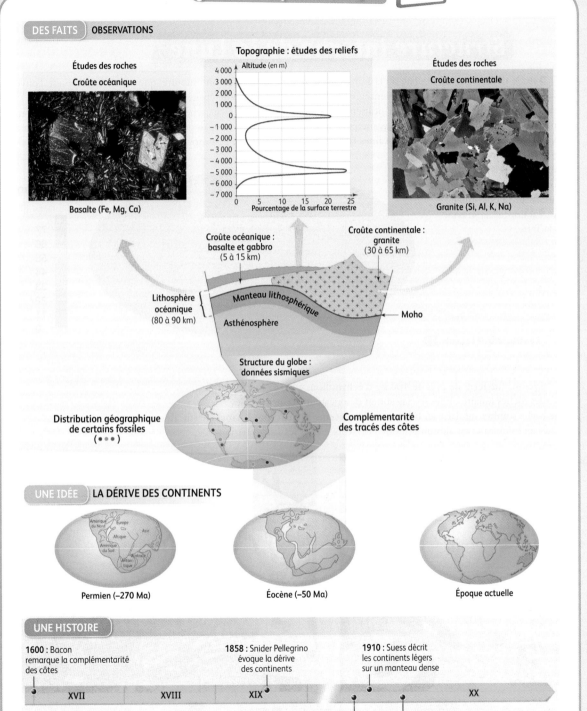

DES FAITS OBSERVATIONS

Études des roches
Croûte océanique

Basalte (Fe, Mg, Ca)

Topographie : études des reliefs

Altitude (en m)
4 000
3 000
2 000
1 000
0
– 1 000
– 2 000
– 3 000
– 4 000
– 5 000
– 6 000
– 7 000

0   5   10   15   20   25
Pourcentage de la surface terrestre

Études des roches
Croûte continentale

Granite (Si, Al, K, Na)

Croûte océanique :
basalte et gabbro
(5 à 15 km)

Croûte continentale :
granite
(30 à 65 km)

Lithosphère
océanique
(80 à 90 km)

Manteau lithosphérique

Asthénosphère

Moho

Structure du globe :
données sismiques

Distribution géographique
de certains fossiles
(• • •)

Complémentarité
des tracés des côtes

UNE IDÉE LA DÉRIVE DES CONTINENTS

Amérique
du Nord   Europe
Asie
Afrique
Amérique
du Sud
Australie
Antarctique

Permien (–270 Ma)

Éocène (–50 Ma)

Époque actuelle

UNE HISTOIRE

1600 : Bacon
remarque la complémentarité
des côtes

1858 : Snider Pellegrino
évoque la dérive
des continents

1910 : Suess décrit
les continents légers
sur un manteau dense

XVII   XVIII   XIX   XX

1909 : Mohorovicic
découvre le Moho

1912 : Wegener publie la théorie
de la dérive des continents

Envie de sciences

Structure interne de la Lune

L'étude de la structure interne de la Lune est essentiellement basée sur les données enregistrées par les quatre stations du réseau Apollo qui utilisent différents types d'événements sismiques : impacts météoritiques et artificiels créés lors de missions américaines laissant chuter des éléments de fusée, séismes superficiels et profonds dus à des déformations du globe lunaire sous l'action de la gravité de la Terre.

Ces études ont montré que notre satellite est couvert d'une croûte épaisse de 60 km sur la face visible et de 100 km sur la face cachée. En dessous de cette croûte, se trouve un manteau épais de plus de 1 100 km. Enfin, au centre, se trouve un petit noyau d'environ 700 km de diamètre.

Crustal Thickness (km)

77
66
55
44
33
22
11
0

La structure de la Lune. 1

Le retour sur Terre de près de 400 kg d'échantillons a permis une analyse des roches lunaires. Elles se classent en deux catégories principales : une roche sombre similaire au basalte terrestre et une roche claire, formée de silicates riches en calcium et en aluminium que l'on trouve dans les autres régions.

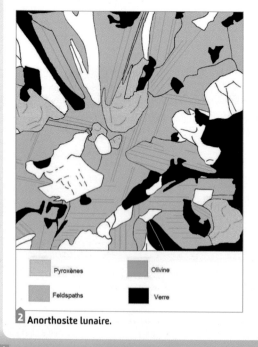

Pyroxènes   Olivine

Feldspaths   Verre

2 Anorthosite lunaire.

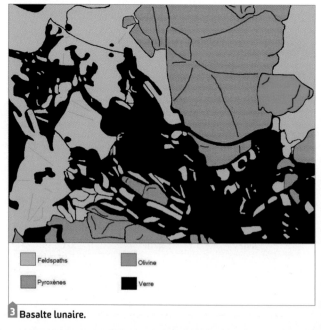

Feldspaths   Olivine

Pyroxènes   Verre

3 Basalte lunaire.

Litholamelleur

Rendre une roche suffisamment mince afin de pouvoir l'observer au microscope : voilà le défi du litholamelleur !

La réalisation d'une lame mince à partir d'une roche ou de tout autre matériau solide est un travail long et minutieux. La roche est découpée à la scie diamantée en un parallélépipède de la taille d'un sucre qui est poli sur une face, collé sur une lame de verre, de nouveau scié et poli pour l'amincir à la main jusqu'à atteindre une épaisseur de 30 µm. L'épaisseur de la lame s'évalue par un examen au microscope. Une lamelle est enfin collée afin de protéger la lame de roche amincie.

Le litholamelleur est un autodidacte. Il est recruté sur concours suite à des tests permettant d'évaluer sa culture générale, son habileté manuelle, son sens de l'observation. Sa motivation est estimée au cours d'un entretien.

Technicien en début de carrière, le litholamelleur peut devenir assistant ingénieur par promotion interne.

QUALITÉS ET NIVEAU REQUIS

▶ Habileté manuelle et précision du geste

▶ Sens de l'observation

▶ Une culture en minéralogie et en géologie est un atout

▶ Niveau Bac ou plus

▶ Recruté sur concours

Histoire de la Terre : les enveloppes de la Terre de Descartes

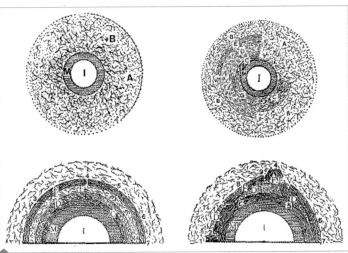

Étapes de la formation de la Terre selon Descartes.

En 1644, Descartes propose un modèle de la structure interne de la Terre. Partant d'un globe homogène qui résulte du mouvement de trois éléments fondamentaux, l'élément lumineux, l'élément transparent et l'élément opaque, Descartes propose ensuite la formation des couches concentriques successives à l'intérieur de la Terre.

Sous une zone B formée d'éléments opaques représentant la croûte solide, il place deux autres régions : le noyau central est notée I, il est formé de l'élément lumineux, une autre région désignée par la lettre M « remplie d'un corps fort opaque », est de la nature des tâches solaires.

Exercices

6 Détermination de la profondeur du Moho dans les Alpes

▶ Pour calculer la profondeur du Moho, on utilise la méthode suivante basée sur l'application du théorème de Pythagore.

▶ On considère que les foyers de ces séismes sont peu profonds et que la vitesse des ondes P est de 6 km.s^{-1}.

Document 1.

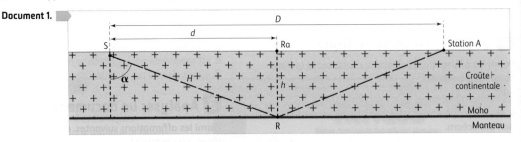

$h = \sqrt{H^2 - d^2}$ en effet : $d^2 + h^2 = H^2$ d'où $h^2 = H^2 - d^2$.

$H = 3\,t$ en effet si $V = 6$ km s^{-1} et V = distance/temps = $2H/t$ soit $H = V.\,t/2 = 3\,t$.

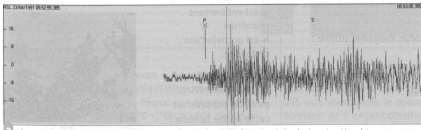

2 Sismogramme du 23/04/1991 reçu par la station RSL (Roselend située dans les Alpes).

Distance épicentrale
Δ = 135,8 km.
Heure du séisme :
5 h 52 min 38,400 s.
Arrivée des ondes P
à 5 h 53 min 02,005 s.
Arrivée des ondes PMP
à 5 h 53 min 05,325 s.
Arrivée des ondes S
à 5 h 53 min 18,805 s.

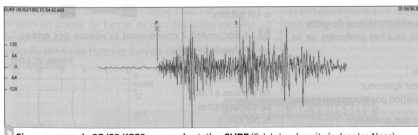

3 Sismogramme du 09/03/1992 reçu par la station SURF (Col de Larches située dans les Alpes).

Distance épicentrale
Δ = 105,5 km.
Heure du séisme :
1 h 54 min 34,859 s.
Arrivée des ondes P
à 1 h 54 min 52,619 s.
Arrivée des ondes PMP
à 1 h 54 min 56,859 s.
Arrivée des ondes S
à 1 h 55 min 05,819 s.

QUESTION

■ Calculez pour ces deux séismes alpins la profondeur du Moho et proposez une explication à vos résultats connaissant l'épaisseur moyenne de la croûte terrestre.

Guide de résolution

1 Lire de façon approfondie la méthode de calcul et identifier tous les paramètres qui la composent sur le schéma.

2 Calculer le temps mis par les ondes PMP pour parvenir à la station.

3 Pour faciliter votre travail, s'aider d'un tableau de ce type.

Stations	Temps (en s)	d (en km)	H (en km)	$H^2 - d^2$	h (en km)
RSL					
SURF					

4 Dans la conclusion, comparer l'épaisseur moyenne de la croûte continentale aux résultats et élaborer des éléments d'explication.

Appliquer ses connaissances

7 Des passerelles intercontinentales

Au début du siècle, les paléontologues avaient observé que certaines espèces étaient retrouvées sur Terre en des points séparés par des océans. Deux théories pouvaient expliquer cette observation, la théorie de l'hologenèse et celle qui consiste à dire que l'espèce est apparue en un endroit puis qu'elle a de cet endroit colonisé l'ensemble de son aire de répartition.

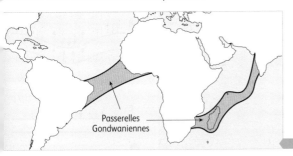

Passerelles
Gondwaniennes

Représentation des passerelles intercontinentales.

En considérant cette dernière hypothèse, comment expliquer la répartition de part et d'autre d'un océan pour des espèces incapables de le traverser ? Les paléontologues ont d'abord émis l'idée de passerelles intercontinentales s'effondrant à certaines époques pour renaître à d'autres.

QUESTIONS

1 Recherchez en quoi consistait l'hypothèse de l'hologenèse.

2 Précisez comment les paléontologues expliquaient la répartition d'espèces de part et d'autre d'un océan.

3 Indiquez comment la théorie de la dérive des continents s'attaque à la théorie des passerelles intercontinentales.

8 Deux comportements différents pour un même matériau

Le géologue Jeffreys fut l'un des plus fervents opposants à la « dérive des continents » la Terre étant solide. À cette époque on connaissait déjà la structure de la Terre, en couches concentriques alors appelées, de l'extérieur vers l'intérieur : Sal ou Sial (silicium + aluminium), Sima (silicium + magnésium), et Nife (Nickel + Fer).

Pour Jeffreys, Sial et Sima se comportaient comme des solides, la transmission en leur sein des ondes sismiques en était la preuve.

En réalité, un matériau peut avoir deux comportements différents disait Wegener : prenons l'exemple de la glace, dans un glacier, la glace s'écoule lentement vers la vallée et elle peut casser sous un coup de marteau.

QUESTIONS

1 Expliquez ce que représentent aujourd'hui le Sial et le Sima.

2 Indiquez en quoi la comparaison des roches de surface avec la glace permet de lever le malentendu entre Wegener et Jeffrey.

La Mer de glace.

9 Étude de la structure de Mars

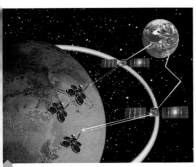

Le projet Netlander.

Pour étudier la structure interne de la Terre, les géophysiciens ont essentiellement utilisé une méthode indirecte.

Le projet Netlander a pour objectif d'étudier la structure interne de la planète Mars en utilisant cette même méthode.

QUESTIONS

1 Quelle est la principale méthode qui a permis d'établir un modèle interne de Terre ?

2 Mars est une planète géologiquement peu active, quels sont les phénomènes qui pourraient être à l'origine d'ondes capables de traverser cette planète tellurique ?

3 Quels sont les équipements indispensables à l'étude de la structure interne de Mars que devra posséder Netlander ?

Appliquer ses connaissances

10 L'Isostasie

À l'époque de Wegener, Suess avait émis l'idée que les continents granitiques flottaient sur des matériaux basaltiques plus denses qui formaient le plancher des océans. Lorsque l'érosion enlève une couche superficielle d'un continent l'équilibre « hydrostatique » permet à celui-ci de remonter, ce phénomène étant connu sous le nom d'isostasie.

Parmi les preuves de cette théorie, il y a le soulèvement de la Scandinavie à la suite de la fonte des glaces qui recouvraient cette région lors de la dernière glaciation.

QUESTIONS

1 Indiquez en quoi cette étude permet de conforter la théorie de l'isostasie.

2 En quoi cette étude permet-elle de conforter la théorie de la dérive des continents ?

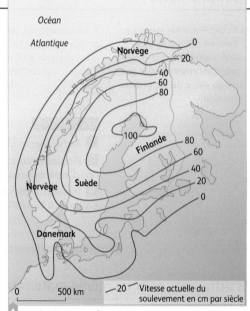

1 **Courbe de remontée de la Scandinavie** (en cm par siècle). Ces vitesses sont supposées valables pour les derniers 6 000 ans.

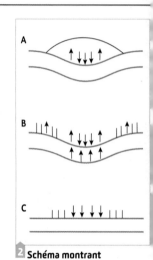

2 **Schéma montrant le comportement d'une couche élastique.**
A : Couche sur laquelle on a posé un poids. B : Le poids a été retiré. C : La couche reprend sa forme initiale.

11 Réalisation d'une coupe

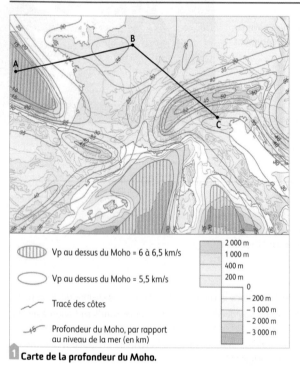

Vp au dessus du Moho = 6 à 6,5 km/s

Vp au dessus du Moho = 5,5 km/s

Tracé des côtes

Profondeur du Moho, par rapport au niveau de la mer (en km)

2 000 m
1 000 m
400 m
200 m
0
– 200 m
– 1 000 m
– 2 000 m
– 3 000 m

1 **Carte de la profondeur du Moho.**

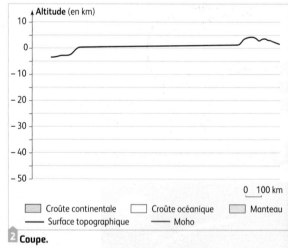

Croûte continentale   Croûte océanique   Manteau
— Surface topographique   — Moho

2 **Coupe.**

QUESTIONS

1 Reproduisez le document 2 et indiquez la profondeur du Moho, à l'aide des courbes indiquées sur la carte le long du tracé reliant les points A, B et C. Titrez et légendez le graphique.

2 Placez sur ce document la croûte continentale et la croûte océanique.

La science AUTREMENT

ARTS & sciences

12 Un tremblement de terre historique

▶ Cette peinture de Glama représente la destruction de Lisbonne par un séisme le 1ᵉʳ novembre 1755. La secousse fut suivie par un tsunami et des incendies qui détruisirent la ville dans sa quasi-totalité.

▶ Il s'agit d'un des tremblements de terre les plus destructeurs et les plus meurtriers de l'histoire. Selon les sources, on dénombre entre 50 000 et 100 000 victimes. Les sismologues estiment sa magnitude entre 8,5 et 8,7 sur l'échelle de Richter.

Peinture de Glama, Lisbonne, musée d'Art ancien.

▶ Ce séisme du 1ᵉʳ novembre 1755 a eu une importance capitale pour la sismologie. Il a donné l'occasion à Kant d'écrire une monographie à son sujet et de mener une longue réflexion sur les causes des séismes.

> Les tremblements de terre nous révèlent que, vers la surface, la Terre est creusée de cavernes, et que, sous nos pieds, des galeries de mine secrètes courent de toutes parts en de multiples dédales. Ceci sera sans aucun doute établi par les progrès dans l'histoire des tremblements de terre. […] Les cavités contiennent toutes un feu ardent, ou du moins une matière combustible qui n'a besoin que d'une légère stimulation pour faire rage avec furie alentour et ébranler ou même fendre le sol au-dessus.

QUESTIONS

1 D'après cette représentation, quelle explication donnait-on au séisme ?

2 Recherchez la définition de « magnitude ».

3 Comment estime-t-on aujourd'hui la magnitude du séisme ? Placez ce séisme dans l'échelle correspondante pour qualifier ce séisme.

4 Précisez comment Kant expliquait ce séisme et comment on l'expliquerait aujourd'hui.

6

Un modèle dynamique pour la lithosphère

▶ Les séismes et les éruptions volcaniques témoignent d'une dynamique de la lithosphère et du manteau. Leur répartition permet de découper la surface terrestre en un certain nombre de plaques lithosphériques animées de mouvements horizontaux.

▶ Le modèle de la tectonique des plaques a mis du temps à s'imposer. Il fallut attendre près de 50 ans pour que des données de plus en plus nombreuses et convergentes permettent de faire émerger en 1968 une première version de ce modèle.

1 **Éruption du volcan Eyjafjallajokull au sud de l'Islande.**
Entré en éruption le 20 mars 2010, il a projeté durant plusieurs semaines un épais nuage de cendres et de vapeur d'eau.

2 Destructions dues au séisme du 12 janvier 2010 en Haïti (magnitude 7,3).

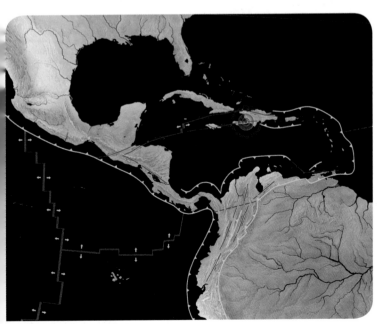

3 Position de l'épicentre et des plaques lithosphériques dans le secteur Caraïbes.

Longtemps considérés comme l'expression de forces obscures, les séismes s'expliquent aujourd'hui comme les conséquences du mouvement des plaques.

Comment les données océanographiques devenues plus nombreuses à l'aube des années 1960 confirment-elles l'hypothèse d'une expansion des fonds océaniques ?

→ **Activités 1 et 2**

Comment les données sismologiques permettent-elles d'envisager une dynamique de la lithosphère par rapport à l'asthénosphère ?

→ **Activités 3 à 4**

Comment modéliser la dynamique de la lithosphère en mouvements de plaques ?

→ **Activités 5 et 6**

Activité 1

L'expansion des fonds océaniques, une idée discutée

Le modèle de Wegener (1912) a été rejeté par la communauté des géophysiciens unis autour d'une vision solide et statique du globe.

→ **Comment des données océanographiques ont-elles permis de réactualiser l'idée de mobilité des fonds océaniques ?**

Guide d'exploitation

1 (Doc 1) Schématisez le profil topographique de l'océan Pacifique et indiquez les secteurs où le flux thermique est supérieur au flux thermique moyen puis caractérisez le flux thermique aux abords des fosses.

2 (Doc 1) En quoi la comparaison de la carte des fonds océaniques (voir fin du manuel) et de la carte du flux thermique permet-elle de généraliser les constats réalisés dans le domaine pacifique ?

3 (Doc 1 et 2) D'après le modèle de Hess et les donnés relatives à la convection, localisez les régions du plancher océanique sous lesquelles pourraient avoir lieu des mouvements convectifs ascendants ou descendants dans le manteau.

VOCABULAIRE

Dorsale : relief océanique allongé, de profondeur moyenne de 2 500 m et dominant les plaines abyssales.

Fosse océanique : zone étroite et allongée où la profondeur des fonds océaniques atteint son maximum (entre 7 000 m et 11 000 m).

1 Des relevés océanographiques

▶ La Terre libère à sa surface de l'énergie d'origine interne par transfert thermique, dont les ¾ au fond des océans. La quantité d'énergie libérée par unité de temps et par unité de surface est appelée le flux thermique. Il s'exprime en $W.m^{-2}$. Dans les océans, le flux thermique moyen est d'environ 67 $mW.m^{-2}$.

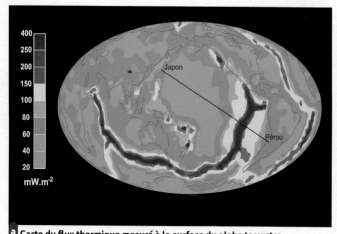

a **Carte du flux thermique mesuré à la surface du globe terrestre.**
Le trait de coupe entre le Japon et le Pérou a été localisé sur la carte.

2 L'idée de la convection mantellique

▶ Hess et Dietz (1961) proposent un schéma dans lequel le manteau est affecté de mouvements de convection qui animent l'expansion des fonds océaniques de part et d'autre des dorsales et provoquent leur enfouissement à l'aplomb des fosses.

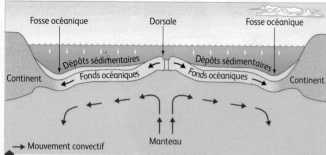

a **Modèle de l'expansion des fonds océaniques.**

▶ Lors d'une convection, le transfert thermique s'effectue par une mise en mouvement de matière. Le matériau chauffé à la base et devenu moins dense monte vers le sommet où il s'étale et réalise l'essentiel du transfert d'énergie. Refroidi et redevenu plus dense, le matériau redescend.

▶ Il est possible de réaliser une modélisation analogique de la convection en utilisant du gel à bougie.

▶ La topographie des fonds océaniques (voir la carte des fonds océaniques en fin de manuel) est caractérisée par deux grands types de relief : des **dorsales** s'étirant sur près de 56 000 km et des **fosses océaniques** situées parallèlement aux bordures de certains continents ou de certains arcs insulaires.

RÉALISER

1. Placer le curseur dans le secteur de l'océan Pacifique ; en maintenant un clic gauche, tracer un rectangle s'étendant jusqu'à la bordure ouest du continent sud-américain. Dans le bandeau supérieur, sélectionner « Affichage » et sélectionner « Villes et noms des villes ».

2 **Choisir** « Outils » dans le bandeau supérieur **puis l'option « Coupe ».**

3. Commencer par « Définir la coupe » et positionner les pointeurs sur Tokyo et La Paz.

4. Sélectionner ensuite « Tracer la coupe » ; activer la fenêtre correspondant à la coupe et appuyer sur Alt + Impression d'écran.

5. Ouvrir un logiciel de traitement d'image ou de texte, **sélectionner** l'option « Coller », **légender** la coupe à partir des informations de la carte des fonds océaniques.

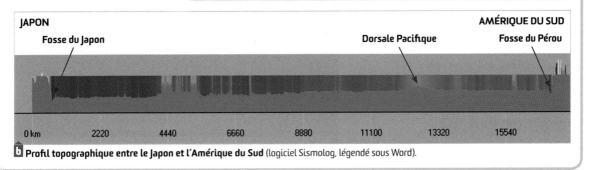

JAPON   Fosse du Japon   Dorsale Pacifique   **AMÉRIQUE DU SUD**   Fosse du Pérou

| 0 km | 2220 | 4440 | 6660 | 8880 | 11100 | 13320 | 15540 |

b **Profil topographique entre le Japon et l'Amérique du Sud** (logiciel Sismolog, légendé sous Word).

RÉALISER

1. Faire fondre dans un bécher du gel coloré (1,5 cm d'épaisseur) et le laisser refroidir jusqu'à ce qu'il se fige complètement.

2. Faire fondre dans un autre bécher du gel transparent (5 cm d'épaisseur) puis le verser sur le gel coloré en le faisant s'écouler le long d'un agitateur.

3. Attendre que la surface du gel transparent se fige.

4. Placer le bécher sur une plaque chauffante.

5. Allumer la plaque chauffante et observer le comportement des gels.

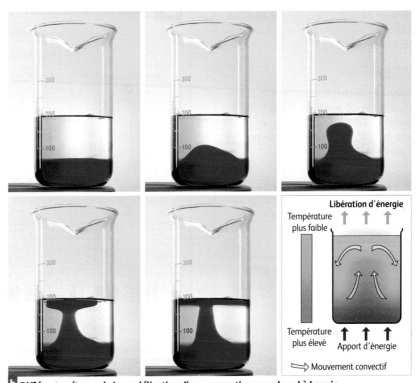

Libération d'énergie

Température plus faible

Température plus élevé   Apport d'énergie

⇨ Mouvement convectif

b **Différentes étapes de la modélisation d'une convection avec du gel à bougie et schéma d'interprétation.**

Activité 2

Les apports du paléo-magnétisme

Les magnétomètres embarqués lors des missions océanographiques ont permis d'accumuler de nombreuses mesures du champ magnétique terrestre.

→ **Comment les mesures du champ magnétiques ont-elles contribué à accepter l'idée de l'expansion des fonds océaniques ?**

Travail en groupe

Groupes A et B

1 (Doc 1 et 2) Précisez les caractéristiques prévisibles du champ magnétique enregistré dans les basaltes du plancher océanique de part et d'autre des dorsales en admettant l'idée d'une expansion des fonds océaniques.

Groupe A

2 (Doc 3) Éprouvez l'hypothèse précédente dans le domaine pacifique à 51° de latitude S et évaluez la vitesse de divergence du plancher océanique de part et d'autre de la dorsale depuis 3 Ma.

Groupe B

3 (Doc 3) Même question pour le secteur Atlantique à 60° de latitude N.

Mise en commun

4 En conclusion, indiquez les informations qui valident l'expansion des fonds océaniques.

VOCABULAIRE

Anomalie magnétique : écart (positif ou négatif) entre la valeur mesurée et la valeur calculée de l'intensité du champ magnétique en un endroit.

1 Le champ magnétique terrestre

❯ On peut mesurer la direction du champ magnétique terrestre avec une boussole ; son aiguille aimantée s'oriente parallèlement au champ magnétique local. En première approximation, le champ magnétique terrestre est assimilé au champ créé par un aimant droit placé au centre de la Terre, constitué de deux pôles, Nord et Sud peu distants des deux pôles géographiques respectifs. Il est alors possible d'évaluer la valeur du magnétisme en chaque point du globe en fonction de sa position.

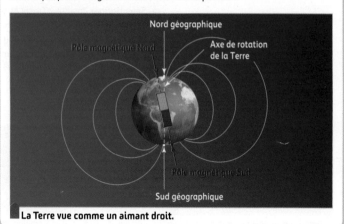

La Terre vue comme un aimant droit.

3 Les anomalies magnétiques

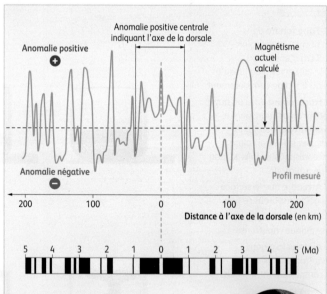

a **Profil magnétique de part et d'autre de la dorsale sud-Pacifique à 51° de latitude S.**
L'échelle des inversions magnétiques a été replacée sous le profil pour rendre compte de la distribution des anomalies au cours du temps.

2 Le paléomagnétisme

▶ Lors de leur formation, les basaltes enregistrent la direction et le sens du champ magnétique terrestre régnant à l'endroit de leur mise en place.

▶ L'étude de basaltes d'âges différents a montré que le champ magnétique enregistré dans ces roches a la même direction, mais peut présenter des sens inversés : le champ magnétique terrestre s'est donc inversé de nombreuses fois au cours des temps géologiques.

▶ Ces études ont permis de construire un calendrier des inversions du champ magnétique terrestre. Les périodes caractérisées par un champ magnétique orienté dans le même sens que le champ actuel sont dites « normales » et sont représentées en noir, celles de champ magnétique inversé par rapport au champ actuel sont dites « inverses » et sont représentées en blanc.

a **Mise en évidence du champ magnétique « fossile » enregistré dans un échantillon de basalte.** La rose des vents indique la direction du Nord magnétique mesurée avec la même boussole en l'absence du basalte.

Âge (en Ma)	Polarité	Époques majeures de polarité
0,5		Époque normale Bruhnes
1,0		
1,5		Époque inverse Matuyama
2,0		
2,5		
3,0		Époque normale Gauss
3,5		
4,0		Époque inverse Gilbert
4,5		

b **Échelle des inversions magnétiques sur 4,5 millions d'années.**

▶ Des mesures du champ magnétique ont été effectuées à la surface des océans en utilisant des magnétomètres embarqués à bord d'avions ou tractés par des navires océanographiques. Ces mesures ont permis de tracer des profils magnétiques et de définir des **anomalies magnétiques**. À certains endroits, le champ magnétique mesuré diffère du champ magnétique estimé à partir du magnétisme actuel.

▶ Les anomalies positives ont été figurées sous forme de bandes noires et les anomalies négatives sous forme de bandes blanches.

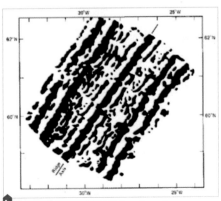

b **Anomalies magnétiques dans le secteur Nord atlantique.**

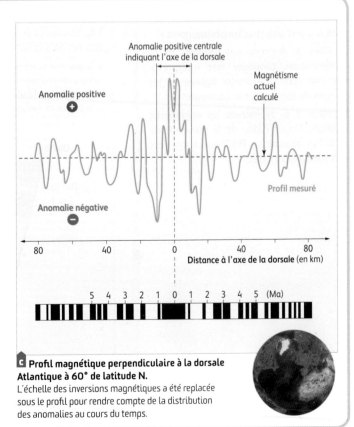

c **Profil magnétique perpendiculaire à la dorsale Atlantique à 60° de latitude N.**
L'échelle des inversions magnétiques a été replacée sous le profil pour rendre compte de la distribution des anomalies au cours du temps.

Activité 3

Sismologie des arcs insulaires

Selon l'idée proposée par Hess en 1961, les mouvements de convection qui animent le manteau sont associés aux mouvements du plancher océanique.

→ **Comment des données sismologiques permettent-elles de confirmer un mouvement du plancher océanique ?**

Guide d'exploitation

1 (Doc 1) Décrivez la distribution des foyers sismiques dans l'arc des Tonga et dans le domaine Pacifique qui le borde.

2 (Doc 2) Justifiez l'affirmation « le manteau n'a pas une structure homogène ».

3 (Doc 3) À l'aide des résultats de la modélisation, proposez une interprétation aux écarts de vitesse figurés sur les images de tomographie sismique.

4 (Doc 1 à 3) Relevez les arguments pouvant étayer l'idée de la présence de plancher océanique Pacifique sous l'arc des Tonga-Kermadec.

1 Répartition des foyers sismiques

▶ De nombreux séismes affectent régulièrement l'arc insulaire des Tonga-Kermadec, comme le Japon plus au Nord, et plus généralement comme la majeure partie des bordures de l'océan Pacifique.

▶ Le logiciel Sismolog permet d'obtenir une répartition des foyers sismiques en vue 3D et en coupe.

a **Vue en 3D de la bordure du Pacifique le long de l'arc des Tonga-Kermadec** bordé à l'est d'une fosse océanique (logiciel Sismolog).

2 Tomographie sismique

▶ La tomographie sismique est une méthode pouvant être assimilée à un scanner pour la Terre (voir fiche méthode).

▶ Grâce aux nombreuses données sismiques, il est possible de calculer une vitesse de propagation des ondes sismiques pour chaque endroit du globe situé à une profondeur donnée. On peut alors comparer cette valeur locale à la valeur moyenne calculée dans le modèle PREM.

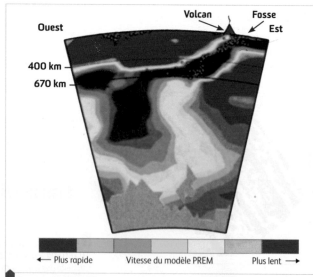

b **Tomographie sismique sous la région de l'arc insulaire des Tonga-Kermadec.**

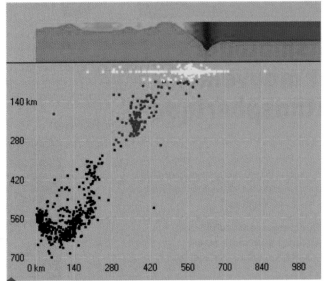

RÉALISER

1. Placer le curseur dans le secteur de la Nouvelle-Calédonie ; en maintenant un clic gauche, tracer un rectangle s'étendant jusqu'à l'est de la fosse bordant l'arc des Tonga-Kermadec.

2. Choisir dans le bandeau supérieur « Vue relief 3D » et suivre les instructions à l'écran pour faire apparaître les foyers des séismes.

3. Choisir l'angle de vue pour obtenir une vue 3D.

4. Sélectionner « Outils » dans le bandeau supérieur puis l'option « Coupe ».

5. Dans le menu « Coupe », commencer par « Définir la coupe » et positionner grâce aux pointeurs le trait de coupe perpendiculairement à la fosse et à l'arc.

6. Dans le menu « Coupe », lancer « Tracer la coupe ».

b **Carte de la répartition des foyers des séismes le long de l'arc insulaire des Tonga-Kermadec et coupe** (logiciel Sismolog).
La profondeur des foyers sismiques est indiquée par la couleur des points.

3 Modélisation analogique

❚ La vitesse de propagation des ondes sismiques dans un matériau donné dépend uniquement de ses propriétés physiques. On peut mettre en évidence l'influence de la température du matériau sur cette vitesse.

RÉALISER

1. Mettre en place deux capteurs piézoélectriques reliés à un ordinateur aux deux extrémités d'une barre de pâte à modeler de 32 cm de longueur et portée à une température définie.

2. Enregistrer avec un logiciel de son (Audacity par exemple) les passages successifs du train d'ondes sous les deux capteurs.

3. Renouveler la mesure pour une même barre à des températures différentes.

4. Calculer à l'aide du tableur les vitesses de propagation des ondes entre les deux capteurs et construire le graphe de l'évolution de cette vitesse en fonction de la température.

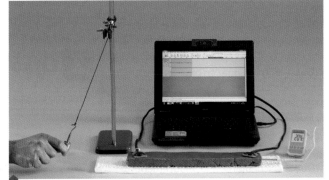

a **Dispositif expérimental.**

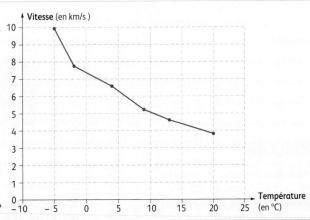

Représentation graphique **b** **des résultats expérimentaux.**

Activité 4

Sismologie et mouvement lithosphérique

Les données sismiques ont permis de supposer un plongement du plancher océanique dans le manteau à l'aplomb des fosses océaniques.

→ **Quels arguments suggèrent l'existence d'un mouvement lithosphérique dans ces secteurs ?**

Guide d'exploitation

1 (Doc 1) Mesurez l'épaisseur de la zone inclinée dans laquelle sont localisés les foyers sismiques sous l'arc insulaire du Japon.

2 (Doc 1 et 2) Montrez que cette zone n'est pas constituée que de croûte et formulez une hypothèse quant à sa nature.

3 (Doc 1 et 2) Indiquez en quoi les informations du document 2c permettent de rendre compte de la distribution des séismes le long de ce panneau plongeant ?

4 (Doc 2) Évaluez la température à la base de la lithosphère.

5 (Doc 4) Schématisez le mouvement de la lithosphère océanique Pacifique sous l'arc insulaire japonais, en faisant apparaître sur ce schéma les principales informations déduites de l'étude des documents.

VOCABULAIRE

Déformation cassante : déformation d'une roche avec rupture.

Déformation ductile : déformation d'une roche sans rupture.

1 Des mouvements sous le Japon

▶ De nombreux séismes affectent régulièrement l'arc insulaire du Japon ainsi que sa bordure Pacifique.

▶ Les zones qui, comme au Japon, sont l'objet d'un plongement du plancher océanique vers le manteau, sont appelées des zones de subduction océanique.

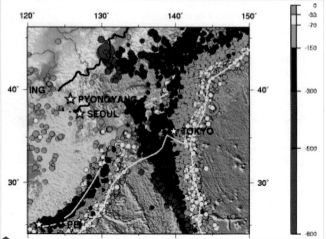

a **Carte de répartition des foyers des séismes récents** en fonction de la profondeur sous l'arc insulaire du Japon (période 1990 à 2006).

2 Lithosphère et asthénosphère

▶ Les courbes de vitesse des ondes sismiques en fonction de la profondeur ont permis de définir et de différencier la lithosphère et l'asthénosphère située immédiatement en dessous.

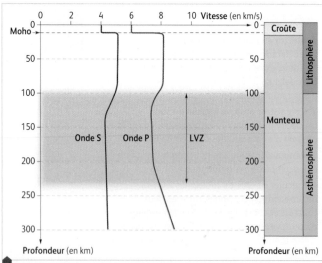

a **Variations de la vitesse des ondes P et S de 0 à 300 km sous les océans et interprétation de la structure des couches.**

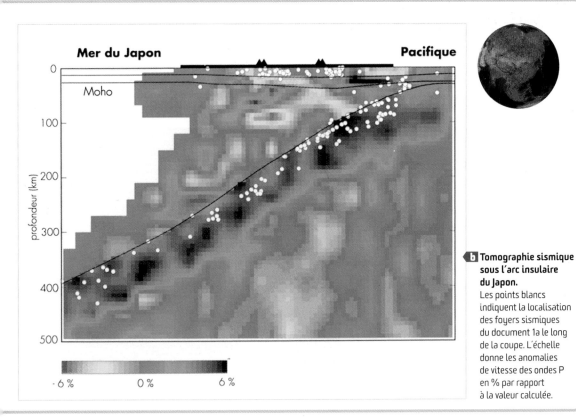

Mer du Japon   **Pacifique**

Moho

profondeur (km)

- 6 %   0 %   6 %

b Tomographie sismique sous l'arc insulaire du Japon.
Les points blancs indiquent la localisation des foyers sismiques du document 1a le long de la coupe. L'échelle donne les anomalies de vitesse des ondes P en % par rapport à la valeur calculée.

Lorsque les roches de la lithosphère sont soumises à des contraintes mécaniques, elles peuvent résister à celles-ci sans se déformer tant que les contraintes sont inférieures à leur seuil de résistance ou, au contraire, se déformer lorsque les contraintes dépassent ce seuil. On distingue alors la **déformation cassante** des roches caractérisée par leur rupture et pou-

vant être à l'origine d'ondes sismiques, de leur **déformation ductile** sans rupture et sans production d'ondes sismiques.

La capacité de déformation des roches est liée au rapport T/T_f des roches où T est la température des roches et T_f leur température de fusion. Plus ce rapport est proche de 1, plus la roche est déformable et ductile.

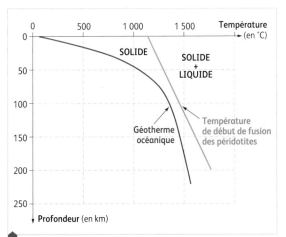

b Géotherme océanique évalué à 100 km de distance de l'axe de la dorsale. Le géotherme fournit la température des matériaux en fonction de la profondeur.

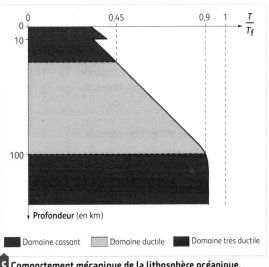

■ Domaine cassant ▢ Domaine ductile ■ Domaine très ductile

c Comportement mécanique de la lithosphère océanique.

Activité 5

Failles transformantes et mouvements des plaques

En 1965, Wilson introduit le concept de faille transformante, fracture séparant deux blocs coulissant horizontalement l'un par rapport à l'autre.

→ **Qu'apporte le concept des failles transformante au modèle de la tectonique ?**

Guide d'exploitation

1 (Doc 1a) Décrivez le tracé des failles transformantes océaniques. En quoi les données sismiques confortent-elles l'idée de Wilson ?

2 (Doc 1b) Schématiser le mouvement le long de la faille transformante N15 entre les deux segments de dorsale qu'elle relie conformément à l'hypothèse d'expansion des fonds océaniques.

3 (Doc 2) Décrivez les différents types de mouvement aux frontières des plaques A et B et indiquez la forme des frontières où les plaques coulissent l'une par rapport à l'autre.

4 (Doc 1 et 2) Indiquez si l'on retrouve les caractères des zones de coulissage du modèle sur les failles transformantes du secteur central de l'océan Atlantique.

5 (Doc 3) Repérez les limites convergentes et divergentes des différentes plaques.

VOCABULAIRE

Plaque lithosphérique : portion de lithosphère rigide et peu déformable sauf à ses frontières, en mouvement par rapport aux autres secteurs lithosphériques voisins à la surface du globe.

1 La fracturation des dorsales océaniques

▶ L'examen de la topographie des fonds océaniques (voir carte en fin de manuel) révèle l'existence de nombreuses fractures paraissant découper la dorsale en de multiples segments décalés les uns par rapport aux autres.

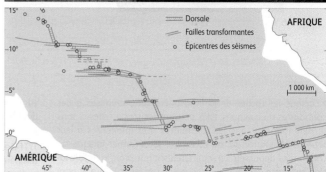

a Fracturation de la dorsale et répartition de la sismicité dans le secteur central de l'océan Atlantique et schéma d'interprétation.

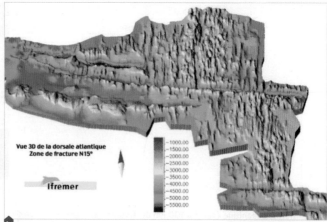

Vue 3D de la dorsale atlantique
Zone de fracture N15°

Ifremer

b Vue 3D des fonds océaniques de la dorsale dans le secteur de la zone de fracture N15 (échelle des profondeurs en couleur).

2 Modélisation des mouvements de rotation sur une sphère

▶ En 1967, Morgan propose un découpage de la lithosphère en une mosaïque de plaques en mouvement les unes par rapport aux autres. Il les nomme « **plaques lithosphériques** ». La géométrie des failles transformantes l'amène à considérer que les plaques sont animées de mouvements de rotation les unes par rapport aux autres à la surface de la Terre.

RÉALISER

1. Reproduire sur un premier calque le cercle équatorial terrestre.

2. Reporter les contours de la plaque A et la colorier.

3. Pointer un second calque sur le pôle de rotation, tracer les contours de la plaque B, la colorier.

4. Faire tourner le second calque dans le sens antihoraire de quelques degrés.

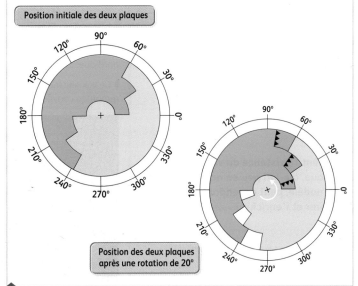

Position initiale des deux plaques

Position des deux plaques après une rotation de 20°

▦ **Modélisation du mouvement relatif de deux plaques à la surface d'une sphère.**
Le point au centre représente le pôle de rotation des deux plaques.

3 Le mouvement des plaques lithosphériques

▶ Alors qu'en 1968, les premiers modèles de Jason Morgan et de Xavier Le Pichon prenaient en compte respectivement douze et six plaques pour décrire les mouvements de la lithosphère, les modèles actuels en font apparaître un plus grand nombre.

▶ Dans tous ces modèles, les plaques sont des surfaces indéformables dont les frontières concentrent l'essentiel de l'activité géologique affectant la lithosphère.

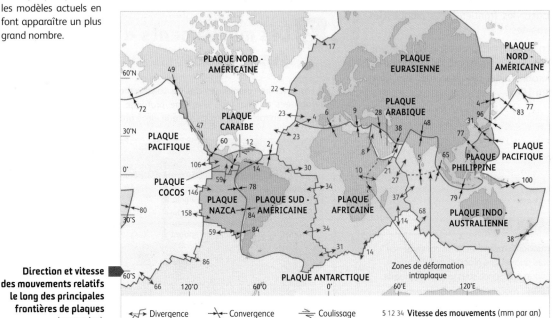

Direction et vitesse des mouvements relatifs le long des principales frontières de plaques (en mm/an).

↜↝ Divergence   ⊣←⊢ Convergence   ⇌ Coulissage   5 12 34 **Vitesse des mouvements** (mm par an)

Activité 6

Le volcanisme intraplaque

Certains volcans à la surface du globe sont localisés au cœur de certaines plaques, plus ou moins loin de leurs frontières actives.

→ **Comment l'existence du volcanisme intraplaque, *a priori* peu en accord avec le modèle, peut cependant s'y intégrer et l'enrichir ?**

Guide d'exploitation

1 (Doc 1) Indiquez la direction du mouvement de la plaque Pacifique par rapport au point chaud « Hawaii » au cours des cinq derniers millions d'années et estimez la vitesse de déplacement de la plaque Pacifique.

2 (Doc 1) En utilisant le volcan de l'îlot Midway, éprouvez la valeur de la vitesse obtenue précédemment sur une plus longue période.

3 (Doc 2) Indiquez la particularité que partagent les frontières des plaques les plus rapides ?

4 En conclusion, précisez en quoi le volcanisme intraplaque enrichit le modèle de la tectonique des plaques établi par Morgan en 1967.

VOCABULAIRE

Subduction : mouvement de convergence au cours duquel une plaque, le plus souvent océanique, s'enfonce sous une autre plaque.

Collision : mouvement de convergence lithosphérique impliquant deux plaques continentales.

1 Des alignements volcaniques sur les plaques

▶ Certains volcans de la zone Pacifique dessinent des alignements plus ou moins réguliers : c'est le cas de la chaîne des volcans émergés d'Hawaii et des volcans sous-marins de la chaîne de l'Empereur qui la prolonge vers le nord-ouest (voir carte des fonds océaniques).

▶ Ce volcanisme est interprété comme la manifestation superficielle d'une remontée convective de matière dans l'asthénosphère.

a **Alignement volcanique de l'archipel des îles Hawaii** (Google Earth). Le trait jaune représente la règle utilisée pour mesurer la distance entre deux volcans.

2 Les mouvements « absolus » des plaques

▶ Les secteurs caractérisés par du volcanisme intraplaque associé à des remontées du manteau d'origine profonde sont appelés des « points chauds » en raison du flux thermique élevé qui les caractérise.

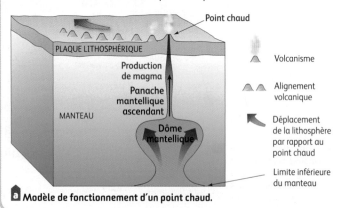

a **Modèle de fonctionnement d'un point chaud.**

1. Rechercher sur http://eduterre.inrp.fr/eduterre-usages/ressources-gge/points-chauds le fichier Hawaii.kmz ; une fenêtre Google Earth est alors activée et le secteur **Pacifique apparaît à l'écran.**

2. Décocher les données géographiques générales et fermer la fenêtre correspondante.

3. Zoomer sur les îles, cocher le dossier « Hawaii » dans la rubrique « Lieux temporaires » et cocher seulement les rubriques « Volcans » et « Légendes ».

4. Sélectionner l'option « Outils » dans le bandeau supérieur puis la « Règle » ; choisir l'unité en km et la « Navigation à la souris ».

5. Relever les âges des différents volcans et leur distance par rapport au volcan Kilauea.

6. Ouvrir un tableur et reporter les valeurs d'âge et de distance dans un tableau puis construire le graphe exprimant les âges des volcans en fonction de leurs distances au Kilauea.

Nom des volcans	Distance (en km)	Âge (en Ma)
Kilauea	0	0
Mauna Kea	51	0,38
Kohala	87,7	0,4
Kahoolawe	189	1
Lanai	231,5	1,28
Molokai	270	1,84
Niihau	579,1	4,9

b **Âges de quelques volcans et distances par rapport au Kilauea.**
Le volcan de l'îlot Midway est âgé de 27 Ma et se situe à 2 400 km du Kilauea.

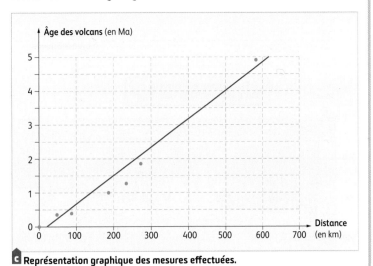

c **Représentation graphique des mesures effectuées.**

▶ Un modèle de mouvement des plaques lithosphériques par rapport aux principaux « points chauds » de la Terre peut être proposé. Les mouvements des plaques dans ce modèle sont appelés « mouvements absolus ».

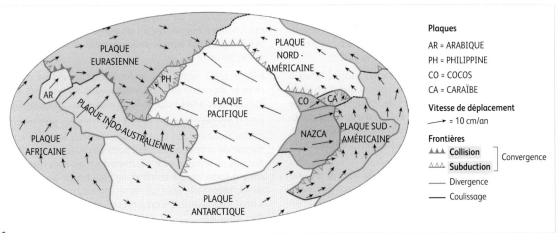

b **Carte des mouvements absolus des plaques dans le repère fixe des points chauds.**

L'expansion des fonds océaniques, une idée discutée

▶ Dans les océans, le flux de chaleur est nettement supérieur à la valeur moyenne près des dorsales, plus faible à l'endroit des fosses océaniques.

▶ La convection mantellique permet d'envisager l'existence de remontées chaudes sous les dorsales et de descentes de matériau refroidi à l'aplomb des fosses.

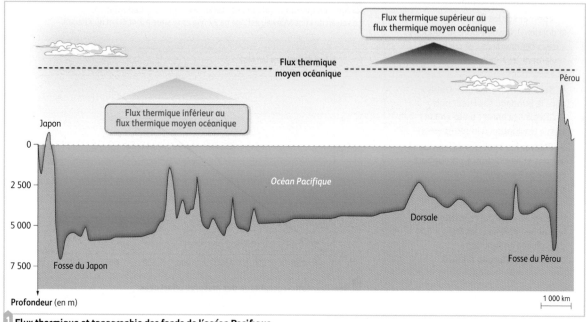

1 Flux thermique et topographie des fonds de l'océan Pacifique.

Les apports du paléomagnétisme

▶ En admettant l'idée d'une expansion des fonds océaniques, l'existence d'inversions du champ magnétique devrait conduire à la distribution symétrique de roches à magnétisme normal et inverse de part et d'autre de la dorsale.

▶ La distribution symétrique des anomalies magnétiques à 51°S dans le Pacifique et de la dorsale atlantique à 66°N de latitude N dans l'Atlantique permet de valider l'idée d'une expansion des fonds océaniques de part et d'autre des dorsales de ces deux océans et d'évaluer des vitesses d'expansion différentes pour leurs planchers océaniques, de respectivement 8,4 cm/an et 2 cm/an.

▶ Les anomalies magnétiques distribuées de part et d'autre de la dorsale peuvent être corrélées au calendrier des inversions magnétiques : l'âge du plancher océanique croît en s'éloignant de la dorsale, ce qui valide l'hypothèse d'une expansion des fonds océaniques de part et d'autre de son axe.

Sismologie des arcs insulaires

▶ La distribution des foyers des séismes en fonction de leur profondeur s'établit suivant un panneau plongeant sous l'arc insulaire et situé dans le prolongement de la fosse océanique qui la borde.

▶ Dans cette région, les ondes sismiques qui se propagent dans le manteau ont une vitesse variable selon les endroits indiquant une hétérogénéité physique de cette enveloppe.

▶ En supposant que les roches du manteau sont partout de même nature, il est possible d'interpréter les différences de vitesse de propagation des ondes sismiques en terme de variations de température des matériaux qu'elles traversent. La zone à forte vitesse serait donc plus froide que le manteau environnant : elle pourrait représenter du plancher océanique « froid » comparable à celui présent dans la fosse, enfoui sous l'arc insulaire.

Activité 4

Sismologie et mouvement lithosphérique

▶ Dans le panneau sismique incliné situé sous le Japon, les foyers sismiques s'étendent sur une épaisseur de près de 30 km. Ce panneau n'est donc pas seulement constitué de croûte océanique dont l'épaisseur ne dépasse pas 10 km ; il est probable que la partie la plus superficielle du manteau y soit aussi présente.

▶ D'après les données de tomographie sismique, ce panneau présente un aspect « anormalement froid » sur une épaisseur d'environ 100 km. Il pourrait donc s'agir d'un panneau lithosphérique océanique, dont la croûte et la partie supérieure du manteau qui lui est associée ont un comportement cassant.

▶ À la base de la lithosphère océanique, la température paraît voisine de 1 300 °C.

Mouvement de lithosphère à l'aplomb de la fosse du Japon. 2

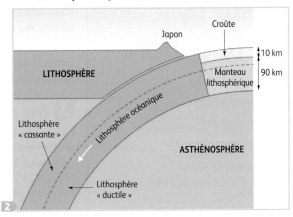

Activité 5

Failles transformantes et mouvements des plaques

▶ Les failles transformantes sont perpendiculaires aux segments de dorsale qu'elles relient ; leur sismicité conforte l'idée d'un mouvement relatif de coulissage.

▶ Dans le modèle de rotation de deux plaques, des mouvements de divergence et de convergence sont repérés entre ces deux plaques, ainsi que des frontières en coulissage dont le tracé décrit des arcs de cercle.

▶ La forme en arcs de cercle des failles transformantes du secteur central de l'Atlantique valide donc le modèle de rotation décrivant le mouvement relatif des plaques lithosphériques.

▶ À l'échelle globale, les frontières de plaques convergentes sont le plus souvent localisées en bordure de continent, tandis que les frontières en divergence sont pour la plupart des dorsales océaniques.

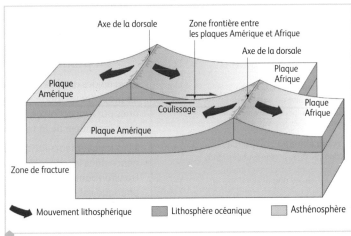

3 **Faille transformante océanique et fracturation de la dorsale :** schéma d'interprétation de la zone de fracture N15 le long de la dorsale Atlantique.

Activité 6

Le volcanisme intraplaque

▶ L'espacement des volcans hawaiiens permet d'estimer une vitesse moyenne de 11,8 cm/an en direction du nord-ouest pour le déplacement de la plaque Pacifique par rapport au « point chaud » d'Hawaii au cours des 5 derniers millions d'années. Sur 27 Ma, on peut évaluer une vitesse moyenne de 8,9 cm/an, qui demeure du même ordre de grandeur.

▶ Dans le repère des points chauds, les plaques les plus rapides présentent au moins une frontière en subduction.

▶ Le volcanisme intraplaque enrichit le modèle de la tectonique des plaques en permettant d'évaluer des vitesses de déplacement des plaques par rapport à la position supposée fixe des « points chauds ».

Retenir

Un modèle dynamique pour la lithosphère

MOTS CLÉS

Anomalie magnétique : Écart (positif ou négatif) entre la valeur mesurée et la valeur calculée de l'intensité du champ magnétique en un endroit.

Dorsale : Relief océanique allongé, de profondeur moyenne 2 500 m et dominant les plaines abyssales.

Expansion océanique : Augmentation de surface d'une plaque à la suite d'un phénomène d'accrétion océanique qui crée de la lithosphère océanique au niveau d'une dorsale.

Faille transformante : Frontière de deux plaques en coulissage l'une par rapport à l'autre.

Flux thermique : Quantité de chaleur émise au sommet de la croûte, par unité de surface et par seconde.

Fosse océanique : Zone étroite et allongée où la profondeur des fonds océaniques atteint son maximum (compris entre 7 000 m et 11 000 m).

Plaque lithosphérique : Portion de lithosphère rigide et peu déformable sauf à ses frontières, en mouvement par rapport aux autres secteurs lithosphériques voisins à la surface du globe au-dessus de l'asthénosphère plus ductile.

Points chauds : Remontée magmatique profonde à l'origine de certains édifices volcaniques intraplaque.

Subduction : Mouvement de convergence au cours duquel une plaque, le plus souvent océanique, s'enfonce sous une autre plaque.

Je retiens par le texte

1 L'expansion des fonds océaniques

▶ Au début des années 1960, l'étude de la topographie océanique et des variations du flux thermique dans les océans permet de formuler l'hypothèse d'une expansion des fonds océaniques par accrétion de matériau ascendant à l'axe des dorsales, conséquence d'une convection mantellique.

▶ L'étude de la répartition des anomalies magnétiques plus ou moins symétriques par rapport à l'axe des dorsales confirme l'hypothèse de l'expansion des fonds océaniques et permet d'en préciser les vitesses.

2 Des mouvements lithosphériques

▶ Au voisinage des fosses océaniques, les **foyers des séismes** se répartissent le long d'un plan incliné s'abaissant sous les bordures continentales ou les arcs insulaires qu'elles longent. Les ondes sismiques se propagent plus vite le long de ce plan qu'en s'en écartant : il est donc constitué de matériaux plus froids que ceux qui l'entourent en profondeur.

▶ Ce plan est donc interprété comme la trace du plongement de la lithosphère océanique dans le manteau. Ces secteurs constituent des zones de subduction.

▶ La lithosphère rigide apparaît donc mobile au-dessus de l'**asthénosphère ductile**, la limite entre ces deux enveloppes correspondant à l'**isotherme 1 300 °C**.

3 Un modèle global découpant la lithosphère en plaques mobiles

▶ À la fin des années 1960, la géométrie des failles transformantes permet de proposer un modèle global en plaques rigides animées de rotations les unes par rapport aux autres pour décrire les mouvements lithosphériques : c'est le modèle de la tectonique des plaques.

▶ Les mouvements lithosphériques de divergence aux dorsales, de convergence dans les zones de subduction, et de décrochement le long des failles transformantes, sont pris en compte dans ce modèle. Une plaque lithosphérique est donc délimitée horizontalement par ces zones actives, et verticalement par la limite lithosphère/asthénosphère.

▶ Dans ce modèle les alignements volcaniques, situés en domaine océanique ou continental en dehors des frontières de plaques, correspondent aux traces du déplacement des plaques lithosphériques au-dessus de points chauds supposés fixes, en première approximation, dans le manteau.

Je me suis entraîné à

■ **Pratiquer une démarche scientifique :**

● en utilisant des données géophysique (sismiques et paléomagnétiques) ;

● en modélisant le mouvement des plaques lithosphériques.

Je retiens par l'image

Animation interactive

UNE IDÉE — LA DÉRIVE DES CONTINENTS

Alfred Lothar Wegerner
1880-1930

DES FAITS NOUVEAUX

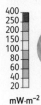

400
250
200
150
100
80
60
40
20

mW·m⁻²

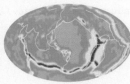

Des évaluations
du flux thermique

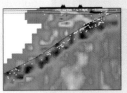

Des données sismiques
sous les fosses océaniques

Groënland   Islande

Dorsale de
Reykjanes

Des anomalies magnétiques
dans les océans

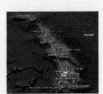

Des alignements volcaniques
dans les océans

UN MODÈLE — « LA TECTONIQUE DES PLAQUES »

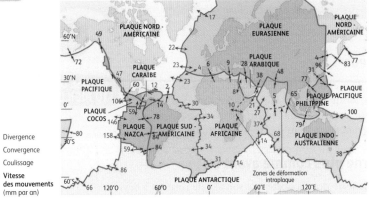

Divergence
Convergence
Coulissage

51234 Vitesse
des mouvements
(mm par an)

Un découpage de la lithosphère en plaques rigides, mobiles les unes par rapport
aux autres, au-dessus de l'asthénosphère

UNE HISTOIRE

1961 : Hess formule
l'idée de l'expansion
des fonds océaniques

1963 : Wilson suggère l'existence d'un point
chaud sous la lithosphère pour expliquer
les alignements volcaniques océaniques

1967 : Morgan propose un découpage
de la lithosphère en plaques animées
de mouvements de rotation

1963 : Vine et Matthews interprètent
la disposition des anomalies magnétiques
en validant l'idée de Hess

1965 : Wilson introduit
le concept de faille
transformante

1968 : Morgan et Le Pichon proposent
les premiers modèles globaux
de la tectonique des plaques

Envie de sciences

La Terre active : des mouvements en cascade

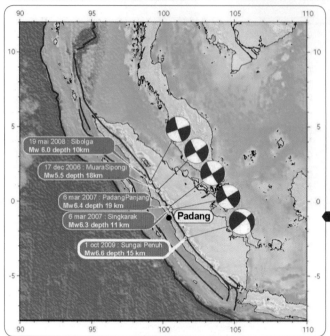

Séismes majeurs sur la grande faille de Sumatra depuis 2004.

Un séisme majeur...

Le 26 décembre 2004, un violent séisme d'un peu plus d'une minute frappe la région de Banda Aceh en Indonésie ; son épicentre est localisé à 100 km des côtes de Sumatra, sa magnitude est de 9,3 (échelle de Richter). Il est la manifestation de la subduction de la plaque Indo-australienne sous la plaque Eurasiatique. Des mesures GPS indiquent que le glissement relatif des deux plaques a été de 12 m sur près de 1 200 km le long de leur frontière commune.

... un tsunami ravageur

La mise en mouvement d'un énorme volume d'eau au fond de l'océan soulève des vagues qui, lorsqu'elles atteignent la côte, font plus de 35 m de hauteur, modifiant brutalement et durablement la carte et le territoire de l'archipel indonésien et faisant plus de 200 000 victimes.

... et la Terre ne tourne plus comme avant !

Ce séisme a fait vibrer la Terre de telle sorte que son axe de rotation a dévié d'environ 7 cm. Le Nord géographique a donc changé et, avec lui, la durée d'une journée qui a diminué de 6,8 microsecondes.

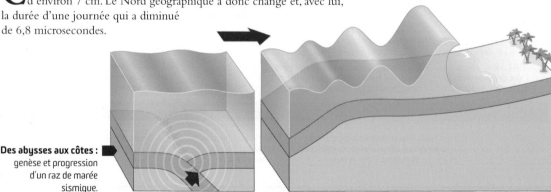

Des abysses aux côtes : genèse et progression d'un raz de marée sismique.

Pilote de submersibles océanographiques

Le pilote d'engin submersible conduit le sous-marin au cours de ses explorations ; il est le technicien sur lequel repose la collecte d'échantillons et de clichés à partir desquels les scientifiques peuvent préciser l'activité géologique et le peuplement des fonds océaniques. Il constitue donc un maillon indispensable à l'acquisition des données en océanographie « de terrain ».

Le Nautile est capable d'explorer les fonds océaniques jusqu'à 6 000 m de profondeur et peut embarquer jusqu'à deux scientifiques en plus du pilote.

QUALITÉS ET NIVEAU REQUIS

▶ Être curieux et organisé dans son travail

▶ Savoir travailler en équipe

▶ Aimer la physique, l'électronique et se sentir prêt à relever des défis technologiques

▶ Diplôme universitaire de technologie (DUT) en électronique (IUT Lyon).

▶ Licence en électronique (Université de Lyon).

Et si nous vivions une inversion magnétique

Les éruptions solaires projettent un flux de matière qui, au contact du champ magnétique terrestre, produit des orages magnétiques, des perturbations des hautes couches atmosphériques et des aurores boréales.

Actuellement, l'amplitude du champ magnétique terrestre décroît progressivement ; c'est aussi ce qui se passe lorsqu'une inversion s'opère et que la Terre passe par une période temporaire de très faible champ magnétique.

Le champ magnétique terrestre constitue un bouclier nous protégeant des radiations solaires ionisantes, notamment lors des éruptions solaires, cependant les inversions passées et l'affaiblissement temporaire probable de cette protection n'a semble-t-il pas entraîné de bouleversements biologiques significatifs…

Le risque pour l'Homme est ailleurs… plus de téléphonie mobile, des satellites en panne, des ordinateurs de bord défaillants, les rayonnements traversant plus facilement le filtre des basses couches de l'atmosphère seraient probablement plus nocifs.

Interpréter un profil magnétique

Des prospections aériennes ou marines permettent de disposer de nombreux profils magnétiques en travers des dorsales océaniques ; ces profils constituent des données essentielles à l'élaboration du modèle de la tectonique des plaques.

➡ **Quelles informations peut-on dégager de l'étude d'un profil magnétique ?**

Capacités évaluées

▶ Appliquer une démarche explicative.
▶ Exprimer et exploiter des résultats à l'écrit en utilisant les technologies de l'information et de la communication

Matériel disponible

▶ Un relevé et un profil magnétique réalisé perpendiculairement à une dorsale.
▶ Un ordinateur disposant d'une connexion Internet.

Conclusions attendues

▶ **1.** Le profil magnétique étudié montre l'existence d'anomalies magnétiques que l'on peut interpréter comme l'ajout au magnétisme actuel du champ magnétique fossile émanant des basaltes des fonds océaniques. Ce champ fossile est de même sens que le champ actuel pour les anomalies positives, et de sens opposé pour les anomalies négatives.
▶ **2.** La distribution des diverses anomalies magnétiques, distribuées de façon symétrique de part et d'autre de la dorsale, atteste d'un mouvement d'expansion des fonds océaniques ; elle permet aussi d'évaluer une vitesse moyenne de divergence de 7 cm/an au cours des 3 derniers millions d'années.

Critères de réussite

➡ Les anomalies magnétiques sont identifiées de manière symétrique le long du profil et corrélées aux différentes inversions magnétiques ayant eu lieu au cours du temps.

➡ Un calendrier des inversions magnétiques est recherché sur Internet.

➡ Le positionnement des différentes anomalies de part et d'autre de la dorsale est interprété, puis exploité pour un calcul de vitesse moyenne de déplacement du plancher océanique.

➡ Un schéma interprétatif est réalisé.

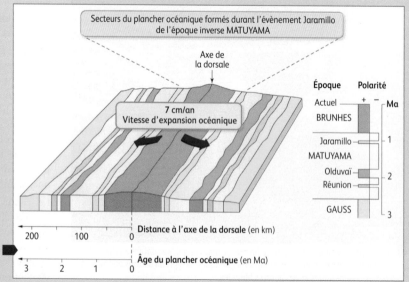

Schéma d'interprétation des données magnétiques de part et d'autre de la dorsale est-indienne.

Évaluer ses connaissances

Tests rapides

1 Quelques définitions à maîtriser

Définir brièvement les mots ou expressions suivants :
- Lithosphère • Asthénosphère • Plaque lithosphérique
- Anomalie magnétique • Faille transformante
- Subduction • Point chaud

2 Questions à choix multiple

Parmi les affirmations suivantes, choisissez la (ou les) réponse(s) exacte(s).

1 De part et d'autre d'une dorsale océanique, les plaques sont animées :
a. d'un mouvement de rotation l'une par rapport à l'autre.
b. d'un mouvement de translation l'une par rapport à l'autre.
c. d'un mouvement de convergence.
d. d'un mouvement de divergence.

2 Les frontières de plaques sont :
a. des secteurs de divergence de la lithosphère.
b. des secteurs de coulissage de la lithosphère.
c. des secteurs où la lithosphère ne présente aucun mouvement.

3 Les déplacements absolus des plaques sont :
a. définis par rapport aux points chauds supposés fixes.
b. définis par rapport au pôle de rotation terrestre.
c. définis par rapport à un satellite géostationnaire.

4 Les anomalies magnétiques sont :
a. des inversions du champ magnétique terrestre au cours des temps géologiques.
b. des périodes durant lesquelles le champ magnétique terrestre était orienté à l'inverse de son orientation actuelle.
c. les conséquences sur le champ magnétique mesuré à un endroit du fait de la présence de roches ayant enregistré une partie du champ magnétique contemporain de leur formation.
d. des anomalies de composition minéralogique des roches du plancher océanique.

5 La subduction est :
a. un processus de divergence lithosphérique.
b. un processus de coulissage lithosphérique.
d. un processus de convergence lithosphérique.

3 Analyser un document

Chaque anomalie magnétique peut être identifiée le long de profils magnétiques réalisés perpendiculairement à la dorsale et datée grâce à l'échelle des inversions magnétiques. Le graphique ci-dessous présente pour quelques dorsales la position des anomalies les plus récentes par rapport à l'axe de ces dorsales.

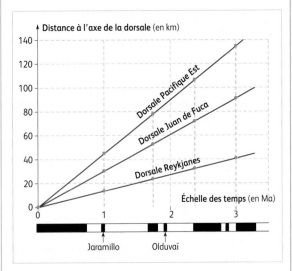

Parmi les affirmations suivantes, choisissez-la (ou les) réponse(s) exacte(s)..

1 La vitesse de divergence lithosphérique de part et d'autre de la dorsale Reykjanes (Atlantique Nord) :
a. est plus faible que celle qui existe de part et d'autre de la dorsale est-Pacifique.
b. était plus rapide il y a 3 Ma qu'il y a 1 Ma.
c. était la même il y a 2,4 Ma que celle de part et d'autre de la dorsale Juan de Fuca il y a 1 Ma.

2 L'expansion du plancher océanique de part et d'autre de la dorsale Reykjanes se réalise à la vitesse de :
a. 2,4 cm/an.   **b.** 1,2 cm/an.   **c.** 4 cm/an.

Restituer ses connaissances

4 Organiser une réponse argumentée

Rédigez un texte d'une quinzaine de lignes dans lequel vous expliquerez comment le modèle de la tectonique des plaques s'est substitué entre les années 1960 et 1970 à celui de la dérive des continents proposé par Wegener en 1912.

5 Élaborer un texte illustré

Les mouvements de la lithosphère contribuent au renouvellement des fonds océaniques. Justifier cette affirmation à l'aide d'un texte et d'un schéma sur lequel seront replacés les différents mouvements affectant la lithosphère océanique.

6 Le volcanisme de la Polynésie française

▶ Au cœur de l'océan Pacifique, l'archipel de la Société (documents 1 et 2) est formé d'un alignement d'îles volcaniques qui s'étend de l'îlot de Mehetia au sud-est à l'atoll de Scilly au nord-ouest.

▶ L'archipel des Australes (document 2), situé plus au sud, constitue un alignement similaire depuis l'îlot Mac Donald au sud-est à l'atoll de Mangaia au nord-est.

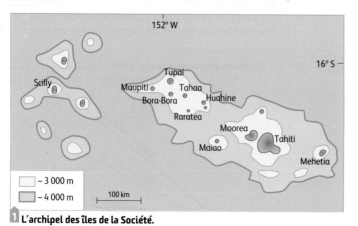

1 L'archipel des îles de la Société.

Nom des îles	Distance au Mehetia (en km)	Âge (en Ma)
Mehetia	0	< 0,2
Tahiti Iti (presqu'île)	145	0,4
Tahiti Nui (grande île)	180	1,0
Moorea	230	1,5
Huahine	368	2,1
Raïatea	400	2,4
Tahoa	425	2,9
Bora Bora	458	3,2
Maupiti	495	4,3

2 Âge du volcanisme des îles de la Société.

3 L'archipel des îles australes.

Nom des îles	Distance à Mac Donald (en km)	Âge (en Ma)
Mac Donald	0	< 0,2
Marotiri	320	2,9
Rapa	480	4,9
Raevavae	950	6,1
Tubuai	1150	8,9
Rurutu	1280	10,8
Mangaia	1900	17,5

4 Âge du volcanisme des îles australes.

QUESTION

■ Indiquez les informations que les archipels des îles volcaniques de la Société et des Australes apportent quant à la dynamique de la plaque Pacifique ?

Guide de résolution

1 Formuler une hypothèse quant à l'origine des alignements volcaniques de ces deux archipels situés en plein cœur d'une plaque océanique.

2 Tracer les graphiques traduisant la variation de l'âge des formations volcaniques en fonction de leur distance à Mehetia pour les îles de la Société et en fonction de leur distance à Mac Donald pour les îles Australes.

3 Confronter les graphiques obtenus avec l'hypothèse formulée précédemment.

4 Indiquer l'apport de l'étude conjointe de ces deux alignements dans la validation de l'hypothèse formulée précédemment ?

5 Caractériser la vitesse de déplacement de la plaque Pacifique dans le secteur étudié.

Appliquer ses connaissances

7 La dorsale sud-est indienne

La dorsale sud-est indienne sépare les plaques Australie et Antarctique. Le document 1 représente un profil magnétique établi perpendiculairement à cette dorsale vers 80° de longitude E.

Le document 2 est une échelle des inversions magnétiques au cours des 3,5 derniers millions d'années.

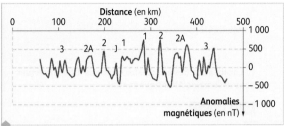

1 Profil magnétique perpendiculaire à la dorsale sud-est indienne.

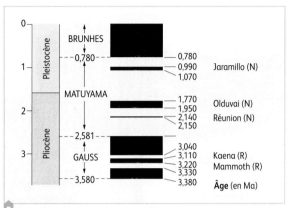

2 Calendrier des inversions magnétiques.

QUESTIONS

1 Évaluez la vitesse moyenne d'expansion des fonds océaniques de part et d'autre de cette dorsale à 80° de longitude E au cours des trois derniers millions d'années.

2 Indiquez en quoi une évaluation semblable réalisée au cours des deux derniers millions d'années permet-elle de préciser le résultat précédent.

8 Des anomalies magnétiques suspectes au large du Japon

Des mesures du champ magnétique ont été réalisées au large du Japon à l'aplomb des fosses du Japon. Le document 1 représente la position de différentes anomalies magnétiques repérées à l'aplomb de la plaque océanique Pacifique, mais aussi à l'aplomb de la bordure continentale immergée de la plaque Eurasiatique qui la jouxte vers l'ouest.

Les trois anomalies magnétiques positives figurées sur ce document, ont été corrélées respectivement à trois périodes magnétiques normales anciennes (M8, M9, et M10) dont les âges s'échelonnent entre 127 et 130 Ma.

QUESTION

Caractérisez, à l'aide des documents 1 et 2, la frontière entre les plaques Eurasie et Pacifique dans le secteur de la fosse du Japon.

1 Anomalies magnétiques dans le secteur de la fosse du Japon.

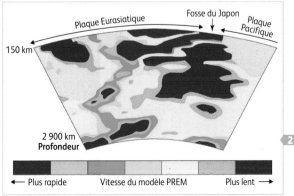

2 Tomographie sismique d'une portion du manteau terrestre.

Appliquer ses connaissances

9 La faille transformante 15,20°N dans l'océan Atlantique

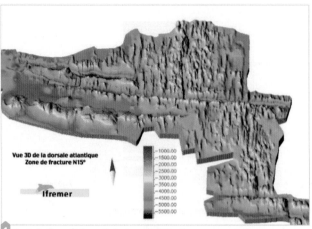

Vue 3D de la dorsale atlantique
Zone de fracture N15°

Ifremer

```
-1000.00
-1500.00
-2000.00
-2500.00
-3000.00
-3500.00
-4000.00
-4500.00
-5000.00
-5500.00
```

1 Carte bathymétrique de la dorsale Atlantique
dans le secteur de la zone fracturée 15,20° de latitude nord.

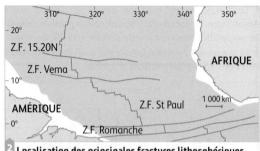

2 Localisation des principales fractures lithosphériques
dans le domaine Atlantique central.

QUESTION

À l'aide des documents 1 et 2, réalisez un schéma rendant compte de la topographie le long de la zone fracturée 15,20° de latitude nord et des mouvements lithosphériques de part et d'autre des frontières de plaques figurées.

10 La faille de San Andreas

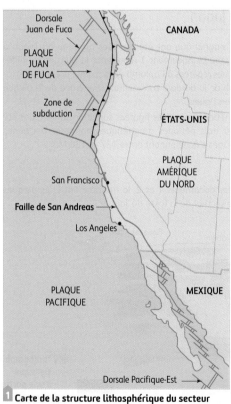

1 Carte de la structure lithosphérique du secteur nord-est Pacifique.

▌ La faille de San Andreas est une fracture majeure qui traverse le sud-ouest du continent nord-américain en Californie.

2 Photographie aérienne de la faille de San Andreas.

QUESTIONS

1 Relevez les indices du mouvement des plaques dans cette région.

2 À l'aide des documents proposés, caractérisez la faille de San Andreas dans le cadre de la dynamique des plaques lithosphériques de cette région.

La science **AUTREMENT**

11 Le mouvement des idées mobilistes

▶ Pour les « fixistes », les continents avaient pu être réunis par des « ponts continentaux » qui, en s'effondrant, avaient laissé place aux domaines océaniques.

▶ Pour Wegener, météorologue familier des régions polaires qui avait observé les mouvements de la banquise et des icebergs, la croûte terrestre est composée de deux matières différentes : la croûte océanique et la croûte continentale. La croûte océanique est composée de sima (matériau riche en silicium, fer et magnésium, relativement dense) et la croûte continentale est composée de sial (matériau riche en silicium et aluminium, moins dense que le sima) épais de 30 km.

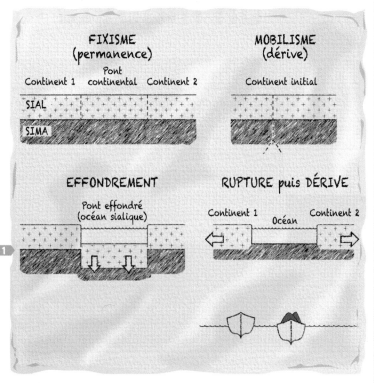

Deux visions distinctes de la séparation **1**
des masses continentales au début
du xxᵉ siècle.
En s'appuyant sur la mobilité verticale
des icebergs, Wegener propose de rendre compte
d'une légère remontée du « sima » au fond
des océans du fait de l'absence de « sial ».

▶ Pour Wegener, sous le sial, on retrouverait du sima sous forme de basalte visqueux jusqu'à 60 km et sous forme de péridotite à partir de cette profondeur. Les continents lui paraissaient tels des « radeaux » de « sial » légers qui « flottaient » sur la masse visqueuse de « sima ».

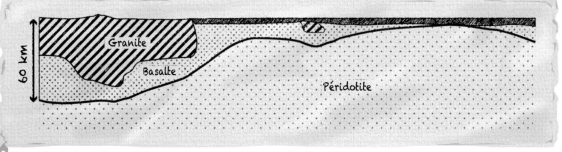

2 La position des « continents sialiques » par rapport au « sima » selon Alfred Wegener.

QUESTIONS

1 En quoi vos connaissances permettent-elles de remettre en cause les modèles de l'effondrement des « ponts continentaux » d'une part et de la dérive des continents imaginés par Wegener d'autre part ?

2 En quoi le modèle « fixiste » pouvait-il cependant apparaître également mobiliste ?

3 Proposez un schéma rendant compte d'une vision actualisée de la « dérive des continents ». Quel nouveau problème ce schéma permet-il de formuler ?

7 La tectonique des plaques, un modèle éprouvé

▶ En 1968, le navire foreur le *Glomar Challenger* était un navire foreur spécialisé pour les études de géologie marine et plus particulièrement pour la collecte des échantillons du plancher océanique profond. Il a été remplacé par le *JOIDES Resolution*, qui peut transporter plus de 900 m de tiges de forage, se positionner avec plus de précision et forer plus profond encore.

▶ À la fin du XXe siècle, l'utilisation des techniques de positionnement par satellites permet d'observer directement les mouvements des plaques lithosphériques.

1 **Satellite de Galileo, système de navigation et de positionnement par satellites**
qui comprendra en 2013 trente satellites et sera compatible avec le système GPS.
Les utilisateurs pourront connaître leur position en temps réel, avec une précision de 1 à 10 m.

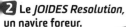

2 Le *JOIDES Resolution,* un navire foreur.

3 Mise en place des tiges de forage.

| 0 | 10 | 20 | 33 | 40 | 47 | 55 | 67 | 83 | 120 | 126 | 131 | 139 | 147 | 154 | 180 |

Millions d'années

4 L'âge des fonds océaniques de la Terre.

Les âges des sédiments océaniques confirment-ils l'expansion des fonds océaniques ?

➡ **Activité 1**

Comment peut-on mesurer des déplacements instantanés grâce au GPS ?

➡ **Activité 2**

Quelles sont les caractéristiques des dorsales océaniques ?

➡ **Activité 3**

Comment se forme la lithosphère océanique à l'axe des dorsales ?

➡ **Activités 4 et 5**

Comment s'opère le renouvellement permanent des fonds océaniques ?

➡ **Activité 6**

5 La faille de Thingvellir en Islande, sépare la plaque eurasiatique de la plaque nord-américaine.

Activité 1

Étude des fonds océaniques

Le modèle de la tectonique des plaques, reprenant l'idée de l'expansion océanique, prévoit que la croûte océanique est d'autant plus vieille que l'on s'éloigne de la dorsale.

→ **L'étude des âges des sédiments océaniques permet-elle de confirmer l'hypothèse d'expansion des fonds océaniques ?**

Guide d'exploitation

1 (Doc 1) Indiquez la méthode qui a permis de connaître l'âge du fond de l'océan ?

2 (Doc 2) Construisez un graphique représentant, pour les différents forages, leur distance à l'axe de la dorsale en fonction de l'âge des sédiments au contact du basalte. Les résultats confirment-ils l'expansion des fonds océaniques ?

3 (Doc 2) Évaluez la vitesse moyenne d'expansion de part et d'autre de cette dorsale.

4 (Doc 2b) En considérant que l'ouverture d'un domaine océanique est contemporaine de la mise en place des premières roches de la croûte océanique à l'axe de la dorsale, datez l'ouverture de l'océan Atlantique Sud au niveau des forages à 30° de latitude sud.

VOCABULAIRE

Carotte de sédiments : échantillon cylindrique prélevé dans les sédiments lors des forages.

Sédiments océaniques : particules, minérales et organiques, qui se déposent par sédimentation au fond de l'océan.

---

1 Prélèvements et étude des sédiments océaniques

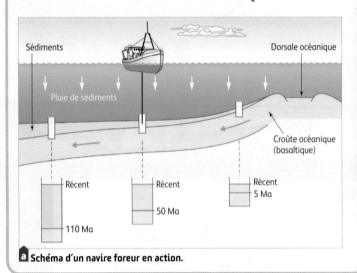

a Schéma d'un navire foreur en action.

2 Les fonds océaniques de l'Atlantique Sud

▶ Le logiciel Google Earth permet d'afficher la localisation des forages réalisés par le *Glomar Challenger* de décembre 1968 à janvier 1969 ainsi que l'âge des sédiments au contact du basalte pour chacun de ces forages. Il permet de mesurer la distance de la dorsale au forage.

RÉALISER

1. **Démarrer** le logiciel Google Earth (voir Fiche technique).

2. **Télécharger** et **ouvrir** le fichier : « Divergence.kmz », http://eduterre.inrp.fr/eduterre-usages/ressources_gge/divergence/Divergence.kmz

3. **Cocher** la case devant « Localisation et résultat des forages réalisés dans l'Atlantique Sud ».

4. **Utiliser** la réglette du menu afin de mesurer la distance du forage à la dorsale.
Choisir « Ligne » : un carré blanc apparaît, le positionner sur un site.

5. **Cliquer** une fois avec le bouton gauche de la souris, se positionner sur l'axe de la dorsale et cliquer à nouveau. En cliquant avec la souris sur les triangles on a accès à l'âge des sédiments.

6. **Afficher** la carte géologique du monde et agir sur la transparence.

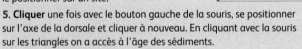

Sites	14	15	16	17	18	19	20	21
Âge des sédiments les plus anciens (en Ma)	40	24	11	33	26	49	67	76

b Âge des sédiments au contact du basalte.

De nombreuses expéditions ont été menées par les navires foreurs : le *Glomar Callenger*, puis par le *JOIDES Resolution*.

Ces navires équipés de laboratoires scientifiques ont analysé des **carottes** prélevées dans les **sédiments océaniques** lors des forages profonds. Ils ont ainsi pu déterminer l'âge des sédiments les plus anciens situés au contact direct du basalte en analysant, entre autre, des microfossiles présents.

Les scientifiques ont conclu, suite à leurs analyses, que le fond de l'océan n'a probablement pas plus de 180 millions d'années.

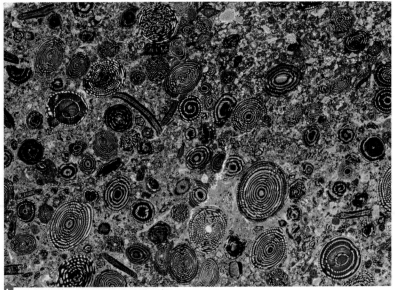

b **Microfossiles contenus dans les sédiments marins.**

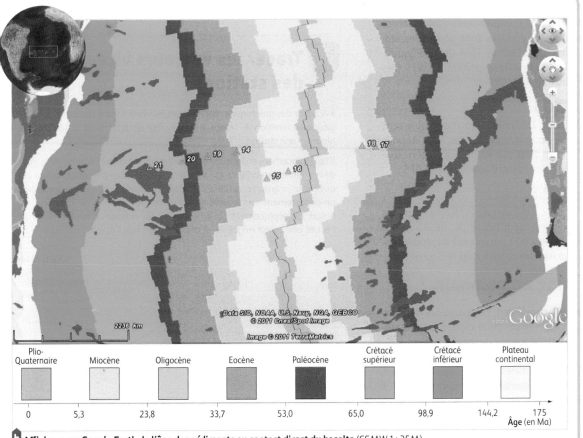

Plio-Quaternaire	Miocène	Oligocène	Eocène	Paléocène	Crétacé supérieur	Crétacé inférieur	Plateau continental

0   5,3   23,8   33,7   53,0   65,0   98,9   144,2   175
Âge (en Ma)

b **Affichage sur Google Earth de l'âge des sédiments au contact direct du basalte** (CGMW 1 : 25M) et localisation des forages réalisés par le Glomar Challenger dans l'Atlantique Sud.

Activité 2

Des déplacements instantanés des plaques

Il est maintenant possible de mesurer les déplacements instantanés des plaques grâce au GPS.

→ **Comment mesurer des déplacements instantanés grâce au GPS ?**

Travail en groupe

Groupes A et B

1 (Doc 1) Indiquez dans quel océan et sur quelles plaques sont situées les stations : THTI (Tahiti), ISPA (île de Pâques), GMDS (île de Tanageshima), KWJ1 (îles Marshall) ?

Groupe A

2 (Doc 2b) Indiquez la vitesse et le sens de déplacement actuel des deux stations THTI et ISPA par rapport au repère supposé fixe des satellites du réseau GPS.

Groupe B

3 (Doc 2c) Indiquez la vitesse et le sens de déplacement actuel des deux stations GMDS et KWJ1 par rapport au repère supposé fixe des satellites du réseau GPS.

Mise en commun

4 En conclusion, comparez ces données GPS au modèle de la tectonique des plaques établi à partir des points chauds. Indiquez si les mouvements relatifs des plaques à leurs frontières présentés page 145 est cohérent avec les mouvements présentés ici.

1 Mesurer le déplacement des plaques lithosphériques

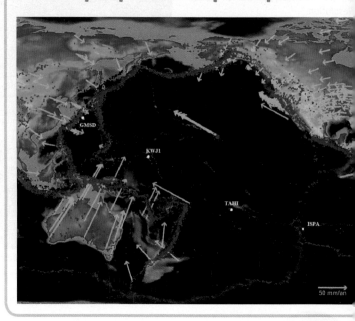

2 Tracer les vecteurs vitesse des stations

❱ À partir des graphiques représentant les variations de latitude et de longitude en fonction du temps, il est possible de déterminer le déplacement global d'une station.

❱ Le déplacement en latitude et en longitude est calculé à partir de la pente de la courbe de tendance (Δ latitude/Δ temps) ou en prenant la valeur indiquée sous le graphique (Rate). Un déplacement positif en latitude indique un déplacement vers le nord et une valeur négative un déplacement vers le sud. Un déplacement positif en longitude indique un déplacement vers l'est et une valeur négative un déplacement vers l'ouest.

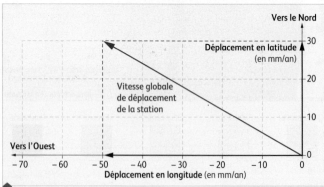

a Exemple de construction d'un vecteur vitesse de déplacement d'une station sismique.

▶ Le logiciel Tectoglob permet d'afficher à l'échelle du globe différentes données géologiques (volcans, séismes, topographie, âges des fonds océaniques, **GPS**).
http://pedagogie.ac-amiens.fr/svt/info/logiciels/Tectoglob/index.html

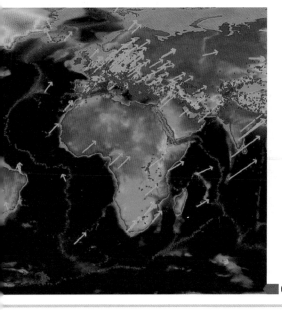

1. Démarrer Tectoglob et **cliquer** sur « Affichage » puis sur « Point GPS ». Chaque vecteur correspond au déplacement d'une station GPS.

2. Placer le curseur de la souris à la base du vecteur pour connaître les coordonnées, le nom et la vitesse de déplacement d'une station.

3. Cliquer sur « Mode » puis sur « Délimitation d'une zone ». **Tracer** un rectangle avec la souris en partant du point supérieur gauche. **Cliquer** sur OK puis sélectionner « Affichage/Fenêtres tableau GPS ». Toutes les stations situées dans la zone délimitée s'affichent.

4. Double cliquer sur les valeurs de la latitude ou de la longitude de la station choisie. On obtient alors le déplacement en latitude et en longitude.

5. Afficher les séismes pour voir les limites des plaques.

Carte réalisée avec Tectoglob (affichage/vecteurs GPS et séismes).

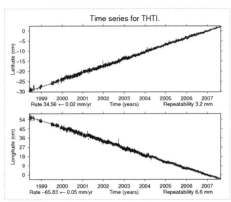

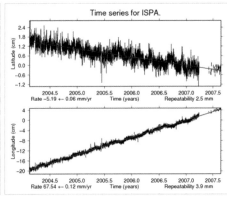

b Déplacements en latitude et en longitude des stations THTI sur Tahiti (à gauche) et ISPA sur l'île de Pâques (à droite).

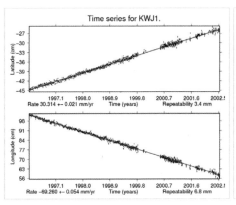

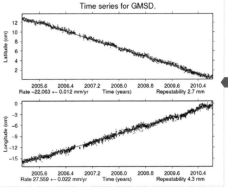

c Déplacements en latitude et en longitude des stations KWJ1 sur les îles Marshall (à gauche) et GMSD sur l'île de Tanegashima (à droite).

Activité 3

Explorer la dorsale Atlantique Nord

Les dorsales forment un relief de 60 000 km de long et de 2 000 à 3 000 km de large. C'est en cherchant à expliquer cette topographie particulière que le géologue Harry Hess émit l'hypothèse de la formation de la croûte océanique.

→ **Quelles sont les caractéristiques des dorsales océaniques ?**

Guide d'exploitation

1 (Doc 1) Reproduisez le profil topographique et légendez-le en utilisant les mots suivants : rift, dorsale océanique, plaine abyssale.

2 (Doc 2) Relevez à quelle profondeur se situe le plafond de la chambre magmatique sous le volcan et indiquez l'épaisseur de la couche des basaltes en coussins.

3 (Doc 3) Indiquez les observations communes au modèle et au profil sismique qui permettent de supposer qu'un même type de mouvement en est la cause.

4 **En conclusion**, listez les informations qui permettent de valider l'hypothèse d'Harry Hess.

VOCABULAIRE

Chambre magmatique : zone d'accumulation de magma.

Failles normales : failles résultant d'un mouvement d'extension.

Rift : fossé situé sur l'axe de la dorsale et limité par des failles normales.

1 La dorsale Atlantique Nord

▶ L'exploration de la dorsale Atlantique Nord effectuée en 2005 par *L'Atalante* de l'Ifremer a mis en évidence la présence d'une **chambre magmatique** et de **failles normales** à l'aplomb du volcan Lucky Strike, situé à 37°N 29° W.

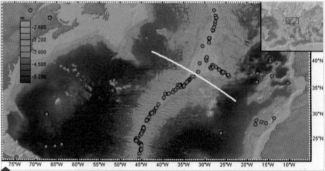

a **Localisation du volcan Lucky Strike** (cercle rouge) parmi les autres volcans (cercles gris) dans la zone Atlantique Nord.

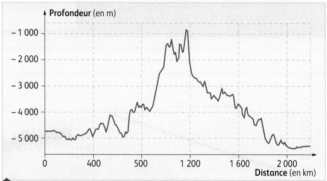

b **Profil topographique de la dorsale Nord Atlantique** au niveau du trait blanc.

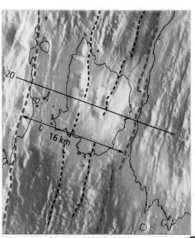

c **Carte topographique de la dorsale dans la région du volcan Lucky Strike** et localisation du profil sismique 20.

2 Profil sismique d'un rift

▶ La sismique est une technique de prospection basée sur le déclenchement de séismes artificiels. Les profils sismiques obtenus permettent de connaître la structure géologique du sous-sol, la limite entre deux couches et la présence de failles (Voir Fiche technique).

▶ Le réflecteur 2A (surface entre deux couches de propriétés physiques différentes entraînant la réflexion et la réfraction des ondes) correspond à la limite inférieure de la couche des basaltes en coussins.

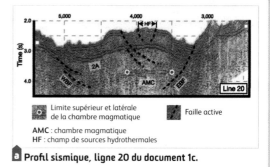

Limite supérieur et latérale de la chambre magmatique

Faille active

AMC : chambre magmatique
HF : champ de sources hydrothermales

a **Profil sismique, ligne 20 du document 1c.**

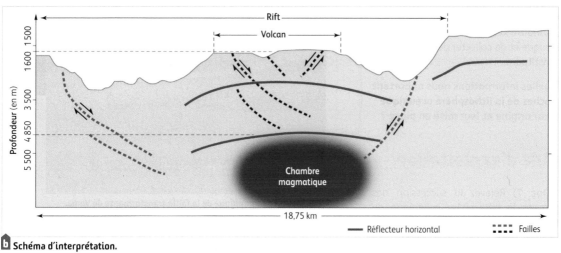

b Schéma d'interprétation.

3 Modéliser la formation d'un rift

État initial

État final

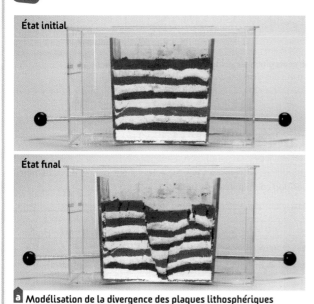

a **Modélisation de la divergence des plaques lithosphériques et de la formation d'un rift.**

▶ Les modèles réalisés en laboratoire permettent de comprendre les observations de terrain.

RÉALISER

1. **Disposer** des couches de craie ou de sable coloré dans la cuve expérimentale en plexiglas.
2. **Tirer doucement** pour simuler une divergence.

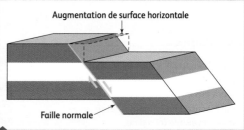

b Schéma d'une faille normale, caractéristique des zones de divergence.

Activité 4

Les roches de la lithosphère océanique

Les forages sous-marins et l'observation par des submersibles ont permis de connaître la structure de la lithosphère océanique et de collecter des roches la constituant.

➜ **Quelles informations nous apportent les roches de la lithosphère océanique sur leur origine et leur mise en place ?**

Guide d'exploitation

1 (Doc 1) Relevez la succession des roches de la lithosphère océanique au niveau de la faille de Vema ; indiquez l'épaisseur approximative de chaque couche et localisez le MOHO.

2 (Doc 1 à 3) Comparez la composition chimique et la structure des différentes roches constitutives de la croûte océanique. Proposez une hypothèse relative à leur formation.

3 (Doc 1 à 3) Comparez la structure et la composition chimique des péridotites et des roches de la croûte océanique.

4 (Doc 4) Indiquez la température au-dessus de laquelle la lave reste entièrement liquide.

5 (Doc 4) Dans quel ordre se forment les minéraux lors du refroidissement d'une lave basaltique ?

VOCABULAIRE

Phénocristal : cristal visible à l'œil nu.

Verre : matière minérale refroidie très vite et n'ayant pas eu le temps de cristalliser.

Microlite : cristal en forme de petite baguette non visible à l'œil nu.

Mâcle : groupement de deux ou plusieurs cristaux de même nature.

1 Les roches de la lithosphère océanique

◗ La zone de fracture Vema est une faille transformante orientée Est-Ouest qui décale la dorsale Atlantique d'environ 320 km. Le fond de la vallée est à 5 000 m de profondeur et sa largeur est de 10 à 20 km.

◗ En 1988 le submersible Nautile a effectué cinq plongées le long de la faille de Vema et a permis d'établir une coupe géologique de la croûte et du manteau supérieur.

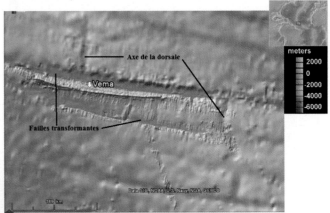

a Situation géographique de la faille transformante de Vema.

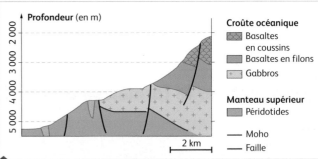

b Coupe géologique simplifiée le long de la faille de Vema, établie à partir des observations du *Nautile*.

2 Composition chimique

◗ Les échantillons prélevés lors des expéditions ont permis de déterminer la composition chimique des roches.

Roche	Éléments							
	O	Si	Al	Ca	Mg	Fe	Na	K
Basalte	44,5	22,4	7,6	7,7	7,2	8,6	1,6	0,4
Gabbro	44,2	23,2	8,1	8,9	5,6	7,9	1,6	0,5
Péridotite	47,5	20,1	1,7	5,9	22,4	2,1	0,2	0,1

Composition chimique des roches de la lithosphère océanique (en pourcentage massique).

3 Lames minces de basalte, de gabbro et de péridotite

▶ L'étude des lames minces permet de caractériser la composition minéralogique des roches.

▶ Elle permet aussi de caractériser leur structure, c'est-à-dire, la dimension et l'arrangement des cristaux.

Lame mince de basalte observée  **en lumière polarisée analysée** et schéma d'interprétation.

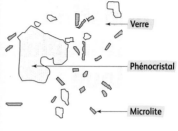

Lame mince de gabbro observée b **en lumière polarisée analysée** et schéma d'interprétation.

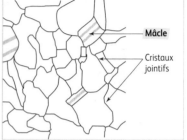

Lame mince de péridotite c **observée en lumière polarisée analysée** et schéma d'interprétation.

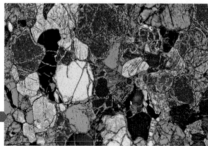

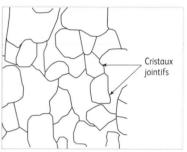

4 Étude du refroidissement d'un magma

▶ Ce document réalisé lors d'une recherche sur le refroidissement de coulées de lave basaltique à Hawaii montre les températures de cristallisation des divers minéraux dans la lave. La courbe rouge indique la proportion de liquide et de cristaux dans la lave en fonction de la température.

Ordre de cristallisation des minéraux lors du refroidissement d'une coulée de basalte d'Hawaii.

Activité 5

La formation de la lithosphère océanique

On évalue à 21 km³/an le volume de roches magmatiques produit par les volcans et les fissures volcaniques à l'axe des dorsales.

→ **Comment se forme de la lithosphère océanique nouvelle à l'axe des dorsales ?**

Guide d'exploitation

1 (Doc 1a et 2a) Évaluez l'épaisseur de la lithosphère à l'aplomb de la dorsale. Indiquez en quoi les données de tomographie sismique justifient des géothermes distincts dans la lithosphère océanique sous les dorsales et sous les plaines abyssales ?

2 (Doc 1b) Montrez que les données de tomographie sismique suggèrent l'existence d'une remontée d'asthénosphère sous la dorsale atlantique.

3 (Doc 2) En comparant les documents 2a et 2b, déduisez le taux de fusion partielle probable de l'asthénosphère sous la dorsale.

4 (Doc 2) Déterminez le taux de fusion partielle de la péridotite qui permet d'obtenir un magma basaltique de dorsale. Comparez ce taux à celui obtenu précédemment.

5 (Doc 1 et 2) Retracez l'histoire du magma de sa formation à la mise en place de la lithosphère océanique.

VOCABULAIRE

Magma : Matériau fondu de composition chimique silicaté issu de la fusion partielle de roches et pouvant contenir des cristaux ou des fragments de roches en suspension.

---

1 Transferts de chaleur

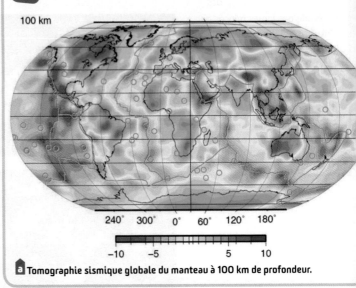

100 km

240° 300° 0° 60° 120° 180°

−10   −5   5   10

a Tomographie sismique globale du manteau à 100 km de profondeur.

2 La fusion partielle des péridotites

▶ À partir de diverses données, les géologues ont modélisé l'évolution de température estimée de la Terre en fonction de la profondeur : c'est le géotherme.

▶ On rappelle que la température caractérisant la base de la lithosphère est de 1 300 °C.

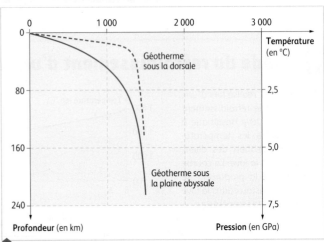

Géotherme sous la dorsale

Géotherme sous la plaine abyssale

Profondeur (en km)   Pression (en GPa)

a Géothermes sous une dorsale et sous une plaine abyssale (à 100 km de la dorsale).

▶ Des études géochimiques montrent que les péridotites sont à l'origine du **magma** dont le refroidissement produit les roches de la croûte océanique.

▶ La tomographie sismique permet indirectement de modéliser la structure thermique des couches profondes de la Terre.

▶ Les ondes sismiques sont ralenties dans un milieu chaud et accélerées dans un milieu froid.

▶ On admet que l'asthénosphère est animée de mouvements de convection qui permettent des transferts thermiques vers la lithosphère qui la recouvre.

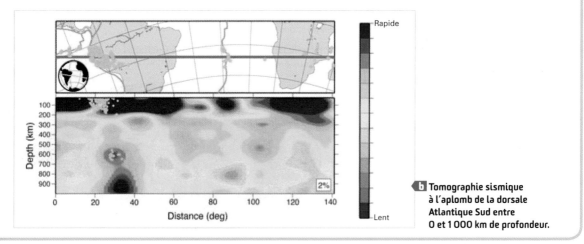

b Tomographie sismique à l'aplomb de la dorsale Atlantique Sud entre 0 et 1 000 km de profondeur.

▶ Il est possible en laboratoire de soumettre la péridotite à des conditions de température et de pression comparables à celles régnant à l'intérieur du globe ; on peut alors définir les conditions physiques qui lui permettent de produire du magma basaltique par fusion, alors qu'il est impossible d'observer ce phénomène directement dans la nature.

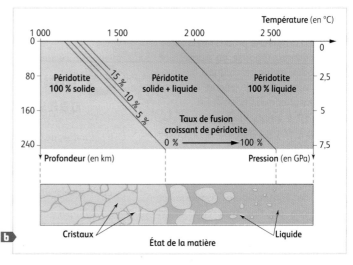

Conditions de fusion expérimentale **b** de la péridotite.

▶ Il est aussi possible de porter à des températures croissantes une péridotite finement broyée de sorte qu'elle entame sa fusion partielle. Pour différents taux de fusion, on récupère le liquide produit et on le laisse se solidifier : on analyse alors la composition chimique du matériau obtenu et on peut la comparer à celles de la péridotite et d'un basalte océanique.

Composition chimique de divers matériaux **c** (en % massique).

Élément chimique	Péridotite	Matériau obtenu par fusion partielle au taux de			Composition d'un basalte océanique
		5%	15%	20%	
O	47,5	44,3	44,4	44,9	44,5
Si	20,1	21,9	22,4	22,7	22,4
Al	1,7	8,4	7,0	6,8	7,6
Fe	2,1	9,7	8,5	6,2	8,6
Mg	22,4	6,2	7,2	9,2	7,2
Ca	5,9	6,6	8,9	9,4	7,7
Na	0,2	1,9	1,1	0,8	1,6
K	0,1	1,0	0,5	0,1	0,4

Activité 6

La disparition de la lithosphère océanique

La faible épaisseur des sédiments et le petit nombre de volcans sur le plancher océanique laissent à penser avant toute datation directe que la lithosphère océanique est très jeune.

→ **Comment s'opère le renouvellement permanent des fonds océaniques ?**

Guide d'exploitation

1 (Doc 1) Estimez l'âge de la lithosphère océanique la plus ancienne ; justifiez votre réponse.

2 (Doc 1) Formulez le problème posé par votre précédente réponse en admettant que le modèle de la tectonique des plaques soit susceptible de décrire la dynamique lithosphérique depuis 2 Ga.

3 (Doc 1) À l'aide des données des pages 140 à 141 du chapitre 6, proposez une hypothèse apportant une solution au problème précédent.

4 (Doc 2 et 3) Indiquez en quoi les données de tomographie sismique et les variations du flux thermique dans les zones de subduction peuvent rendre compte de l'enfouissement de la lithosphère océanique vers le manteau plus profond ? Comment rendre compte alors de la modélisation des isothermes dans une zone de subduction ?

5 (Doc 4) En vous aidant de la carte des plaques lithosphériques (page 143), réalisez un schéma représentant leurs mouvements dans le secteur Est-Pacifique, en précisant leur rapport au manteau plus profond et rendant compte de la relative jeunesse des roches de la plaque Nazca.

1 L'âge des sédiments océaniques

▶ Les forages océaniques ont permis de dater l'âge des sédiments ou des roches sédimentaires directement au contact des roches magmatiques de la croûte océanique. En première approximation, on suppose que ces roches ou sédiments sont contemporains de la mise en place des roches magmatiques à l'axe des dorsales.

▶ L'âge de la Terre est estimé à 4,55 Ga, tandis que l'âge des plus vieux morceaux de croûte continentale est estimé entre 3,8 et 4,0 Ga.

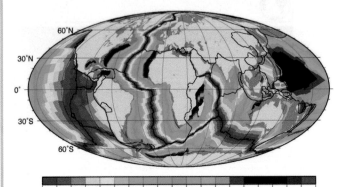

0 10 20 30 40 50 60 70 80 90 100 110 120 130 140 150 160 170 180 280
Âge de la lithosphère océanique (en Ma)

Carte mondiale de l'âge des sédiments océaniques.

2 Tomographie sismique dans une zone de subduction

▶ Les roches de la lithosphère ont en général une faible capacité à se laisser traverser par la chaleur. Autrement dit, des roches froides placées dans un environnement plus chaud sont relativement longues à se réchauffer, d'autant plus que leur volume est important par rapport à celui du milieu dans lequel elles sont placées.

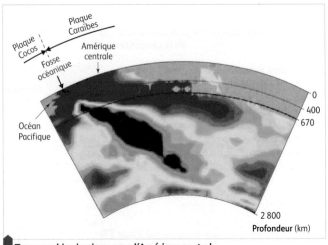

Tomographie sismique sous l'Amérique centrale.

3 Modélisation thermique dans une zone de subduction

▶ Connaissant la vitesse de subduction, le flux thermique en surface et les propriétés des roches relatives à leur capacité à conduire la chaleur, les géophysiciens peuvent modéliser l'évolution de température en profondeur et tracer des lignes isothermes reliant les points de même température.

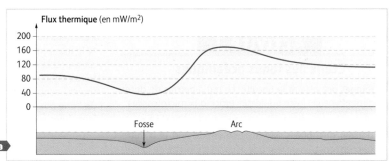

Variations du flux thermique a ▶
dans une zone de subduction.

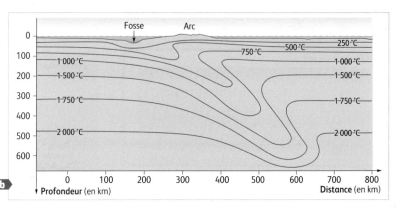

Modélisation des isothermes b ▶
dans une zone de subduction.

4 Lithosphère océanique et rapports au manteau

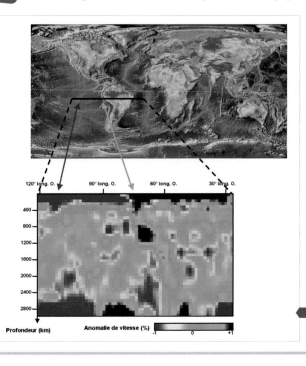

▶ La plaque Nazca située entre la dorsale est-Pacifique et la bordure du continent sud-américain est relativement jeune avec des roches âgées au plus de 60 Ma environ.

▶ À l'ouest de l'océan Pacifique, des fonds océaniques âgés de près de plus de 160 Ma attestent du fonctionnement de cette dorsale au moins depuis cette époque.

◀ **Tomographie sismique verticale entre
0 et 2 900 km de profondeur entre l'Atlantique Sud
et le Pacifique Sud.**

Bilan des Activités

Activité 1

Étude des fonds océaniques

▶ Les forages ont atteint le basalte, ce qui a permis de dater les sédiments situés juste au-dessus grâce aux microfossiles.

▶ Ces sédiments se répartissent en bandes parallèles à l'axe de la dorsale, distribuées symétriquement de part et d'autre de celle-ci en fonction de leur âge. Plus on s'éloigne de la dorsale, plus les couches de sédiments au contact direct du basalte sont âgées. Cela confirme l'expansion des fonds océaniques au niveau de la dorsale.

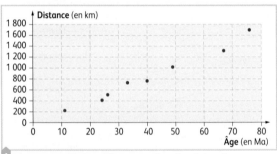

1 Distance au rift des sédiments en fonction de leur âge.

▶ La vitesse d'expansion du plancher océanique varie selon les périodes géologiques. Pour l'Atlantique Sud à la latitude de 30° Sud : elle est de 4,4 cm/an au cours des 76 derniers millions d'années.

▶ Dans ce secteur l'ouverture de l'Atlantique a commencé au début du Crétacé il y a 144 Ma.

Activité 2

L'observation directe du mouvement des plaques

▶ Toutes les stations sont dans l'océan Pacifique. THTI et KWJ1 sont localisées sur la plaque Pacifique, ISPA sur la plaque Nazca et GMDS sur la plaque Eurasienne.

▶ Avec l'utilisation du GPS, les mouvements des plaques sont directement observables.

Tahiti et l'île de Pâques sont situées sur deux plaques différentes ; la plaque Pacifique qui se déplace vers le NW à une vitesse d'environ 7,2 cm/an et la plaque de Nazca qui se déplace vers le SE à une vitesse d'environ 6,8 cm/an.

▶ L'île de Tanegashima est sur la plaque Eurasienne qui se déplace vers le SE à une vitesse de 3,5 cm/an. Les îles Marshall se trouvent sur la plaque Pacifique qui se déplace vers le NW à une vitesse de 7,5 cm/an. On constate que les résultats obtenus grâce au GPS sont relativement proches de ceux obtenus à partir du modèle.

▶ Les deux modèles sont cohérents car, dans un cas on présente le mouvement général de la plaque, alors que dans l'autre on présente le mouvement relatif des plaques à leurs frontières. Deux plaques peuvent avoir un mouvement similaire (même sens, même direction) mais la différence de vitesse de l'une par rapport à l'autre peut avoir des conséquences à leurs frontières : leur écartement ou leur convergence.

Activité 3

Les caractéristiques des dorsales océaniques

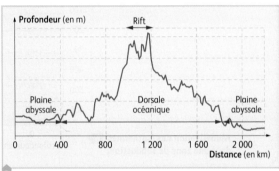

2 Profil bathymétrique de la dorsale Nord Atlantique.

▶ Cette chambre magmatique mesure environ 7 km de long et 4 km de large et son plafond est situé à 3 km sous le volcan. L'épaisseur des basaltes en coussins est d'environ 1,5 km.

▶ La modélisation permet de comprendre la formation d'un rift, dépression encadrée par des failles normales.

▶ La présence de séismes superficiels, d'activité volcanique, de failles normales tout au long de la dorsale océanique indique une zone en extension et valide l'hypothèse d'Harry Hess : le plancher océanique diverge de part et d'autre des dorsales à l'axe desquelles il se forme.

Activité 4

Les roches de la lithosphère océanique

▶ La faille Vema permet d'observer la succession des différentes roches de la lithosphère océanique : du sommet à sa base, on identifie ainsi des basaltes en coussins, des basaltes en filons et des gabbros pour la croûte océanique, puis les péridotites du manteau.

▶ Les roches de la croûte océanique ont des compositions chimiques similaires mais des textures différentes. Le gabbro et la péridotite sont entièrement cristallisés et les cristaux sont jointifs : leur structure est grenue. Le basalte n'est pas entièrement cristallisé, les cristaux sont noyés dans un verre : sa structure est microlitique.

▶ On peut donc émettre l'hypothèse que les basaltes et les gabbros proviennent du même magma, mais que leurs structures différentes résultent de conditions de refroidissement distinctes : lente pour les gabbros et rapide pour les basaltes.

▶ La température au-dessus de laquelle la lave est entièrement liquide est 1 200 °C. L'olivine cristallise d'abord entre 1 200 °C et 1 100 °C suivie des pyroxènes et des feldspaths plagioclases.

Activité 5

La formation de la lithosphère océanique

▶ Sous la dorsale, la profondeur à laquelle le géotherme indique une température de 1 300 °C permet d'évaluer l'épaisseur de la lithosphère océanique à environ 20 km.

▶ Sous les dorsales, la tomographie sismique indique qu'à 100 km de profondeur, la péridotite du manteau est plus chaude que celle qui se trouve sous les plaines abyssales situées de part et d'autre : cela rend compte d'une augmentation plus importante de la température avec la profondeur à l'aplomb des dorsales par rapport à celle qui existe sous les plaines abyssales.

▶ Sous la dorsale atlantique, la tomographie sismique montre la présence d'une zone anormalement chaude jusqu'à 250 km de profondeur notamment : ce secteur peut correspondre à un secteur de remontée de l'asthénosphère

▶ Les expériences de fusion expérimentale de la péridotite montrent qu'une fusion partielle de 15 % permet l'obtention d'un magma ayant approximativement la même composition chimique que celle des basaltes océaniques. Ce taux de fusion est également celui que l'on peut déterminer graphiquement en superposant le géotherme de dorsale et le diagramme de fusion de la péridotite.

▶ À l'aplomb des dorsales, des mouvements ascendants font remonter les péridotites qui subissent une dépressurisation et entament leur fusion partielle à 80 km de profondeur : du magma se forme. Cette fusion partielle se prolonge au cours de leur remontée jusqu'à près de 20 km de profondeur en atteignant un taux voisin de 15 % : le magma a alors la composition d'un magma basaltique océanique ; il s'injecte dans la lithosphère et se rassemble dans une chambre magmatique crustale où une formation de magma.

▶ Une partie du magma de la chambre cristallise lentement le long des parois et forme ainsi les gabbros et une autre s'infiltre dans les failles et parvient en surface : son refroidissement au contact de l'eau de mer est alors rapide, d'où la structure microlitique des basaltes

Activité 6

La disparition de la lithosphère océanique

▶ Si l'on admet que le modèle de la tectonique des plaques peut décrire la dynamique lithosphérique depuis 2 Ga, des dorsales ont donc produit des portions de lithosphère océanique aujourd'hui disparues. Les zones de subduction peuvent correspondre à des secteurs de disparition de lithosphère océanique.

▶ Dans le secteur de la fosse océanique, le flux thermique est inférieur à la moyenne, et indique la présence probable de matériau froid en profondeur ; ceci est confirmé par les données de tomographie sismique. Ce matériau relativement froid provient probablement de la surface et peut donc correspondre à de la lithosphère océanique.

▶ La disposition des isothermes dans la zone de subduction indique que les roches de la lithosphère se réchauffent plus lentement qu'elle ne s'enfonce dans le manteau chaud : ceci est à relier aux capacités médiocres des roches à se laisser traverser par la chaleur.

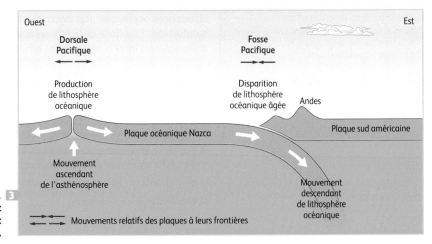

Interactions manteau, lithosphère dans le domaine Est Pacifique et rajeunissement permanent de la plaque Nazca. 3

Retenir

La tectonique des plaques, un modèle éprouvé

Je retiens par le texte

1 Le renforcement du modèle grâce aux forages océaniques et au GPS

▶ Les forages océaniques profonds dans les sédiments marins ont confirmé l'existence d'une expansion des fonds océaniques. Ils ont permis de dater le plancher basaltique situé sous les sédiments les plus profonds.

▶ Plus on s'éloigne de la dorsale et plus la croûte océanique est vieille. Ces données permettent également de calculer les vitesses d'expansion.

▶ Actuellement, grâce à l'utilisation des techniques de positionnement par satellites (GPS) il est possible d'observer le déplacement des plaques en temps réel et de calculer des vitesses de déplacement avec une grande précision. Les vitesses ainsi calculées confirment les vitesses prévues par le modèle de la tectonique des plaques à partir des données paléomagnétiques.

2 L'évolution du modèle : le renouvellement de la lithosphère

▶ Les dorsales océaniques forment des reliefs sous-marins qui dominent les plaines abyssales ; elles sont caractérisées par la présence de failles normales actives associées à l'existence de nombreux séismes, qui indiquent qu'elles sont le lieu d'une divergence.

▶ Les dorsales sont également le lieu d'une activité volcanique importante. Sous les dorsales, des mouvements ascendants du manteau asthénosphérique provoquent la remontée des péridotites, leur dépressurisation et ainsi leur fusion partielle aboutissant à la production de magma collecté dans une chambre magmatique. Une partie du magma cristallise lentement le long des parois et forme ainsi les gabbros tandis qu'une autre partie s'infiltre dans les failles et parvient en surface, la cristallisation de la lave basaltique au contact de l'eau de mer est alors rapide.

▶ Au fur et à mesure que les plaques divergent de part et d'autre des dorsales, de la lithosphère nouvelle est produite à partir de matériaux mantelliques. Cette expansion océanique est compensée par l'enfoncement de lithosphère océanique plus âgée vers l'asthénosphère dans les zones de subduction : la surface de la lithosphère demeure constante et le plancher océanique est ainsi constamment renouvelé.

MOTS CLÉS

Expansion océanique : Augmentation de surface d'une plaque à la suite d'un phénomène d'accrétion océanique qui crée de la lithosphère océanique au niveau d'une dorsale.

Dorsale océanique : Reliefs sous-marins du plancher océanique dominant les plaines abyssales sur 60 000 km de long et de 2 000 à 3 000 km de large, et dont la profondeur moyenne est de 2 500 m.

GPS (Global Positionning System) : Système utilisant les ondes radioélectriques émises par un réseau de satellites et permettant à un récepteur de calculer à tout instant sa position en longitude et en latitude.

Subduction : Mouvement de convergence au cours duquel une plaque, le plus souvent océanique, s'enfonce sous une autre plaque et s'incorpore à l'asthénosphère.

Je me suis entraîné à

■ **Exprimer et exploiter des résultats, en utilisant les technologies de l'information et de la communication :**
● en utilisant des logiciels et des banques de données.

■ **Manipuler et expérimenter :**
● en réalisant un modèle analogique de formation d'un rift.

Je retiens par l'image
Animation interactive

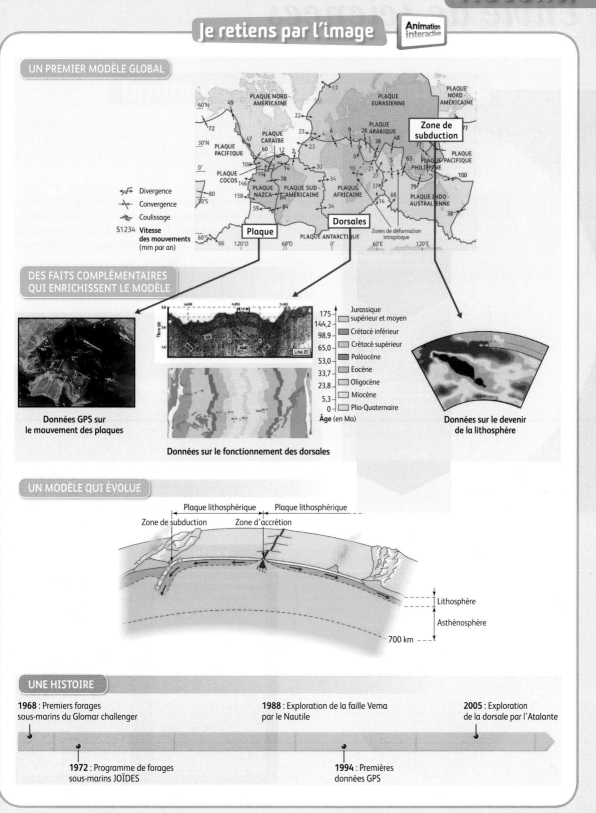

UN PREMIER MODÈLE GLOBAL

- Divergence
- Convergence
- Coulissage
- 51234 **Vitesse des mouvements** (mm par an)

Plaque

Dorsales

Zone de subduction

DES FAITS COMPLÉMENTAIRES QUI ENRICHISSENT LE MODÈLE

Jurassique supérieur et moyen — 175
Crétacé inférieur — 144,2
Crétacé supérieur — 98,9
Paléocène — 65,0
Eocène — 53,0
Oligocène — 33,7
Miocène — 23,8
Plio-Quaternaire — 5,3
0
Âge (en Ma)

Données GPS sur le mouvement des plaques

Données sur le fonctionnement des dorsales

Données sur le devenir de la lithosphère

UN MODÈLE QUI ÉVOLUE

Plaque lithosphérique   Plaque lithosphérique
Zone de subduction   Zone d'accrétion

Lithosphère
Asthénosphère
700 km

UNE HISTOIRE

1968 : Premiers forages sous-marins du Glomar challenger

1988 : Exploration de la faille Vema par le Nautile

2005 : Exploration de la dorsale par l'Atalante

1972 : Programme de forages sous-marins JOÏDES

1994 : Premières données GPS

Envie de sciences

Encelade un satellite étonnant

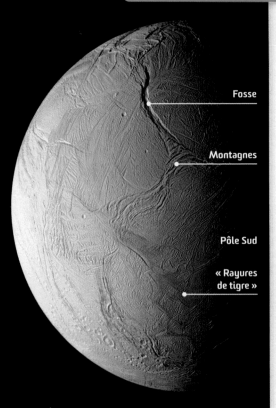

Fosse

Montagnes

Pôle Sud

« Rayures de tigre »

1 Vue générale d'Encelade

Encelade est un petit satellite de Saturne, de 500 km de diamètre et recouvert de glace. Les images prises par la sonde Cassini de la NASA révèle des structures géologiques particulièrement intéressantes de ce satellite.

La présence de peu de cratères météoritiques indique une surface jeune. Au pôle sud on peut voir des fractures (rayures de tigre) que les géologues de la NASA comparent avec un rift océanique. On observe également la présence à proximité de ces fractures d'une zone plissée faisant penser à une chaîne de montagnes, montagnes circumpolaires, entourant le pôle sud.

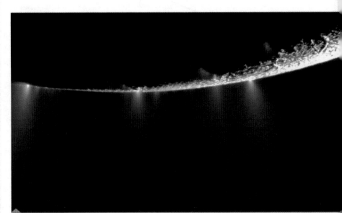

2 Geysers de glace au niveau des rayures de tigre, pôle Sud d'Encelade.

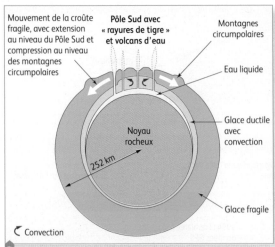

Mouvement de la croûte fragile, avec extension au niveau du Pôle Sud et compression au niveau des montagnes circumpolaires

Pôle Sud avec « rayures de tigre » et volcans d'eau

Montagnes circumpolaires

Eau liquide

Noyau rocheux

252 km

Glace ductile avec convection

Glace fragile

☾ Convection

3 Synthèse (hypothétique) des différents modèles de structure interne et d'activité d'Encelade (*d'après* Pierre Thomas, Planet-Terre).

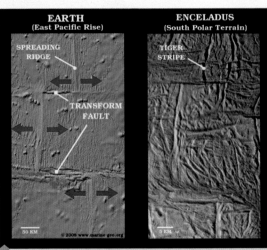

EARTH
(East Pacific Rise)

ENCELADUS
(South Polar Terrain)

SPREADING RIDGE

TIGER STRIPE

TRANSFORM FAULT

50 KM

© 2008 www.marine-geo.org

5 KM

4 Comparaison d'une portion de la dorsale Est pacifique sur la Terre avec les rayures de tigre du pôle Sud d'Encelade.

Géologue marin, sédimentologue

Les sédiments marins proviennent majoritairement de l'érosion des roches du continent et de l'accumulation de micro-organismes. Transportés jusqu'au domaine marin par les fleuves, les vents ou la glace, les sédiments se déposent au fond des océans à la vitesse de quelques millimètres à quelques mètres par milliers d'années, et comblent lentement les bassins océaniques. Leurs études, par le biais de carottes et de forages réalisés à bord des navires océanographiques, permettent donc de retracer l'histoire géologique et climatique de la Terre.

Le sédimentologue spécialisé au domaine marin, s'attache à comprendre le rôle des variations du niveau de la mer et des variations climatiques sur la mise en place de corps sédimentaires, depuis les deltas côtiers jusqu'aux grands fonds océaniques. Il apporte aussi des réponses précieuses aux industriels quant à la recherche pétrolière et l'implantation de structures telles que les éoliennes, les plate-formes, etc.

QUALITÉS ET NIVEAU REQUIS

▶ Sens de l'observation

▶ Capacité de synthèse

▶ Aptitude à travailler en mer

▶ Formation d'ingénieur spécialisé en géologie

▶ 5 ou 6 ans d'études après un bac scientifique

▶ Spécialisation en université pour un master professionnel de recherche débouchant sur un doctorat.

Une lithothèque d'échantillons marins

La lithothèque a été créée par le BRGM et l'IFREMER pour rassembler, conserver et fournir les échantillons et informations géologiques collectées en mer. Elle recueille les échantillons marins et les données géologiques prélevés depuis le plateau continental jusqu'aux grands fonds par le département Géosciences Marines de l'IFREMER et ses partenaires régionaux de Brest.

La lithothèque contient également des échantillons d'un grand nombre de campagnes océanographiques françaises. Les informations géologiques relatives à ces échantillons concernent : les campagnes de prélèvement en mer, les stations d'observation et de prélèvement (submersible, forage, dragage).

La lithothèque d'IFREMER.

Étudier les roches de la croûte océanique

Les forages océaniques profonds ou les murs des failles transformantes permettent de remonter des échantillons, de faire des lames minces. L'observation sur le terrain est alors complétée par une étude en laboratoire.

➡ **Quelles sont les caractéristiques structurales et minéralogiques du gabbro et du basalte ?**

Capacités évaluées

▸ Utiliser un microscope polarisant
▸ Représenter une observation par un schéma

Matériel disponible

▸ Un microscope polarisant et des lames minces de basalte et de gabbro
▸ Une clé de détermination des minéraux usuels des roches magmatiques
▸ Des échantillons de basalte et de gabbro

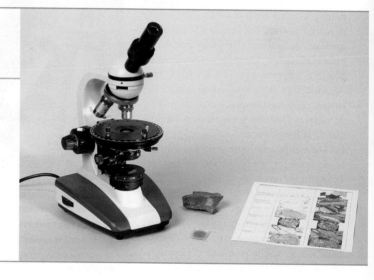

Conclusions attendues

▸ 1. Le basalte est une roche non entièrement cristallisée.
▸ 2. L'observation macroscopique révèle la présence de cristaux entourés d'une pâte sombre.
▸ 3. L'observation microscopique montre la présence de gros cristaux d'olivines et de pyroxènes, de microcristaux de feldspaths plagioclases et de verre non cristallisé.
▸ 4. C'est une roche microlitique.

▸ 5. Le gabbro est une roche entièrement cristallisée.
▸ 6. L'observation macroscopique révèle la présence de cristaux de pyroxènes, feldspaths plagioclases.
▸ 7. L'observation microscopique confirme que la roche est entièrement cristallisée, pyroxènes et feldspath plagioclases.
▸ 8. C'est une roche grenue.

Critères de réussite

➡ L'échantillon est décrit macroscopiquement.

➡ Les lames minces sont observées en lumière polarisée non analysée (LPNA) puis en lumière polarisée et analysée (LPA) en commençant par un faible grossissement.

➡ L'éclairage et la netteté sont correctement réglés.

➡ Un schéma (ou un texte) est réalisé pour traduire l'observation.

➡ Le schéma (ou le texte) comporte les mots clés relatifs aux caractéristiques structurales et minéralogiques des échantillons.

➡ Le schéma ou le texte comporte les mots-clés relatifs aux caractéristiques structurales des lames minces observées.

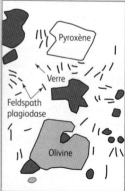

Évaluer ses connaissances

Tests rapides

1 Quelques définitions à maîtriser

Définir brièvement les mots ou expressions suivants :
- Dorsale océanique • Rift • Divergence • Expansion océanique
- Faille normale • Subduction.

2 Questions à choix multiple

Parmi les affirmations suivantes, choisissez la (ou les) réponse(s) exacte(s).

1 Les sédiments reposant sur les basaltes océaniques :
a. sont tous du même âge.
b. nous donnent l'âge des basaltes sur lesquels ils reposent.
c. sont de plus en plus âgés lorsqu'on s'éloigne de la dorsale.
d. sont datés grâce aux microfossiles qu'ils contiennent.

2 L'expansion océanique correspond :
a. à la disparition de la lithosphère.
b. à la formation d'une nouvelle lithosphère à l'axe des dorsales océaniques.
c. au déplacement des plaques.
d. à une dilatation de la Terre.

3 Un rift est :
a. une chaîne de montagnes sous-marine.
b. une dépression située à l'axe des dorsales.
c. encadré de failles inverses.
d. coupé par des failles transformantes.

4 La lithosphère océanique qui se met en place au niveau d'une dorsale :
a. est constituée de basaltes et de gabbros.
b. est constituée de basaltes, de gabbros et de péridotites.
c. a une épaisseur moyenne de 90 km.
d. a une épaisseur moyenne de 150 km.

5 La lithosphère océanique actuelle est âgée :
a. de plus de 500 millions d'années.
b. d'environ 1 milliard d'années.
c. de moins de 200 millions d'années.
d. de moins de 200 000 ans

6 La fusion partielle des péridotites du manteau à l'axe des dorsales est due :
a. seulement à la décompression lors de la remontée.
b. seulement à une température élevée.

c. à une décompression sans baisse de température.
d. à la présence d'eau de mer.

7 Le magma basaltique des dorsales :
a. a la même composition chimique que les péridotites dont il provient.
b. a une composition chimique différente des péridotites dont il provient.
c. peut donner des roches différentes.
d. provient du noyau terrestre.

8 Au niveau des zones de subduction :
a. de la lithosphère océanique est créée.
b. de la lithosphère océanique est détruite.
c. l'asthénosphère plonge dans la lithosphère.
d. il y a présence d'une fosse océanique.

3 Analyser un document

Parmi les affirmations suivantes, choisissez la (ou les) réponse(s) exacte(s).

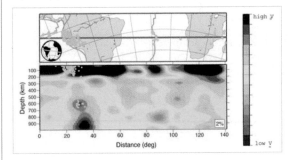

1 Lorsque la vitesse des ondes sismiques est plus rapide que la moyenne cela indique que la température des matériaux traversés est :
a. plus chaude.   **b.** plus froide.   **c.** identique.

2 La température est la plus froide à 100 km de profondeur :
a. sous les dorsales.   **b.** sous les continents.
c. dans les zones de subduction.

3 La température sous les dorsales est plus chaude :
a. à 100 km de profondeur.   **b.** à 150 km de profondeur.
c. à 350 km de profondeur.

Restituer ses connaissances

4 Organiser une réponse argumentée

Présentez en une dizaine de lignes les arguments qui montrent que les dorsales sont des zones d'expansion des fonds océaniques.

5 Élaborer un texte illustré

Expliquez en quelques lignes et à l'aide d'un schéma légendé la formation et la mise en place de la lithosphère océanique.

6 Disparition de la lithosphère dans une zone de subduction

▶ Le Japon se caractérise par une forte concentration de séismes dont certains possèdent des foyers très profonds.

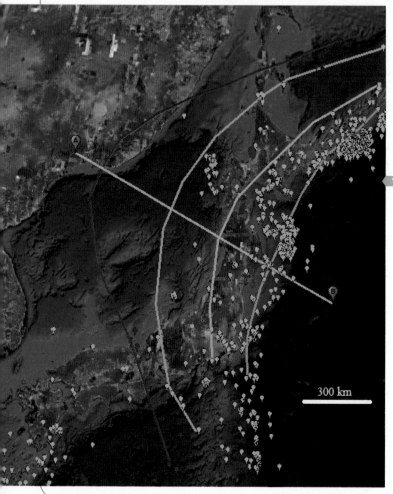

Lignes reliant les foyers des séismes de même profondeur

━━━ 500 km

━━━ 300 km

━━━ 150 km

━━━ 50 km

Profondeur du foyer des séismes

⬤ De 0 à 70 km

⬤ De 70,1 à 350 km

⬤ De 350,1 à 685,5 km

1 **Carte du Japon et profondeur des foyers sismiques.**

300 km

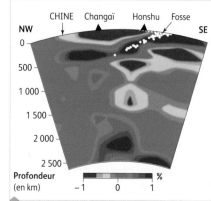

2 **Tomographie sismique sous le Japon.** Les points blancs correspondent aux foyers sismiques.

QUESTIONS

1 Représentez graphiquement la répartition des foyers sismiques en profondeur selon la coupe AB. Prenez la même échelle en longueur et en profondeur.

2 Légendez votre schéma. Est-il en accord avec le document 2 ?

3 En utilisant vos connaissances expliquez la répartition des séismes sous le Japon.

Guide de résolution

1 Reprendre l'échelle qui est sur la carte pour les distances et les profondeurs. Utiliser les lignes d'égale profondeur des foyers sismiques.

2 Mettre un titre, orienter le graphique et indiquer le nom des plaques. Comparer la tomographie sismique et la répartition des foyers sismiques.

3 Faire le lien entre la sismicité et l'existence d'une frontière de plaques dont on précise la nature.

Appliquer ses connaissances

7 Un jeune océan : la mer Rouge

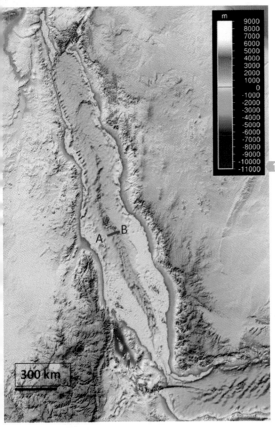

▶ La mer Rouge est un jeune océan, large d'environ 50 à 100 km. Elle est située entre l'Afrique et l'Arabie.

QUESTIONS

1 Recherchez les structures géologiques qui montrent que la mer Rouge est une zone en expansion.

2 Évaluez la vitesse d'expansion océanique au niveau de la coupe AB (Doc 2).

3 Datez l'ouverture de la mer Rouge.

1 **Carte topographique et bathymétrique de la mer rouge (Google Earth). Les points orange correspondent à des séismes superficiels (10 km).**

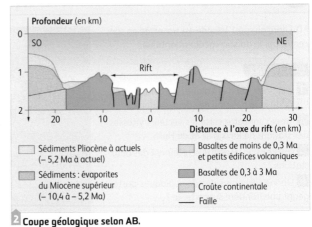

Sédiments Pliocène à actuels (– 5,2 Ma à actuel)

Sédiments : évaporites du Miocène supérieur (– 10,4 à – 5,2 Ma)

Basaltes de moins de 0,3 Ma et petits édifices volcaniques

Basaltes de 0,3 à 3 Ma

Croûte continentale

—— Faille

2 **Coupe géologique selon AB.**

8 Le magmatisme des dorsales

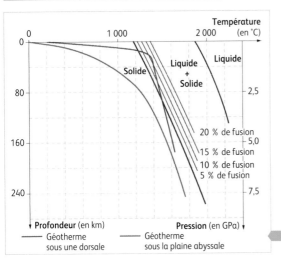

Géothermes océaniques et conditions de fusion expérimentale de la péridotite.

▶ La fusion de la péridotite en laboratoire permet d'établir ce graphique sur lequel on a superposé le géotherme sous la dorsale et le géotherme océanique moyen.

QUESTIONS

1 Indiquez quel est l'état de la péridotite et quelle est sa température à 160 km de profondeur sous la plaine abyssale et sous la dorsale.

2 Même question pour 40 km de profondeur.

3 Expliquez les conditions qui permettent la formation du magma sous la dorsale.

9 Production de laves au niveau des dorsales

▶ On considère que le taux d'expansion au niveau de la dorsale étudiée est de l'ordre de 4,4 cm/an et que l'épaisseur de la croûte océanique mise en place est d'environ 7 km.

QUESTION

1 Calculez le volume total de croûte océanique formé par le segment de dorsale observable sur la carte en un an.

2 Calculez le volume total de croûte océanique formé par le même segment en 180 Ma.

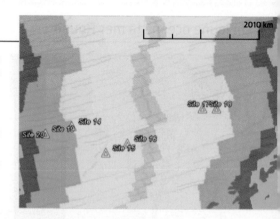

10 Vitesse d'expansion dans l'océan atlantique Nord au niveau de l'Islande

▶ Du nord au sud, l'Islande est traversée en son centre par la dorsale médio-atlantique.

QUESTIONS

1 Reportez sur un calque les contours de l'Islande et la position des deux stations.

2 Tracez sur cette carte les vecteurs vitesses des stations de Reykjavik et de Hofn.

3 Quelle est la vitesse d'écartement des deux stations ?

4 Donnez les noms des deux plaques partageant une frontière sur cette île ?

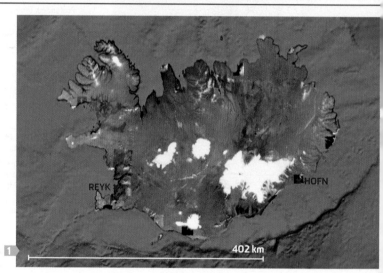

Carte satellitale de l'Islande avec les stations de Reykjavik et de Hofn (Google Earth). 1

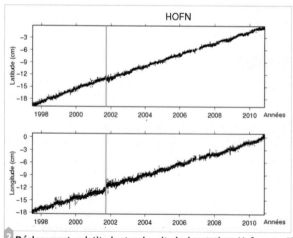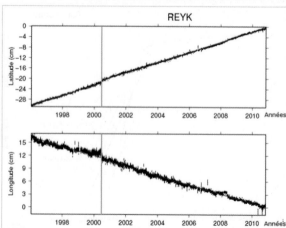

2 Déplacement en latitude et en longitude des stations Hofn entre 1997 et 2010 et Reykjavik entre 2003 et 2010.

La science AUTREMENT

TOURISME & Géologie

11 La tectonique des plaques en Islande

▶ L'Islande, île de l'Atlantique Nord est une partie émergée de la dorsale Atlantique. Elle présente des caractéristiques géographiques et géologiques, très facilement observables lord d'un voyage, qui sont les témoins de cette situation géologique exceptionnelle.

QUESTION

▪ Relevez des arguments qui témoignent d'une activité géologique intense liée à la dorsale.

2 Lac artificiel, situé dans un champ de lave, au pied d'une usine géothermique qui assure le chauffage de Reykjavik, la capitale de l'Islande.

3 Éruption du volcan Eyjafjallajokull, avril 2010.

1 Alignement de cratères à perte de vue, Lakagigar.

Une des failles normales de Thingvellir. **4**

La Terre dans l'Univers, la vie et l'évolution du vivant

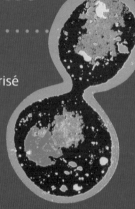

La reproduction : une fonction du vivant

Outre une composition chimique particulière, le monde vivant est caractérisé par un ensemble de fonctions : croissance, nutrition, reproduction. À l'échelle cellulaire, ce sont la réplication de l'ADN et la mitose qui permettent la reproduction conforme et ainsi, la transmission des caractéristiques héréditaires dont l'information est portée par l'ADN.

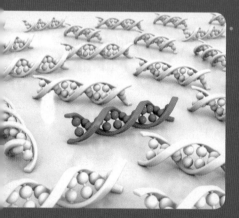

Des fautes dans les copies

La réplication de l'ADN peut être imparfaite et générer des mutations à l'origine d'une nouvelle information, elle-même génératrice de nouveaux caractères, appelés allèles. Cette imperfection, est à la base de la diversité génétique sur laquelle s'exerce la sélection naturelle. Elle est à l'origine de l'évolution des espèces. Les travaux de Darwin, Watson, Crick, Nuremberg, ont donc contribué à comprendre l'état actuel du monde vivant.

Des gènes régulés

Les protéines cellulaires sont le résultat direct de l'expression des gènes. Au cours de l'évolution, certaines de ces protéines ont acquis une fonction de régulation, capable d'activer ou d'inactiver un gène, tel un interrupteur.

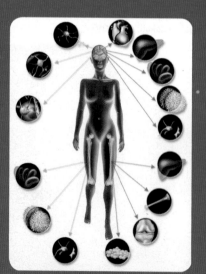

Une information, des lectures

Des cellules, portant une même information, peuvent exprimer des gènes différents. Ceci est à l'origine de la différenciation cellulaire et de la diversité des tissus d'un organisme. La compréhension des mécanismes de différenciation permet d'envisager de reproduire ce processus sur des cellules souches indifférenciées, et de guider leur devenir afin de reproduire des cellules différenciées utilisables en chirurgie.

Des faits, des idées . . . .

L'état actuel de la Terre et la compréhension de son
histoire sont étudiés par les scientifiques qui, comme
dans le cas de l'évolution du vivant, construisent
des modèles explicatifs qui s'enrichissent au fil des
découvertes. C'est ainsi que Wegener, comme Darwin
le fit pour l'évolution du vivant, construisit sa théorie de la
dérive des continents. À partir de faits d'observation, il formula une idée
explicative permettant d'établir un lien entre tous ces faits.

Comme dans toute évolution des modèles
explicatifs, ce sont de nouveaux faits
qui permettent d'affiner la théorie.
Dans le cas de la tectonique des plaques,
c'est la connaissance de la topographie
océanique par les explorations sous-marines
qui permit les principales avancées.

Un module qui évolue toujours

Aujourd'hui encore, des avancées
technologiques comme le GPS,
ou l'augmentation de puissance
des calculateurs, permettent
d'affiner ce modèle.

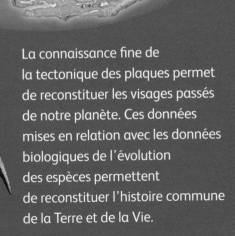

La connaissance fine de
la tectonique des plaques permet
de reconstituer les visages passés
de notre planète. Ces données
mises en relation avec les données
biologiques de l'évolution
des espèces permettent
de reconstituer l'histoire commune
de la Terre et de la Vie.

Tectonique des plaques et géologie appliquée

▶ Depuis l'Antiquité, l'Homme exploite des ressources minérales naturelles, pour la construction, l'industrie et l'économie. La raréfaction des ressources conduit à rechercher de nouveaux gisements en s'appuyant sur des connaissances scientifiques comme la tectonique des plaques.

Quel est le lien entre ressources naturelles et tectonique des plaques ?

1 Carrière de marbre.

En quoi la connaissance de la tectonique des plaques permet-elle la découverte de nouveaux gisements d'hydrocarbures

2 Géologues étudiant le modèle GéoProbe.

Comment la tectonique des plaques permet-elle de comprendre la formation d'une ressource géologique locale et son exploitation durable ?

3 Mine de nickel de Tiébaghi, Nouvelle-Calédonie.

Les acquis du collège et du lycée

1 Les roches sédimentaires, des archives géologiques

▶ Après transport, les particules issues de l'érosion se déposent en strates et donnent, après transformation, des roches sédimentaires.

▶ En tenant compte des caractéristiques d'une roche sédimentaire, des fossiles qu'elle peut contenir, et par comparaison avec l'observation des milieux actuels de sédimentation, on peut reconstituer certains éléments des paysages anciens.

▶ Les roches sédimentaires apparaissent donc comme des archives géologiques organisées en strates empilées les unes sur les autres, les plus anciennes recouvertes par les plus récentes.

1 Affleurement de roches sédimentaires à Thouars (Deux-Sèvres) et quelques fossiles contenus dans les strates.

2 Reconstitution de l'environnement sédimentaire de la région de Thouars au Toarcien.

2 L'exploitation des matériaux géologiques

▶ Afin de satisfaire ses besoins, l'Homme prélève des matériaux dans son environnement.

▶ La plupart du temps, l'exploitation des ressources entraîne une transformation du paysage : déforestation, créations de carrières, constructions de routes…

▶ Afin de limiter le plus possible cet impact sur l'environnement, l'Homme tente de réduire les nuisances au moment de l'exploitation, et de réaménager les sites après leur exploitation.

3 Carrière de Quiniply (Morbihan) en cours d'exploitation.

4 Réaménagement de la carrière de Quiniply après exploitation.

Les hydrocarbures (pétrole, gaz), combustibles fossiles, sont des ressources naturelles localisées parmi les roches sédimentaires du sous-sol. La présence de restes organiques dans ces combustibles montre qu'ils sont issus de la transformation d'une biomasse.

Les gisements d'hydrocarbures sont localisés dans des bassins sédimentaires. Dans des environnements de haute productivité organique, une faible proportion de la matière organique échappe à l'action des décomposeurs puis se transforme en combustibles fossiles du fait de l'augmentation de température qui accompagne son enfouissement et de la subsidence du bassin.

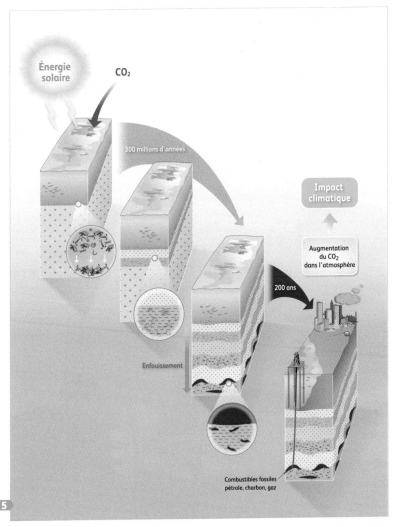

Énergie solaire

CO_2

300 millions d'années

Impact climatique

Augmentation du CO_2 dans l'atmosphère

200 ans

Enfouissement

Combustibles fossiles
pétrole, charbon, gaz

De la matière organique 5 planctonique aux hydrocarbures.

QUIZ Animation interactive

VRAI FAUX

- Les roches sédimentaires sont formées à partir du refroidissement et de la cristallisation d'un magma. ☐ ☐
- Les sédiments ont pour seule origine des restes d'êtres vivants. ☐ ☐
- Dans un bassin sédimentaire, les sédiments les plus anciens recouvrent les sédiments plus récents. ☐ ☐
- L'exploitation des ressources souterraines est sans impact sur l'environnement. ☐ ☐

VRAI FAUX

- En géologie, on suppose que les causes des processus qui se sont déroulés dans le passé sont les mêmes que celles qui les conditionnent actuellement. ☐ ☐
- Le sous-sol des régions sédimentaires ne contient que des ressources minérales exploitables par l'Homme. ☐ ☐
- Les hydrocarbures ne sont pas des ressources géologiques. ☐ ☐
- Les pétroles sont contenus dans des roches volcaniques. ☐ ☐
- À la différence du charbon, le pétrole et le gaz sont des combustibles fossiles. ☐ ☐

→ Voir réponses p. 407

8

Tectonique des plaques et recherche d'hydrocarbures

▶ La tectonique des plaques est un modèle global qui rend compte d'un certain nombre de manifestations géologiques à la surface de la planète. Ainsi peut-on replacer les gisements d'hydrocarbures dans le contexte des plaques lithosphériques et de leurs mouvements.

▶ La prospection de nouveaux gisements tient compte de ces données globales.

1 Une exploitation en eau profonde.

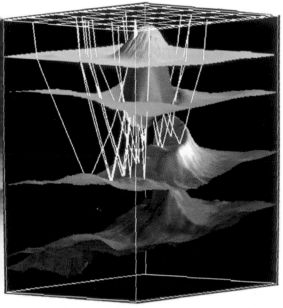

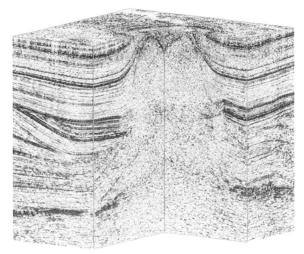

2 Modèle numérique représentant la disposition des couches déduite de l'interprétation des données sismiques 3D et profil sismique 3D.

Existe-t-il un lien entre la localisation des gisements d'hydrocarbures et un contexte géodynamique particulier?

→ Activités 1, 2 et 3

Comment la nature et la disposition relative des roches favorisent-elles la formation d'un gisement d'hydrocarbures ?

→ Activités 4 et 5

3 De la roche au pétrole brut.

Activité 1

Gisements pétroliers et bordures continentales

Les hydrocarbures sont exploités en mer, à partir de plateformes pétrolières et à des profondeurs de plus en plus grandes.

→ **Quelles sont les caractéristiques géologiques des gisements marins d'hydrocarbures ?**

Guide d'exploitation

1 (Doc 1) Décrivez la localisation des bassins pétrolifères dans l'océan Atlantique Sud. Proposez une hypothèse explicative rendant compte de leur disposition relative de part et d'autre de cet océan.

2 (Doc 1) Déterminez la nature et l'âge de la roche-réservoir du gisement de Malongo.

3 (Doc 2) Évaluez la profondeur du gisement de Malongo et l'épaisseur des terrains qui le recouvrent.

4 (Doc 1 et 2) Schématisez l'organisation du gisement en faisant ressortir les formations géologiques caractéristiques et leurs principales déformations.

VOCABULAIRE

Formation sédimentaire : ensemble de strates constituées d'une même roche, ou de la répétition d'une même association de roches.

1 Les bassins sédimentaires de l'océan Atlantique Sud

▌ Les bordures brésilienne et ouest-africaine de l'océan Atlantique sont couvertes de **formations sédimentaires** dont certaines ont permis la constitution de gisements d'hydrocarbures.

a Distribution des bassins sédimentaires sur les bordures continentales de l'Atlantique Sud.

▌ Dans tout gisement pétrolifère, on distingue trois formations sédimentaires essentielles : la roche-mère, constituée de sédiments contenant les dépôts organiques originels, des roches-réservoirs qui contiennent les hydrocarbures actuels, la couverture ou toit du gisement, qui recouvre directement les roches-réservoirs.

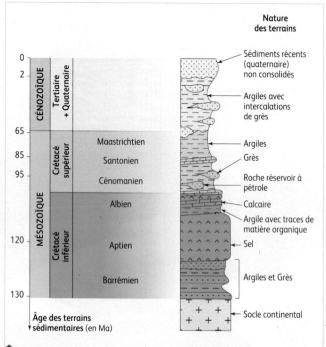

b Nature et âge des différentes formations du champ pétrolifère de Malongo, situé sur la bordure gabonaise de l'océan Atlantique.

2 La bordure gabonaise de l'océan Atlantique Sud

▶ Des sédiments se déposent sur la bordure gabonaise de l'océan Atlantique depuis 130 millions d'années en y recouvrant un socle continental faillé.

▶ Sur un profil sismique, l'échelle verticale est en temps double (Std) : on mesure le temps d'aller et de retour des ondes, c'est-à-dire la durée entre le moment de leur émission en surface et le moment de leur enregistrement, après leur réflexion sur une discontinuité (Voir fiche méthode).

▶ Dans l'eau de mer, la vitesse de propagation des ondes sismiques est de l'ordre de 1,4 km/s, tandis que dans les sédiments, elle est de l'ordre de 3 km/s.

▶ À partir du profil sismique, de la détermination des vitesses de propagation des ondes entre les réflecteurs et des données tirées des forages, il est possible d'interpréter ce profil en traçant une coupe géologique.

a Carte de localisation du Gabon.

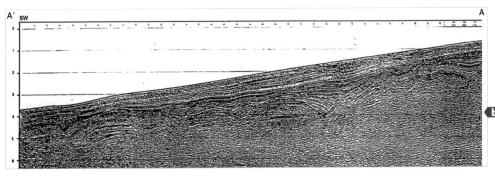

b Profil sismique obtenu en mer au large du Gabon.

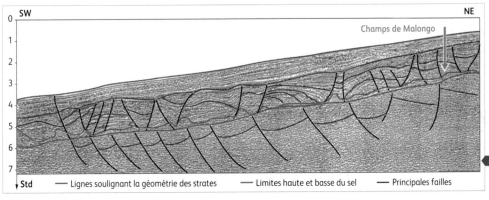

Std — Lignes soulignant la géométrie des strates — Limites haute et basse du sel — Principales failles

c Disposition des principaux réflecteurs.

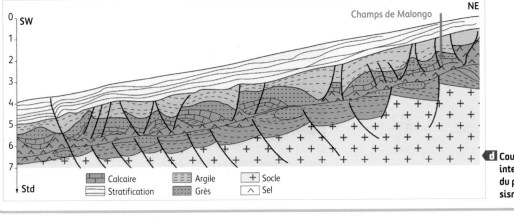

Std

Calcaire Argile Socle
Stratification Grès Sel

d Coupe interprétative du profil sismique.

Activité 2

L'histoire tectonique de la bordure gabonaise

Les gisements gabonais bordant l'océan Atlantique se situent dans des zones faillées et de forte accumulation sédimentaire.

→ **En quoi l'histoire d'une bordure océanique est-elle favorable à une accumulation sédimentaire ?**

Guide d'exploitation

1 (Doc 1) Comparez l'enfoncement des sédiments albiens qui recouvrent le socle en A et en B.

2 (Doc 2) Schématisez comment l'extension peut s'accompagner à certains endroits d'un enfoncement des couches géologiques.

3 (Doc 1 et 2) Quel contexte géodynamique peut rendre compte de la disposition relative des formations albiennes en A et en B ?

4 (Doc 3) Montrez que l'épaisseur et la localisation de la couche de sel, repérée sur le profil interprété, attestent d'une subsidence de la marge pendant et après son dépôt.

5 (Doc 3 et 4) Comment l'enfouissement du gisement gabonais décrit à la page précédente peut-il s'intégrer à l'histoire du domaine sud-atlantique ?

VOCABULAIRE

Marge passive : zone située en bordure de continent qui marque la transition entre la lithosphère continentale et la lithosphère océanique à l'intérieur d'une même plaque.

Subsidence : enfoncement progressif d'un bassin sédimentaire.

1 Tectonique et sédimentation

▶ Les méthodes d'exploration sismique et la réalisation de forages permettent de schématiser la structure géologique des bassins sédimentaires océaniques en bordure des continents.

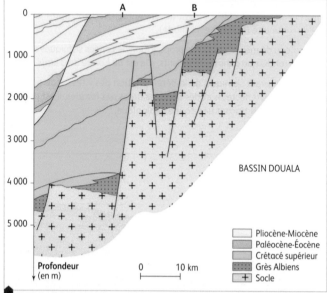

Coupe géologique le long de la bordure atlantique ouest-africaine au Nord du Gabon (bassin de Douala, Cameroun).

2 Modélisation de l'extension

▶ Il est possible de modéliser l'évolution d'un ensemble stratifié, comme une superposition de formations sédimentaires, lorsqu'elle est soumise à des contraintes.

▶ Différentes couches de sables colorés sont déposées horizontalement sur une couche de plasticine (matériau ductile), puis l'ensemble est soumis à un étirement.
Au cours de l'étirement, on observe un amincissement de la structure stratifiée.

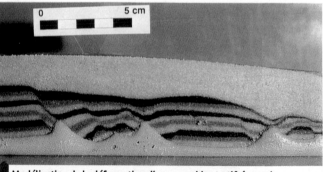

Modélisation de la déformation d'un ensemble stratifié soumis à une extension.

3 La divergence lithosphérique : naissance d'une marge passive

Au fur et à mesure de la divergence lithosphérique, plusieurs phases de déformation se succèdent. L'étirement et la rupture de la plaque sont caractérisés par l'apparition de failles normales, qui accompagnent l'amincissement progressif de la lithosphère continentale : c'est le rifting. Ces failles guident l'enfoncement de blocs de croûte continentale, et sont donc responsables d'une **subsidence** de rifting.

Au terme de cet amincissement, une dorsale se met en place et la formation d'une lithosphère océanique commence : c'est l'océanisation.

Les bordures continentales deviennent alors des **marges passives** et continuent de s'enfoncer par subsidence.

Aujourd'hui, les milieux propices au dépôt de sel correspondent à des environnements marins peu profonds, comme le lac Asal situé dans la région de Djibouti.

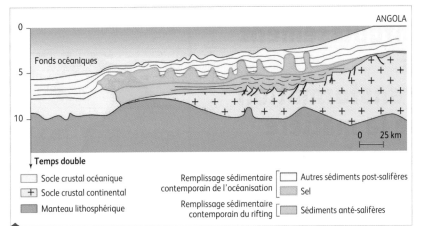

a Organisation de la marge passive ouest-africaine au large de l'Angola (Sud du Gabon).

Socle crustal océanique

Socle crustal continental

Manteau lithosphérique

Remplissage sédimentaire contemporain de l'océanisation

Remplissage sédimentaire contemporain du rifting

Autres sédiments post-salifères

Sel

Sédiments anté-salifères

Croûte de sel en bordure du lac Asal. La profondeur moyenne du lac **b** est de 4 m ; sa profondeur maximale n'excède pas 40 m.

4 La tectonique en extension : l'ouverture de l'océan Atlantique Sud

L'étude des anomalies magnétiques identifiées dans l'océan Atlantique Sud a permis de reconstituer la position des continents africain et américain depuis 120 Ma.

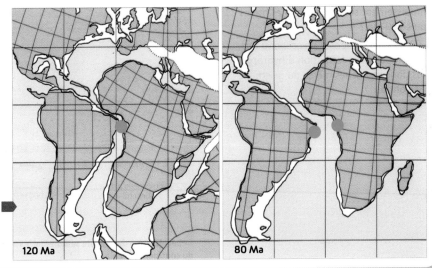

Paléopositions des continents africains et américains reconstituées à partir des données paléomagnétiques.

● Paléo-localisation des bassins du Gabon et de Sergipe-Alagoas.

120 Ma

80 Ma

Dépôt, enfouissement et transformation de la matière organique

Deux conditions sont essentielles à la formation d'hydrocarbures : la présence de matière organique et sa transformation par échauffement.

→ Comment la dynamique lithosphérique peut-elle être favorable à la formation d'hydrocarbures ?

Guide d'exploitation

1 **(Doc 1)** Comparez la paléoposition du Gabon entre −120 Ma et − 80 Ma (doc 4 p. 195) avec la localisation des zones actuelles de sédimentation de la matière organique. Qu'en concluez-vous ?

2 **(Doc 2)** Comment pouvez-vous rendre compte de la formation d'hydrocarbures dans ce gisement en tenant compte de l'enfouissement subi par les roches-mères depuis 100 Ma ?

3 **(Doc 1 à 3)** Proposez un scénario rendant compte de la formation d'hydrocarbures dans les roches-mères du gisement de Malongo.

1 Les zones de dépôt de la matière organique

▶ La quantité de matière organique piégée dans les sédiments qui se déposent au fond des océans varie géographiquement.

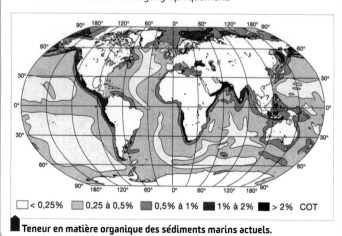

☐ < 0,25% ☐ 0,25 à 0,5% ☐ 0,5% à 1% ☐ 1% à 2% ■ > 2% COT

Teneur en matière organique des sédiments marins actuels.

3 Reconstitution des conditions de sédimentation dans le bassin du Gabon

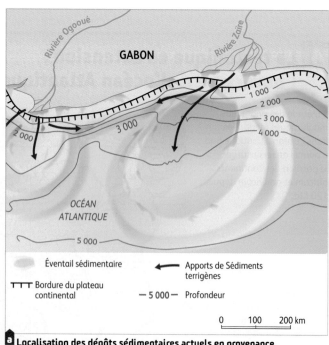

Éventail sédimentaire

⊤⊤⊤ Bordure du plateau continental

← Apports de Sédiments terrigènes

— 5 000 — Profondeur

0   100   200 km

a **Localisation des dépôts sédimentaires actuels en provenance du continent africain.**

2 Enfouissement de la matière organique et formation d'hydrocarbures

▶ En Algérie, les roches-mères des hydrocarbures du champ pétrolifère d'Hassi Messaoud sont datées du Silurien (– 435 à – 410 Ma). Elles ont été enfouies bien après leur formation au cours des 200 derniers millions d'années.

▶ Dans cette région, les données de forage indiquent que la température s'élève d'environ 25 °C par kilomètre de profondeur.

▶ À partir d'expériences réalisées en laboratoire, il est possible d'estimer le temps nécessaire pour que les matières organiques sédimentaires se transforment en hydrocarbures : ce temps est fonction des températures qu'elles ont subies au cours de leur enfouissement.

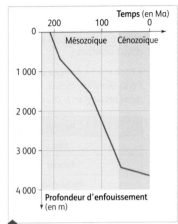

a Reconstitution de l'enfouissement des terrains siluriens depuis le Mésozoïque jusqu'à l'actuel.

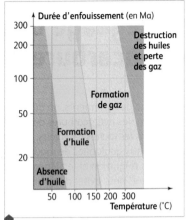

b Relation temps-température dans la formation des hydrocarbures à partir de la matière organique sédimentaire.

▶ Aujourd'hui, les fleuves ouest-africains déversent dans l'océan Atlantique d'importantes quantités de sédiments riches en matière organique. Ces sédiments s'accumulent le long de la marge, et plus particulièrement face aux embouchures des grands fleuves, dans des secteurs formant d'immenses éventails sédimentaires.

▶ En première approximation, on peut considérer que les caractéristiques de la sédimentation le long de la marge gabonaise ont peu évolué depuis 100 Ma.

▶ Dans les jeunes marges passives comme celles de la mer Rouge, l'élévation de la température en fonction de la profondeur est le plus souvent comprise entre 35 et 40 °C/km dans les premiers kilomètres.

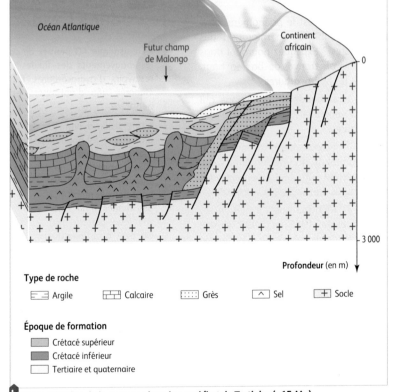

Type de roche

Argile   Calcaire   Grès   Sel   Socle

Époque de formation

Crétacé supérieur
Crétacé inférieur
Tertiaire et quaternaire

b Reconstitution de la marge gabonaise au début du Tertiaire (–65 Ma).
Les formations correspondant aux roches-mères du gisement de Malongo ont été repérées sur ce bloc diagramme.

Activité 4

Migration et piégeage des hydrocarbures

Dans l'étude des gisements, on distingue la formation des hydrocarbures de leur devenir dans les roches-réservoirs. Il appartient aux géologues de modéliser au mieux la migration et le piégeage des hydrocarbures pour éviter de tomber sur un réservoir vide.

→ **Quels sont les propriétés des roches et des fluides qui déterminent la migration et le piégeage des hydrocarbures ?**

Guide d'exploitation

1 (Doc 1) Quel est le phénomène physique responsable de la migration des hydrocarbures ? Expliquez pourquoi dans un réservoir on trouve, de bas en haut, l'eau, puis les hydrocarbures.

2 (Doc 1) Indiquez les conditions qui paraissent essentielles au piégeage des hydrocarbures.

3 (Doc 1) Proposez un schéma expliquant comment la déformation des strates permet un regroupement des hydrocarbures dans les roches-réservoirs.

4 (Doc 2) Montrez que l'évolution du gisement entre 1985 et 1999 illustre l'existence d'une migration des fluides dans les roches.

1 Modélisation de la migration des hydrocarbures

▶ Des fluides peuvent être contenus dans les roches. La plupart du temps, c'est de l'eau. Dans certains contextes, on peut aussi rencontrer du pétrole et éventuellement du gaz piégés dans les roches-réservoirs des gisements d'hydrocarbures.

▶ Pour rendre compte du comportement différent des hydrocarbures et de l'eau dans les roches, on peut réaliser une modélisation avec des matériaux analogues à ceux rencontrés dans les gisements.

Réalité	Modèle
Eau	Eau
Pétrole	Huile colorée
Roche-mère	Sable grossier imbibé d'huile
Roche-réservoir	Sable imbibé d'eau
Roche couverture	Argile imbibée d'eau

a **Matériaux des gisements et matériaux analogues utilisés dans la modélisation.**

2 Le gisement, une évolution dans l'espace et le temps

▶ La sismique 4D permet de connaître les mouvements des fluides dans les réservoirs d'hydrocarbures. Elle a été élaborée afin d'optimiser l'extraction pétrolière.

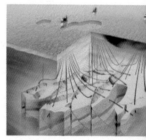

▶ Une vision dynamique des flux d'hydrocarbures est obtenue en réalisant des mesures en 3D à plusieurs mois d'intervalle. L'objectif est de détecter tous les changements intervenant dans la répartition des fluides d'un réservoir (eau, pétrole, gaz). On peut ainsi identifier les zones où le réservoir n'a pas été entièrement draîné et décider éventuellement de placer un nouveau puits d'exploitation.

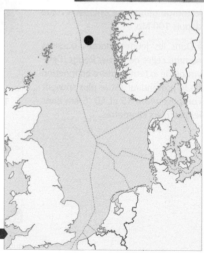

Localisation du champ a pétrolifère de Gullfaks.

1. Poser un ballon de baudruche relié par un tuyau à un robinet d'eau au centre d'un bac de 10 cm par 20 cm. Placer une lame de plastique, plus longue que le bac, sur le fond, pour accueillir le sable.

2. Remplir avec une couche de 2 cm de sable imbibé d'huile colorée.

3. Ajouter une couche de sable imbibé d'eau.

4. Observer la migration de l'huile.

5. Recommencer les étapes 1 et 2 dans un second bac et recouvrir le sable d'une fine couche d'argile pâteuse.

6. Gonfler lentement le ballon d'eau pour voûter la structure.

7. Observer la migration de l'huile sous la voûte recouverte d'argile.

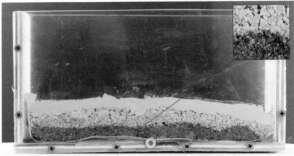

Résultats des modélisations. **b**

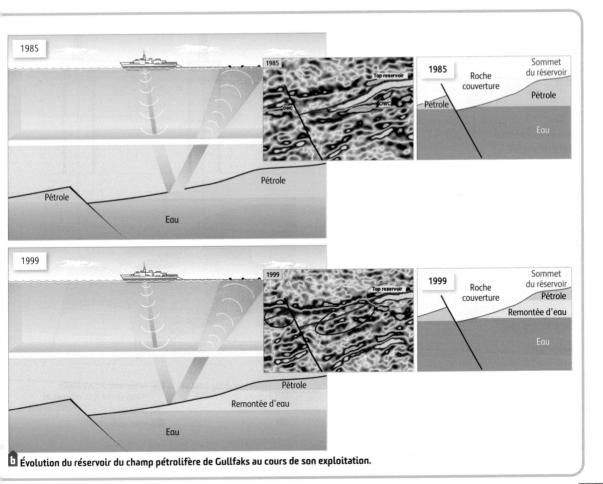

b Évolution du réservoir du champ pétrolifère de Gullfaks au cours de son exploitation.

Activité 5

Gisements et roches

Un gisement d'hydrocarbures est constitué de roches imprégnées de fluides.

→ **En quoi les propriétés physiques des roches déterminent-elles leur rôle dans le système pétrolier ?**

Guide d'exploitation

1 (Doc 1) Identifiez roche-mère, roche-réservoir et couverture des gisements.

2 (Doc 2) Quel facteur semble conditionner la porosité efficace d'une roche meuble ?

3 (Doc 1 et 2) Justifiez le rôle de chaque roche du gisement en fonction de ses propriétés.

4 (Doc 2) Reliez porosité et structure microscopique des roches.

5 (Doc 1) D'après l'organisation des gisements brésiliens, caractérisez la perméabilité du sel.

VOCABULAIRE

Perméabilité : vitesse de percolation, c'est-à-dire de circulation, du fluide à travers la roche en m/s.

Porosité efficace : pourcentage du volume des pores interconnectés par rapport au volume total de roche.

Porosité totale : pourcentage du volume total des pores par rapport au volume total de la roche.

1 Des gisements sur la marge atlantique brésilienne

▶ Sur la marge atlantique brésilienne, le bassin sédimentaire Sergipe-Alagoas renferme plusieurs gisements dont ceux de Camorin et Caioba.

Localisation du bassin a ▬ **Champs-pétrolifères**
sédimentaire Sergipe-Alagoas.

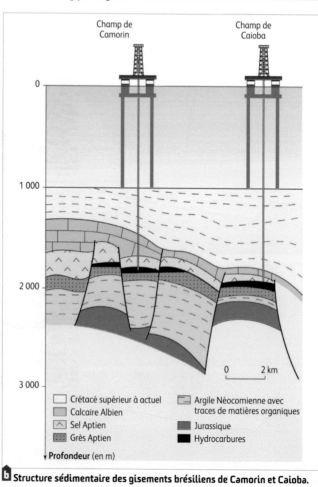

	Crétacé supérieur à actuel		Argile Néocomienne avec traces de matières organiques
Calcaire Albien		Jurassique
Sel Aptien		Hydrocarbures
Grès Aptien		

↓ **Profondeur** (en m)

b Structure sédimentaire des gisements brésiliens de Camorin et Caioba.

2 Roches et fluides : porosité et perméabilité des roches

▶ Dans la formation d'un gisement, la capacité des roches à laisser se déplacer et à stocker les fluides est essentielle. Ces propriétés sont la **perméabilité** et la **porosité efficace** des roches. Un fluide peut migrer à travers une roche et y être stocké si cette roche est à la fois perméable et poreuse.

▶ On distingue la porosité efficace d'une roche de sa **porosité totale**. La porosité totale est déduite de la mesure du volume d'eau que la roche peut absorber et la porosité efficace de celui qu'elle peut restituer.

RÉALISER

1. Fixer une burette graduée à un portoir et la relier par un tube souple à un entonnoir clos par un coton imbibé d'eau.

2. Verser 50 mL de roche meuble, préalablement séchée, dans l'entonnoir.

3. Remplir d'eau la burette fermée et remplir le tuyau d'eau avant d'ouvrir la burette. **Veiller** à faire le zéro de la burette.

4. Placer la roche sous le niveau d'eau de la burette.

5. Mesurer le volume d'eau absorbé par la roche meuble (pour la porosité totale) puis le volume d'eau qui peut être remobilisée en portant la roche au-dessus du niveau d'eau (pour la porosité efficace).

6. Après une dizaine de mesures, **calculer** les porosités moyennes (volume d'eau / volume de la roche).

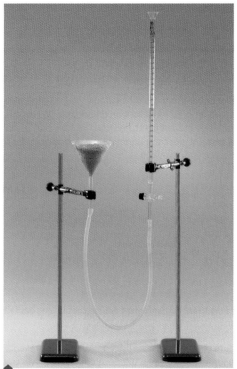

a Dispositif expérimental.

	Porosité totale	Porosité efficace
Sable grossier d > 2 mm	30 %	24 %
Sable moyen 1 mm < d < 2 mm	34 %	26 %
Sable fin 0,5 mm < d < 1 mm	35 %	19 %
Sable très fin 0,2 mm < d < 0,5 mm	36 %	10 %

b Résultats des mesures de porosité.

Roche	Porosité totale (en %)	Porosité efficace (en %)	Perméabilité (en m/s)
Grès	0-30	0-25	10^{-5}-10^{-4}
Sable	25-40	20-35	10^{-5}-10^{-4}
Calcaire	10-25	2-10	10^{-11}-10^{-9}
Argile	45-55	0-5	10^{-12}-10^{-9}

c Porosité et perméabilité de quelques roches sédimentaires.
Bien qu'apparaissant peu perméables à l'échelle de l'échantillon, les calcaires peuvent devenir très perméables à l'échelle du banc rocheux lorsque ceux-ci sont fracturés.

e Lame mince d'un grès (LPA).
Les pores apparaissent en noir.

d Échantillons : ❶ grès, ❷ argile.

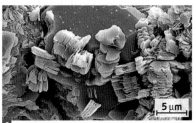

f Argile observée en microscopie électronique à balayage.
Les particules argileuses apparaissent sous forme de feuillets hexagonaux clairs empilés entre lesquels les pores apparaissent en sombre. L'argile humide ne présente plus cette porosité.

Bilan des Activités

Gisements pétroliers et bordures continentales

▶ On constate une disposition symétrique des bassins sédimentaires de part et d'autre de l'océan Atlantique. Ceci peut être relié à l'histoire géologique de l'ouverture de l'océan Atlantique et au fait que, dans le passé, Afrique et Amérique étaient proches.

▶ Les gisements ont pu se mettre en place dans un seul et même environnement, au début de l'ouverture océanique, ou après celle-ci, ou dans deux environnements semblables disposés symétriquement de part et d'autre de l'océan.

▶ Dans la mise en place d'un système pétrolier, la trilogie roche-mère, roche-réservoir, roche de couverture est caractéristique de tout gisement.

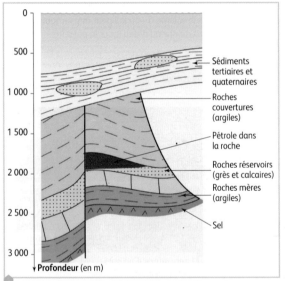

1 Schéma d'organisation d'un gisement pétrolier au large du Gabon.

▶ Dans le gisement gabonais de Malongo, des grès du Cénomanien (Crétacé inférieur) constituent la roche-réservoir.
Les données en seconde temps double (std) du profil sismique doivent être divisées par deux pour évaluer la profondeur réelle de ces roches :
• on peut situer le gisement sous 700 m d'eau soit (1 std x 1,4 km.s^{-1})/2 ;
• au-dessous, on peut considérer la présence de près de 2 250 m de sédiments tertiaires (1,5 std x 3 km.s^{-1})/2 au-dessus des roches-réservoirs.

▶ Les grès du Cénomanien, roche-réservoir du gisement de Malongo, se situent donc à près de 2 950 m de profondeur, recouvert de 2 250 m de roches et de sédiments plus récents.

L'histoire tectonique de la bordure gabonaise

▶ En B, les sédiments albiens sont enfouis sous cinq fois plus de sédiments qu'en A. La modélisation analogique de l'extension montre que des mouvements verticaux guidés par les failles normales peuvent s'accompagner d'un enfoncement des couches géologiques préexistantes.

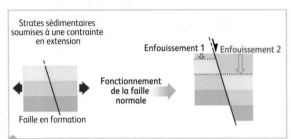

2 Schéma montrant l'enfoncement des couches le long des failles normales.

▶ La bordure camerounaise de l'océan Atlantique présente de nombreuses failles normales qui décalent des blocs de croûte continentale les uns par rapport aux autres. D'Est en Ouest, elle présente ainsi un approfondissement du substratum continental et des sédiments.

▶ Les failles normales, qui affectent ici le substratum continental et les sédiments albiens, peuvent expliquer l'approfondissement croissant de ces terrains d'Est en Ouest, et témoignent d'un contexte géodynamique d'extension.

▶ D'épaisses couches de sel sont présentes sur la marge atlantique angolaise ; actuellement, les dépôts de sel ont lieu dans des environnements de faible profondeur : une accumulation importante de sel témoigne donc d'une subsidence de la marge durant son dépôt.
Ces couches sont recouvertes d'autres sédiments témoignant du prolongement des conditions subsidentes au-delà de leur formation.

▶ Le gisement de Malongo est localisé sur la marge gabonaise de l'océan Atlantique :
• lors du rifting qui sépara l'Amérique du Sud de l'Afrique, des failles normales ont permis l'enfouissement des roches de ce gisement ;
• l'expansion de l'océan Atlantique Sud s'est également accompagnée d'une subsidence de sa marge africaine prolongeant l'enfouissement des roches du gisement de Malongo.

Activité 3

Dépôt, enfouissement et transformation de la matière organique

La paléoposition du Gabon au moment du dépôt des roches-mères, il y a 130 Ma, coïncide avec les zones actuelles de dépôt de sédiments riches en matière organique ; à cette époque, ce secteur était favorable à une sédimentation importante de matière organique.

Les roches-mères du gisement de Hassi Messaoud ont été enfouies au cours du Mésozoïque au cours des 100 derniers millions d'années. Les roches ont ainsi séjourné à plus de 2 000 m de profondeur et ont été soumises à des températures supérieures à 50 °C.
Les données expérimentales montrent que ces conditions de température et de durée d'enfouissement sont suffisantes pour la production d'huiles dans ces roches.

Au Mésozoïque, la bordure gabonaise était un lieu favorable à l'accumulation de matière organique sédimentaire. La subsidence, associée au rifting, puis à l'océanisation atlantique, et l'apport de sédiments en provenance du continent africain ont permis un enfouissement des sédiments organiques. Au cours de cet enfouissement, cette matière organique a été portée à des températures croissantes : cet échauffement, durant un temps suffisant, a permis la transformation de la matière organique en hydrocarbures à l'origine du gisement de Malongo.

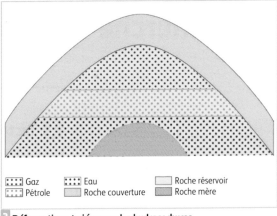

| Gaz | Eau | Roche réservoir |
| Pétrole | Roche couverture | Roche mère |

3 **Déformation et piégeage des hydrocarbures.**

Dans l'exemple étudié du gisement de Gullfaks, les positions relatives des hydrocarbures et de l'eau ont changé entre 1985 et 1999 :
• à gauche de la faille, le réservoir ne contient plus que de l'eau en 1999 elle est donc remontée en occupant la place des hydrocarbures extraits ;
• à droite de la faille, le pétrole restant en 1999 se concentre au sommet du réservoir, tandis que l'eau a pris place dans la partie du réservoir abandonnée par les hydrocarbures.

Ces modifications attestent donc d'une migration des fluides dans la roche-réservoir.

Activité 4

Migration et piégeage des hydrocarbures

La différence de densité entre l'huile ($d < 1$) et l'eau ($d = 1$) permet à l'huile de s'élever dans le sable imbibé d'eau sous l'effet d'une force liée à la gravité. Dans une roche-réservoir d'hydrocarbures, les fluides s'étagent donc en fonction de leur densité : soit, de bas en haut, l'eau puis les hydrocarbures moins denses.

Le rassemblement des hydrocarbures dans un piège nécessite la présence d'une couche imperméable au-dessus d'une roche-réservoir pour interrompre leur migration ascendante avant qu'ils n'atteignent la surface. Des déformations affectant la couche réservoir peuvent entraîner un piégeage plus localisé des hydrocarbures dans le réservoir.

L'imagerie sismique permet le suivi des hydrocarbures dans le gisement sur plusieurs années. La fin du gisement peut ainsi être anticipée et les dernières zones exploitables détectées.

Activité 5

Gisements et roches

Dans les gisements de Camorin et Caioba (Brésil), la roche-réservoir est du grès, la roche de couverture du sel, et la roche-mère probablement de l'argile située directement sous le réservoir.

La porosité efficace d'une roche meuble dépend de la granulométrie des particules qui la constituent : plus ses grains sont grossiers et plus sa porosité efficace est élevée.
La porosité d'une roche est ménagée par les interstices, observables au microscope, entre les différents grains de la roche.

Dans les gisements du Brésil, la capacité des grès à constituer une roche-réservoir est liée à leur porosité efficace élevée et à leur bonne perméabilité. La présence de matière organique dans une argile est un argument pouvant justifier de son rôle de roche-mère.

En tant que roche de couverture, le sel apparaît comme une roche imperméable.

Retenir

Tectonique des plaques et recherche d'hydrocarbures

Je retiens par le texte

1 Tectonique et dépôt de la matière organique

▶ Les conditions de formation et de dépôt de matière organique dépendent du positionnement géographique de la zone de production, ainsi que des possibilités de sa conservation. Comme les plaques lithosphériques bougent, les zones où se sont réalisés les dépôts (bassins sédimentaires) peuvent avoir progressivement changé de position par rapport à leur localisation géographique initiale.

2 Tectonique des plaques et transformation de la matière organique

▶ Le dépôt de matière organique n'est pas suffisant pour la formation de pétrole. Un enfouissement est indispensable à l'accumulation et à la transformation des molécules. Ceci est possible dans des zones où la tectonique provoque un enfoncement progressif (subsidence) de la lithosphère.

3 Tectonique et mise en place du gisement

▶ La structure des gisements d'hydrocarbure comprend une roche mère, une roche réservoir et une roche couverture, dont la disposition spatiale finale permet le mouvement et l'accumulation du pétrole. La tectonique est souvent associée à la formation de telles structures.

4 Tectonique et prospection pétrolière

▶ La rare coïncidence de toutes ces conditions explique la rareté des gisements dans l'espace et le temps. Néanmoins, la connaissance et la compréhension de la tectonique, permet de mieux localiser les recherches, et d'augmenter les probabilités de découverte de nouveaux gisements.

Je me suis entraîné à

■ **Percevoir le lien entre sciences et techniques :**
● en tirant des informations de profils sismiques.

■ **Manipuler et expérimenter :**
● en mesurant la porosité de roches meubles.

Je retiens par l'image

Animation interactive

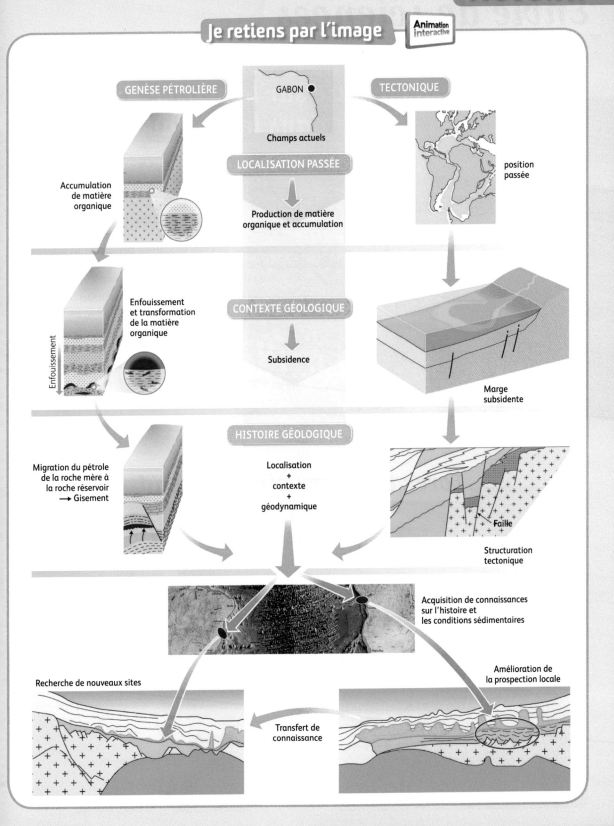

GENÈSE PÉTROLIÈRE

GABON

Champs actuels

LOCALISATION PASSÉE

Accumulation
de matière
organique

Production de matière
organique et accumulation

TECTONIQUE

position
passée

Enfouissement
et transformation
de la matière
organique

Enfouissement

CONTEXTE GÉOLOGIQUE

Subsidence

Marge
subsidente

Migration du pétrole
de la roche mère à
la roche réservoir
→ Gisement

HISTOIRE GÉOLOGIQUE

Localisation
+
contexte
+
géodynamique

Faille

Structuration
tectonique

Acquisition de connaissances
sur l'histoire et
les conditions sédimentaires

Recherche de nouveaux sites

Amélioration de
la prospection locale

Transfert de
connaissance

Envie de sciences

Un écosystème basé sur le pétrole dans le lac Baïkal

Une étude réalisée en 2003 par des chercheurs de Moscou et d'Irkoutsk en Russie a mis en évidence un rejet permanent et naturel de pétrole dans le lac Baïkal : sur des photos satellites, la couche de glace qui recouvre ce lac en hiver montrait une tache obscure. Une étude des sédiments déposés au fond du lac a également révélé un rejet de gaz constitué à 99 % de méthane.

Ce pétrole, qui suinte naturellement au fond du lac Baïkal, est décomposé par différents micro-organismes.

Le lac Baïkal en été.

Forer toujours plus profond

Les FPSO (Floating Production, Storage and Offloading) sont des installations mobiles qui permettent de repousser toujours plus loin les frontières du possible dans l'exploitation des gisements de grands fonds.

Cette démarche offre de nouveaux horizons à l'exploitation pétrolière, mais est-elle en accord avec la prise de conscience globale actuelle sur la problématique de l'énergie : consommation mondiale en constante progression, inégale répartition et durabilité des ressources fossiles, impact sur l'environnement... ?

Une unité flottante de production en eaux profondes.

Ingénieur(e) réservoir

L'ingénieur réservoir cherche à estimer, puis à récupérer les hydrocarbures d'un gisement. Il est également en charge du suivi des opérations et peut donc travailler sur le champ pétrolifère ou dans des bureaux. Il travaille en étroite collaboration avec d'autres acteurs impliqués dans l'exploitation des gisements : des géologues, des géophysiciens, des foreurs, mais aussi des économistes.

L'objectif est d'optimiser la récupération des hydrocarbures tout en minimisant les coûts d'exploitation.

Claire Guérif, ingénieure réservoir au centre Total à Pau (64), travaille actuellement en expatriation à Abu Dhabi. C'est son goût pour les sciences appliquées qui a poussé Claire à rejoindre l'Ecole nationale supérieure de géologie, à Nancy, après une classe préparatoire en mathématiques et physique.

www.lesmetiers.net

QUALITÉS ET NIVEAU REQUIS

▶ **Savoir se repérer dans l'espace.**

▶ **Ne pas craindre la mobilité.**

▶ **Formation d'ingénieur dans une grande école.**

Le partage transatlantique des minerais

Mine de fer au Brésil.

La divergence des plaques n'a pas seulement « partagé » les ressources en hydrocarbures de part et d'autre de l'océan Atlantique, elle a aussi séparé des gisements, comme des minerais de fer.

De nos jours, la géopolitique modifie encore la donne puisque, dans le cadre de la mondialisation économique, le géant minier brésilien Vale a annoncé avoir acquis le droit d'exploiter des réserves de minerai de fer en Guinée.

Comparer la perméabilité des roches

La mise en place d'un gisement par migration des fluides dépend de la perméabilité des roches rencontrées.

À l'échelle de l'affleurement, la perméabilité d'une roche s'exprime par la vitesse de percolation du fluide à travers la roche en m/s.

À l'échelle de l'échantillon, la même propriété peut être appréciée par un débit ; on peut donc comparer, après un temps donné, les volumes d'eau ayant traversé ces roches.

➜ **Comment comparer la perméabilité de roches meubles ?**

Capacités évaluées

▶ Concevoir un protocole expérimental et le mettre en œuvre.

Matériel disponible

▶ Du sable, de l'argile et de la craie concassée
▶ Une burette graduée
▶ Un entonnoir
▶ Un bécher
▶ Un chronomètre
▶ Un portoir

Conclusions attendues

▶ **1.** Mesures des débits :
Sable siliceux : 0,46 à 0,60 mL/s (moyenne 0,51 mL/s)
Sable calcaire : 0,04 à 0,10 mL/s (moyenne 0,07 mL/s)
Argile : 0,010 à 0,017 mL/s (moyenne 0,014 mL/s)

▶ **2.** La perméabilité d'un sable est supérieure à la perméabilité d'une argile.

Critères de réussite

➜ Les roches doivent être préalablement saturées en eau.
➜ Utiliser des volumes de départ de roches et d'eau constants.

Pour aller plus loin

➜ La perméabilité s'exprime en unité de longueur par unité de temps : des mesures de perméabilité nécessiteraient donc un contenant cylindrique pour les roches meubles et des carottes de roches cohérentes. Dans ce dernier cas, les effets de bordures compliquent la mise en œuvre expérimentale.

Évaluer ses connaissances

Tests rapides

1 Quelques définitions à maîtriser

Définir brièvement les mots ou expressions suivants :
- Marge passive ● Subsidence ● Gisement pétrolier.

2 Questions à choix multiple

Parmi les affirmations suivantes, choisissez la (ou les) réponse(s) exacte(s).

1 Les gisements d'hydrocarbures de l'océan Atlantique sont localisés :
a. sur la marge africaine seulement.
b. sur la marge d'Amérique du Sud seulement.
c. sur les deux marges atlantiques Sud.
d. sur la dorsale médio-atlantique.

2 Une marge passive est favorable à la formation de gisements d'hydrocarbures car :
a. elle n'est pas active.
b. elle est le lieu d'une sédimentation continue.
c. elle est le lieu d'une sédimentation discontinue.
d. elle est caractérisée par un forte élévation de température avec la profondeur.

3 La prospection pétrolière utilise des outils performants tels que l'imagerie sismique en 4D. La quatrième dimension désigne :
a. la température.
b. la pression.
c. le temps.
d. la profondeur.

4 La porosité se mesure :
a. sans unité.
b. en %.
c. en m/s.
d. en kg/m^3.

5 La perméabilité se mesure :
a. sans unité.
b. en %.
c. en m/s.
d. en watt/m^2.

3 Analyse d'un document

Le document 1 est une représentation schématique en 3D des structures de deux gisements pétroliers.

Système pétrolier et gisements.

D'après ces données et vos connaissances :

1 Le pétrole est stocké dans :
a. la roche-mère.   **b.** la roche-réservoir.
c. la roche de couverture.

2 Dans quelle roche le pétrole s'est-il formé ?
a. dans la roche-mère.   **b.** dans la roche-réservoir.
c. dans la roche de couverture.

3 Le pétrole est arrête dans sa remontée :
a. par la roche-mère.   **b.** par la roche-réservoir.
c. par la roche de couverture.

4 Comment le pétrole peut-il atteindre la surface ?
a. par forage.   **b.** par une faille.
c. en migrant au travers de la roche-réservoir.
d. en traversant les couches imperméables situées au-dessus de la roche-réservoir.

Restituer ses connaissances

4 Organiser une réponse argumentée

Rédigez un texte d'une dizaine de lignes rappelant la succession des étapes de la mise en place d'un gisement d'hydrocarbures.

5 Élaborer un texte illustré

À l'aide d'un court texte accompagné de schémas, reconstituez la migration des hydrocarbures au sein d'un gisement, depuis la roche-mère jusqu'au piège où ils peuvent se rassembler.

Exercice guidé

6 Le gisement pétrolifère de Lacq

▶ La région de Lacq (Pyrénées-Atlantiques) a produit principalement du gaz. Un niveau pétrolifère a toutefois été repéré et exploité. Ce réservoir est situé dans les terrains secondaires les plus récents, c'est-à-dire immédiatement sous le Tertiaire.

D'un point de vue géologique, cette région est constituée de terrains sédimentaires empilés sur plusieurs milliers de mètres. Dans la partie Nord et Est de la carte, les terrains à l'affleurement sont récents (datés de la fin du Tertiaire et surtout du Quaternaire) ; dans la partie Sud et Ouest, la faille figurée sur la carte a permis l'affleurement de couches plus anciennes (datées du Secondaire et du début du Tertiaire notamment).

▶ Les isobathes de la base du Tertiaire sont les courbes joignant les points situés au sommet des terrains du Secondaire, et situés à une même profondeur.

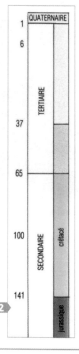

Échelle stratigraphique **2** simplifiée, terrains sédimentaires (Ma).

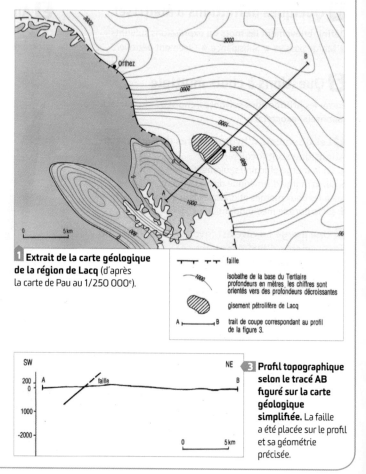

1 **Extrait de la carte géologique de la région de Lacq** (d'après la carte de Pau au 1/250 000ᵉ).

	faille
1000	isobathe de la base du Tertiaire profondeurs en mètres, les chiffres sont orientés vers des profondeurs décroissantes
	gisement pétrolifère de Lacq
A ___ B	trait de coupe correspondant au profil de la figure 3.

3 **Profil topographique selon le tracé AB figuré sur la carte géologique simplifiée.** La faille a été placée sur le profil et sa géométrie précisée.

QUESTIONS

1 Déterminez la profondeur du sommet des terrains du Secondaire en A et en B.

2 Dans quelle région située au nord et à l'est de la faille, le sommet des terrains du Secondaire est-il le plus près de la surface ?

3 Reportez sur un calque le profil topographique (document 3) ; en figurant les terrains du sommet du Secondaire sous la forme d'une couche de 200 m d'épaisseur, tracez sur ce même calque la géométrie de cette couche.

4 Comment pouvez-vous expliquer la localisation du gisement pétrolifère de Lacq ? Figurez les hydrocarbures sur la coupe précédemment réalisée.

Guide de résolution

1 Pour estimer les profondeurs des terrains de la fin du Secondaire en des points situés entre deux isobathes, on considère que l'évolution de la profondeur est linéaire (régulière) entre les deux isobathes.

2 Le report sur la coupe topographique des différents isobathes aux profondeurs convenables et à leur emplacement le long du tracé AB conduit à la schématisation de la surface sommitale des terrains du Secondaire.

3 Respecter l'échelle verticale pour figurer l'épaisseur d'une couche géologique donnée en coupe.

4 Se souvenir des conditions permettant à une succession de terrains sédimentaires de constituer un gisement d'hydrocarbures, et du comportement des hydrocarbures par rapport à l'eau dans les roches-réservoirs.

5 Le report des limites du gisement pétrolifère permet de localiser et de figurer celui-ci sur la coupe.

Appliquer ses connaissances

7 Des gisements sous le sel de la marge brésilienne

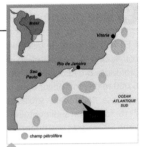

Au large du Brésil, sur la bordure ouest de l'océan Atlantique Sud (document 1), les pétroliers exploitent des gisements en eaux profondes dont les roches-réservoirs sont situées à plus de 6 km de profondeur.

Les études sismiques et les forages réalisés dans les champs pétrolifères de cette région (document 2) ont permis de caractériser la géométrie et la nature des formations sédimentaires accumulées dans ce secteur. Sur les profils sismiques, les niveaux riches en hydrocarbures apparaissent en minces couches noires ; les pétroliers les nomment « gisements sous le sel ».

1 Localisation du champ pétrolifère « Tupi » le long de la marge atlantique brésilienne.

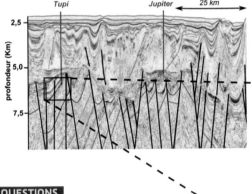

QUESTIONS

1 Justifiez l'appellation « sous le sel » de ces gisements.

2 Quelles sont les roches-réservoirs du gisement de Tupi ?

3 Retrouvez les témoins de la tectonique en extension qui a affecté la marge brésilienne au moment de sa formation.

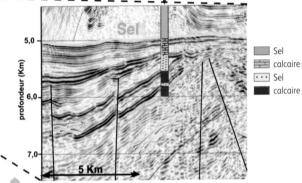

2 **Profil sismique réalisé sur la marge brésilienne et passant par les champs pétrolifères « Tupi » et « Jupiter ».** Les couleurs des différents secteurs de la colonne de forage indiquent la nature des roches présentes.

Sel
calcaire
Sel
calcaire

8 Le gisement de Brent en mer du Nord

Dans la région de l'actuelle mer du Nord, la lithosphère continentale a été affectée par une extension au début du Trias qui s'est poursuivie durant le Jurassique.
Cette extension est à l'origine de la formation des bassins sédimentaires qui recèlent aujourd'hui des gisements de pétrole et de gaz ; le gisement de Brent est l'un d'entre eux.

QUESTIONS

1 Justifiez la localisation des hydrocarbures dans le gisement de Brent.

2 En quoi la structure du bassin de la mer du Nord atteste-t-elle d'un contexte extensif du Trias au Jurassique ?

Coupe géologique passant par quelques gisements exploités en mer du Nord.

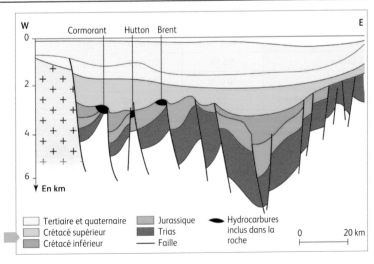

Tertiaire et quaternaire — Jurassique — Hydrocarbures inclus dans la roche
Crétacé supérieur — Trias
Crétacé inférieur — Faille

Appliquer ses connaissances

9 Une plaine alluviale avant la mer du Nord

▶ En mer du Nord, le gisement de Franklin correspond à l'exploitation en eaux peu profondes d'hydrocarbures situés à près de 6 000 m de profondeur dans une formation sableuse nommée « sables de Franklin ». Cette formation sédimentaire, épaisse d'environ 500 m, est constituée d'une succession de dépôts fluviaux et lacustres.

▶ Cette formation, qui repose sur des terrains gréseux riches en matière organique, est elle-même surmontée de calcaires (d'âge Crétacé supérieur) et d'argiles intégrant quelques passées gréseuses (d'âge Tertiaire).

QUESTION

■ Expliquez la présence d'hydrocarbures dans la formation des sables de Franklin et reconstituez les principales étapes de la constitution de ce gisement.

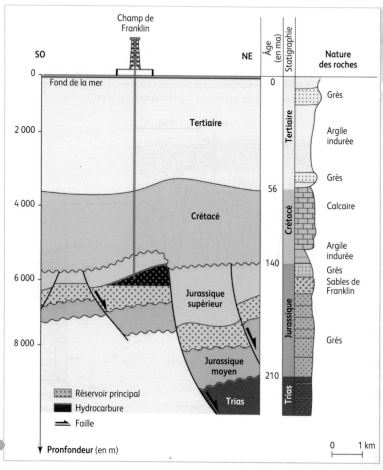

Coupe géologique de la mer du Nord **1** dans le secteur du gisement de Franklin

Roches	Porosité totale (%)	Perméabilité (en m/s)
Argile indurée	40 à 50	10^{-6} à 10^{-12}
Calcaire	1 à 10	10^{-4} à 10^{-12}
Grès	10 à 30	10^{-4} à 1
« Sables de Franklin »	12	10^{-2} à 10

2 Porosité et perméabilité des formations géologiques du gisement de Franklin.

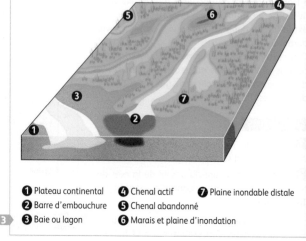

Reconstitution du milieu de dépôt **3** des sables de Franklin.

1 Plateau continental   **4** Chenal actif   **7** Plaine inondable distale
2 Barre d'embouchure   **5** Chenal abandonné
3 Baie ou lagon   **6** Marais et plaine d'inondation

In english
THE ORIGINAL TEXT

10 Petroleum systems in South Atlantic margins

▶ The sedimentary basins along the South Atlantic margins are traditionally considered to be independent basins. In part, this view has been fostered as a result of the lack of a common stratigraphic nomenclature and regional integration. An expanding knowledge base, however, allows both margins and their associated basins to be viewed as part of a larger single regional, structural, stratigraphic, and geochemical entity, upon which local characteristics of many of the oils. Available data show that although several oil types exist, there are common themes with respect to source rock depositional setting and effectiveness.

QUESTIONS

1 Why can we consider that petroleum systems on both sides of the South Atlantic margins are linked?

2 What do you know about geological history of the Earth that could confirm this thesis?

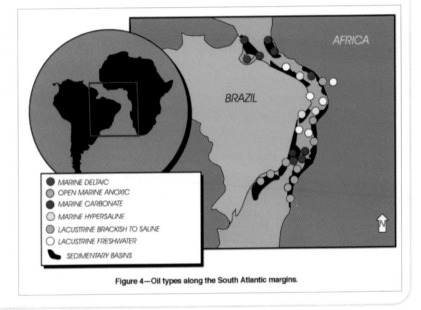

Figure 4—Oil types along the South Atlantic margins.

11 Les hydrocarbures, une chance ?

« Le pétrole a été une chance formidable pour l'Homme. C'est le concentré d'énergie parfait : liquide, il est facilement transportable. En le brûlant en petites quantités, on obtient suffisamment d'énergie pour faire tourner des moteurs qui entraînent toutes sortes de véhicules et permettent à toutes sortes de machines de fonctionner. De plus, on peut le transformer en une grande quantité de produits qui sont devenus les matières premières de notre environnement quotidien : plastiques, textiles synthétiques… et bien d'autres produits divers et variés. Le gaz naturel, qui appartient à la même famille que le pétrole, celle des hydrocarbures, l'accompagne systématiquement dans tous les gisements. Le gaz naturel est aussi un combustible très énergétique, et certains de ses composants servent également à fabriquer des polymères à la base de bien des produits courants. »

Source Total, http://www.planete-energies.com/contenu/petrole-gaz.html

QUESTIONS

1 Discutez le point de vue de l'article : en quoi les hydrocarbures ont-ils été une chance pour l'humanité ?

2 En quoi leur utilisation croissante peut-elle constituer un risque ?

Tectonique des plaques et ressource locale

▶ De tout temps, l'Homme a recherché et extrait du sous-sol des matières premières nécessaires aux constructions, aux diverses industries (chimie, électronique…), aux transports, à la création d'objets d'art…

▶ Réparties inégalement à la surface du globe, ces ressources représentent souvent des enjeux stratégiques pour le développement de nos sociétés.

▶ La tectonique des plaques apporte un éclairage nouveau sur leur répartition.

1 La tectonique des plaques à l'échelle du globe… et l'exploitation d'une ressource géologique locale, le calcaire rose de la région de Briançon.

3 **Source du Par
à Chaudes-Aigues
dans le Cantal.**

Utilisée par l'établissement thermal et pour le chauffage des habitations, cette source d'eau à 82 °C est l'une des plus chaudes d'Europe.

2 **Mine de nickel et de cobalt exploitée à ciel ouvert en Nouvelle-Calédonie.**

Comment repérer
les ressources géologiques ?

→ **Activité 1**

Comment préparer et conduire
une sortie géologique
pour étudier un gisement ?

→ **Activités 2 et 3**

En quoi la tectonique
des plaques peut-elle aider
à comprendre la localisation
et la nature d'un gisement ?

→ **Activité 4**

4 **Chevalement permettant d'atteindre la mine d'or souterraine de Salsigne dans l'Aude et paroi de la mine à droite.**
Le site de Salsigne fut le principal gisement d'or exploité en France à partir de 1910. Il a produit plus de 110 tonnes d'or.

Des ressources géologiques locales

Le sous-sol de chaque région renferme des matériaux qui ont été ou sont encore exploités.

→ **Comment recenser les ressources géologiques présentes dans l'environnement ?**

Guide d'exploitation

1 (Doc 1) Relevez les indices témoignant de l'existence de ressources géologiques.

2 (Doc 2) Recherchez la définition d'une concession et expliquez le but de cette « pétition ».

3 (Doc 2) Identifiez la ressource exploitable et proposez une hypothèse concernant les « indices certains » auxquels il est fait allusion.

4 (Doc 3a) Identifiez le type d'exploitation mentionné sur la carte topographique.

5 (Doc 3b) Sur du papier-calque, repassez les contours des formations géologiques (h3, h4a) et placez les exploitations afin de déterminer la nature et l'âge de la ressource exploitée.

6 (Doc 3) Indiquez les informations supplémentaires apportées par la carte géologique par rapport à la carte topographique.

VOCABULAIRE

Carrière : exploitation de matériaux de construction (sable, graviers, pierres) ou de minéraux non métalliques.

Mine : exploitation concédée par l'État de métaux, de combustibles ou de matières minérales telles que sel, soufre…

Terril : accumulation de débris de roches « stériles » à proximité de l'entrée d'une mine.

1 Recherche d'indices dans le paysage

▶ Les matériaux ayant servi à l'édification de châteaux, d'églises… ou ceux utilisés par l'industrie proviennent souvent de gisements proches. L'extraction de ces matériaux a laissé des traces encore visibles dans le paysage : **carrière**, **mine**, **terril**…

▶ Rechercher des indices de l'exploitation ou de l'utilisation des ressources géologiques locales, consiste à retrouver l'origine de la pierre utilisée.

a Sculpture en calcaire rose de l'église de Guillestre (Hautes Alpes).

b Terril et entrée d'une mine de charbon près de Briançon (Hautes Alpes).

2 Les archives, mémoire du passé

▶ Un travail d'enquête (CDI, bibliothèque, muséum d'histoire naturelle, mairie, maisons de la nature…) permet de retrouver de la documentation concernant d'anciennes exploitations.

DÉPARTEMENT DES HAUTES-ALPI

DEMANDE
EN CONCESSION D'UNE M

Du quinze avril mil huit cent vingt-deux.

Le public est averti que, par une pétition en date du 14 décembre 1821, et communiquée à l'ingénieur en chef, le 18 février suivant, les sieurs Augustin-Georges Gonnet, fils ; Pierre-Joseph Donzel, fils ; tous deux propriétaires au hameau du Casset, commune du Monétier, et Jean-Joseph-Louis Chancel, pharmacien, demeurant à Briançon, demandent qu'il leur soit fait la concession d'une mine de fer carburé, dont ils prétendent avoir trouvé des indices certains sur le territoire de la commune du Monétier, arrondissement de Briançon, département des Hautes-Alpes.

Publication relative à une demande de concession minière.
Cette publication fait suite à une demande manuscrite formulée par Mrs Gonnet, Donzel et Chancel en 1821 (le fer carburé correspond au graphite).

3 Recherche d'indices à partir de cartes

▶ Les cartes topographiques et les cartes géologiques permettent de localiser les principales exploitations du sous-sol (mines et carrières).

▶ Les notices des cartes géologiques, consultables sur le site InfoTerre, comportent toujours une rubrique « Substances utiles – Gîtes minéraux ».

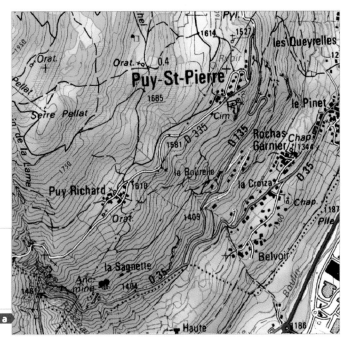

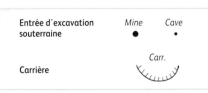

Entrée d'excavation souterraine	Mine ●	Cave •
Carrière		Carr.

Extrait de la carte topographique de Briançon a et de sa légende (d'après IGN, 25 000ᵉ).

Principales formations géologiques

E	Éboulis ┤ Actuel	

Gy	GyV	Gy : Moraines locales GyV : Moraines des vallées	10 000 à 120 000 ans

	h_{4a}	$h_{3\text{-}4a}$ Namurien-Westphalien A	
$h_{3\text{-}4a}$	h_3	h_{4a} Westphalien A	290 à 360 Ma
		h_3 Namurien	

Ressources du sous-sol et exploitations

⊽ Carrière à ciel ouvert abandonnée

⊓ Exploitation souterraine abandonnée

◪ Puits d'extraction abandonné ou grattage superficiel

┝--- Galerie d'exploitation d'anthracite ou de reconnaissance abandonnée supérieure à 300 m

⊗ Exploitations très denses non figurables dans le détail

Zone dépilée abandonnée

◇ indice minéralisé

b Extraits de la carte géologique de Briançon, de sa légende et de sa notice
(BRGM, 1/50 000ᵉ).

h3 : Namurien (300 à 400 m). [...]. Le Namurien renferme de nombreuses veines de charbon dont certaines ont donné lieu à une multitude de grattages ou à quelques exploitations semi-industrielles.
[...]
h4a : Westphalien A (400 à plus de 600 m). [...] Les couches d'anthracite du Westphalien A ont fait l'objet de nombreuses exploitations paysannes [...] ou semi-industrielles.

Activité 2

Préparation d'une sortie géologique

La pratique du terrain est une nécessité en géologie. L'observation d'objets dans leur contexte naturel est source d'informations et de questionnements.

→ **Comment préparer une sortie sur le terrain à partir de cartes et d'outils disponibles dans l'établissement ?**

Guide d'exploitation

1 (Doc 1) Repérez et décrivez le meilleur itinéraire pédestre reliant le parking du car à la carrière en empruntant le passage sous la nationale.

2 (Doc 2a) À partir de la carte topographique, retrouvez le trajet pédestre et tracez-le sur du papier-calque.

3 (Doc 2a) Déterminez la longueur approximative de cet itinéraire.

4 (Doc 2b) Reportez le calque réalisé sur la carte géologique et identifiez la formation géologique ainsi que l'âge du gisement exploité dans la carrière.

5 (Doc 2b) Recherchez des indices permettant d'affirmer que les roches sédimentaires visibles sur la carte géologique ont subi des déformations tectoniques depuis leur dépôt.

VOCABULAIRE

Calcschiste : roche présentant un débit en feuillets et contenant une proportion notable de calcaire (effervescence à l'acide).

Alluvions : sédiments déposés par un cours d'eau.

Pendage : angle défini par une surface (une strate, par exemple) et un plan horizontal.

1 Imaginer la configuration du terrain…

▶ Google Earth permet d'obtenir une vue en 3D d'un lieu géographique, de se faire une idée de la configuration du terrain et de l'accessibilité du site envisagé pour la sortie.

▶ Saint-Crépin est un village des Hautes Alpes dans lequel était exploité du calcaire rose utilisé comme matériau de construction. L'ancienne carrière est située au Sud du village.

RÉALISER

1. Ouvrir Google Earth (voir Fiche technique).

2. Dans l'onglet « Recherche », **noter le lieu de la sortie** (« Aller à… ») et lancer la recherche.

3. Placer un repère sur le parking accessible au car, un autre sur la carrière (Ajouter/Repère). Les coordonnées en latitude et longitude de chaque repère sont accessibles (clic droit sur le repère/propriétés).

4. Utiliser l'outil de navigation afin d'incliner la vue sur l'horizon pour mettre en évidence le relief et **effectuer un zoom avant** afin d'agrandir le secteur étudié.

2 Des cartes pour préparer la sortie

▶ Une carte topographique est une représentation « à plat » du relief à l'aide de courbes de niveau, d'ombres portées et de points cotés. D'autres informations aident à se repérer : habitat, voies de communication, principales lignes électriques, réseau hydrographique, végétation…

RÉALISER

1. Ouvrir Info Terre : http://infoterre.brgm.fr/viewer/MainTileForward.do

2. Choisir le lieu : noter les coordonnées géographiques de la carrière de Saint-Crépin (voir doc 1) : localisation/coordonnées…

3. Choisir les couches à afficher : carte scan 25 (IGN), carte géologique imprimée au 1/50 000 (BRGM).

4. Pour chaque couche sélectionnée, **régler l'opacité souhaitée** afin d'obtenir une meilleure lisibilité.

▶ Une carte géologique est le fruit d'un travail de relevé méthodique mais aussi d'une interprétation de ce qui ne peut pas être vu directement. C'est un outil complexe qui fournit de nombreuses informations telles que :
– la nature des roches directement visibles (affleurements) ou des premières roches situées sous le sol (non visibles directement) ;
– l'âge de ces roches ;
– des indications sur la disposition des couches dans l'espace (plis, **pendage** des couches…).

Vue Google Earth du secteur de Saint-Crépin.

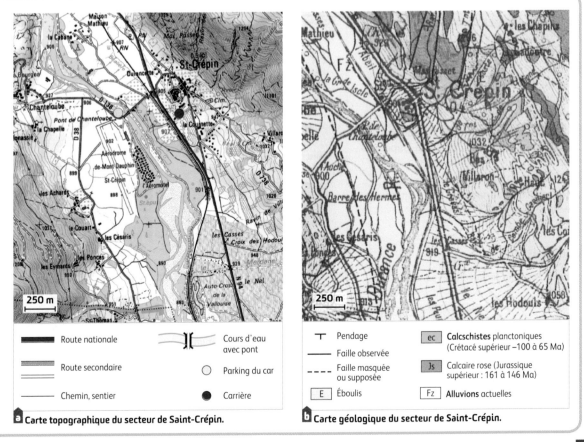

▬▬ Route nationale	⫴ Cours d'eau avec pont
▬▬ Route secondaire	◯ Parking du car
▬ Chemin, sentier	● Carrière

a Carte topographique du secteur de Saint-Crépin.

⊤ Pendage	`ec` **Calcschistes** planctoniques (Crétacé supérieur –100 à 65 Ma)
▬ Faille observée	
┄┄ Faille masquée ou supposée	`Js` **Calcaire rose** (Jurassique supérieur : 161 à 146 Ma)
`E` Éboulis	`Fz` **Alluvions** actuelles

b Carte géologique du secteur de Saint-Crépin.

Activité 3

Le terrain, propice aux observations et aux prélèvements

Comme pour tout travail sur le terrain, l'observation minutieuse et la description des objets constituent un préalable indispensable avant leur interprétation.

→ **Comment mener une démarche d'observation et de collecte d'informations sur le terrain ?**

Guide d'exploitation

1 (Doc 1) Réalisez un croquis correctement annoté du panorama de l'ancienne carrière de Saint-Crépin.

2 (Doc 2) Déterminez les caractéristiques du pendage des strates (azimut et inclinaison) à partir des valeurs lues sur la boussole et le rapporteur.

3 (Doc 3) Expliquez comment le calcaire rose a pu être daté du Jurassique supérieur.

4 (Doc 1 à 3) Retrouvez les trois principales échelles d'observation lors d'un travail sur le terrain.

VOCABULAIRE

Strates : couches sédimentaires parallèles entre elles.

Azimut : angle horizontal mesuré entre la direction d'un objet et le Nord pris comme origine.

Ammonites, bélemnites : mollusques disparus à la fin de l'ère secondaire.

Dolomie : roche carbonatée contenant du magnésium [Ca Mg (CO$_3$)$_2$] qui se forme dans des lagunes côtières peu profondes.

1 Le paysage, une approche globale

▶ Un paysage est un environnement complexe constitué de nombreux éléments imbriqués : formations géologiques, végétation, torrents, rivières, lacs, activités humaines…

▶ Pour étudier un paysage dans son ensemble, il faut l'observer attentivement, le décrire à l'aide de mots simples et réaliser une représentation simplifiée.

RÉALISER

1. **Représenter les grandes lignes du paysage.** Le croquis doit être simple, mais fidèle à la réalité du terrain.

2. **Orienter** le croquis **et délimiter les grands ensembles** géologiques en s'aidant de la carte géologique.

3. **Légender** les différents éléments géologiques.

2 L'affleurement, une observation plus détaillée

▶ L'échelle de l'affleurement permet une observation plus fine ainsi que des mesures. Dans l'ancienne carrière de Saint-Crépin, le pendage des **strates** peut être mesuré à l'aide d'une boussole, d'un rapporteur et d'un niveau à bulle.

RÉALISER

1. **Choisir une surface relativement plane,** et à l'aide d'un niveau à bulle, **tracer une droite horizontale OO'** à la craie (c'est la direction du plan de stratification).

2. **Tenir la boussole horizontale,** petit côté posé contre la droite OO'; **faire pivoter le cadran** jusqu'à ce que la graduation 0° coïncide avec le côté rouge de l'aiguille de la boussole.

 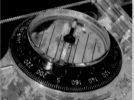

3. **Lire** l'angle indiqué sur le cadran : c'est **l'azimut du pendage**.

4. **Tracer la perpendiculaire AB à OO'** (cette droite correspond à la ligne de plus grande pente). **Tenir un rapporteur,** côté plat sur la droite AB, et **placer le niveau à bulle à l'horizontale de sorte** qu'il passe par le centre du rapporteur. La mesure de l'angle lue est l'inclinaison du pendage.

Ouest   Est

Calcaire rose à fossiles d'ammonites et de bélemnites
Jurassique supérieur (de 161 Ma à 146 Ma)

Surface séparant le Trias supérieur
du Jurassique supérieur
(son aspect est irrégulier)

Dolomie grise
Trias supérieur
(de 228 Ma à 200 Ma)

▲ Panorama de l'ancienne carrière de Saint-Crépin.

3 La collecte d'échantillons et de fossiles

▶ La collecte d'échantillons et de fossiles se fait avec parcimonie, en respectant certaines règles : ne pas détériorer les affleurements, demander les autorisations au propriétaire des lieux, choisir des cassures « fraîches » et non altérées par le temps, inutile de prélever de gros échantillons… et un peu de persévérance pour trouver le « bon échantillon » !

▶ L'identification d'un échantillon passe par la détermination de ses minéraux (à l'aide de tests simples : dureté, effervescence à l'acide…), observation de la forme et de la disposition des minéraux dans l'espace, présence de fossiles.

a **Calcaire rose**
(effervescence
à l'acide chlorhydrique
dilué).

Dolomie grise **b**
(pas d'effervescence
à l'acide chlorhydrique).

1 cm

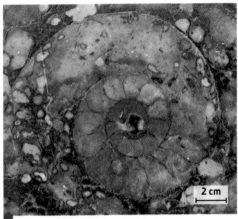

2 cm

c **Fossile d'ammonite dans du calcaire rose**
(Jurassique supérieur).

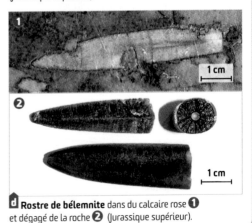

1 cm

❷

1 cm

d **Rostre de bélemnite dans du calcaire rose ❶**
et dégagé de la roche ❷ (Jurassique supérieur).

Activité 4

Histoire locale et tectonique des plaques

La tectonique des plaques est un concept permettant d'expliquer et de relier entre eux de nombreux phénomènes géologiques *a priori* sans rapport.

→ **Quel lien peut-on établir entre une ressource géologique locale et la tectonique à l'échelle des plaques ?**

Guide d'exploitation

1 (Doc 1) Utilisez le principe d'actualisme pour retrouver quelques caractéristiques du paléoenvironnement au Jurassique inférieur et moyen et du paléoenvironnement au Jurassique supérieur.

2 (Doc 1) Utilisez le principe de superposition pour reconstituer l'ordre dans lequel se sont succédés les paléoenvironnements.

3 (Doc 1 et 2) Reliez les mouvements horizontaux des plaques, la subsidence de la bordure continentale européenne et le passage d'un milieu continental à un milieu océanique au cours du Jurassique.

4 (Doc 1 à 3) Expliquez en quoi la tectonique des plaques est la cause de la formation du calcaire rose de Saint-Crépin.

VOCABULAIRE

Paléoenvironnement : ensemble des caractéristiques des environnements anciens.
Céphalopode pélagique : mollusque de haute mer dont le pied, muni de tentacules, surmonte la tête.

1 Les roches et l'histoire de leur « naissance »

▶ Pour comprendre le message que peuvent nous restituer les roches, il est nécessaire de confronter les données collectées sur le terrain avec ses connaissances en géologie d'une part et quelques principes fondamentaux d'autre part.

▶ Lorsqu'une série sédimentaire n'a pas été affectée par un accident tectonique, le principe de superposition est applicable : « Une couche est plus récente que celle sur laquelle elle repose. »

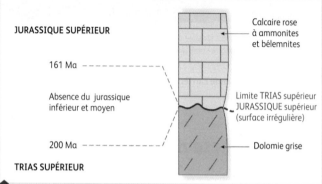

JURASSIQUE SUPÉRIEUR

161 Ma

Absence du jurassique inférieur et moyen

200 Ma

TRIAS SUPÉRIEUR

Calcaire rose à ammonites et bélemnites

Limite TRIAS supérieur JURASSIQUE supérieur (surface irrégulière)

Dolomie grise

a Synthèse des données collectées sur le terrain.

▶ La reconstitution d'un milieu de sédimentation ancien (ou **paléoenvironnement**) repose sur une hypothèse appelée « principe d'actualisme » : les lois régissant les phénomènes géologiques actuels sont applicables au passé.

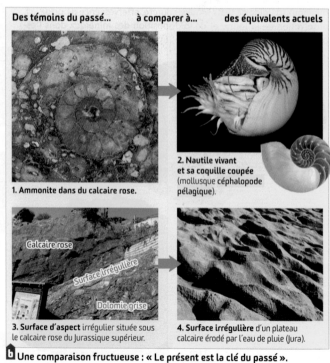

Des témoins du passé...   à comparer à...   des équivalents actuels

1. Ammonite dans du calcaire rose.

2. Nautile vivant et sa coquille coupée (mollusque céphalopode pélagique).

Calcaire rose
Surface irrégulière
Dolomie grise

3. Surface d'aspect irrégulier située sous le calcaire rose du Jurassique supérieur.

4. Surface irrégulière d'un plateau calcaire érodé par l'eau de pluie (Jura).

b Une comparaison fructueuse : « Le présent est la clé du passé ».

2 La subsidence d'une bordure continentale

▶ Lors de l'ouverture d'un océan, à mesure que la lithosphère océanique
et le continent qui la borde s'éloignent de la dorsale, la profondeur
de l'ensemble bordure continentale – océan augmente : il y a subsidence.

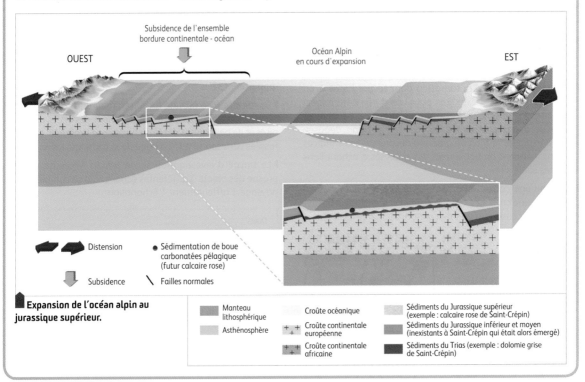

Expansion de l'océan alpin au jurassique supérieur.

3 La tectonique des plaques explique le gisement observé

▶ L'étude des anomalies magnétiques dans l'océan Atlantique a permis de reconstituer les mouvements relatifs de l'Afrique et de l'Europe.

▶ Depuis le Trias, la plaque africaine a d'abord subi un mouvement de divergence, puis un mouvement de convergence par rapport à la plaque européenne considérée arbitrairement comme fixe.

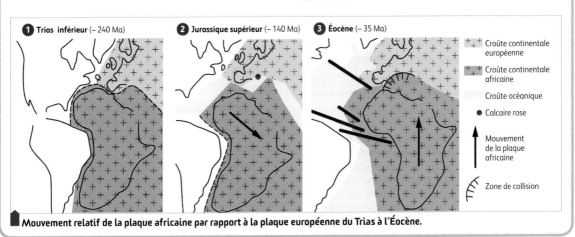

Mouvement relatif de la plaque africaine par rapport à la plaque européenne du Trias à l'Éocène.

Bilan des Activités

Activité 1

Des ressources géologiques locales

▶ L'entrée de l'église de Guillestre, en calcaire rose, la présence d'un terril, l'entrée d'une mine, sont autant d'indices de l'exploitation de ressources géologiques.

▶ Une concession est l'autorisation donnée par l'état à un « concessionnaire » d'exploiter, pour une durée déterminée, une zone géographique. Cette autorisation est payante et assujettie à des contraintes définies. La pétition déposée visait à exploiter le filon de graphite découvert. Les « indices certains » étaient probablement des analyses d'échantillons collectés sur le site.

▶ Alors qu'une carte topographique aide à localiser une exploitation, une carte géologique permet d'identifier la nature de la ressource exploitée et de connaître son âge.

1 Localisation des ressources exploitées à l'aide d'une carte géologique.

Activité 2

Préparation d'une sortie géologique

▶ La vue Google Earth du terrain permet de se faire une idée de l'accessibilité du site et d'envisager un itinéraire. D'après l'échelle, la longueur estimée du parcours pédestre est d'environ un kilomètre.

▶ La carrière de Saint-Crépin est localisée dans la formation géologique appelée Js qui affleure au Sud du village. Il s'agit de calcaire rose datant du Jurassique supérieur (161 à 146 Ma). La présence de failles ainsi qu'une indication de pendage (au Nord-Est de la carte) constituent des indices de déformations tectoniques postérieures au dépôt de ces roches sédimentaires.

Activité 3

Le terrain, propice aux observations et aux prélèvements

▶ Les strates sont inclinées : le pendage est défini par son azimut lu sur la boussole (Nord 230°) et son inclinaison lue sur le rapporteur (32°).

▶ Le calcaire rose est une roche sédimentaire formée par dépôt d'une vase carbonatée emprisonnant les restes d'ammonites et de bélemnites datés du Jurassique supérieur. L'âge des fossiles correspond aussi à l'âge de la roche qui les renferme.

▶ Le travail d'investigation sur le terrain nécessite une approche des objets à différentes échelles qui se complètent : le paysage, l'affleurement, l'échantillon.

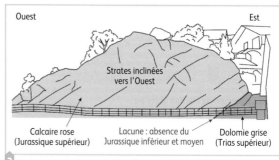

2 Panorama au niveau de l'ancienne carrière de Saint-Crépin.

Activité 4

Histoire locale et tectonique des plaques

▶ Les irrégularités de la surface séparant le Trias supérieur du Jurassique supérieur ressemblent au modelé visible sur des plateaux calcaires érodés par l'eau de pluie. L'application du principe d'actualisme permet de supposer que cette ancienne surface a émergé puis a été érodée.

▶ Par un raisonnement similaire, les ammonites et les bélemnites, proches des nautiles et des seiches actuels, vivaient sans doute dans des environnements comparables : il s'agissait vraisemblablement d'animaux pélagiques. Le calcaire rose correspond donc à une ancienne boue déposée en milieu océanique.

▶ Le calcaire rose recouvre la surface irrégulière ; d'après le principe de superposition, il est plus récent. Le paléoenvironnement, d'abord continental, est devenu océanique au cours du Jurassique supérieur.

▶ Au Jurassique supérieur, le déplacement de la plaque africaine vers le Sud-Est a causé l'ouverture de l'océan alpin et la subsidence de ses bordures continentales. Ce bassin subsident favorise le dépôt d'une vase à l'origine du calcaire rose de Saint-Crépin.

Je retiens par l'image

Animation interactive

UNE RESSOURCE GÉOLOGIQUE LOCALE

LA TECTONIQUE DES PLAQUES

Des données de terrain

Un modèle global

Des roches témoins d'une sédimentation océanique au Jurassique...

... dans les Alpes

Jurassique supérieur

+ + Croûte continentale européenne

+ + Croûte continentale africaine

Croûte océanique

Mouvement de la plaque africaine

Alpes

Éocène

Une histoire locale intégrée à l'histoire globale

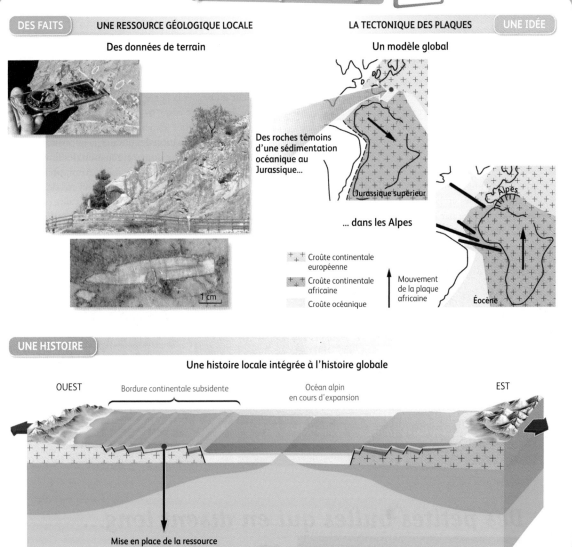

OUEST

Bordure continentale subsidente

Océan alpin en cours d'expansion

EST

Mise en place de la ressource

Je me suis entraîné à

▪ **Recenser, extraire et organiser des informations :**
- en utilisant des données numériques (Google Earth, Info Terre) ;
- en recherchant des informations au CDI.

▪ **Expérimenter :**
- en utilisant des cartes topographiques et géologiques sur le terrain ;
- en identifiant des roches et des fossiles ;
- en mesurant un pendage.

▪ **Raisonner :**
- en confrontant des observations de terrain au modèle de la tectonique des plaques.

Envie de sciences

Quand l'archéologie devient expérimentale

L'enjeu de l'archéologie est de reconstituer le passé de l'humanité à partir d'archives et de vestiges retrouvés à l'occasion de fouilles pratiquées sur le terrain. L'archéologue s'appuie sur des faits, il est ensuite conduit à formuler des hypothèses concernant un mode de vie, des techniques de construction d'outils ou d'habitations…

Ainsi, dans l'ancienne mine médiévale de plomb argentifère de l'Argentière, les archéologues ont mené des expérimentations d'abattage par le feu, technique pratiquée au Moyen âge pour creuser les galeries des mines et récupérer le minerai. La dilatation brutale de la roche sous l'effet de la chaleur du brasier la fait éclater, on dit qu'elle « étonne ». Ensuite, le mineur casse la roche fragilisée à l'aide d'un marteau. Ce chantier expérimental a permis de mieux comprendre l'organisation des travaux, la nécessité de creuser des galeries d'aérage pour l'évacuation des fumées. Des mesures quantitatives ont été réalisées. Ainsi, pour abattre $3 \ m^3$ de roches, il a fallu 200 feux, soit $45 \ m^3$ de bois sec. Connaissant le volume des galeries médiévales, on estime que 200 000 stères de bois sec ont été brûlés pour extraire 6 000 tonnes de plomb et 15 tonnes d'argent.

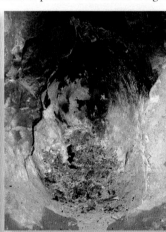

Chantier expérimental dans les anciennes mines de l'Argentière.

Des petites bulles qui en disent long…

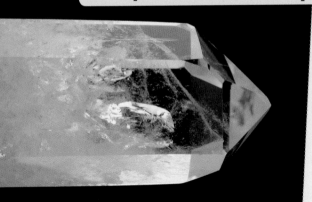

Depuis longtemps, les collectionneurs de minéraux ont remarqué la présence de petites cavités (d'un dixième de millimètre à moins d'un micromètre) remplies de liquide, de gaz, ou les deux, à l'intérieur des cristaux. Ces inclusions, appelées « libelles », peuvent avoir la forme d'une gouttelette plus ou moins sphérique, ou une forme géométrique creuse tel un cristal en négatif.

Si leur description est ancienne, leur étude est récente. Ces inclusions nous livrent des informations précieuses sur les conditions de pression et de température lors de la cristallisation ainsi que sur la composition des fluides à l'origine des cristaux. Des chercheurs américains ont découvert à Carlsbad (Nouveau Mexique) des inclusions fluides dans des cristaux de sel âgés de 250 Ma avec, à l'intérieur, des micro-organismes dont le métabolisme a pu être réactivé. Peut-être faut-il chercher des inclusions fluides dans les météorites ?

Bulle d'air emprisonnée à l'intérieur d'un cristal de quartz.

Un métier de science : archéologue minier

■ http://www.vallouimages.com/pays-des-ecrins/archeologie/mines-archeologie-1.htm

L'archéologue minier étudie les anciennes exploitations souterraines. L'objectif est double : retrouver les techniques d'exploitation de l'époque ainsi que la façon dont les matériaux extraits du sous-sol étaient utilisés.

C'est un travail d'équipe pluridisciplinaire à l'interface de l'archéologie et de la géologie, qui fait appel à certaines spécialités telles que la minéralogie, la gîtologie (étude des gisements), la géomorphologie (recherche des traces d'activités minières visibles en surface), l'histoire des techniques, la topographie souterraine (orientation dans l'espace et construction en 3D de la géométrie du gisement et de son exploitation), l'anthracologie (étude des charbons de bois, vestiges des exploitations par le feu), la sédimentologie (étude des sédiments constitués par les remblais de mines)… L'archéologie minière allie les fouilles sur le terrain, les recherches en laboratoire ainsi que la consultation d'archives.

www.lesmetiers.net

■ Bruno Ancel, archéologue minier, réalisant des mesures dans une ancienne mine souterraine.

QUALITÉS ET NIVEAU REQUIS

▶ Savoir travailler en équipe

▶ Maîtriser les techniques de la spéléologie

▶ Être rigoureux, comme pour toutes les disciplines scientifiques !

▶ Baccalauréat scientifique, Licence ou Master de géologie

▶ Formation sur le terrain en participant à des chantiers de fouilles archéologiques pour bénévoles.

▶ Liste des stages sur le site du Ministère de la Culture : http://www.culture.gouv.fr/culture/fouilles

De l'or dans nos rivières

L'orpaillage, c'est-à-dire la recherche d'or dans les rivières, est une pratique très ancienne. Dans l'Antiquité, on clouait une peau de mouton sur une planche que l'on plaçait dans le lit d'une rivière. L'or, sous forme de paillettes ou de pépites charriées avec les alluvions, s'accrochait à la peau, d'où la légende de la Toison d'Or.

Depuis quelques décennies, de plus en plus de personnes se passionnent pour la recherche de l'or. Chaque année, des stages d'initiation à l'orpaillage et des compétitions sont organisés.

La recherche se fait à l'aide d'une cuvette conique ou à fond plat. Les éléments les moins denses sont progressivement éliminés, alors que les éléments les plus lourds se concentrent dans le fond du récipient. L'examen minutieux à l'œil nu permet alors, si la chance est au rendez-vous, de distinguer quelques paillettes ou pépites. Mais attention ! La pyrite, par son éclat jaune et sa densité élevée, peut être confondue avec l'or ; c'est pourquoi elle est qualifiée « d'or des fous »…

Lavage des alluvions afin d'éliminer les éléments légers.

Nourrir l'humanité

> L'approvisionnement de l'humanité en nourriture constitue un enjeu planétaire majeur pour le xxie siècle. Pourtant, la simple augmentation de la production ne garantira pas la durabilité de la ressource.

Comment adapter l'agriculture aux enjeux du développement durable ?

1 Représentation artistique des dangers de l'agriculture intensive.

Le mode de consommation alimentaire tend à s'uniformiser : sera-t-il applicable partout dans le monde ?

2 Agriculture traditionnelle en terrasses autour du village de Manakha, Yémen.

L'utilisation importante de certaines ressources fragiles, comme l'eau, permettra-t-elle un mode de production pérenne dans le futur ?

3 Irrigation à pivot central au nord-ouest de la mer de sable de Murzuq, Sahara libyen.

Les acquis du collège et du lycée

1 **Épandage d'engrais dans un champ de colza au printemps.**

▶ L'Homme déverse dans l'air, l'eau ou le sol des substances chimiques provoquant des pollutions pouvant avoir des conséquences néfastes sur la santé.

Production agricole **77,3 %**

Usage industriel **4,7 %**

Usage domestique **12,5 %**

Entretien des espaces verts + autres **5,5 %**

Utilisation des pesticides en France. **2**

---

2 **Nourrir la population mondiale**   GÉOGRAPHIE 3ᵉ

▶ Avec une perspective de 9,5 milliards d'habitants en 2050, la croissance des besoins alimentaires sera considérable. Le modèle de développement actuel pourra difficilement être maintenu et généralisé. L'empreinte écologique s'accroît, les ressources s'épuisent et la pression sur l'environnement se renforce.

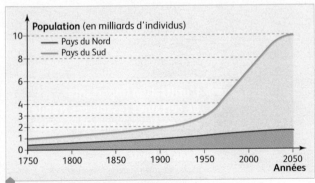

Population (en milliards d'individus)

— Pays du Nord
— Pays du Sud

10
8
6
4
3
2
1
0

1750 1800 1850 1900 1950 2000 2050
Années

3 **Trois siècles de croissance démographique.**

• Production alimentaire suffisante, diversifiée et régulière.
• Doit être renouvelable indéfiniment.

• Préservation de la biodiversité (faune, flore), des ressources du sol et de la qualité des eaux.

AGRICULTURE DURABLE

• Santé des végétaux cultivés et des animaux élevés.
• Qualité sanitaire des aliments produits.

• Revenus suffisants des producteurs.
• Respect de l'intérêt des consommateurs.
• Commerce agricole équitable.

4 **Le défi de l'agriculture : concilier quatre exigences.**

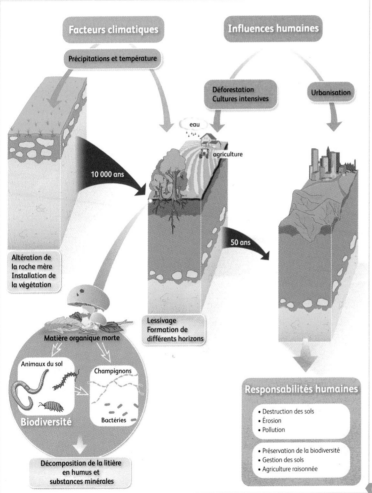

Énergie solaire → Photosynthèse → Énergie chimique → Fonctionnement de toute la biosphère

5 **Énergie solaire et fonctionnement de la biosphère.**

Facteurs climatiques

Précipitations et température

Influences humaines

Déforestation
Cultures intensives

Urbanisation

eau

agriculture

10 000 ans

50 ans

Altération de
la roche mère
Installation de
la végétation

Lessivage
Formation de
différents horizons

Matière organique morte

Animaux du sol

Champignons

Biodiversité

Bactéries

Décomposition de la litière
en humus et
substances minérales

Responsabilités humaines

• Destruction des sols
• Érosion
• Pollution

• Préservation de la biodiversité
• Gestion des sols
• Agriculture raisonnée

6 Le sol un patrimoine durable.

▶ Grâce à la photosynthèse, l'énergie solaire permet la production de biomasse végétale, source d'énergie chimique pour toute la biosphère.

▶ L'eau et les sols sont indispensables à l'agriculture. Mais ces deux ressources sont inégalement réparties dans le monde et sont particulièrement fragiles.

QUIZ

Animation interactive

	VRAI	FAUX
• La population mondiale devrait atteindre 9,5 milliards d'individus au cours du XXIe siècle.	☐	☐
• Les sols sont des structures facilement renouvelables à l'échelle des temps humains.	☐	☐
• L'agriculture durable permet la production d'aliments non périssables.	☐	☐

	VRAI	FAUX
• Les pesticides sont utilisés dans la fabrication des fromages.	☐	☐
• La matière organique du sol sert à l'alimentation des végétaux.	☐	☐
• Les végétaux sont des producteurs primaires.	☐	☐
• La photosynthèse permet la synthèse de matière organique à partir d'énergie lumineuse.	☐	☐

→ Voir réponses p. 407

CHAPITRE 10

Production végétale, production animale et pratiques alimentaires

▌ Au XXIᵉ siècle, l'agriculture doit faire face à deux grands défis : nourrir l'ensemble de l'humanité et préserver l'environnement en développant une agriculture durable.

▌ Les pratiques alimentaires de chacun peuvent avoir des conséquences mondiales si elles sont adoptées par tous, en particulier lorsque les matières premières utilisées ne proviennent pas de l'agriculture traditionnelle locale.

1 **À la surface de la Terre, il existe plusieurs types d'agricultures basées sur des productions végétales et animales variées.** Issues de 5 000 années d'évolution de l'agriculture, ces pratiques sont généralement adaptées aux ressources locales.

2 La production animale à grande échelle nécessite un apport important de matière et d'énergie.

3 Emblème de la mondialisation de l'alimentation, le burger est en vente sur tous les continents. Pourtant ses constituants ne sont pas forcément issus de l'agriculture locale.

4 Avec 37 millions de tonnes annuelles, le blé est l'une des principales productions de l'agriculture française.

Comment fonctionnent les écosystèmes naturels ?

→ Activités 1 et 2

Quelles sont les particularités des agrosystèmes ?

→ Activités 3 à 5

Quelles sont les conséquences environnementales de l'agriculture ?

→ Activité 6 et 7

Quelles voies suivre pour nourrir l'humanité de manière durable ?

→ Activité 8

Activité 1

La forêt, un écosystème naturel

Dans les milieux naturels, les organismes sont en relation entre eux mais aussi avec le milieu qui les entoure.

→ **Quelles sont les interactions entre les différentes composantes de l'écosystème ?**

Guide d'exploitation

1 (Doc 1) Relevez les différentes interactions entre les espèces présentées.

2 (Doc 1) Réalisez un schéma représentant le réseau trophique.

3 (Doc 2) Recherchez des arguments qui permettent d'expliquer l'existence de deux biocénoses différentes à proximité l'une de l'autre.

4 (Doc 3) Proposez une explication à la répartition des chênes pédonculés en France.

VOCABULAIRE

Biocénose : ensemble des espèces présentes dans un milieu.
Biotope : ensemble des caractéristiques physico-chimiques d'un milieu.
Interaction : action réciproque.

---

1 Observer des relations entre êtres vivants

▶ Une sortie sur le terrain permet d'observer les espèces qui vivent dans un même milieu et constituent la **biocénose** de l'écosystème étudié. Dans cet exemple, on s'intéresse à une chênaie et aux interactions entre êtres vivants.

a **Larves de scolyte, sous l'écorce** et traces de larves d'insectes (bupreste, scolyte) consommatrices de bois.

b **Taches sur feuilles dues à un champignon parasite appelé Oïdium** prélevant la matière organique produite par l'arbre.

c **Pic noir prédateur des larves d'insectes xylophages sur le tronc.**

d **Lombric consommateur de débris de feuilles mortes :** il participe à la décomposition de la matière organique en matière minérale.

e **Cloporte,** cet animal a la particularité de se nourrir de matière végétale morte comme les branches d'arbres tombées au sol.

f **Écureuil roux,** il consomme des graines de résineux (épicéa, pins), des glands, des châtaignes, des noix, des noisettes, des écorces, des bourgeons.

2 Mesurer les paramètres d'un biotope

▶ Des relevés floristiques sont effectués dans deux chênaies situées dans le département du Pas-de-Calais à 30 m l'une de l'autre.

▶ On relève également quelques paramètres physico-chimiques du **biotope** comme l'altitude, l'exposition, la nature du sol et son pH.».

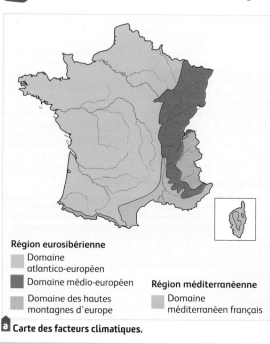

a Station 1 Chênaie sans fougères.

Paramètres du biotope
- Altitude 108 mètres
- Exposition nord
- Sol à texture argilo-calcaire
- pH du sol = 7

Station 2 Chênaie avec fougères. **b**

Paramètres du biotope
- Altitude 110 mètres
- Exposition nord
- Sol de nature sableuse
- pH du sol = 4

3 Répartition des chênes pédonculés

Région eurosibérienne

Domaine atlantico-européen

Domaine médio-européen

Domaine des hautes montagnes d'europe

Région méditerranéenne

Domaine méditerranéen français

a Carte des facteurs climatiques.

Présence

Absence

b Carte de répartition du chêne pédonculé en France métropolitaine.

Activité 2

Les flux dans un écosystème

Le fonctionnement d'un écosystème repose sur les interactions entre les organismes de la biocénose.

→ **Quelle place occupe les plantes dans le fonctionnement des écosystèmes ?**

Guide d'exploitation

1 (Doc 1) Proposez une explication aux variations de productivité primaire observées dans les différents écosystèmes.

2 (Doc 2) Calculez l'efficacité énergétique pour les consommateurs primaires et les consommateurs secondaires. Comparez les valeurs obtenues.

3 (Doc 3) Caractérisez la productivité des différents niveaux trophiques.

4 (Doc 4) Justifiez l'expression : les décomposeurs sont des recycleurs de la matière organique.

5 En conclusion, réalisez un schéma présentant l'ensemble des interactions et des flux dans un ecosystème naturel.

VOCABULAIRE

Consommateurs : organismes qui consomment de la matière organique pour produire leur propre matière. Les consommateurs primaires se nourrissent de producteurs primaires et les consommateurs secondaires se nourrissent de consommateurs primaires.

Trophique : en relation avec les ressources alimentaires.

1 Photosynthèse et productivité primaire

▶ Les plantes utilisent l'énergie solaire reçue pour fabriquer de la matière organique par photosynthèse : c'est la productivité primaire brute (PPB) de l'écosystème. Une partie de cette matière est dégradée par respiration pour fournir de l'énergie et couvrir leurs propres besoins. On appelle productivité primaire nette (PPN) la PPB diminuée de toute la matière utilisée pour la respiration des plantes.

La productivité primaire moyenne sur les continents.

2 Devenir de la matière ingérée

▶ À côté des végétaux, les animaux sont des **consommateurs** de matière organique que l'on distingue en fonction de leur position dans le réseau **trophique** : consommateurs primaires, consommateurs secondaires.

▶ Seule une partie de la fraction assimilée permet à l'animal de produire sa propre matière : c'est la productivité secondaire nette. On appelle rendement énergétique de croissance ou efficacité énergétique : productivité nette/matière ingérée x 100.

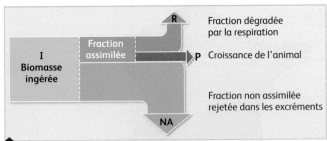

a Devenir de l'énergie pour différents niveaux trophiques.

	Souris Consommateur primaire phytophage	Musaraigne Consommateur secondaire zoophage
Matière ingérée (en kJ/m²)	46,5	29,7
Matière non assimilée (en kJ/m²)	7,9	2,9
Pertes respiratoires (en kJ/m²)	37,7	26,4

b Devenir de l'énergie pour différents niveaux trophiques.

3 Le devenir de l'énergie dans un écosystème

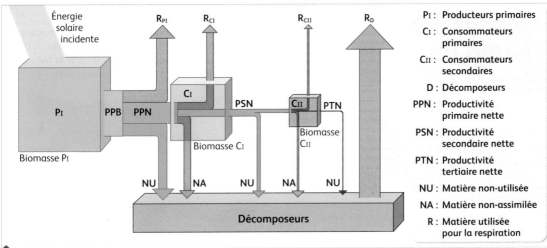

PI : Producteurs primaires

CI : Consommateurs primaires

CII : Consommateurs secondaires

D : Décomposeurs

PPN : Productivité primaire nette

PSN : Productivité secondaire nette

PTN : Productivité tertiaire nette

NU : Matière non-utilisée

NA : Matière non-assimilée

R : Matière utilisée pour la respiration

a Devenir de l'énergie dans une forêt.

▶ Au sein d'un écosystème, les différents niveaux trophiques peuvent être représentés par des rectangles dont la surface est proportionnelle à la productivité du niveau trophique étudié. L'ensemble est appelé pyramide des productivités.

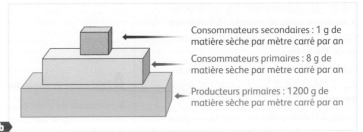

Consommateurs secondaires : 1 g de matière sèche par mètre carré par an

Consommateurs primaires : 8 g de matière sèche par mètre carré par an

Producteurs primaires : 1200 g de matière sèche par mètre carré par an

Pyramide des productivités. **b** ▶

4 Le recyclage de la matière

▶ Les débris végétaux, les cadavres d'animaux et les déchets (excréments, urines) constituent la nécromasse. Elle est entièrement minéralisée par l'action des micro-organismes et des décomposeurs du sol. Les éléments minéraux issus de ce processus, restitués au sol, sont disponibles pour les producteurs primaires.

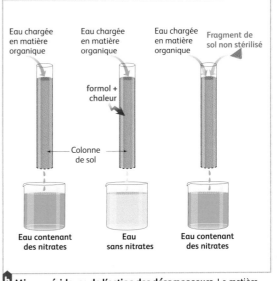

Eau chargée en matière organique

Eau chargée en matière organique

Eau chargée en matière organique

Fragment de sol non stérilisé

formol + chaleur

Colonne de sol

Eau contenant des nitrates

Eau sans nitrates

Eau contenant des nitrates

b **Mise en évidence de l'action des décomposeurs.** La matière organique présente dans l'eau représente la nécromasse. Les nitrates sont une forme d'azote que l'on assimilera à de la matière minérale.

a Litière en décomposition.

Activité 3

L'agrosystème « champ de maïs »

Le champ de maïs, ou agrosystème, est un écosystème totalement créé et entretenu par l'Homme.

→ **Quelles sont les caractéristiques d'un agrosystème ?**

Guide d'exploitation

1 **(Doc 1)** Déterminez les principaux flux de maïs dans le monde. À l'aide de la carte du rabat, comparez ces flux avec ceux du blé et du riz.

2 **(Doc 1)** Relevez les produits nécessaires à l'Humanité fournis par cet agrosystème.

3 **(Doc 2)** Répertoriez les caractéristiques du biotope et de la biocénose de cet agrosystème.

4 **(Doc 3)** Déterminez les modifications du biotope et les actions sur la biocénose réalisées par l'Homme lors de la culture.

5 **(Doc 1 à 3)** Comparez le devenir de la matière produite par les plantes dans un écosystème naturel et dans un agrosystème.

1 Le champ de maïs, agrosystème mondial

▶ Dans cet écosystème, créé par l'Homme, le producteur primaire est le maïs. Cette plante, originaire d'Amérique du Sud, fut introduite en Europe au XVIᵉ siècle. Première céréale mondiale devant le riz et le blé, elle est aujourd'hui la base de l'alimentation dans de nombreux pays.

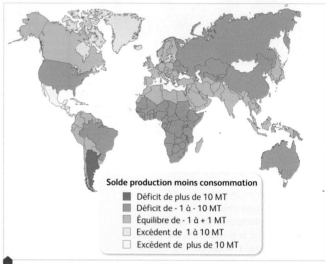

Solde production moins consommation
- Déficit de plus de 10 MT
- Déficit de - 1 à - 10 MT
- Équilibre de - 1 à + 1 MT
- Excédent de 1 à 10 MT
- Excédent de plus de 10 MT

a Production et consommation de maïs dans le monde.

▶ La culture de cette plante offre de nombreux débouchés en particulier dans le domaine agroalimentaire.

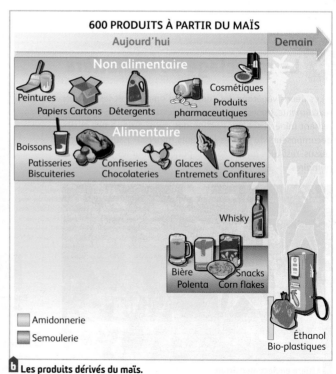

600 PRODUITS À PARTIR DU MAÏS
Aujourd'hui — Demain

Non alimentaire
Peintures — Papiers Cartons — Détergents — Produits pharmaceutiques — Cosmétiques

Alimentaire
Boissons — Patisseries Biscuiteries — Confiseries Chocolateries — Glaces Entremets — Conserves Confitures

Whisky
Bière — Polenta — Snacks — Corn flakes
Éthanol Bio-plastiques

- Amidonnerie
- Semoulerie

b Les produits dérivés du maïs.

2 Sur le terrain : l'agrosystème « champ de maïs »

Larves de trichogrammes : consomment des pucerons, œufs de papillon et chenilles.

Charbon : champignon parasite qui consomme une partie de la matière organique produite.

Chenille de pyrale : (papillon) consomme les feuilles du maïs.

Liseron : plante trouvée communément dans les champs de maïs.

La biocénose de l'agrosystème champ de maïs.

▶ Le maïs, unique producteur primaire recherché dans cet écosystème contrôlé, apprécie les sols profonds et riches en éléments minéraux mais s'accommode de sols sableux ou argileux, voire calcaires. Ses besoins en eau sont très importants et il exige également une température moyenne de 10 °C pour sa germination et de 18 °C pour sa floraison. D'autres espèces vivent en interaction avec le maïs dans cet agrosystème.

3 Suivi d'un itinéraire de culture

▶ La gestion de l'agrosystème « champ de maïs » nécessite de nombreuses interventions humaines tout au long de la culture.

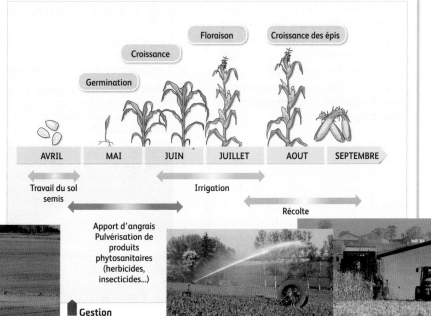

Germination — Croissance — Floraison — Croissance des épis

AVRIL — MAI — JUIN — JUILLET — AOUT — SEPTEMBRE

Travail du sol semis

Irrigation

Récolte

Apport d'angrais Pulvérisation de produits phytosanitaires (herbicides, insecticides...)

Gestion de l'agrosystème « champ de maïs ».

Flux de matière et d'énergie

Dans un agrosystème, une partie de la matière végétale produite est exportée.

→ **Quelles sont les caractéristiques des flux de matière et d'énergie dans un agrosystème ?**

Guide d'exploitation

1 (Doc 1) Montrez que l'apport de fertilisant permet d'éviter l'épuisement du sol en éléments minéraux.

2 (Doc 1) Précisez les intérêts d'un apport raisonné d'engrais.

3 (Doc 2) Comparez les origines de l'eau dans un agrosystème et dans un écosystème naturel.

4 (Doc 3) Comparez les rendements énergétiques dans la culture irriguée ou non. Comparez les valeurs obtenues.

5 (Doc 4) Analysez le bilan énergétique de la culture de blé tendre réalisée grâce au logiciel EGES. Proposez, à l'aide du logiciel, des modifications permettant d'optimiser le bilan énergétique.

6 (Doc 1 à 4) Réalisez un schéma présentant l'ensemble des interactions et des flux dans un agrosystème.

VOCABULAIRE

Rendement énergétique : ou efficacité énergétique. Rapport sorties énergétiques/ entrées énergétiques.

Intrant : substance importée par l'Homme dans un agrosystème.

---

1 Bilan de matière

▶ On peut évaluer les transferts de matière entre la biocénose et le biotope d'un écosystème naturel et d'un agrosystème. On mesure les quantités de 3 éléments : azote, phosphore et potassium qui transitent entre ces compartiments.

		Azote (en kg/ hectare)	Phosphore (en kg/ hectare)	Potassium (en kg/ hectare)
	Stocks naturels dans les sols français	3 000	654	1 245
Écosystèmes naturels	Prélèvement dans le sol par les producteurs primaires	46	5,4	50,8
	Exportations de biomasse hors de l'écosystème	Moyenne négligeable ramenée à un hectare		
	Restitution au sol par l'action des organismes décomposeurs	46	5,4	50,8
Agrosystèmes de culture type maïs	Exportations dans la biomasse récoltée	230	35	215
	Restitution par enfouissement des résidus après récolte	11	1	32
	Importations : apports de fertilisants	300	83	455

Bilans comparés de matière pour trois éléments.

---

2 L'eau, élément indispensable

▶ **Dans la l'écosystème naturel,** la disponibilité en eau pour les végétaux est directement dépendante des facteurs du biotope : facteurs climatiques (précipitations) et facteurs du sol (capacité de rétention, porosité).

▶ **Dans l'agrosystème** champ de maïs, les précipitations insuffisantes dans certaines régions imposent une irrigation : 700 m³/hectare sont en moyenne nécessaires pour atteindre les objectifs de production quantitatifs et qualitatifs.

Irrigation d'un champ de maïs.

3 L'énergie dans l'agrosystème « champ de maïs »

▶ Afin de déterminer l'efficacité ou **rendement énergétique** d'un agrosystème, on réalise un bilan des entrées et des sorties.

▶ **Les entrées** : énergie apportée par l'Homme, sur le site de production ou consommée lors de la fabrication et du transport d'un **intrant**.

▶ **Les sorties** : énergie contenue dans la biomasse exportée de l'écosystème.

Inventaire des entrées et des sorties d'énergie dans un agrosystème (en 10^3 kJ/ha/an).

	Culture sèche	Culture irriguée
Machinisme	3 992	4 991
Carburant	3 992	3 992
Engrais	12 770	20 365
Semences	597	598
Irrigation	0	8 987
Insecticides	259	259
Herbicides	259	259
Séchage	10 780	16 172
Divers (électricité, transport)	3 992	7 988
Productivité	86 359	116 237
Production en tonnes par hectare	6	9

4 Évaluer et ajuster le bilan énergétique d'une culture

RÉALISER

1. **Cliquer** sur la rubrique « je choisis mes rotations ».

2. **Préciser la culture** étudiée dans la rubrique « choisissez vos cultures ».

3. **Compléter** pour chaque item (interculture – travail du sol – fertilisation – irrigation – protection) les actions réalisées ou non.

4. **Préciser** dans la rubrique « récolte » l'objectif quantitatif fixé et lancer la simulation.

5. **Analyser** les résultats dans la rubrique « solde énergétique » en les comparant aux valeurs références.

6. **Pour modifier** le bilan énergétique de cette culture choisir la rubrique « modifier les données de rotation ».

7. **Pour étudier le bilan énergétique d'une nouvelle culture** choisir la rubrique « saisir une nouvelle rotation ».

▶ L'utilisation de logiciels comme EGES® (site WEB ITB http://www.eges.arvalisinstitutduvegetal.fr/) permet d'évaluer le solde énergétique d'une culture en fonction des différentes interventions réalisées et de l'objectif de rendement.

▶ Les valeurs énergétiques des entrées (énergie consommée) et des sorties de culture (énergie produite) sont évaluées et données en mégajoules par hectare. Ces valeurs (rotation en cours), comparées à celles de cultures standards optimisées, permettent de déceler d'éventuels déséquilibres et de réajuster les interventions sur la culture en cours.

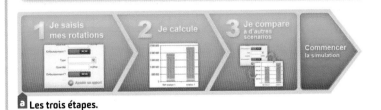

a Les trois étapes.

Résultats de la simulation.
À titre indicatif pour le blé tendre : rendement en conventionnel : 90 quintaux/hectare ; rendement en bio = 60 quintaux/hectare.

Activité 5

L'agrosystème « ferme d'élevage »

Tous les écosystèmes sont traversés par des flux de matière et d'énergie.

→ **Quelles sont les caractéristiques des différents flux dans un agrosystème de production animale ?**

Guide d'exploitation

1 (Doc 1) Indiquez les niveaux trophiques de l'Homme dans les deux agrosystèmes étudiés.

2 (Doc 1) Calculez le nombre théorique d'humains qu'un hectare de chacun de ces agrosystèmes peut nourrir en une année.

3 (Doc 2) Comparez les besoins en céréales et en eau des différents élevages : porc, mouton, bœuf et volaille.

4 (Doc 3) Calculez pour chaque type de système d'élevage présenté, l'efficacité énergétique et comparez les valeurs obtenues.

5 (Doc 1 à 3) Relevez des arguments pour montrer que la consommation de viande n'a pas le même impact écologique que la consommation de produits végétaux.

1 Devenir du maïs dans deux agrosystèmes

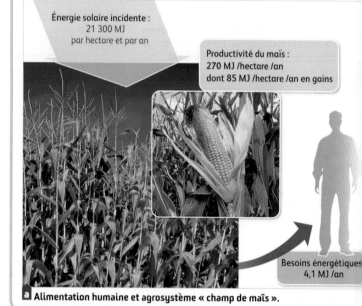

Énergie solaire incidente : 21 300 MJ par hectare et par an

Productivité du maïs : 270 MJ /hectare /an dont 85 MJ /hectare /an en gains

Besoins énergétiques 4,1 MJ /an

a Alimentation humaine et agrosystème « champ de maïs ».

2 Bilan de matière et d'énergie pour différents types d'élevage

Type de production	Entrées		Sorties
	Masse de céréales	Volume d'eau	Valeur énergétique
Céréales (référence prise pour l'orge)	-	1 300	0,007
Viande de bœuf	8	13 500	15,2
Viande de mouton	6	10 000	13,6
Viande de porc	6	4 800	13,6
Viande de volaille	2	3 900	6,5

Tableau de comparaison des entrées (masse de céréales nécessaire (en kg) pour produire un kilogramme de biomasse et volume d'eau nécessaire (en litres) pour produire un kilogramme de biomasse **et des sorties énergétiques de différents types de production** (valeur énergétique d'un kilogramme de biomasse (en mégaJ/kg).

Dans un agrosystème « champ de maïs » la biomasse récoltée peut nourrir directement les Hommes. Dans un agrosystème de type « élevage bovin », l'alimentation du bétail peut être assurée par le maïs. Les bovins produisent de la viande qui peut ensuite être consommée par l'Homme.

Énergie solaire incidente :
21 300 MJ
par hectare et par an

Productivité en viande :
10,5 MJ /hectare /an

Besoins énergétiques pour
un animal de 650 kg : 8,03 MJ /an

Besoins énergétiques :
4,1 MJ /an

b Alimentation humaine et agrosystème d'élevage.

3 Bilans énergétiques de différents agrosystèmes

	Bovin lait strict	Bovin lait + PV	Bovin lait + Viande	Bovin lait + Viande + PV
Entrées				
Fioul consommé	122	126	84	130
Autres produits pétroliers	15	18	33	35
Électricité	104	82	101	104
Énergie/eau	4	7	5	8
Achats aliments	115	96	184	219
Engrais et amendements	91	108	67	87
Phytosanitaires	2	9	3	7
Semences	3	8	2	6
Jeunes animaux	4	2	9	13
Matériel	60	59	49	59
Bâtiments	39	35	39	51
Autres achats	27	23	27	26
Sorties				
Lait	435	351	325	333
Viande	50	44	125	201
Végétaux	0	535	0	463
Autres	0	78	0	36

▶ On peut établir le tableau des valeurs moyennes des consommations énergétiques avec le logiciel « Planète » Solagro.

▶ Les valeurs moyennes sont calculées en équivalents-fuel, soit 40.10^6 joules, pour un ensemble de fermes référentes.

◀ **Entrées et sorties énergétiques pour différents types d'élevages bovins.**
Bovin lait : production laitière.
PV : productions végétales associées à l'élevage bovin et valorisables pour nourrir les animaux.
Bovin lait + Viande : production laitière et viande.

Vers des pratiques culturales durables

L'apport non contrôlé d'intrants peut polluer l'environnement. Cependant, des pratiques raisonnées peuvent limiter cet impact.

→ Quel est l'impact sur l'environnement de diverses pratiques culturales ?

Guide d'exploitation

1 (Doc 1) Proposez une explication au surplus de nitrates dans les sols et les rivières de Bretagne.

2 (Doc 1) Formulez une hypothèse permettant d'expliquer la prolifération d'algues sur les côtes.

3 (Doc 2) Calculez le taux d'accumulation du polluant d'un niveau trophique à l'autre et par rapport à la concentration dans le milieu.

4 (Doc 3) Comparez les impacts de chacune des techniques sur l'environnement.

5 (Doc 4) Précisez en quoi la connaissance des écosystèmes permet de proposer de nouvelles pratiques culturales.

1 Nitrates et pollution

▶ La présence de fortes quantités de nitrates dans l'eau favorise la prolifération des algues à l'origine de marées vertes. Ceci s'observe de manière particulièrement importante en Bretagne.

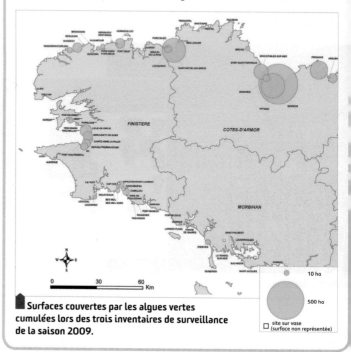

Surfaces couvertes par les algues vertes cumulées lors des trois inventaires de surveillance de la saison 2009.

2 Polluant et chaînes alimentaires

▶ Un insecticide, le DDT dont l'utilisation est désormais interdite, a été largement employé dans les années cinquante. La présence de cette molécule a été relevée dans les eaux marines à des concentrations extrêmement faibles (0,000005 partie par million ou ppm).

▶ Un suivi des concentrations de cette substance dans les tissus des espèces des différents niveaux trophiques de la chaîne alimentaire a alors été réalisé.

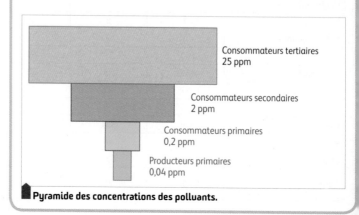

Consommateurs tertiaires
25 ppm

Consommateurs secondaires
2 ppm

Consommateurs primaires
0,2 ppm

Producteurs primaires
0,04 ppm

Pyramide des concentrations des polluants.

3 Des techniques alternatives

Travail du sol	Agriculture traditionnelle avec labour	Labour superficiel du sol	Pas de labour et semis direct
Temps passé à l'hectare en heures	3,3	2,3	1,1
Matière organique présente dans le sol sur les cinq premiers centimètres	2 %	2,7 %	3,1 %
Érosion du sol	Sol nu très vulnérable à l'érosion	Effet variable	Érosion nettement moindre
Quantité de lombrics	198 kg/ha	590 kg/ha	670 kg/ha
Nombre de passages au champ par l'agriculteur	8 passages au champ	6 passages au champ	4 passages au champ
Consommation de carburant (exemple : blé tendre)	99 L/ha/an	79 L/ha/an	57 L/ha/an
Nombre moyen de passages avec herbicides (exemple : blé tendre)	1,4 passage avec herbicide	-	1,7 passage avec herbicide
Rendements 2005-2006 (exemple : blé tendre)	72 quintaux/ha	-	69 quintaux/ha

Comparaison de différentes techniques d'agriculture.

4 Améliorer les pratiques culturales

❚ Dans la culture associée de blé et de trèfle, le trèfle a pour propriété de fixer l'azote de l'air pour le transformer en azote minéral qui devient alors directement disponible pour le blé.

a Des cultures associées.

❚ Implantées sur les parcelles après la récolte, des plantes comme la phacélie ou la moutarde sont utilisées comme couvre sol, concurrençant les plantes adventices et protégeant la surface du sol des intempéries. Ces plantes sont aussi appelées « cultures intermédiaires pièges à nitrates » ; en effet, grâce à leur système racinaire, elles prélèvent les fertilisants qui n'auraient pas été absorbés par la culture. À la fin de leur phase de croissance elles sont détruites et les résidus sont enfouis dans le sol de la parcelle, limitant ainsi le lessivage des nitrates vers les nappes d'eau souterraines.

❚ L'implantation de bandes enherbées, semées par l'agriculteur, en bordure des cours d'eau permet de limiter le ruissellement des engrais vers le cours d'eau.

b Champ de phacélie.

❚ De nombreux travaux ont montré que l'implantation de haies autour des parcelles assurait la multiplication de nombreuses espèces d'insectes qualifiés d'auxiliaires de l'agriculture comme les coccinelles ou les chrysopes dont les larves consomment pucerons et chenilles, ravageurs de culture. À leur tour, ces auxiliaires servent de nourriture à des nombreuses espèces d'oiseaux et autres musaraignes.

c Larve de chrysope consommant un puceron.

d Bandes enherbées.

Activité 7

Pratiques alimentaires et conséquences globales

Les pratiques alimentaires sont déterminées par les ressources disponibles mais aussi par les habitudes individuelles et collectives.

→ **Quelles sont les conséquences à l'échelle mondiale de pratiques alimentaires répétées ?**

Guide d'exploitation

1 (Doc 1) Caractérisez la ration alimentaire d'un habitant du continent asiatique en la comparant à celle d'un Américain.

2 (Doc 2) Précisez les conséquences de la consommation de fruits et légumes hors saison.

3 (Doc 3) Déterminez l'impact de l'augmentation de la consommation de viande en France sur les émissions de gaz à effet de serre.

4 (Doc 1 et 3) Montrez que la transposition du régime alimentaire des Américains à l'ensemble de la population aurait des conséquences considérables à l'échelle planétaire.

VOCABULAIRE

GES : gaz à effet de serre, comme par exemple le dioxyde de carbone (CO_2), le méthane (CH_4) et les oxydes d'azote (N_2O).
kg équivalent pétrole : unité qui reflète la quantité de combustibles fossiles nécessaire.
kg équivalent carbone : unité qui reflète la quantité de carbone dégagée par les gaz à effet de serre.

1 Pratiques collectives en Asie

▶ Le riz est actuellement consommé par les six milliards d'êtres humains, cette céréale constituant la denrée alimentaire de base dans 39 pays. En moyenne, la consommation mondiale quotidienne par habitant représente 250 grammes.

▶ En Asie en particulier, le riz fournit de 35 % à 59 % de l'énergie consommée par trois milliards de personnes. En moyenne, 8 % de l'énergie alimentaire proviennent du riz pour un milliard de personnes en Afrique et en Amérique latine.

▶ En riziculture, la culture de la céréale s'accompagne d'un rejet de méthane, puissant gaz à effet de serre (**GES**), produit de l'activité de bactéries méthanogènes.

▶ Au final il a été montré que la production d'un kilogramme de riz engendre l'émission de 120 grammes de méthane.

▶ Ainsi, l'intégralité des zones mondiales dévouées à la riziculture est à l'origine du rejet dans l'atmosphère de l'équivalent de 60 millions de tonnes de méthane par an.

a Une culture à grande échelle : le riz.

	Céréales dont riz et blé	Sucre	Huiles végétales	Viande et produits dérivés	Fruits et légumes	Autres (ex racines…)
Asiatiques	59	13	7,5	5,5	2,3	12,7
Américain	23	18	15	25	5	14

b Comparaison de la composition de la ration alimentaire d'un Asiatique et d'un Américain (valeurs en %).

2 Consommer des fruits et légumes hors saison

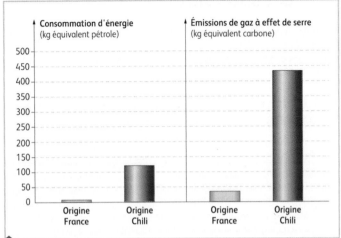

En France, on peut consommer des pommes toute l'année. Elles peuvent provenir de France, où la production s'étale d'août à octobre, mais elles peuvent également provenir du Chili où la période de récolte s'étale de février à avril.

	Plein champ	Sous serre chauffée
Salade	81,3	3 825,3
Concombre	6,6	754,4
Tomates	94,6	946

b **Consommation énergétique pour différents types de cultures** (en kg équivalent pétrole par tonne de biomasse produite).

a **Consommations énergétiques et émissions de gaz à effet de serre pour une tonne de pommes selon leur provenance.**

3 Consommer des végétaux ou de la viande

En France, la consommation de viande était de 20 kg par personne et par an en 1800. Elle a doublé entre 1800 et 1925. En 1975, elle était de 90 kg par personne et par an, actuellement, elle est de 95 kg.

La production mondiale de viande s'élève, selon la FAO, à 280 millions de tonnes pour une consommation moyenne correspondant à 42 kg par an/personne.

On a évalué les émissions agricoles en gaz a effet de serre pour différents aliments.

Les émissions de gaz à effets en provenance de l'agriculture (en **kg équivalent carbone** pour la production d'1 kg de nourriture).

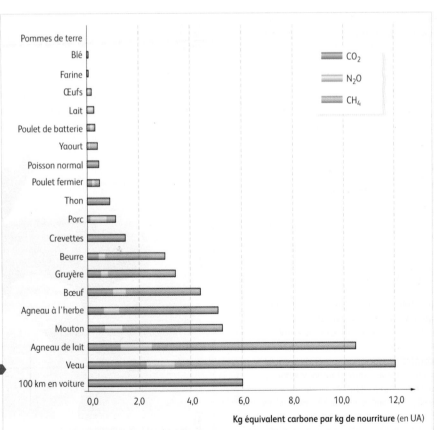

Nourrir l'Humanité de manière durable

En 2050, la population mondiale atteindra neuf milliards d'individus.

➔ **Comment parvenir à concilier une agriculture satisfaisant les besoins de chacun tout en préservant les ressources indispensables à la production ?**

Guide d'exploitation

1 (Doc 1) Discutez de la répartition des surfaces cultivées et de la dégradation des sols à l'échelle de l'Asie.

2 (Doc 2) Montrez en quoi l'utilisation de la biodiversité génétique peut contribuer à la durabilité de la production végétale.

3 (Doc 3a) Comparez les rendements en grains du blé témoin non inoculé et du blé inoculé.

4 (Doc 3b) Indiquez l'intérêt de la mycorhization sur le prélèvement des sels minéraux par la plante.

5 (Doc 3) Dégagez les intérêts agronomiques et écologiques de la mycorhization.

VOCABULAIRE

Terre arable : terre qui peut être cultivée.

Symbiose : association nutritionnelle obligatoire, à bénéfice réciproque entre deux espèces.

Mycorhize : association souterraine entre les racines d'une plante chlorophylienne et un champignon dont le mycélium prélève sur la plante les glucides nécesaires à son métabolisme, mais lui fournit « en échange » essentiellemnt des phosphates.

---

1 Des ressources limitées et vulnérables

▶ Grâce à des SIG (Systèmes d'informations géographiques) ou des visualisateurs comme Google Earth, nous nous proposons d'étudier différentes données concernant les ressources indispensables à l'agriculture dans le cas de l'Asie.

RÉALISER

1. Télécharger sur le site Eduterre http://acces.inrp.fr/eduterre-usages/actualites/eau_sol/ le fichier « eau et sol.kmz ».

2. Cocher la case permettant d'afficher les cartes : ressource en eau renouvelable et précipitations.

3. Modifier la transparence de la couche qui se trouve au-dessus en la sélectionnant (clic sur le nom) et en utilisant l'onglet afin de les comparer.

4. Afficher ensuite les cartes de la dégradation des sols et des terres cultivables.

5. Afficher des informations précises sur les pays en cliquant sur les « i ».

---

2 Utiliser la biodiversité génétique

▶ Le coût économique et environnemental des intrants et de l'énergie a contraint les généticiens à travailler sur la mise au point par croisement de variétés plus productives mais aussi plus rustiques, c'est-à-dire plus tolérantes aux différents parasites et aux « stress » comme la sécheresse.

Des variétés de pomme de terre.

> L'essor de l'élevage, une menace pour la planète
> La consommation mondiale d'aliments issus de l'élevage (viande, œufs, produits laitiers) progresse à une vitesse vertigineuse. Aujourd'hui, par exemple, un Chinois mange en moyenne 59,5 kg de viande par an, contre 13,7 kg en 1980. Il a aussi multiplié sa consommation de produits laitiers par dix sur la même période à 23,2 kg !

Le Monde, 18 février 2010.

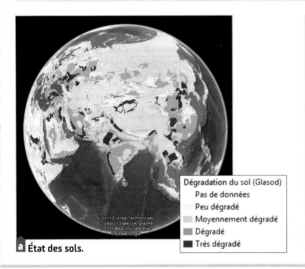

Dégradation du sol (Glasod)
Pas de données
Peu dégradé
Moyennement dégradé
Dégradé
Très dégradé

a État des sols.

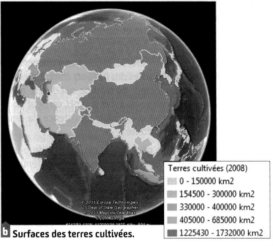

Terres cultivées (2008)
0 - 150000 km2
154500 - 300000 km2
330000 - 400000 km2
405000 - 685000 km2
1225430 - 1732000 km2

b Surfaces des terres cultivées.

3 Utiliser des interactions entre organismes

▶ Il existe naturellement dans les sols des champignons qui ont la propriété de s'associer avec les racines des végétaux pour établir une **symbiose** formant des structures appelées **mycorhizes**.

▶ Des travaux de recherche ont permis d'inoculer ces champignons à une variété de blé. Les objectifs étaient de tester la sensibilité de ce blé inoculé à des champignons parasites en supprimant les traitements fongicides et en observant les effets sur les prélèvements dans le sol des différents minéraux par la plante dans chacun des cas.

▶ Les fongicides sont des produits phytosanitaires difficilement biodégradables dont l'utilisation excessive peut entraîner leur accumulation et altérer la biodiversité.

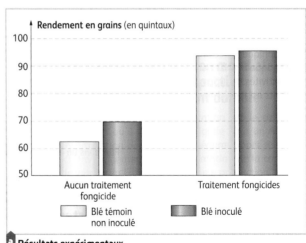

a Résultats expérimentaux.

	Prélèvement (en mg/plante)					Prélèvement (en µg/plante)		
	P	K	Ca	Mg	Na	Zn	Mn	Fe
Blé sans mycorhizes	0,39	10,9	8,7	0,46	0,25	38	69	171
Blé avec mycorhizes	4,49	35,9	25,2	2,49	2,76	112	106	412

b Comparaison des prélèvements en minéraux du blé avec ou sans mycorhizes.

Retenir

Production végétale, production animale et pratiques alimentaires

1 Les écosystèmes naturels

▶ À la surface de la Terre, les êtres vivants établissent des relations avec leur milieu de vie (biotope), et les autres espèces qui cohabitent avec elle (biocénose). L'ensemble constitue un écosystème.

▶ Dans les écosystèmes continentaux, la photosynthèse réalisée par les plantes est à la base de la production primaire source de la matière organique alimentant l'ensemble des réseaux trophiques. Dans un écosystème, la circulation de matière et d'énergie peut être décrite par la pyramide de productivité, où l'élément de base est occupé par les végétaux. Au final, ce sont les décomposeurs qui recyclent la matière organique. À l'équilibre, les bilans de matière et d'énergie d'un écosystème sont quasiment nuls.

2 La production végétale : utilisation de la productivité primaire

▶ Un agrosystème implique des flux de matière, d'eau et d'énergie qui conditionnent sa productivité et son impact environnemental. Dans un agrosystème, le rendement global dépend toujours de la photosynthèse, mais il existe des apports extérieurs, encore appelés intrants (engrais, produits phytosanitaires, etc), permettant l'augmentation de la fertilité et des rendements, et des exportations de biomasse.

▶ Le coût énergétique et les conséquences environnementales de l'agriculture posent le problème des pratiques utilisées. Le choix des techniques culturales vise à concilier production et gestion durable de l'environnement.

3 La production animale : une rentabilité énergétique réduite

▶ Dans un agrosystème, le rendement global de la production par rapport aux consommations (énergie, matière, eau) dépend de la place du produit consommé dans la pyramide de productivité.

▶ Ainsi, consommer de la viande ou un produit végétal n'a pas le même impact écologique car la production animale a un bilan de matière et d'énergie plus défavorable que celui de la production végétale.

4 Pratiques alimentaires collectives et perspectives globales

▶ À l'échelle globale, l'agriculture cherche à relever le défi de l'alimentation d'une population humaine toujours croissante. Cependant, les limites de la planète cultivable sont bientôt atteintes : les ressources (eau, sol, énergie) sont limitées tandis qu'il est nécessaire de prendre en compte l'environnement pour en assurer la durabilité.

MOTS CLÉS

Biocénose : Ensemble des espèces présentes dans un milieu.

Biotope : Ensemble des caractéristiques physico-chimiques d'un milieu.

Écosystème : Biocénose en interaction avec un biotope.

Intrant : Ensemble des éléments (engrais, pesticides) entrant dans l'écosystème.

Productivité primaire : Matière organique fabriquée par photosynthèse.

Je retiens par l'image

Animation interactive

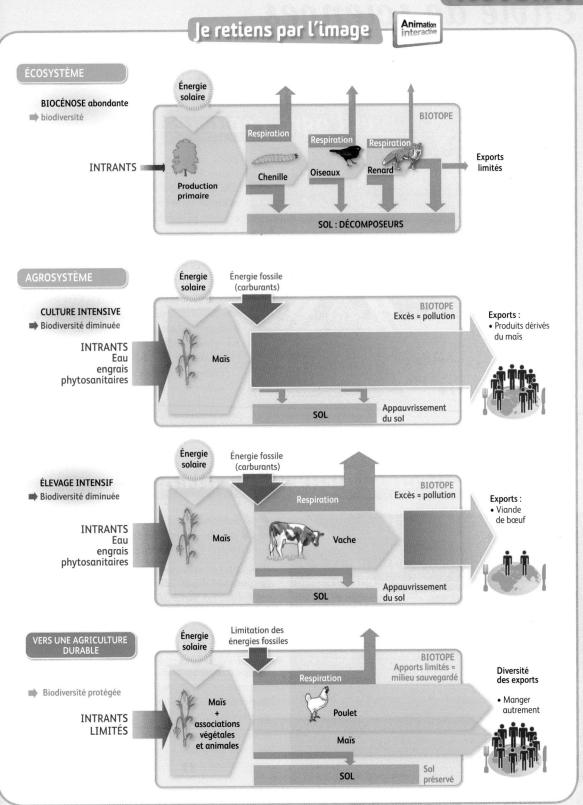

ÉCOSYSTÈME

BIOCÉNOSE abondante
➡ biodiversité

Énergie solaire

BIOTOPE

INTRANTS

Respiration

Respiration

Respiration

Production primaire

Chenille

Oiseaux

Renard

Exports limités

SOL : DÉCOMPOSEURS

AGROSYSTÈME

Énergie solaire

Énergie fossile (carburants)

CULTURE INTENSIVE
➡ Biodiversité diminuée

BIOTOPE
Excès = pollution

Exports :
• Produits dérivés du maïs

INTRANTS
Eau
engrais
phytosanitaires

Maïs

SOL

Appauvrissement du sol

Énergie solaire

Énergie fossile (carburants)

ÉLEVAGE INTENSIF
➡ Biodiversité diminuée

Respiration

BIOTOPE
Excès = pollution

Exports :
• Viande de bœuf

INTRANTS
Eau
engrais
phytosanitaires

Maïs

Vache

SOL

Appauvrissement du sol

VERS UNE AGRICULTURE DURABLE

Énergie solaire

Limitation des énergies fossiles

BIOTOPE
Apports limités = milieu sauvegardé

Diversité des exports

Respiration

➡ Biodiversité protégée

Poulet

• Manger autrement

INTRANTS
LIMITÉS

Maïs
+
associations
végétales
et animales

Maïs

SOL

Sol préservé

Envie de sciences

L'agriculture de conservation et l'agro-écologie

Les TCS ou techniques culturales simplifiées font partie intégrante de l'agriculture dite de conservation. Elles reposent sur des pratiques consistant à la suppression du labour, une couverture permanente du sol et la mise en place de rotations de cultures performantes.

Ces techniques ont été d'abord développées en Amérique latine où les pratiques culturales importées par les Européens, n'étaient pas adaptées au climat et au sol.

Aujourd'hui ,dans le cadre d'une réduction des intrants et de la dépense énergétique, elles tendent à se généraliser pour certains de leurs aspects les plus bénéfiques. Des organismes comme le CIRAD en sont d'ailleurs des moteurs à l'échelle internationale, promouvant une nouvelle forme d'agriculture : l'agro-écologie.

1 Culture sous paillis.

◀ **2** Principe de l'agriculture de conservation.

Travail minimal du sol — AGRICULTURE DE CONSERVATION — Rotation/associations culturables — Couverture (permanente) du sol

Les insectes, bifteck de l'avenir

« Substituer des larves à la viande ou au poisson est une des pistes envisagées par les Nations unies pour nourrir 9 milliards de personnes à l'horizon 2050.

Brochettes de sauterelles, criquets sauce piquante, purée de punaises d'eau géantes, larves frites, scorpions au chocolat... Le menu n'est a priori pas très ragoûtant, mais il faudra peut-être vite s'y habituer. Le développement de la consommation d'insectes comme substitut de la viande ou du poisson fait partie des pistes étudiées très sérieusement par plusieurs experts, dont ceux de l'Organisation des Nations unies pour l'alimentation et l'agriculture (FAO), pour assurer la sécurité alimentaire mondiale dans les décennies à venir.

La FAO est en train d'élaborer des recommandations, et devrait, avant la fin 2010, encourager officiellement ses Etats membres à « maintenir et développer » leur consommation. »

Extrait : *Le Monde* 01.06.10

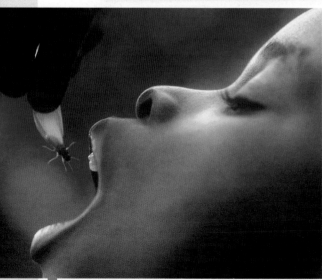

En Centre Afrique, les Manjas, par tradition, chassent et mangent des termites pour leur pouvoir calorique.

Ingénieur agronome

Améliorer les techniques de productions agricoles tout en menant une réflexion sur les aspects environnementaux et économiques liés à ces productions, telle est la fonction principale de l'ingénieur agronome.

Au quotidien, cela se traduit par des allers et retours permanents entre le terrain et les locaux techniques : mise en place et suivi d'expérimentations sur différentes cultures en serre ou en plein champ sur des thèmes comme la fertilisation des sols, la protection des plantes, la limitation des intrants…. L'ingénieur agronome analyse les résultats obtenus pour proposer de nouvelles préconisations transposables sur le terrain par les agriculteurs.

QUALITÉS ET NIVEAU REQUIS

▶ Bonnes capacités d'analyse

▶ Goût pour les activités de terrain

▶ Bac + 4 ou 5, école d'agronomie et spécialisation

▶ Obtention du diplôme par formation initiale, continue et par apprentissage

www.lesmetiers.net

Agriculture et lutte biologique

L'agriculture biologique constitue un mode de production qui trouve son originalité dans le recours à des pratiques culturales et d'élevage soucieuses du respect des écosystèmes naturels. Ainsi, elle exclut l'usage des produits chimiques de synthèse (engrais, antibiotiques…), des OGM et limite l'emploi d'intrants.

Elle s'appuie sur la lutte biologique, en particulier pour lutter contre les ravageurs des cultures. Cette méthode permet de réduire les effectifs d'un organisme gênant, animal ou plante, en le faisant consommer par un de ses ennemis naturels. Les insectes sont très présents dans la lutte biologique. De très nombreuses espèces sont mises à contribution. Pour lutter contre la Pyrale du maïs, on envoie des vagues successives de millions de trichogrammes, pondre dans les œufs de la pyrale, leur larve tuant ensuite le ravageur.

▶ Trichogramme pondant sur des larves de pyrales.

Réaliser une culture expérimentale

Les bilans des agrosystèmes reposent sur la productivité primaire des végétaux.
Toute amélioration de cette productivité primaire permet d'augmenter la production finale,
mais pas forcément le rendement. Afin d'étudier les variations de rendement en fonction
de modifications de certains paramètres du milieu, on peut réaliser des cultures expérimentales.

➡️ **Sur quels paramètres du milieu de culture peut-on agir pour augmenter la productivité
primaire ?**

Capacités évaluées

▶ Concevoir et réaliser un protocole pour mettre en œuvre une culture en laboratoire
▶ Analyser les caractéristiques d'une culture et établir un bilan

Matériel disponible

▶ Pour la culture
- Des mini serres pouvant intégrer un système de mesure ExAO
- Des graines : lentille ou lin
- Un support inerte de culture : vermiculite ou billes d'argile
- Différentes solutions nutritives de concentrations variées (KNOP)
▶ Pour le bilan
- Balance

Conclusions attendues

▶ **1.** L'ajout de certains ions favorise la productivité
primaire des cultures.
▶ **2.** Un excès d'apport nutritif peut diminuer
la productivité primaire.

Critères de réussite

➡️ Les cultures ont été menées dans des conditions d'éclairement,
de température et d'atmosphère identique.
➡️ Au départ, le nombre et la masse des graines ont été déterminés.
➡️ À la fin de l'expérience, la masse des plantes a été mesurée.
➡️ Le bilan a permis de calculer la productivité.

Évaluer ses connaissances

Tests rapides

Animation interactive

1 Quelques définitions à maîtriser

Définir brièvement les mots ou expressions suivants :
● Écosystème ● Agrosystème ● Intrants ● Rendement énergétique ● Pratiques culturales ● Pratiques alimentaires collectives.

2 Questions à choix multiple

Parmi les affirmations suivantes, choisissez la (ou les) réponse(s) exacte(s).

1 Un écosystème terrestre :
a. est constitué d'un biotope et d'une biocénose.
b. est constitué d'une biocénose en interaction avec un biotope.
c. est un système dont la lumière est l'unique source d'énergie.
d. montre un fonctionnement qui est permis par l'activité des décomposeurs.

2 Un agrosystème de plein champ :
a. est constitué d'une biocénose en interaction avec un biotope.
b. a pour objectif l'importation de matière végétale à des fins alimentaires.
c. est un système supposant un contrôle permanent par l'Homme.
d. est un système dont la lumière est l'unique source d'énergie.

3 Un agrosystème type ferme d'élevage :
a. implique des flux de matière et d'énergie plus importants qu'un agrosystème de plein champ.
b. nécessite d'être associé sur place à des agrosystèmes de production végétale visant à nourrir les animaux.
c. permet la fourniture de viande dont la consommation mondiale est croissante.
d. n'a que des conséquences limitées aux écosystèmes proches de cet agrosystème.

4 L'emploi d'intrants en agriculture :
a. permet d'atteindre des objectifs de production essentiellement quantitatifs.
b. permet de limiter l'injection d'énergie auxiliaire dans l'agrosystème.
c. a des conséquences parfois néfastes sur les écosystèmes naturels.
d. peut être ajusté et avoir des impacts limités par le biais de pratiques culturales adaptées.

5 Les habitudes alimentaires d'un individu :
a. diffèrent en quantité et en composition en fonction de l'origine géographique de chacun.
b. définissent des pratiques collectives lorsqu'elles sont démultipliées des millions de fois.
c. ont des répercussions qui restent limitées à la zone de production des aliments consommés.
d. engendrent un coût énergétique indispensable à la production des aliments consommés.

3 Analyser un document

Une culture de salades en serre sur plaques flottantes.

Parmi les affirmations suivantes, choisissez la (ou les) réponse(s) exacte(s).
Ce document expose un mode de culture qui :
a. ne peut être considéré comme un agrosystème.
b. permet de mieux valoriser l'énergie solaire incidente.
c. n'implique pas de fertilisation puisque le substrat n'est pas un sol.
d. nécessite moins d'intrants qu'un agrosystème de plein champ car les plantes sont protégées du milieu l'extérieur.

Restituer ses connaissances

4 Organiser une réponse argumentée

Rédigez un texte d'une dizaine de lignes présentant des arguments en faveur du développement de nouvelles pratiques culturales amélioratrices de la productivité et respectueuses des écosystèmes naturels.

5 Réaliser une comparaison

À l'aide d'un tableau, comparer l'organisation et le fonctionnement d'un écosystème naturel et d'un agrosystème de plein champ.

Exercice guidé

6 Comparaison des rendements de deux systèmes d'élevage bovins viande

▶ Deux études distinctes ont été menées pour tester le rendement écologique d'un système d'élevage de bovins élevés en pâtures.

▶ Dans le premier cas, les travaux portaient sur une prairie artificielle semée de Normandie pâturée par des bovins sélectionnés de race Normande. Dans le second cas, l'étude concernait des bovins non améliorés par croisement génétique (comme les Highlands) pâturant dans une prairie naturelle (non semée) au Royaume-Uni.

▶ La race normande actuelle est le résultat de nombreux programmes de sélection génétique. Dans cette étude, elle est nourrie à partir d'un mélange d' herbes sélectionnées, entre autres, pour leur bonne digestibilité. Parallèlement, de nombreuses interventions sont réalisées sur la prairie artificielle semée et en particulier une fertilisation conséquente et de fréquents traitements destinés à limiter le développement de la flore adventive et de certaines espèces animales pouvant réduire la productivité primaire.

▶ La « Highland » est une race bovine originaire d'Écosse élevée en France à très petite échelle pour la production de viande. La particularité de cette race est d'avoir été très peu modifiée par l'amélioration génétique contrairement par exemple à la race Normande. Dans cette étude menée en prairie naturelle, les animaux se nourrissent de végétaux se développant spontanément sans intervention humaine.

Valeurs (en 103 kJ/m²/an)	Prairie artificielle normande	Prairie naturelle anglaise
Énergie solaire incidente	2 082	1672
Productivité primaire nette	29,34	10,5
Biomasse consommée par :		
les bovins	3,05	13,9
les arthopodes, mollusques phytophages	1,2	1,25
bovins	0,2	2,1

1 Tableau comparatif des rendements d'une prairie artificielle normande et d'une prairie naturelle anglaise.

2 Highland dans son biotope d'origine.

QUESTIONS

1 Calculez et comparez le rendement photosynthétique des producteurs primaires pour chaque étude.

2 Calculez et comparez l'efficacité énergétique des bovins pour chaque étude.

3 Émettez des hypothèses expliquant les différences de rendement observées au niveau des producteurs primaires et des consommateurs (bovins uniquement).

4 Précisez les avantages et les limites de chaque système dans le cadre d'une amélioration durable de la productivité agricole.

Guide de résolution

1 Le rendement photosynthétique se définit comme le rapport de l'énergie contenue dans la productivité primaire nette sur l'énergie solaire reçue.

2 L'efficacité énergétique des bovins se définit comme le rapport de l'énergie contenue dans la biomasse produite par l'animal sur l'énergie contenue dans la biomasse lui servant d'aliment.

3 Prendre en compte les aspects « contrôlés » de la prairie normande et l'aspect « non contrôlé » de la prairie naturelle.

4 Prendre en compte à la fois le coût énergétique de la production de viande, la limitation des ressources permettant d'assurer la production et les besoins d'une population dont les effectifs ne cessent de croître.

Appliquer ses connaissances

7 Améliorer la productivité dans une logique de développement durable

▶ *Azospirillum* est une bactérie parfois rencontrée en association avec les racines des Poacées, famille de plantes comprenant notamment le blé, le maïs et le riz. Cette bactérie est capable de réaliser la fixation d'azote gazeux atmosphérique et de le transformer en azote minéral directement assimilable par la plante à laquelle elle est associée.

▶ Pour mieux comprendre les conséquences de cette association, des expériences d'inoculation de cette bactérie, à du riz et du blé, ont été réalisées.

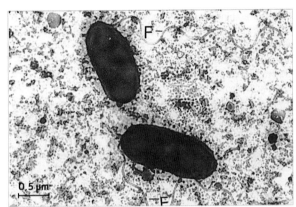

1 *Azospirillum lipoferum* (MET).

2 Effet d'une inoculation par *Azospirillum lipoferum* sur la morphologie racinaire du riz.
A - Riz non inoculé ; B - Riz inoculé avec une souche d'A. Lipoferum.

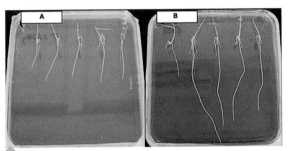

Colonisation **4** des racines du riz par *Azospirillum lipoferum*.

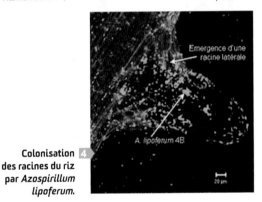

3 Effet d'une inoculation par *Azospirillum lipoferum* sur le blé.
Témoin non inoculé (à gauche) et inoculé (à droite).

	Témoins non inoculés	Plants inoculés
Nombre de plants par m²	216,8	229,3
Nombre d'épis par m²	284,3	321
Masse d'un grain (en mg)	27	26,7
Développement des tiges (rapport sans unité)	294,6	338,6
Développement des racines (rapport sans unité)	34	39

5 Effet d'une inoculation par *Azospirillum lipoferum* sur le blé témoin non inoculé et sur le blé inoculé avec une souche d' *Azospirillum lipoferum*.

QUESTIONS

1 À partir des documents 2, 3 et 4, décrivez les effets de l'inoculation de la bactérie à des plants de riz. Formulez une hypothèse pour expliquer les résultats observés.

2 À l'aide d'un tableur, calculez pour chaque paramètre mesuré dans le document 5, le pourcentage de gain obtenu pour le blé inoculé par rapport au contrôle non inoculé.

3 Analysez ensuite ces résultats pour mettre en évidence les effets de l'inoculation sur la productivité chez le blé.

4 Montrez que l'inoculation des cultures comme le blé et le riz par Azospirillum représente une voie possible d'amélioration de la productivité permettant une limitation des intrants.

Exercices

Appliquer ses connaissances

8 Le phosphore : nécessité agronomique, préoccupation environnementale

▶ Même si la chimie des végétaux est complexe, les conditions de croissance des plantes cultivées sont assez bien connues et nécessitent notamment de l'azote et du phosphore qui sont prélevés dans le sol.

▶ Le phosphore est un composant essentiel de l'ADN et de différentes molécules organiques. Incorporé dans les fertilisants, il a contribué à tripler le rendement du blé en un siècle. Mais, comme le pétrole, il est extrait de gisements mondiaux de roches phosphatées, qui s'épuisent. Selon les estimations, les réserves seraient de 16 milliards de tonnes. En 2009, 158 millions de tonnes de phosphates ont été extraites.

▶ Dans un écosystème, seul le phosphore en solution dans l'eau du sol peut être prélevé par les racines des plantes. Au cours de sa circulation dans les écosystèmes, on a pu évaluer l'intensité des transferts de phosphore vers les eaux de surface qui varie de 0,1 à 2,5 kg/ha/an. Le phosphore en excès rejoint les milieux aquatiques sous forme dissoute ou fixé sur des particules du sol issues du ruissellement et de l'érosion. Conjugué à l'excès de nitrate il est à l'origine de phénomènes comme les marées vertes.

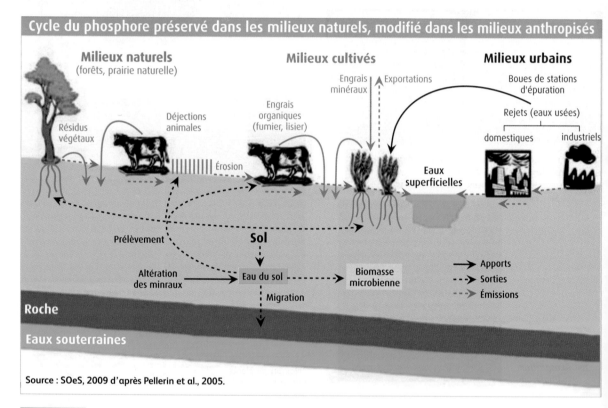

Cycle du phosphore préservé dans les milieux naturels, modifié dans les milieux anthropisés

Source : SOeS, 2009 d'après Pellerin et al., 2005.

QUESTIONS

1 Relevez l'importance du phosphore dans un agrosystème de production végétale.

2 Estimez la date d'épuisement des gisements de phosphore. Discutez de la pertinence de ce calcul sachant que la production de phosphore augmente régulièrement.

3 En utilisant le schéma du cycle du phosphore, déterminez les sources de phosphore pour les végétaux dans un écosystème naturel et dans un milieu cultivé.

4 Expliquez que dans un écosystème naturel la majeure partie du phosphore prélevé soit restitué au sol alors que dans un agrosystème, la teneur en phosphore du sol est appauvrie.

5 Recherchez les différents niveaux d'action possibles dans un agrosystème afin d'optimiser l'utilisation du phosphore.

La science AUTREMENT

9 Agriculture du Nord, agriculture du Sud ? Quel « modèle » ?

Les paysanneries pauvres du sud : un modèle pour les pays du nord ?
D'après Marc Dufumier Aux origines de l'environnement Ed Fayard modifié 2010
Les champs cultivés ou ager peuvent l'être tous les ans sans grande perte de fertilité, grâce aux déjections animales concentrées au sein des corrales dans lesquelles sont parqués durant la nuit les ruminants qui ont pâturé les terres de parcours ou saltus. La fumure organique est épandue sur les parcelles de l'ager avant les labours. Néanmoins le surpâturage des saltus et leur faible protection contre l'agressivité des pluies posent des problèmes quant à la pérennité des sols.

Système saltus/ager dans le Chuquisaqua en Bolivie.

QUESTIONS

1 Précisez les intérêts et les désavantages potentiels de cette pratique agricole sur le plan de la durabilité d'une ressource comme le sol.

2 Montrez en quoi la pratique du « saltus/ager » peut constituer une piste de réflexion pour limiter la dégradation des sols dans les pays du nord.

3 Discutez des limites de la transposition de cette pratique aux agrosystèmes des pays de l'hémisphère nord.

10 Les glaneuses de Millet

QUESTION

Montrez en quoi le peintre Millet met en évidence que le fonctionnement d'un agrosystème impliquent des flux de matière et d'énergie.

« Les glaneuses »,
peinture à l'huile, 1865,
Jean-François Millet,
Musée d'Orsay.

Enjeux planétaires contemporains

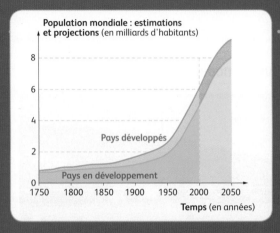

Population mondiale : estimations et projections (en milliards d'habitants)

Pays développés

Pays en développement

Temps (en années)

Neuf milliards d'hommes

Avec une prévision de stabilisation de la population mondiale à 9 milliards d'habitants, l'humanité doit relever deux défis majeurs au cours du XXIe siècle : la nutrition et l'approvisionnement énergétique. Les solutions envisagées doivent par ailleurs être durables.

Rechercher des hydrocarbures

Les gisements d'hydrocarbures sont rares et précisément localisés à la surface du globe. En attendant la transition énergétique, les hydrocarbures restent une matière première indispensable à l'humanité. La connaissance des conditions de formation de cette ressource, et la compréhension de la tectonique des plaques permettent une meilleure exploration du sous-sol.

Exploiter des ressources locales

Au niveau local, des ressources géologiques sont disponibles et exploitables. La connaissance de la tectonique des plaques permet de comprendre les modes de formation de ces ressources et leur localisation. Dans le futur, d'anciennes exploitations minières ou énergétiques pourraient être réouvertes.

Des agrosystèmes pour nourrir les Hommes

L'agriculture mondiale doit produire les aliments de l'humanité. Pourtant, elle reste limitée par la productivité des plantes, la fertilité des sols et la disponibilité en eau. Le choix des techniques culturales doit concilier la nécessaire production et la gestion durable de l'environnement.

Vers la rentabilité énergétique des agrosystèmes

Le coût énergétique d'un hamburger n'est pas le même que celui d'un bol de riz. La connaissance des écosystèmes et des agrosystèmes permet de comprendre que la rentabilité énergétique de la production animale est réduite et ne permet pas une alimentation durable de l'humanité.

VIVONS ENSEMBLE AUTREMENT

Agissons pour le développement durable

Vers des pratiques alimentaires collectives adaptées

Les pratiques alimentaires individuelles répétées collectivement peuvent avoir des conséquences environnementales globales. L'agriculture mondiale doit donc s'adapter à la limitation des ressources naturelles, mais les comportements alimentaires de chacun doivent aussi évoluer.

Corps humain et santé

▶ La compréhension du fonctionnement de l'organisme humain, tant à l'échelle cellulaire qu'à celle de l'individu, a permis de définir ses capacités et ses limites

▶ Grâce à ces connaissances, il est maintenant possible de soigner et guérir certaines pathologies mais aussi de les prévenir en adaptant nos comportements.

→ Comment la connaissance du fonctionnement et de la mise en place des organes génitaux permet-elle des avancées médicales dans le domaine de la reproduction ?

1 Silhouettes d'un homme et d'une femme montrant les appareils reproducteurs.

DÉPISTAGE ORGANISÉ
DU CANCER DU SEIN DÈS 50 ANS.
4 MILLIONS DE FEMMES L'ONT CHOISI. ET VOUS?

> Pourquoi certaines variations génétiques peuvent-elles être la cause de pathologies humaines, comme les cancers ?

2 Campagne pour un dépistage généralisé.

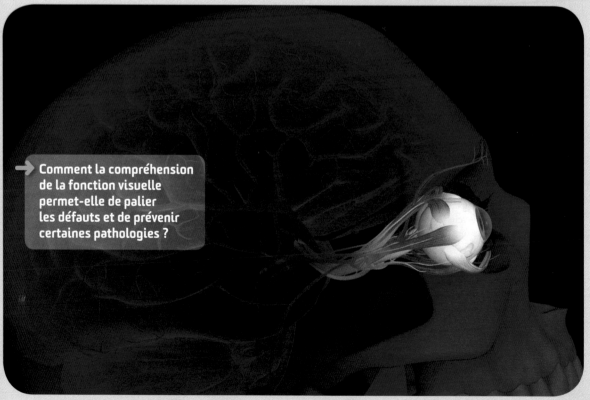

> Comment la compréhension de la fonction visuelle permet-elle de palier les défauts et de prévenir certaines pathologies ?

3 Écorché numérique des structures impliquées dans la vision.

1 Diversité des allèles et phénotype

▶ Un gène occupe la même position sur chacun des deux chromosomes de la même paire. Il peut exister sous différentes versions appelées allèles.

▶ Pour un gène donné, il peut exister de nombreux allèles dans une population, mais chaque individu n'en possède que deux : un sur chaque chromosome de la paire qui porte le gène.

▶ Les deux allèles d'un individu peuvent être identiques ou différents. Des combinaisons d'allèles différentes peuvent aboutir au même phénotype.

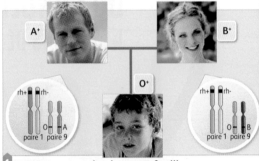

1 Les groupes sanguins dans cette famille.

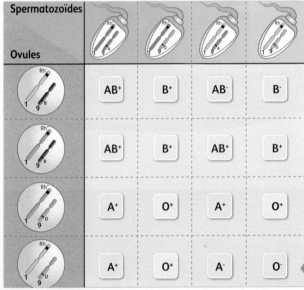

2 Devenir des chromosomes 1 et 9 au cours de la reproduction sexuée.

2 Information sensorielle et système nerveux

▶ Les organes sensoriels reçoivent les stimulations extérieures de l'environnement et transmettent un message nerveux sensitif jusqu'aux centres nerveux (cerveau, moelle épinière) par les nerfs sensitifs.

▶ Les cellules nerveuses, ou neurones, véhiculent des messages nerveux. La transmission du message d'un neurone à l'autre se fait par la libération de messagers chimiques au niveau des synapses.

▶ Des perturbations du système nerveux peuvent être provoquées par l'action de messagers chimiques (alcool, drogue…) dans les synapses du cerveau.

La commande du mouvement. **3**

Stimulation

Organes récepteurs

Information transmise par les nerfs sensitifs

Cerveau Moelle épinière

Information transmise par les nerfs moteurs

Organes effecteurs

Neurone 1

Neurone 2

Libération de messages chimiques

Synapse

▶ À la puberté, l'être humain subit de nombreuses transformations et devient apte à se reproduire. Chez l'homme, les testicules produisent des spermatozoïdes de façon continue et chez la femme, les ovaires libèrent un ovule à chaque cycle. L'utérus se modifie tout au long d'un cycle menstruel.

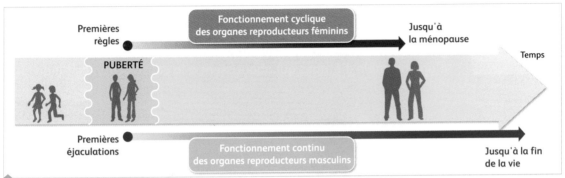

Premières règles

Fonctionnement cyclique des organes reproducteurs féminins

Jusqu'à la ménopause

PUBERTÉ

Temps

Premières éjaculations

Fonctionnement continu des organes reproducteurs masculins

Jusqu'à la fin de la vie

4 Le fonctionnement des organes reproducteurs.

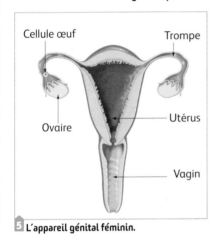

Cellule œuf

Trompe

Ovaire

Utérus

Vagin

5 L'appareil génital féminin.

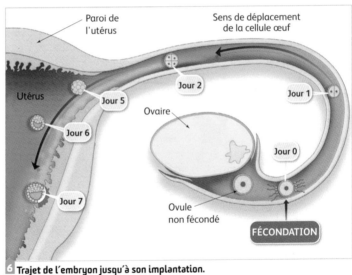

Paroi de l'utérus

Sens de déplacement de la cellule œuf

Utérus

Jour 5

Jour 2

Jour 1

Jour 6

Ovaire

Jour 0

Jour 7

Ovule non fécondé

FÉCONDATION

6 Trajet de l'embryon jusqu'à son implantation.

QUIZ

Animation interactive

	VRAI	FAUX
● Seul le patrimoine génétique détermine le phénotype d'un individu.	☐	☐
● Tous les individus d'une population possèdent les mêmes allèles mais pas les mêmes gènes.	☐	☐
● Un individu porte deux allèles, identiques ou différents, pour un gène donné.	☐	☐
● L'information sensorielle est conduite jusqu'au cerveau par des cellules nerveuses appelées synapses.	☐	☐

	VRAI	FAUX
● Une synapse permet la communication entre des neurones par l'intermédiaire de messagers électriques.	☐	☐
● À l'issue d'un rapport sexuel, les spermatozoïdes sont déposés dans le vagin où la fécondation peut avoir lieu.	☐	☐
● La contraception est l'ensemble des méthodes chimiques qui empêchent l'ovulation.	☐	☐

➔ Voir réponses p. 407

CHAPITRE 11

Devenir femme ou homme

▶ Dans l'espèce humaine, le sexe d'un individu est déterminé génétiquement. Pourtant, devenir homme ou femme relève d'un ensemble d'étapes qui aboutissent à la construction de l'individu.

1 Groupe de jeunes hommes et femmes.

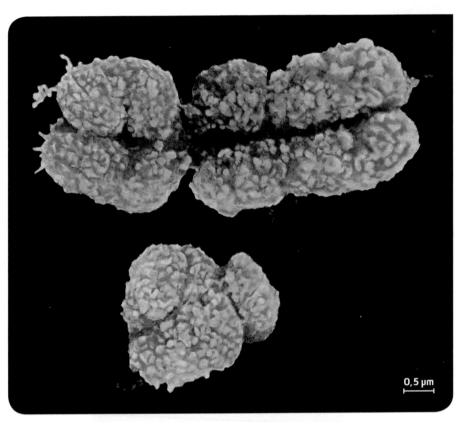

2 **Chromosomes sexuels** vus en microscopie électronique à balayage et colorisés.

0,5 µm

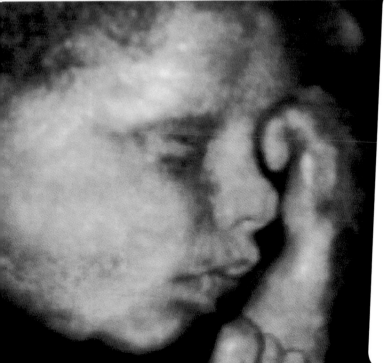

Comment se distinguent les phénotypes sexuels ?

→ **Activité 1**

Comment le sexe d'un individu est-il déterminé ?

→ **Activité 2**

Comment se mettent en place les organes génitaux chez le fœtus et sous quel contrôle ?

→ **Activité 3**

Comment se manifeste la puberté ? Quelles sont les caractéristiques du fonctionnement de l'appareil génital ?

→ **Activités 4 et 5**

Quel lien existe-il entre plaisir et sexualité ?

→ **Activité 6**

3 **Échographie d'un fœtus humain de 5 mois** (longueur 30 cm, poids 400 g).

Activité 1

Les phénotypes sexuels

L'orientation sexuelle de chacun est du domaine de la vie privée, mais le phénotype sexuel, féminin ou masculin, est souvent clairement identifiable.

→ **Comment se distinguent les phénotypes sexuels ?**

Travail en groupe

Groupe A

1 (Doc 1 et 2) Recherchez les similitudes et les différences dans l'organisation des appareils génitaux chez la femme et la souris femelle.

Groupe B

2 (Doc 1 et 2) Réalisez le même travail chez l'homme et la souris mâle.

Mise en commun

3 Comparez les appareils reproducteurs mâle et femelle des mammifères, à l'aide d'un tableau à double entrée selon les critères : gonades, voies génitales, glandes annexes et organes de copulation.

4 Quelles sont les relations entre l'appareil urinaire et l'appareil génital ?

VOCABULAIRE

Appareil génital : ensemble des organes permettant la reproduction ; il comporte des gonades (testicules ou ovaires), des voies génitales et des organes de copulation.

1 Les différences anatomiques dans l'espèce humaine

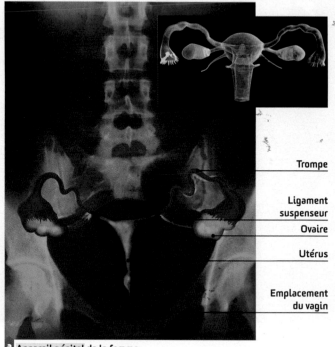

Trompe

Ligament suspenseur

Ovaire

Utérus

Emplacement du vagin

a **Appareil génital de la femme** (radiographie colorisée et reconstitution en 3D en vue de face).

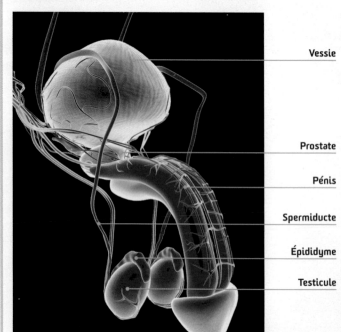

Vessie

Prostate

Pénis

Spermiducte

Épididyme

Testicule

b **Appareil génital de l'homme** (reconstitution par ordinateur en 3D, vue latérale droite).

2 Les différences anatomiques chez la souris

1. Épingler la souris sur le dos, en extension, au centre de la cuvette.

2. Pratiquer une petite incision au dessus de l'orifice urinaire.

3. Glisser la sonde cannelée sous la peau et inciser à l'aide de ciseaux guidés par la gouttière de la sonde cannelée (incision 1 puis 2, 2'et 3, 3').

4. Ouvrir la musculature abdominale en pratiquant de la même manière.

5. Dérouler et couper la portion d'intestin masquant l'appareil génital.

6. Dégager les organes génitaux. **Dégraisser** les ovaires chez la femelle et **sortir** les testicules des bourses puis dérouler les spermiductes chez le mâle.

7. Sectionner à l'aide des ciseaux forts le pont osseux du bassin qui masque en partie l'appareil génital.

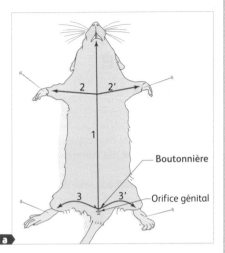

Incisions cutanées. **a**

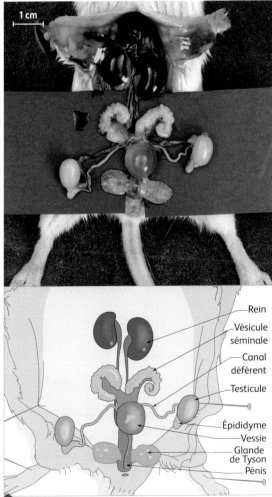

b Appareil génital d'une souris mâle et schéma d'interprétation.

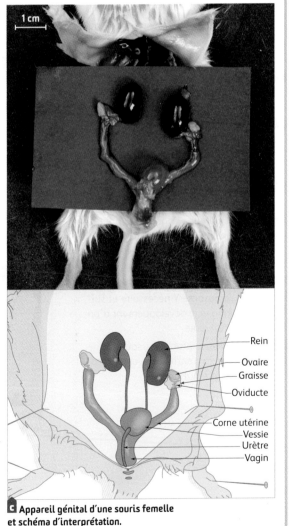

c Appareil génital d'une souris femelle et schéma d'interprétation.

Activité 2

Le contrôle génétique du sexe

Femme et homme ont des caryotypes distincts et possèdent des chromosomes sexuels différents.
Dès la huitième semaine le sexe du fœtus est identifiable.

→ **Comment le sexe génétique et le sexe phénotypique d'un individu sont-ils déterminés ?**

Guide d'exploitation

1 (Doc 1) Comparez les différents stocks chromosomiques possibles des ovocytes et spermatozoïdes normaux.

2 (Doc 1) Montrez que la probabilité d'avoir une fille ou un garçon à chaque fécondation est de 50 % et justifiez que le sexe est déterminé dès la fécondation.

3 (Doc 2) Comparez les chromosomes X et Y.

4 (Doc 3) Expliquez l'origine du phénotype sexuel inversé des femmes XY et des hommes XX présentés (voir code génétique en début de manuel).

5 (Doc 3) Montrez que le gène SRY est le gène du chromosome Y nécessaire et suffisant pour induire le développement d'un appareil génital mâle.

6 En conclusion, établissez sous forme de schéma, le lien entre sexe chromosomique et sexe phénotypique.

VOCABULAIRE

Aménorrhée : absence de règles.
Cellules germinales : cellules-mères des gamètes.

1 Fécondation et détermination du sexe

▶ Au moment de la fécondation, deux gamètes, ovocyte et spermatozoïde, porteurs chacun de la moitié du patrimoine génétique fusionnent. Les différents caryotypes possibles d'ovocytes et de spermatozoïdes sont présentés.

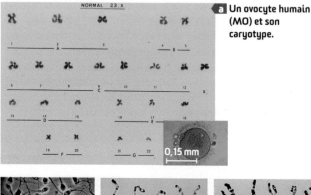

a Un ovocyte humain (MO) et son caryotype.

NORMAL 23 X

0,15 mm

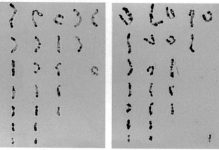

b Des spermatozoïdes humains (MO) et les deux types possibles de caryotype.

40 µm

2 Comparaison des chromosomes sexuels X et Y

a Chromosomes sexuels (MEB, couleurs artificielles).

2 µm

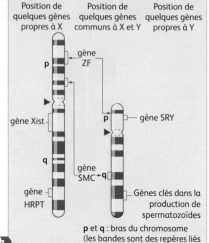

Position de quelques gènes propres à X	Position de quelques gènes communs à X et Y	Position de quelques gènes propres à Y

gène ZF
p
gène Xist
gène SRY
p
q
gène SMC
q
gène HRPT
Gènes clés dans la production de spermatozoïdes

p et q : bras du chromosome (les bandes sont des repères liés à la technique de coloration)

Carte des chromosomes **b**
X et Y. ▶ : Centromère

3 Des phénotypes sexuels inversés

▶ Très rarement, des individus peuvent présenter des phénotypes sexuels en contradiction avec leur caryotype.

▶ Certaines femmes sont XY, l'analyse du chromosome Y révèle la présence du gène SRY dont la séquence peut être comparée avec celle du gène SRY chez un homme XY normal (allèle de référence, dit sauvage).

Caryotype	Fréquence	Gonades	Clinique
46, XY	Très rare	Ovaires très réduits	• Femme • **Aménorrhée** • Stérilité
46, XX	1/20 000	Testicules sans **cellules germinales**	• Homme • Stérilité

a Tableau clinique des phénotypes sexuels inversés.

RÉALISER

1. **Afficher** les séquences de l'allèle de référence du gène SRY (noté SRY. adn) et de l'allèle muté (noté SRY-Cas7.adn).

2. **Comparer** les séquences (comparaison avec alignement).

3. **Convertir** les séquences en séquence peptidique et comparer.

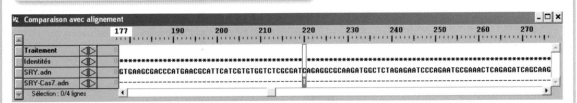

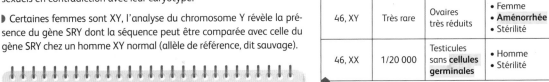

b Comparaison des séquences du gène SRY et de la protéine codée par le gène SRY chez la femme XY (SRY cas 7) et l'homme normal XY.

▶ Chez des hommes XX, l'observation fine de leurs chromosomes a été réalisée par hybridation chromosomique (technique FISH). Une sonde fluorescente verte capable de s'associer à la région du chromosome Y porteuse du gène SRY, est incubée en présence de l'ensemble des chromosomes marqués ici en rouge.

▶ Une région spécifique du chromosome X est également repérée par une sonde verte.

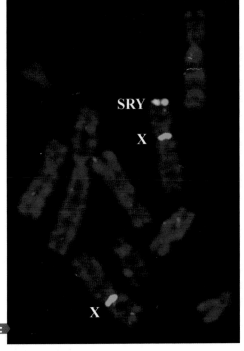

Résultat de l'hybridation **c** chromosomique.

Activité 3

L'appareil génital sous contrôle hormonal

Dès la fécondation, la présence d'un chromosome Y porteur du gène SRY permet la différenciation des testicules, son absence permet la différenciation des ovaires. Les voies génitales et les organes génitaux externes, se transforment à leur tour.

→ **Comment est contrôlée la mise en place des organes génitaux chez le fœtus ?**

Guide d'exploitation

1 **(Doc 1)** Comparez l'origine embryologique du pénis chez l'homme et du clitoris chez la femme.

2 **(Doc 1 et 2)** Relevez les caractéristiques de l'appareil génital durant les sept premières semaines de la vie fœtale.

3 **(Doc 3)** Analysez les effets d'une castration de fœtus mâle ou femelle.

4 **(Doc 3)** Analysez et comparez, sous forme d'un tableau, les effets d'une greffe de testicule ou de l'injection de testostérone chez un mâle castré.

5 **(Doc 3)** Proposez une hypothèse concernant le rôle de la testostérone.

6 **(Doc 4)** Proposez une hypothèse concernant le rôle de l'hormone testiculaire AMH.

VOCABULAIRE

Clitoris : petit organe sexuel externe chez la femme, localisé en avant de la vulve.

In utero : au sein de l'utérus.

Hormone : molécule produite par un organe ou une cellule spécialisée, transportée par le sang et modifiant à distance le fonctionnement de tissus ou cellules cibles.

---

1 Mise en place des organes génitaux externes

▶ L'échographie en trois dimensions a permis d'observer en détail la mise en place des organes génitaux externes chez le fœtus humain.

▶ Le tubercule génital évolue en **clitoris** chez la fille et en pénis chez le garçon.

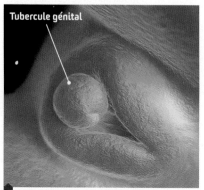
Tubercule génital

▶ **Appareil génital externe d'un fœtus garçon ou fille** à sept semaines de grossesse environ.

2 Mise en place des organes génitaux internes

▶ Au début de la vie fœtale, l'appareil génital est identique chez la fille et le garçon. Deux types d'ébauches de voies génitales coexistent : les canaux de Wolff et les canaux de Müller.

▶ L'évolution de l'appareil génital a été étudiée chez les fœtus des deux sexes.

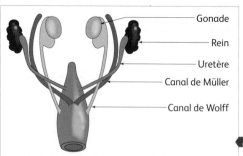

Gonade
Rein
Uretère
Canal de Müller
Canal de Wolff

a Voies génitales indifférenciées.

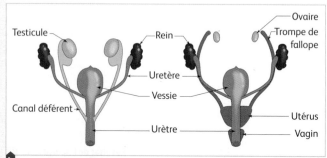

Testicule
Rein
Ovaire
Trompe de fallope
Uretère
Vessie
Canal déférent
Urètre
Utérus
Vagin

b Voies génitales différenciées mâles et femelles.

3 Un contrôle hormonal

▶ À l'aide du logiciel Detsex, il est possible de simuler des expériences historiques variées sur des fœtus de lapin : castration, greffe de gonades, injection d'**hormones**… Le logiciel est téléchargeable sur le site : http://www4.ac-lille.fr/~svt/svt/download.php?lng=fr

RÉALISER

1. Sélectionner la rubrique « Expérimentations » dans le bandeau principal du logiciel.

2. Sélectionner successivement une série d'actions expérimentales : castrer un embryon mâle ; castrer un embryon femelle ; greffe d'un testicule chez un embryon mâle castré et injection de testostérone chez un embryon mâle castré.

3. Mettre en mémoire chaque manipulation.

4. Ouvrir la rubrique « Synthèse » dans le bandeau principal du logiciel.

5. Sélectionner les simulations expérimentales que vous souhaitez comparer.

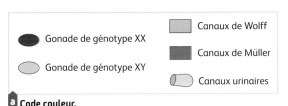

- Gonade de génotype XX
- Gonade de génotype XY
- Canaux de Wolff
- Canaux de Müller
- Canaux urinaires

a Code couleur.

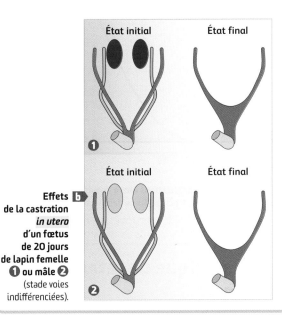

État initial — État final

État initial — État final

Effets b de la castration *in utero* d'un fœtus de 20 jours de lapin femelle ❶ ou mâle ❷ (stade voies indifférenciées).

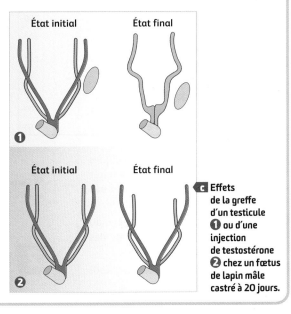

État initial — État final

État initial — État final

c Effets de la greffe d'un testicule ❶ ou d'une injection de testostérone ❷ chez un fœtus de lapin mâle castré à 20 jours.

4 Les effets de l'AMH

▶ Les voies génitales d'un fœtus de rat de 14 jours (au stade indifférencié) ont été prélevées et mises en culture ; un extrait de testicule a été ajouté. L'évolution des canaux de Müller et des canaux de Wolff est observée trois jours plus tard.

▶ Des résultats identiques sont obtenus avec un ajout d'une autre hormone testiculaire, l'hormone anti-müllerienne ou AMH.

Voies génitales obtenues de culture : isolement ❶ ou en présence d'un fragment de testicule fœtal ❷.

Canal de Müller

Canal de Wolff

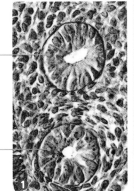

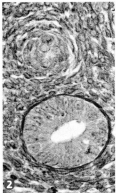

25 µm

Activité 4

La puberté chez le garçon

Durant la vie fœtale, les testicules puis les voies génitales de type masculin se sont différencié. À la puberté, le phénotype sexuel achève sa mise en place et l'appareil génital débute son activité.

→ **Comment se manifeste la puberté chez le garçon et quelles sont les caractéristiques du fonctionnement de l'appareil génital masculin ?**

Guide d'exploitation

1 (Doc 1) Précisez la période d'apparition des principaux caractères sexuels secondaires masculins et l'évolution du taux de testostérone.

2 (Doc 2) Analysez les données cliniques du retard de puberté présenté et précisez le rôle de la testostérone ainsi mis en évidence.

3 (Doc 3) Comparez le contenu du liquide extrait de l'épididyme chez des souris mâles prépubères et pubères.

4 (Doc 3 et 4) Précisez les rôles des testicules.

5 (Doc 4) Décrivez l'évolution de la production de testostérone au cours des semaines chez l'homme adulte.

6 En conclusion, justifiez que l'activité des testicules soit relativement constante.

VOCABULAIRE

Testostérone : hormone sexuelle mâle sécrétée par les cellules interstitielles de Leydig du testicule, localisées entre les tubes séminifères.

---

1 Des changements importants

▶ À la puberté, un ensemble de transformations morphologiques et physiologiques se produisent. Une croissance générale importante a lieu et des caractères sexuels secondaires de type masculin apparaissent : musculature développée, poils sur le visage, sur le thorax, sur le pubis, voix plus grave.

▶ L'âge de ces changements pubertaires varie d'un individu à l'autre.

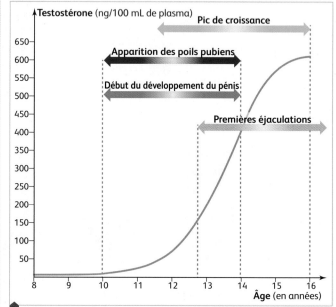

Chronologie des principes modifications lées à la puberté chez le garçon et variation de la concentration en testostérone dans le sang.

2 Un cas clinique de retard de puberté

▶ Un jeune homme consulte pour la première fois à l'âge de 17 ans ; il mesure alors 1 m 83 mais ne présente pas de signes extérieurs de puberté.

Caryotype	XY normal
Appareil génital	De type mâle normal mais pénis et testicules de petite taille
Production de spermatozoïdes	Non
Dosage de testostérone plasmatique	30 à 80 ng/100 ml (N = 300 à 1200 ng/100 ml)
Caractères sexuels secondaires	Pas de poils pubiens ni de barbe, pas de mue de la voix

a **Tableau des caractéristiques cliniques** (N : concentration normale de référence).

▶ Un traitement par injection de testostérone a permis l'apparition des caractères sexuels secondaires ainsi que le développement de ses testicules, de son pénis et l'apparition des premières éjaculations.

3 Début de production des gamètes

▶ On cherche à comparer l'activité testiculaire chez des souris mâles prépubère et pubère.

RÉALISER

1. Disséquer les deux animaux, pubère et prépubère (voir page 271).

2. Prélever sur chaque animal l'ensemble testicule-spermiducte en sectionnant ce dernier près des vésicules séminales et en coupant les éventuelles adhérences.

3. Déposer l'ensemble sur une lame.

4. Vider le contenu du spermiducte en faisant rouler une pipette pasteur sur toute la longueur du canal, en partant de l'épididyme.

5. Déposer une goutte de bleu de méthylène sur la préparation.

6. Recouvrir d'une lamelle et **observer** au microscope.

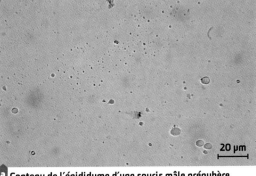

a Contenu de l'épididyme d'une souris mâle prépubère.

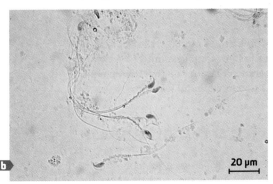

Contenu de l'épididyme **b** d'une souris mâle pubère.

4 Production de testostérone chez l'homme adulte

▶ Les testicules sont constitués de nombreux tubes séminifères pelotonnés, producteurs de spermatozoïdes. Entre les tubes, les cellules de Leydig sécrètent une hormone : la testostérone.

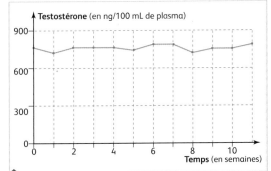

b Concentration plasmatique de testostérone au cours des semaines chez un homme adulte.

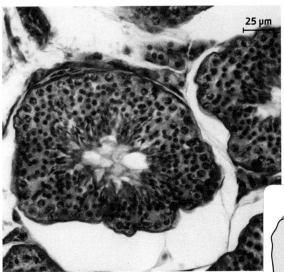

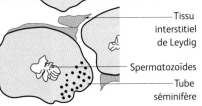

Tissu interstitiel de Leydig

Spermatozoïdes

Tube séminifère

a Coupe transversale de testicule d'homme pubère et schéma d'interprétation.

Activité 5

La puberté chez la fille

Durant la vie fœtale, les ovaires puis les voies génitales de type féminin se différencient. À la puberté, le phénotype sexuel achève sa mise en place et l'appareil génital débute son activité.

→ **Comment se manifeste la puberté chez la fille et quelles sont les caractéristiques du fonctionnement de l'appareil génital féminin ?**

Guide d'exploitation

1 (Doc 1) Précisez la période d'apparition des principaux caractères sexuels secondaires féminins et les variations du taux d'œstrogène.

2 (Doc 2 et 3) Décrivez l'évolution des follicules ovariens.

3 (Doc 3) Reliez l'évolution des follicules et du corps jaune dans l'ovaire à celle de la sécrétion des hormones ovariennes.

4 (Doc 3) Décrivez l'évolution de la muqueuse utérine au cours d'un cycle.

5 (Doc 3) Reliez le cycle utérin au cycle ovarien.

6 En conclusion, justifiez que l'activité de l'appareil génital féminin soit cyclique.

VOCABULAIRE

Œstrogène : hormone produite par les follicules ovariens.

Phase folliculaire : première phase du cycle ovarien au cours de laquelle un follicule cavitaire évolue en follicule mûr.

Phase lutéinique : seconde phase du cycle ovarien au cours de laquelle le follicule mûr évolue en corps jaune.

Œstradiol : hormone produite par les cellules de la thèque interne et les cellules folliculaires.

Progestérone : hormone produite par le corps jaune.

1 Des changements importants

▶ À la puberté, un ensemble de transformations morphologiques et physiologiques se produisent : une croissance générale importante a lieu et des caractères sexuels secondaires de type féminin apparaissent.

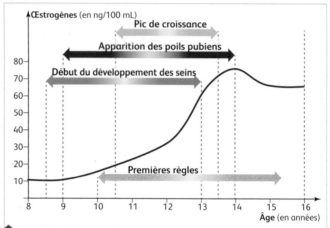

Chronologie des principales modifications liées à la puberté chez la fille et évolution de la concentration en œstrogène dans le sang.

2 Ovaire et follicules

▶ Au sein de l'ovaire, environ un million de follicules contenant chacun un ovocyte sont présents depuis la naissance.

▶ À partir de la puberté, régulièrement, 25 à 40 d'entre eux se mettent à évoluer.

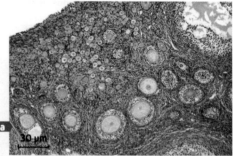

Follicules **a** primordiaux et primaires.
30 µm

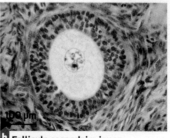

b Follicule secondaire jeune.
100 µm

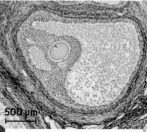

c Follicule cavitaire jeune.
500 µm

3 Fonctionnement cyclique de l'appareil génital

▶ La puberté chez la jeune fille est marquée par l'apparition des cycles menstruels. On distingue deux cycles.

▶ Le cycle ovarien débute au premier jour des règles (1ᵉʳ jour du cycle) pour s'arrêter au premier jour des règles suivantes. À chaque cycle, quelques follicules reprennent leur croissance : c'est la **phase folliculaire**. Un seul follicule atteindra le stade de follicule mûr. Lors de l'ovulation, l'ovocyte est expulsé de ce follicule et de l'ovaire. Le reste du follicule évolue en corps jaune : c'est la **phase lutéinique**.

▶ Le cycle utérin correspond à l'évolution de la muqueuse utérine. L'ablation des ovaires conduit à une disparition du cycle utérin ; une greffe d'ovaires le restaure.

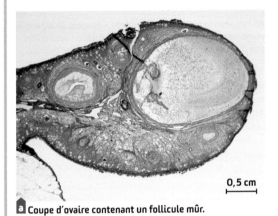

0,5 cm

a Coupe d'ovaire contenant un follicule mûr.

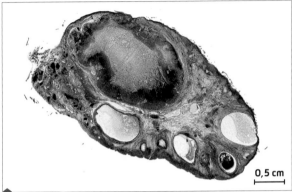

0,5 cm

b Coupe d'ovaire contenant un corps jaune.

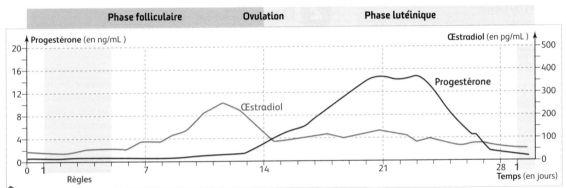

c Évolution du taux des hormones ovariennes : œstradiol et progestérone.

d Muqueuse utérine ❶ après les règles ❷ en début de phase lutéinique ❸ en fin de phase lutéinique.

Activité 6

Le plaisir sexuel

L'activité sexuelle permet la procréation mais est aussi source de plaisir.

→ **Quelle est l'origine du plaisir sexuel ?**

Guide d'exploitation

1 (Doc 1) Justifiez en quoi l'orgasme est un mécanisme à la fois réflexe mais non systématique lors d'un rapport sexuel.

2 (Doc 2) Expliquez en quoi les expériences d'auto-stimulation intra-crânienne mettent en évidence l'existence d'aires cérébrales du plaisir.

3 (Doc 3) Précisez l'aire cérébrale activée intensément lors de l'orgasme et justifiez que le plaisir sexuel s'accompagne d'une activation du circuit de la récompense.

4 (Doc 3) Expliquez en quoi le circuit de la récompense est bénéfique pour la reproduction.

VOCABULAIRE

Orgasme : pic du plaisir sexuel.

Périnée : ensemble de muscles délimitant le fond du bassin et entourant l'anus et les organes génitaux.

Sphincter anal : muscle circulaire fermant l'anus.

Clitoris : petit organe sexuel externe chez la femme, localisé en avant de la vulve ; de même origine embryologique que le pénis chez l'homme.

Aire cérébrale : ensemble de neurones regroupés dans une même zone du cerveau et affectés à la même tâche.

---

1 Qu'est-ce que l'orgasme ?

▶ Lors d'un rapport sexuel, les deux partenaires, après une phase d'excitation croissante plus ou moins longue, peuvent jouir, c'est-à-dire atteindre l'**orgasme** qui s'accompagne de manifestations physiques involontaires.

Chez la Femme	Chez l'Homme
• Contractions du vagin, de l'utérus, du **périnée** et des **sphincters anaux** • Rétraction du **clitoris**	• Contractions de la base du pénis
• Augmentation des fréquences cardiaque et respiratoire • Rougeur de la peau • Durcissement des mamelons • Hérissement des poils • Dilatation des pupilles • Sensation de plaisir puis de bien-être et de relâchement général des tensions	

> En plus de ces manifestations physiques, l'orgasme s'accompagne de pensées et d'émotions complexes variables selon l'individu, son histoire personnelle et le contexte environnemental. Il comporte donc de multiples dimensions : imaginaire, émotionnelle et sensorielle. Ainsi pour Boris Cyrulnik, célèbre neurobiologiste et psychiatre, « le désir et le plaisir sont autant biologiques que psychologiques ».
>
> *Sciences et avenir*, février 2009

---

2 Découverte d'aires cérébrales du plaisir

▶ Dans les années 50, deux neurologues américains, Olds et Milner, travaillant sur le centre supposé de la vigilance, implantent des micro-électrodes stimulatrices dans une petite zone à la base du cerveau de rats de laboratoires afin de vérifier si l'on pouvait amener les rats à éviter certains coins de leur cage. Leur cage comporte un levier commandant directement la décharge électrique par l'intermédiaire de la micro-électrode.

▶ Les rats avaient, après stimulation, tendance à éviter le levier ; tous, sauf un, qui revenait systématiquement s'administrer des chocs électriques. Plus l'intensité des charges était forte et plus il revenait vite s'administrer une autre décharge. Après dissection du cerveau de ce rat, Olds s'aperçut qu'il avait par erreur implanté l'électrode à côté de l'endroit prévu.

Dispositif expérimental des expériences d'auto-stimulation intra-crânienne.

3 Plaisir sexuel et circuit de la récompense

▶ Lors d'un rapport sexuel, de nombreux messages nerveux provenant des organes génitaux mais aussi de toutes les zones stimulées, convergent vers le cerveau.

▶ Grâce à la tomographie par émission de positons (TEP), on peut désormais détecter aisément l'activité du cerveau. Cette technique de neuro-imagerie mesure le débit sanguin : plus un groupe de neurones est actif, plus le débit sanguin est élevé dans cette zone cérébrale.

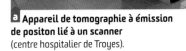

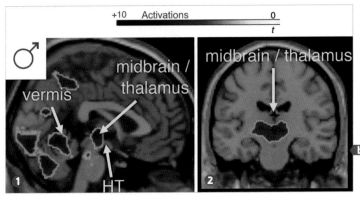

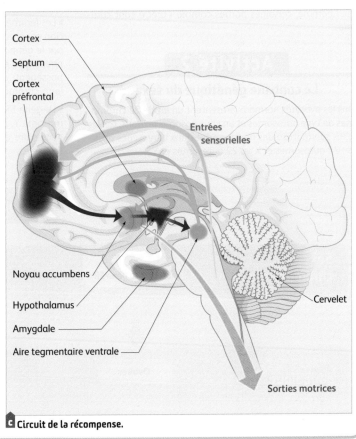

a Appareil de tomographie à émission de positon lié à un scanner (centre hospitalier de Troyes).

b Zones cérébrales activées lors d'un orgasme chez l'homme ❶ cerveau entier coupe longitudinale présentant le cervelet à gauche ❷ coupe transversale.

▶ De nombreuses situations sont sources de plaisir : un rapport sexuel mais aussi un bon repas, la vue de l'être aimé, l'écoute d'une musique aimée…

▶ Le circuit de récompense cérébrale a été défini chez l'animal par des études d'imagerie cérébrale. En situation « naturelle », le circuit fonctionnerait de la manière suivante. Dans tous les cas, des études d'imagerie cérébrale montrent qu'un ensemble d'**aires cérébrales** s'activent.

▶ L'arrivée d'un signal annonçant une récompense, après traitement sensoriel par le cortex, active certains neurones de l'aire tegmentale. Ceux-ci stimulent les neurones du septum, le noyau accumbens et le cortex préfrontal (flèches bleues).

▶ Le noyau accumbens intervient dans l'activité motrice de l'animal. Toutes les cibles sont interconnectées et innervent l'hypothalamus (flèches violettes), l'informant d'une récompense.

▶ Chaque structure cérébrale participeraient ainsi, chacune pour sa part, aux aspects moteurs, cognitifs et affectifs de la réponse.

c Circuit de la récompense.

Bilan des Activités

Activité 1

Les phénotypes sexuels

▶ Au sein des mammifères et en particulier chez l'Homme et la souris, il existe une grande similitude dans l'organisation des appareils génitaux. Même si les organes sont différents, on retrouve chez chacun : des gonades, des voies génitales, un organe de copulation et chez les mâles, des glandes annexes.

	Souris femelle ou femme	Souris mâle ou homme
Gonades	Ovaires	Testicules
Voies génitales	Trompes et utérus	Épididyme et spermiducte
Glandes annexes		Vésicules séminales et prostate
Organe de copulation	Vagin	Pénis

1 Comparaison des appareils reproducteurs mâle et femelle

▶ Chez la femme, appareil urinaire et génital sont séparés. Chez l'homme, certaines parties comme l'urètre sont communes.

Activité 2

Le contrôle génétique du sexe

▶ Tous les ovocytes normaux présentent un lot de 22 chromosomes de type autosomes et un chromosome sexuel X, tandis que les spermatozoïdes normaux ont deux caryotypes possibles : 22 autosomes et X ou 22 autosomes et Y.

▶ On peut schématiser les différentes fécondations possibles dans un tableau :

	50 % de spermatozoïdes de caryotype : 22 autosomes + X	50 % de spermatozoïdes de caryotype : 22 autosomes + Y
100 % d'ovocytes de caryotype : 22 autosomes + X	Cellule-œuf de caryotype : 44 autosomes + XX	Cellule-œuf de caryotype : 44 autosomes + XY
Sexe du fœtus	FILLE	GARÇON

2 Échiquier de croisement des gamètes.

▶ Il existe donc 50 % de chances d'obtenir à chaque fécondation un garçon ou une fille. Comme la fécondation permet la rencontre des deux ensembles chromosomiques mâle et femelle, elle détermine le sexe.

▶ Les chromosomes X et Y sont des chromosomes qui diffèrent par la taille et l'information portée. Seules quelques régions homologues partagent la même information.

▶ Les femmes XY possèdent un gène SRY porteur d'une mutation ponctuelle qui génère un codon STOP ; la protéine codée par le gène SRY est donc raccourcie et non fonctionnelle ; le phénotype exprimé est celui d'une femme. Les hommes XX possèdent, quant à eux, une copie du gène SRY sur un de leurs chromosomes X ; le phénotype est celui d'un homme.

▶ Le gène SRY, normalement présent seulement sur le chromosome Y, est donc un gène de masculinisation qui semble nécessaire et suffisant à la différenciation des gonades en testicules.

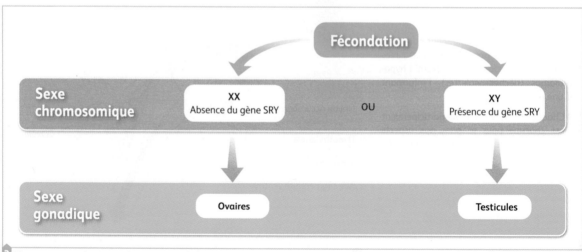

3 Lien entre sexe chromosomique et sexe génétique.

Bilan des Activités

Activité 3

L'appareil génital sous contrôle hormonal

▶ Pénis et clitoris ont la même origine embryologique : tous deux proviennent du développement du tubercule génital. Durant la vie fœtale, les organes génitaux externes et internes (canaux de Wolff et canaux de Müller) sont tout d'abord similaires, c'est-à-dire indifférenciés.

▶ La castration d'un fœtus mâle ou femelle conduit à la différenciation d'un appareil génital de type femelle.

▶ La comparaison des résultats expérimentaux de greffe de testicule et d'injection de testostérone permet de montrer que les testicules exercent un contrôle sur la différenciation des voies génitales et ceci par voie sanguine donc par voie hormonale. L'injection de testostérone, hormone sexuelle mâle produite par le testicule, ne donne pas tous les résultats obtenus par une greffe : on peut penser que le testicule sécrète une autre hormone qui est responsable de la régression des canaux de Müller chez le mâle.

	Canaux de Wolff	Canaux de Müller
Greffe de testicule	persistent	régressent
Injection de testostérone	persistent	persistent

4 Effets d'une greffe de testicule ou d'injection de testostérone sur le développement des canaux de Wolff et de Müller.

▶ On peut penser que l'AMH, autre hormone testiculaire, induit la régression des canaux de Müller chez le mâle au cours du développement.

Activité 4

La puberté chez le garçon

▶ Chez le garçon, les principaux caractères sexuels secondaires apparaissent lors de la puberté entre 10 et 16 ans, au moment où le taux de testostérone augmente.

▶ L'étude du cas clinique laisse penser que la testostérone contrôle l'apparition des caractères sexuels secondaires.

▶ Au cours de la puberté, les testicules deviennent fonctionnels : ils se mettent à produire des spermatozoïdes et de la testostérone de manière continue.

▶ L'activité des testicules est constante.

Activité 5

La puberté chez la fille

▶ Chez la jeune fille, les caractères sexuels secondaires (poils pubiens, seins) apparaissent aussi lors de la puberté entre 8 ans et demi et 14 ans, au moment où le taux d'œstrogènes augmente.

▶ À partir de la puberté, l'appareil génital démarre son activité cyclique.

• Des follicules évoluent cycliquement au sein de l'ovaire : d'abord durant les mois qui précèdent chaque début de cycle, puis lors de la phase folliculaire du cycle. Leur taille, le nombre de cellules folliculaires augmentent ; des thèques et des cavités apparaissent.

• Les taux d'hormones évoluent cycliquement : les œstrogènes augmentent fortement surtout durant la phase folliculaire, la progestérone, sécrétée par le corps jaune, apparaît durant la phase lutéinique.

• La muqueuse utérine, après les règles, se reconstitue : sous le contrôle des hormones ovariennes, elle s'épaissit, se vascularise et s'enrichit en glandes sécrétrices, ce qui favorise l'éventuelle nidation et le développement d'un embryon.

Activité 6

Le plaisir sexuel

▶ L'orgasme est un mécanisme réflexe, c'est-à-dire incontrôlable, accompagné de réactions involontaires du corps qui peut survenir suite à une phase d'excitation sexuelle ; cependant, la composante biologique n'est pas la seule à intervenir : la dimension psychologique est essentielle, ce qui rend l'orgasme non systématique.

▶ Si le rat recherche inlassablement la décharge électrique au lieu de l'éviter, cela suggère que celle-ci lui procure du plaisir.

▶ Lors de l'orgasme chez l'Homme, comme pour les autres plaisirs, l'aire tegmentale ventrale, entre autres, est une aire fortement activée. Or, cette aire est la première activée dans le circuit de la récompense ; ceci suggère que le plaisir sexuel active le circuit de la récompense. Le système de récompense fournit la motivation à des actions vitales comme s'alimenter, s'accoupler ; il renforce ces actions et est donc essentiel à la survie de l'individu et de l'espèce.

Retenir

Devenir femme ou homme

1 Phénotypes sexuels

▶ Au-delà des comportements et des rôles sexuels dans la société, l'état masculin ou féminin repose sur des composantes biologiques. Ainsi, on peut définir les phénotypes masculin et féminin sur des différences anatomiques (organes et voies génitales différentes), physiologiques (période de production des gamètes, âge de la maturité sexuelle) et chromosomiques (XX pour les femmes, XY pour les hommes).

2 Une mise en place sous contrôle génétique

▶ La mise en place des structures et de la fonctionnalité des appareils sexuels se réalise, sous le contrôle du patrimoine génétique, sur une longue période qui va de la fécondation à la puberté, en passant par le développement embryonnaire et fœtal.

▶ Ainsi, dès la fécondation, la cellule œuf hérite d'une paire de chromosomes sexuels qui définit son sexe génétique. La présence du chromosome Y, porteur entre autres du gène SRY, induit la différenciation des gonades en testicules. Ceux-ci sécrètent deux hormones : la testostérone et l'AMH qui induisent la différenciation de l'appareil génital vers un phénotype mâle. À l'issue de ce processus, ce sont les gonades qui démarrent leur fonctionnement et libèrent des hormones, dont la testostérone, à l'origine des caractères sexuels secondaires. La puberté est la dernière étape de la mise en place des caractères sexuels.

3 Le plaisir, un système de récompense

▶ Outre sa fonction biologique de reproduction, l'activité sexuelle est associée au plaisir. Cette sensation repose en particulier sur l'activation du système de récompense du cerveau.

MOTS CLÉS

AMH : Hormone anti-müllerienne produite par les testicules, aux effets anti-féminisants en provoquant notamment la disparition des voies génitales femelles.

Chromosomes sexuels : Chromosome d'une même paire différant par leur taille et l'information portée sur les portions non communes mais disposant aussi de régions homologues.

Gène SRY : Gène porté par le chromosome Y humain et contrôlant la différenciation des testicules.

Phénotypes masculin et féminin : Ensemble des caractéristiques permettant de différencier les sexes mophologiquement, anatomiquement, physiologiquement et chromosomiquement.

Testostérone : Hormone sexuelle mâle produite par les testicules nécessaire à la différenciation de l'appareil génital vers un phénotype mâle et de la mise en place des caractères sexuels secondaires mâles.

Je me suis entraîné à

■ **Faire des dissections :**
- pour mettre en évidence les différences anatomiques des appareils reproducteurs mâle et femelle ;
- pour mettre en évidence la production de spermatozoïdes par les testicules.

■ **Utiliser des logiciels de simulation :**
- en comparant l'effet d'une castration ou d'une injection d'hormone sur un embryon de lapin.

Je retiens par l'image

Animation interactive

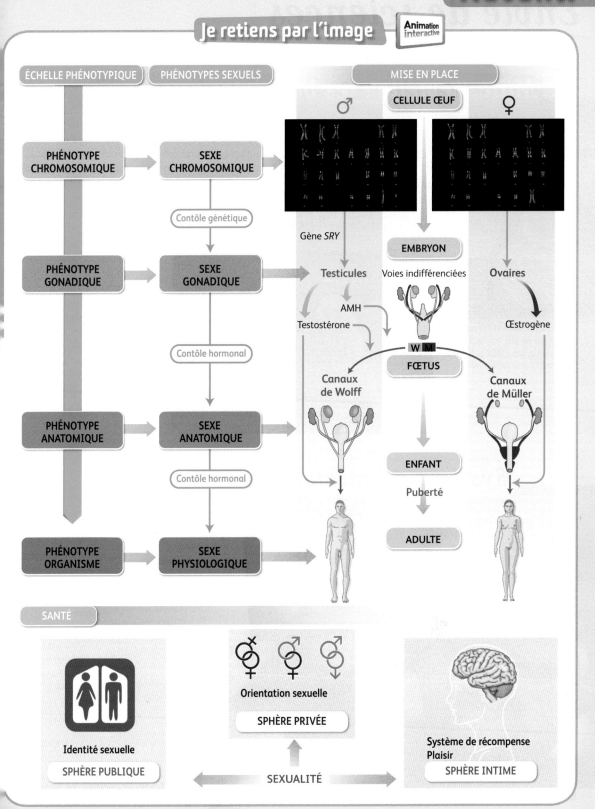

ÉCHELLE PHÉNOTYPIQUE

PHÉNOTYPES SEXUELS

MISE EN PLACE

CELLULE ŒUF

♂ ♀

PHÉNOTYPE CHROMOSOMIQUE → SEXE CHROMOSOMIQUE →

Contôle génétique

Gène SRY

EMBRYON

PHÉNOTYPE GONADIQUE → SEXE GONADIQUE →

Testicules
Voies indifférenciées
Ovaires

AMH

Testostérone

Œstrogène

Contôle hormonal

W M

FŒTUS

PHÉNOTYPE ANATOMIQUE → SEXE ANATOMIQUE →

Canaux de Wolff

Canaux de Müller

ENFANT

Contôle hormonal

Puberté

PHÉNOTYPE ORGANISME → SEXE PHYSIOLOGIQUE →

ADULTE

SANTÉ

Identité sexuelle
SPHÈRE PUBLIQUE

Orientation sexuelle
SPHÈRE PRIVÉE

Système de récompense
Plaisir
SPHÈRE INTIME

SEXUALITÉ

Envie de sciences

Mâle, femelle : les bactéries aussi !

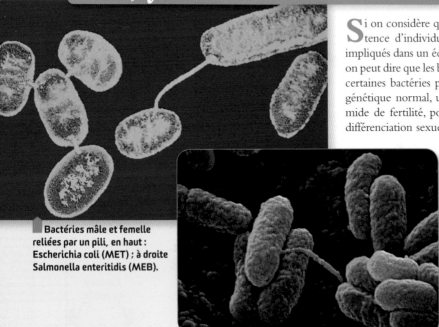

Si on considère que la sexualité correspond à l'existence d'individus portant des caractères distincts, impliqués dans un échange de matériel génétique, alors on peut dire que les bactéries ont une sexualité. En effet, certaines bactéries possèdent en plus de leur matériel génétique normal, un petit chromosome appelé plasmide de fertilité, portant des gènes à l'origine d'une différenciation sexuelle marquée par la présence d'appendice appelés pili. Ces structures allongées permettent le transfert de matériel génétique d'une cellule à l'autre, les cellules qui en sont pourvues sont alors qualifiées de mâle les autres, de femelles. Cependant, lors de ce processus il n'y a pas de multiplication cellulaire, il s'agit donc d'une sexualité sans multiplication.

■ Bactéries mâle et femelle reliées par un pili, en haut : Escherichia coli (MET) ; à droite Salmonella enteritidis (MEB).

Système de récompense et nicotine

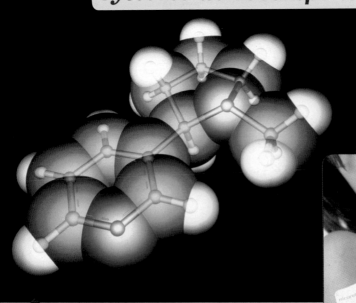

Le système de récompense impliqué dans le plaisir sexuel, intervient aussi dans d'autres processus. En 2006, des chercheurs ont démontré le lien entre activation du système de récompense, et certaines molécules intervenant dans la communication entre neurones, et dont la structure est partiellement similaire à celle de la nicotine. Ceci confirme l'effet compensateur des patchs pour les fumeurs et ouvre les voies de la compréhension de la dépendance au tabac et les moyens de la vaincre. Elle permet aussi de confirmer l'action du tabagisme sur le cerveau.

1 Molécule de nicotine.

2 Patch à la nicotine : un moyen de compenser le manque.

Échographe

Un échographe est un radiologue, médecin spécialiste de l'imagerie médicale.

Par envoi d'ultrasons, inoffensifs, à travers le corps du patient, il analyse les images des différents organes et peut même, dans certaines conditions, observer leur irrigation sanguine.

Certains échographes reçoivent des patients adressés par leur médecin et recherchent des signes de maladies afin de préciser le diagnostic ou de vérifier l'efficacité d'un traitement.

D'autres échographes se spécialisent dans le suivi du développement et de la croissance du fœtus au cours de la grossesse.

D'autres encore, les échocardiographes, se spécialisent dans le suivi du fonctionnement d'un seul organe, comme le cœur, chez le fœtus, l'enfant puis l'adulte…

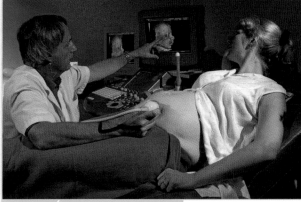

QUALITÉS ET NIVEAU REQUIS

▶ Un très bon niveau de connaissances médicales (anatomie en particulier)

▶ Une actualisation permanente des connaissances médicales et technologiques

▶ De la concentration et un bon sens de l'observation

▶ Le sens du contact humain

▶ Un bon équilibre psychologique

▶ Études de médecine et spécialisation (bac +9 et plus)

Lucy ou Lucien ?

S'il est facile d'attribuer un sexe, au moins génétique, à un individu actuel, il peut s'avérer difficile de déterminer le sexe d'un individu, en particulier s'il est fossile et que son ADN n'est pas accessible. Il en est ainsi de Lucy, célèbre fossile d'Australopithèque, dont son découvreur, Yves Coppens déclarait au journal *Libération* dans l'interview du 2 février 1999.

Lucy était-elle un homme ?

« Un chercheur de Zurich a défendu la thèse que Lucy était un homme. Pour des raisons anatomiques, avec les personnes de mon équipe, nous sommes presque sûrs que le bassin de Lucy ne peut être masculin. Mais nous ne disposons, parmi tous les restes d'australopithèques retrouvés, que de deux bassins totalement reconstituables : l'un est celui de Lucy, l'autre a été trouvé en Afrique du Sud. Ces deux bassins se ressemblent beaucoup et ça peut vouloir dire qu'il s'agit de deux bassins féminins. Mais nous ne connaissons pas le bassin masculin. Scientifiquement, on est obligé de poser la question : va-t-on trouver des bassins masculins différents ? Ou bien tous les bassins d'australopithèques ressemblent-ils à des bassins de femelles d'aujourd'hui ? »

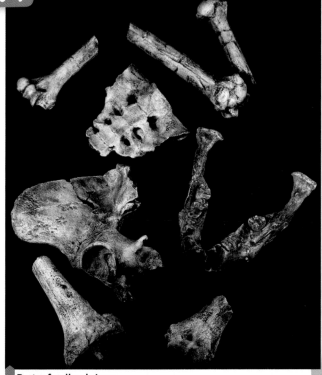

Restes fossiles de Lucy.

Évaluation des capacités

Réaliser des observations au microscope

Les testicules d'un mâle adulte sont normalement positionnés en dehors de l'abdomen, dans les bourses ; cependant, chez certains individus, cette descente des testicules depuis la cavité abdominale jusque dans les bourses au cours du développement ne s'effectue pas.
Le sujet est alors atteint de cryptorchidie, ce qui signifie « testicule caché ». Il présente par ailleurs des caractères sexuels secondaires mâles normaux.

➡ **On cherche à comparer deux testicules, l'un provenant d'un mâle normal, l'autre d'un mâle cryptorchide afin d'évaluer les éventuelles conséquences d'une telle anomalie.**

Capacités évaluées

▶ Manipuler et communiquer dans un langage scientifiquement approprié

Matériel disponible

▶ Microscope à éclairage intégré
▶ Lame de testicule normal
▶ Lame de testicule cryptorchide

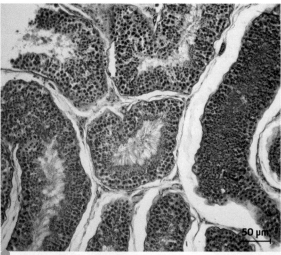

50 µm

1 Coupe de testicule normal.

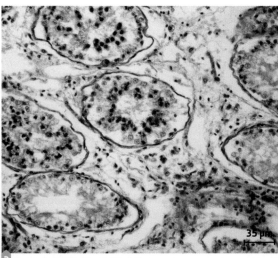

35 µm

2 Coupe de testicule cryptorchide.

Conclusions attendues

▶ **1.** La comparaison des deux coupes de testicules révèle des caractères communs et des différences.
▶ **2.** Les deux types de testicules comportent des tubes séminifères en nombre similaire, et du tissu interstitiel similaire.
▶ **3.** Les tubes séminifères du testicule cryptorchide ne renferment pas de spermatozoïdes.

▶ **4.** Par conséquent, on peut penser que les individus présentant une cryptorchidie ont une sécrétion normale de testostérone, ce qui explique les caractères sexuels secondaires normaux, mais sont stériles.

Critères de réussite

➡ La préparation microscopique est observée aux différents grossissements dans un ordre croissant.
➡ L'éclairage et la mise au point sont correctement réglés.
➡ Une région de la lame adaptée à la recherche est centrée sous l'objectif.
➡ Un schéma comparatif légendé des deux coupes présentées est réalisé pour traduire l'observation.
➡ Un tableau comparatif des structures observées sur les deux coupes présentées est réalisé.

Évaluer ses connaissances

Tests rapides

Animation interactive

1 Quelques définitions à maîtriser

Définir brièvement les mots ou expressions suivants :
- Phénotype sexuel • Sexe génétique • Sexe gonadique
- Puberté • Caractères sexuels secondaires • Cycle ovarien
- Cycle utérin • Hormones sexuelles.

2 Questions à choix multiple

Parmi les affirmations suivantes, choisissez la (ou les) réponse(s) exacte(s).

1 Le chromosome Y :
a. porte le gène SRY.
b. contrôle la différenciation des gonades indifférenciées en testicules.
c. contrôle directement la différenciation de l'ensemble de l'appareil génital.

2 Les gonades :
a. se différencient tardivement au cours de la vie embryonnaire.
b. sécrètent deux hormones différentes, AMH et testostérone, chez le mâle.
c. contrôlent la différenciation des voies génitales.

3 La différenciation des voies génitales :
a. est sous contrôle hormonal.
b. dépend de la testostérone seulement.
c. s'accompagne de la régression des canaux de Müller chez la fille.
d. s'accompagne de la régression des canaux de Müller chez le garçon.

4 Lors de la puberté :
a. les gonades se différencient.
b. les caractères sexuels secondaires s'établissent.
c. l'activité des gonades débute.

5 L'activité des testicules à partir de la puberté :
a. produit des spermatozoïdes.
b. libère des œstrogènes.
c. est cyclique.
d. est continue.

6 La muqueuse utérine :
a. est d'épaisseur constante.
b. évolue cycliquement.
c. s'épaissit sous le contrôle des hormones ovariennes.

7 Le plaisir sexuel :
a. s'accompagne de modifications physiologiques.
b. est un phénomène purement cérébral.
c. active les aires cérébrales du circuit de la récompense.

3 Analyser un document

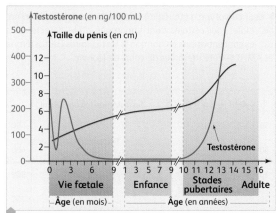

Variation de la concentration plasmatique de testostérone et croissance du pénis chez le garçon.

D'après les données du graphique, choisissez la (ou les) réponse(s) exacte(s) parmi les affirmations suivantes.

1 La concentration plasmatique en testostérone :
a. est basse durant la vie fœtale.
b. augmente fortement au moment de la puberté.
c. provoque la croissance du pénis au moment de la puberté.
d. augmente parallèlement à la taille du pénis au moment de la puberté.

2 La croissance du pénis :
a. est progressive durant l'enfance.
b. est plus rapide lors de la puberté.
c. provoque la hausse de concentration en testostérone.

Restituer ses connaissances

4 Réaliser un schéma légendé

Réalisez deux schémas de l'appareil génital femelle, au stade indifférencié et au stade différencié en indiquant les légendes des principaux organes.

5 Organiser une réponse argumentée

Après avoir expliqué comment et à quel moment le sexe génétique d'un individu est déterminé, expliquez comment l'appareil génital (gonades et voies génitales) est à son tour déterminé et différencié.

Exercice guidé

6 Les hommes à utérus

▶ Certains hommes adultes possèdent un phénotype sexuel très particulier résumé dans le tableau ci-dessous.

Gonades	Voies génitales	Organes génitaux externes
Testicules fonctionnels	Voies génitales masculines et voies génitales féminines : présence d'un utérus	De type masculin, état normal : pénis normal

1 Phénotype sexuel des hommes à utérus.

▶ Leur caryotype a été réalisé et ne représente pas d'anomalie visible. Pour certains dont l'anomalie a été détectée très tôt, les concentrations en hormones testiculaires (testostérone et AMH) ont été mesurées au cours de leur vie.

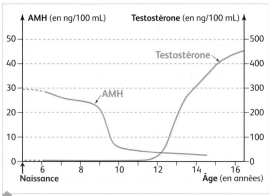

2 Concentrations plasmatiques en hormones testiculaires chez un homme normal.

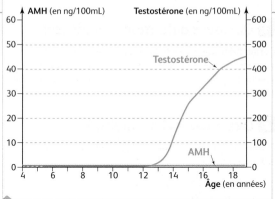

3 Concentrations plasmatiques en hormones testiculaires chez un homme à utérus (cas n° 1).

▶ Chez un second cas d'homme à utérus (cas n° 2), les concentrations plasmatiques en hormones testiculaires sont similaires à celle d'un « homme normal ».

▶ La séquence du gène codant pour l'AMH a été établie chez les hommes à utérus 1 et 2. Ces deux séquences sont comparées à celle du gène normal.

Portion du brin codant du gène de l'AMH Chez un homme normal	GCT GAA CTG
Portion du brin codant du gène de l'AMH Chez l'homme à utérus n°1	GCT TAA CTG
Portion du brin codant du gène de l'AMH Chez un homme à utérus n°2	GCT GAA CTG

4 Comparaison des séquences d'une portion du gène de l'AMH chez un homme normal et deux hommes à utérus.

QUESTION

■ Exploitez les documents afin d'expliquer le phénotype sexuel de l'homme à utérus n°1 et proposez une hypothèse expliquant celui de l'homme à utérus n°2.

Guide de résolution

1 Comparer le phénotype des hommes à utérus avec celui d'un homme normal (voir tableau 1).

2 Expliquer l'origine embryologique de l'utérus chez une femme normale en mobilisant les connaissances acquises.

3 Pour chaque homme à utérus, décrire l'évolution des concentrations d'AMH et de testostérone ; les comparer avec celles d'un homme normal.

4 À l'aide du code génétique, préciser la séquence d'une portion de l'AMH chez les deux hommes à utérus et chez l'homme normal.

5 Comparer ces séquences.

6 Relier les réponses précédentes à la sécrétion d'AMH chez les deux hommes à utérus.

Appliquer ses connaissances

7 L'utérus, organe cible des ovaires

La muqueuse utérine évolue cycliquement chez la souris comme chez la femme : elle s'épaissit et se différencie au cours du cycle puis, contrairement à la femme, elle régresse peu à peu sans provoquer de saignements ou règles.

Des expériences testant les relations entre ovaires et utérus ont été réalisées chez la souris.

Chez la femme, on a cherché à détecter la présence ou non de récepteurs aux hormones ovariennes : des coupes de muqueuse utérine en phase lutéinique, ont été mises en contact avec des anticorps reconnaissant spécifiquement les récepteurs aux œstrogènes (document 2) ou les récepteurs à la progestérone (document 3). La présence des récepteurs est révélée par des tâches noires sur les photographies.

QUESTION

Montrez que les ovaires contrôlent le fonctionnement cyclique de l'utérus par le biais des hormones ovariennes.

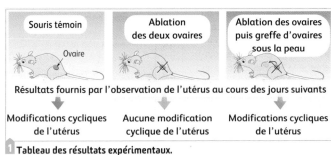

Souris témoin	Ablation des deux ovaires	Ablation des ovaires puis greffe d'ovaires sous la peau

Résultats fournis par l'observation de l'utérus au cours des jours suivants

Modifications cycliques de l'utérus	Aucune modification cyclique de l'utérus	Modifications cycliques de l'utérus

1 Tableau des résultats expérimentaux.

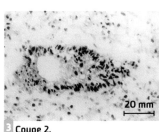

20 mm

20 mm

2 Coupe 1.

3 Coupe 2.

8 Sécrétion de testostérone

La concentration plasmatique de testostérone a été évaluée chez l'homme à différentes échelles de temps.

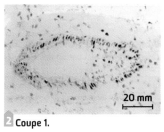

1 Concentration plasmatique de testostérone chez un homme adulte au cours de la vie.

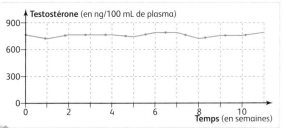

2 Concentration plasmatique de testostérone au cours des semaines chez un homme adulte.

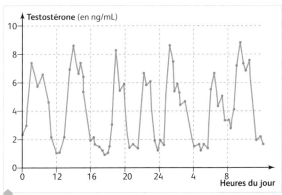

3 Concentration plasmatique de testostérone durant 24 heures chez un homme adulte.

QUESTIONS

1 Décrivez l'évolution de la concentration plasmatique de testostérone aux différentes échelles de temps.

2 Justifiez le fait que l'on peut dire que la sécrétion de testostérone est à la fois stable et variable.

3 Expliquez pourquoi on estime malgré tout que cette sécrétion de testostérone est constante comparativement aux hormones sexuelles féminines.

Exercices

Appliquer ses connaissances

9 Le sexe des tortues

On étudie le déterminisme du sexe chez les tortues. Pour cela, l'effet de la température d'incubation des œufs sur le pourcentage d'individus mâles et femelles obtenus à l'éclosion a été étudié chez une espèce de Tortue.

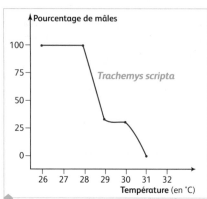

1 Pourcentage de mâles obtenus en fonction de la température d'incubation des œufs.

Stade de développement au moment de l'injection (en jours après la ponte)	Nombre d'œufs	Nombre de mâles obtenus	Nombre de femelles obtenues
20 jours	30	1	18
24 jours	30	0	25
27 jours	10	0	10
32 jours	40	0	29
35 jours	10	3	5
40 jours	30	20	0
45 jours	10	5	0

2 Tableau des résultats.

Chez d'autres espèces de tortues, présentant le même type de détermination du sexe, on a injecté de l'œstradiol à des embryons à différents stades de développement, dans des œufs incubés à 27 °C. Les nombres de mâles et femelles sont déterminés.

QUESTIONS

1 Analysez ces résultats et proposez une hypothèse concernant le déterminisme du sexe chez les tortues étudiées.

2 Analysez les résultats de l'expérience de l'injection d'œstradiol.

3 Proposez une hypothèse concernant le mode d'action de la température sur le déterminisme du sexe de ces tortues

10 PCB et sexe des tortues aquatiques

Les PCB sont des produits encore massivement utilisés dans l'industrie jusqu'à il y a peu de temps ; ils sont désormais interdits en raison de leur toxicité.

Par ailleurs, ces molécules sont très peu biodégradables et se sont donc accumulées, en particulier dans les milieux aquatiques. Leur impact sur les tortues aquatiques a été étudié.

QUESTIONS

1 Analysez l'impact des PCB sur le déterminisme du sexe chez ces tortues.

2 Déduisez-en les effets à long terme des PCB sur l'évolution de la population de ces tortues.

Pourcentage de femelles obtenues après incubation des œufs à 26 °C et soumis à différents traitements : injection d'œstradiol ou de PCB à différentes doses.

La science AUTREMENT

Exercer un esprit CRITIQUE

11 Langues et science

▶ Should female athlete Jane Doe should be disqualified from competition?

▶ Some female athletes have sometimes breathtaking performances; this rise the suspicion that some of them might not be real women but rather men.

▶ On the internet site of the Howard Hugues Medical Institute, you can try the interactive exploration "Gender testing of female athletes".

QUESTION

■ Sum up the results of Jane Doe's physical exam, karyotype analysis, test for SRY and make up your mind about qualifying or disqualifying Jane as a female competitor.

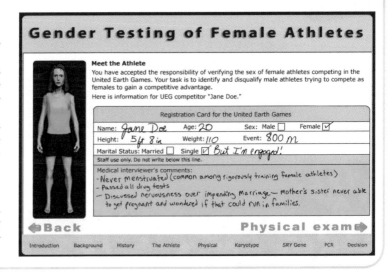

Gender Testing of Female Athletes

Meet the Athlete
You have accepted the responsibility of verifying the sex of female athletes competing in the United Earth Games. Your task is to identify and disqualify male athletes trying to compete as females to gain a competitive advantage.
Here is information for UEG competitor "Jane Doe."

Registration Card for the United Earth Games

Name: Jane Doe   Age: 20   Sex: Male ☐   Female ☑
Height: 5 ft 8 in   Weight: 110   Event: 800 m
Marital Status: Married ☐   Single ☑ But I'm engaged!
Staff use only. Do not write below this line.
Medical interviewer's comments:
- Never menstruated (common among rigorously training female athletes)
- Passed all drug tests
- Discussed nervousness over impending Marriage — mother's sister never able to get pregnant and wondered if that could run in families.

◀ Back   Physical exam ▶

Introduction   Background   History   The Athlete   Physical   Karyotype   SRY Gene   PCR   Decision

ARTS & sciences

12 Le temple de Khajuraho

▶ En Inde, les temples hindous sont considérés comme des demeures divines : pour les croyants, ils ont une fonction sacrée et doivent être protégés contre les forces négatives.

▶ Les bâtisseurs placent donc toujours des gardiens aux entrées et portes : personnages armés, déesses, monstres aquatiques... ou couples d'amoureux s'étreignant.

▶ Ici, l'énergie sexuelle est considérée comme une puissante force de la nature qui assure une protection magique du temple.

QUESTIONS

1 Quels caractères sexuels secondaires peut-on identifier chez les deux personnages ?

2 Quel mouvement suggérant la sensualité l'artiste sculpteur a-t-il imprimé aux corps ?

3 En quoi le plaisir sexuel prend-il une dimension mystique ici ?

Bas-relief du temple de Khajuraho (XIᵉ siècle) en Inde.

12 Sexualité et procréation

▶ À la puberté, les appareils génitaux féminin et masculin deviennent fonctionnels. Les testicules et les ovaires produisent désormais des gamètes et des hormones. Leur fonctionnement est régulé, et permet une activité de reproduction continue chez l'homme, et cyclique chez la femme.

▶ La compréhension de ce système de régulation a permis à l'Homme de mettre au point différentes méthodes permettant soit de limiter les naissances, soit de les favoriser dans le cas de couples rencontrant des problèmes de fertilité.

1 Les embryons non transférés sont conservés pour une éventuelle autre tentative de fécondation *in vitro*.

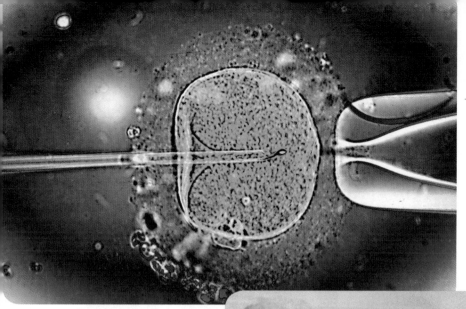

2 Fécondation *in vitro*
(MO, fausses couleurs).

3 Les travaux menés par Robert Edwards
et Patrick Steptoe, à l'origine en 1978
de la naissance du premier
« bébé éprouvette», Louise Brown,
ont été récompensés par le prix Nobel
2010 de médecine.

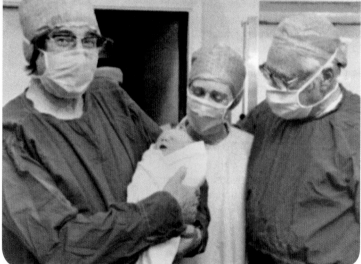

Comment caractériser les différences
de fonctionnement des appareils reproducteurs
de l'homme et de la femme ?

→ Activités 1 et 2

Sur quels principes ont été mises au point
les différentes méthodes contraceptives ?

→ Activités 3 à 4

Comment les techniques de procréation
médicalement assistée permettent-elles d'aider
des couples infertiles à devenir parents ?

→ Activité 5

4 En matière de contraception, le patch
constitue une alternative à la pilule classique.

Le contrôle du fonctionnement des organes reproducteurs

Le stress ou un choc émotionnel sont des situations qui peuvent aboutir chez certaines femmes à une perturbation de menstruations pendant plusieurs mois. Ces observations suggèrent l'intervention du système nerveux dans le fonctionnement des organes reproducteurs.

→ **Comment le cerveau intervient-il dans le fonctionnement des gonades ?**

Guide d'exploitation

1 **(Doc 1)** Relevez les arguments en faveur d'une action de l'hypothalamus et de l'hypophyse sur le fonctionnement des gonades.

2 **(Doc 2)** Expliquez le mode d'action du complexe hypothalamo-hypophysaire sur les gonades.

3 **(Doc 3)** Déterminez l'action de l'hypothalamus sur l'hypophyse.

4 **(Doc 3)** Expliquez pourquoi la GnRH peut être qualifiée de neurohormone.

5 Construisez un schéma présentant l'action du complexe hypothalamo-hypophysaire sur le fonctionnement des gonades.

VOCABULAIRE

Hypophyse : petite glande située à la base du cerveau qui produit des hormones dont LH et FSH.

Hypothalamus : région située dans la partie inférieure du cerveau, elle contient des neurones libérant de la GnRH.

1 Rôle du complexe hypothalamo-hypophysaire

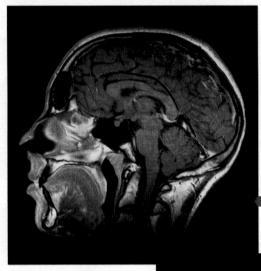

a Organisation générale du cerveau et hypophyse.

▶ Les personnes atteintes d'hypogonadisme congénital souffrent d'un retard pubertaire caractérisé par une absence ou un développement incomplet des caractères sexuels secondaires. Chez les garçons, on constate un développement anormal du volume des testicules et de la taille du pénis. Chez les filles, il n'y a ni développement mammaire ni présence de menstruation.

▶ Les personnes concernées sécrètent en général une très faible quantité d'hormones sexuelles qui s'explique soit par un déficit de sécrétion de LH (Luteinizing Hormone) et de FSH (Folliculo Stimulating Hormone) par l'**hypophyse** antérieure, soit par l'absence de sécrétion de GnRH (Gonadotrophin Releasing Hormone) par l'**hypothalamus**.

▶ Rehor constitue une banque de données expérimentales obtenues chez la femelle du Rat. Il permet de valider ou non des hypothèses émises sur le fonctionnement des ovaires et leur relation avec le complexe hypothalamo-hypophysaire appelé aussi CHH.
On peut ainsi avoir accès à des expériences d'ablation, de greffe, d'injections d'hormones, de stimulations…

Expériences	Résultats
Hypophysectomie (ablation de l'hypophyse)	Atrophie de l'ovaire Chute du taux des hormones ovariennes (œstradiol et progestérone)
Hypothalamectomie (destruction de certains neurones de l'hypothalamus)	Arrêt de la production de FSH et de LH Arrêt de la production des hormones ovariennes

b Tableau des résultats du logiciel Rehor.

2 Contrôle de l'activité des gonades

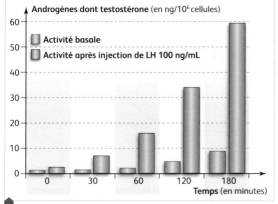

a Activité *in vitro* de cellules de Leydig d'une souris mâle suite à des injections de LH.

▶ Une injection de FSH provoque une augmentation de la quantité de spermatozoïdes fabriqués par les testicules.

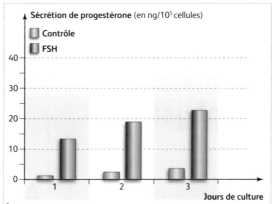

b Activité *in vitro* de cellules de la granulosa (appartenant aux follicules ovariens) d'une rate suite à des injections de FSH.

▶ Une injection de LH chez une rate déclenche l'ovulation et le développement de corps jaunes.

3 Contrôle du fonctionnement de l'hypophyse

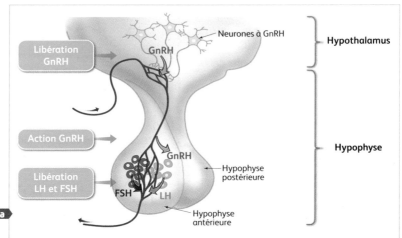

Organisation anatomique **a** **du complexe hypothalamo-hypophysaire.**

Expériences	Résultats
Suppression des connexions sanguines entre l'hypothalamus et l'hypophyse	Chute et annulation des taux sanguins de FSH et LH Chute et annulation des taux sanguins d'œstradiol et de progestérone
Suppression des connexions nerveuses entre l'hypothalamus et l'hypophyse	Chute et annulation des taux sanguins de FSH et LH Chute et annulation des taux sanguins d'œstradiol et de progestérone
Stimulation électrique des neurones de l'hypothalamus d'une rate adulte	Élévation des taux de FSH et de LH : déclenchement de l'ovulation
Injection GnRH (1 µg/min pendant 6 min toutes les 60 min) à une rate après hypothalamectomie	Rétablissement des taux sanguins normaux de FSH et de LH Rétablissement des taux sanguins normaux d'œstradiol et de progestérone

b Expériences pour comprendre la relation fonctionnelle entre hypothalamus et hypophyse.

Activité 2

Le contrôle du complexe hypothalamo-hypophysaire

Le fonctionnement des testicules et des ovaires est sous le contrôle du complexe hypothalamo-hypophysaire. Pourtant, les testicules libèrent en continu des spermatozoïdes et de la testostérone alors que l'activité des ovaires est cyclique.

→ **Comment expliquer les différences de fonctionnement des gonades chez l'homme et chez la femme ?**

Guide d'exploitation

1 (Doc 1) Relevez les arguments qui suggèrent l'action des testicules sur le complexe hypothalamo-hypophysaire (CHH).

2 (Doc 1) Expliquez pourquoi on parle de rétrocontrôle négatif ou inhibiteur dans le cas de la relation testicule-CHH.

3 (Doc 2) Relevez les conséquences d'une ablation des ovaires chez la rate.

4 (Doc 2) Précisez le rôle de la concentration d'œstradiol sur la sécrétion de LH.

5 (Doc 2) En observant les cycles de sécrétion des hormones hypophysaires et sexuelles, déterminez quand les ovaires exercent un rétrocontrôle tantôt négatif tantôt positif sur le fonctionnement du CHH.

6 Complétez le schéma illustrant les mécanismes de régulation de l'activité gonadique par le CHH avec les rétrocontrôles mis en évidence.

VOCABULAIRE

Rétrocontrôle : mécanisme de régulation aboutissant à une action d'un organe ou d'une hormone sur les organes qui le contrôlent.

---

1 Rôle des testicules

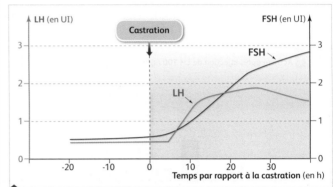

a Influence de la castration d'un mouton Mérinos mâle sur la concentration en LH et FSH.

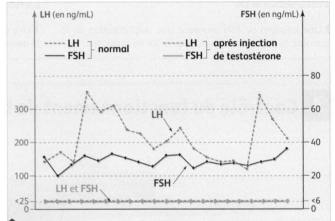

b Influence de l'injection de la testostérone sur LH et FSH.

▶ On injecte de la testostérone rendue radioactive pour révéler les organes sur lesquels celle-ci va se fixer (présence de points noirs). Cette technique d'autoradiographie permet de déterminer les organes cibles de la testostérone.

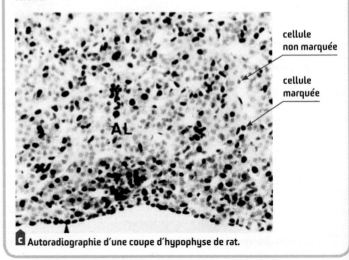

cellule non marquée

cellule marquée

AL

c Autoradiographie d'une coupe d'hypophyse de rat.

2 Rôle des ovaires

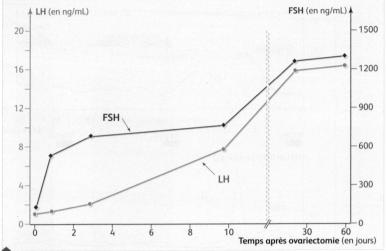

Influence de la castration d'une femelle sur la concentration en LH et FSH.

Injection d'œstradiol	LH (en ng/ml)
0	1 200
0,1	70
0,2	60
0,3	50
0,4	600
0,8	2 000

b Influence d'injections d'œstrogènes sur le fonctionnement hypophysaire chez la rate ovariectomisée.

▶ Si on injecte de la progestérone à une rate normale, on observe, quelle que soit la dose injectée, une chute des taux sanguins de LH et FSH accompagnée d'un arrêt du fonctionnement cyclique de l'ovaire.

▶ L'ovulation chez la rate, comme chez la femme, est déclenchée par un pic de sécrétion de LH.

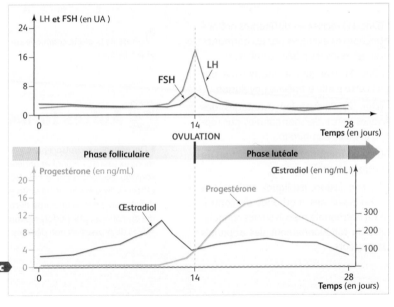

Profil de sécrétion des hormones c hypophysaires et ovariennes chez la femme.

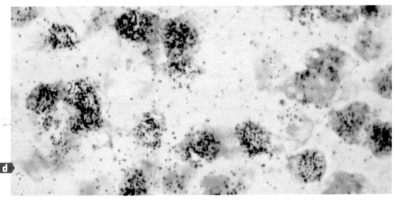

Autoradiographie après injection d d'œstradiol radioactif dans l'hypothalamus chez la souris.

Activité 3

La contraception hormonale

La connaissance des mécanismes de régulation du fonctionnement des ovaires a permis la mise au point des méthodes de contraception hormonale.

→ **Comment empêcher une grossesse en utilisant des hormones ?**

Guide d'exploitation

1 (Doc 1) Précisez les différentes actions contraceptives exercées par les hormones contenues dans les pilules combinées.

2 (Doc 1) Expliquez le mécanisme par lequel cette pilule empêche l'ovulation.

3 (Doc 2) Relevez les avantages des nouvelles méthodes hormonales par rapport à la pilule combinée.

4 (Doc 3) Identifiez le mode d'action de la contraception d'urgence.

5 **En conclusion,** expliquez pourquoi la mise au point des méthodes de contraception hormonale repose sur les connaissances du fonctionnement des appareils reproducteurs.

1 Les actions de la pilule

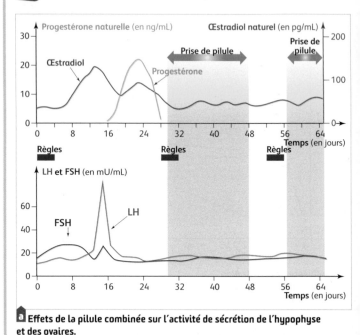

a Effets de la pilule combinée sur l'activité de sécrétion de l'hypophyse et des ovaires.

2 Autres formes de contraception

▶ De nouveaux contraceptifs hormonaux (patch, implant et anneau vaginal) existent aujourd'hui. Très efficaces, ils présentent l'avantage d'éviter un oubli ou une prise décalée du contraceptif parfois responsables de grossesses non désirées.

a Différents moyens de contraception hormonale.

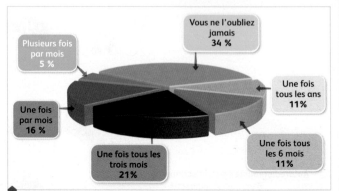

b Sondage réalisé sur l'oubli de pilule par les femmes par BVA pour l'INPES.

▶ Une pilule combinée contient un mélange d'œstrogène et de progestatifs.

▶ La contraception œstroprogestative s'adresse aux femmes ne présentant pas de facteurs de risques particuliers (cardio-vasculaire, hépatique, cancéreux,…).
En cas de contre-indication, une pilule microdosée avec progestatif seul peut être préconisée.

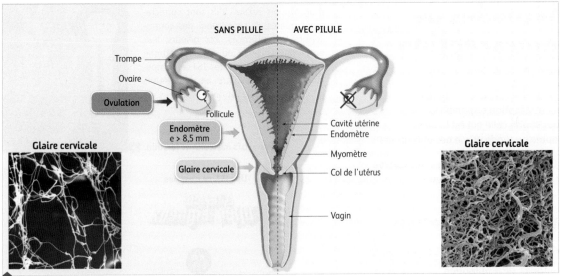

SANS PILULE — AVEC PILULE

Trompe
Ovaire
Ovulation
Follicule
Endomètre e > 8,5 mm
Glaire cervicale
Glaire cervicale
Cavité utérine
Endomètre
Myomètre
Col de l'utérus
Vagin
Glaire cervicale

b Les différents niveaux d'action de la pilule combinée.

3 Contraception d'urgence

▶ Dans certains cas, suite à un rapport sexuel non ou mal protégé, on peut avoir recours à la contraception d'urgence. Cette pilule du lendemain (Norlevo ou Ellaone) prise le plus tôt possible permet de bloquer ou perturber l'ovulation. Pour le Norlevo, l'efficacité est de 85 % si la prise a lieu dans les 12 h qui suivent le rapport à risque mais chute à 54 % lorsqu'elle est prise dans les 48 h.

▶ La contraception d'urgence ne peut constituer une méthode régulière car elle n'est efficace que dans les jours qui suivent le rapport sexuel à risque. Elle présente un risque de grossesse majoré par rapport à une méthode hormonale continue. De plus, il est préférable d'éviter de prendre souvent des doses d'hormones si importantes (environ 10 fois plus qu'une pilule quotidienne normale).

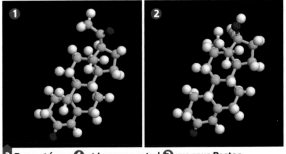

a Progestérone **❶** et Levonorgestrel **❷** vus sous Rastop.

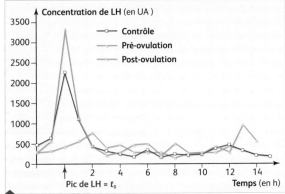

Concentration de LH (en UA)

— Contrôle
— Pré-ovulation
— Post-ovulation

3500
3000
2500
2000
1500
1000
500
0

2   4   6   8   10   12   14

Pic de LH = t_0

Temps (en h)

b Effet de la prise de Levonorgestrel avant et après l'ovulation sur le fonctionnement de l'hypophyse.

RÉALISER

1. Ouvrir avec Rastop les fichiers progestérone (icône ouvrir) et levonorgestrel.

2. Afficher les deux fichiers en même temps sur l'écran (icône cascade).

3. Modifier la représentation (icône bâtonnet).

4. Disposer les deux molécules sous le même angle d'observation afin de pouvoir les **comparer**.

Activité 4

D'autres méthodes de contraception

Parmi la diversité des méthodes de contraception disponibles, il faut choisir celle qui est la plus adaptée au mode de vie des utilisateurs.

→ **Quels sont les avantages des autres méthodes de contraception ?**

Guide d'exploitation

1 (Doc 1) Précisez quels sont les deux avantages de l'utilisation des préservatifs.

2 (Doc 2) Relevez les différentes actions des DIU.

3 (Doc 2) Expliquez les progrès réalisés dans la mise au point des DIU en rapport avec leur efficacité.

4 (Doc 3) Déterminez le mode d'action de la pilule masculine présentée ici.

VOCABULAIRE

Indice de Pearl : taux de grossesse brut.

1 Les préservatifs

▶ Les préservatifs féminin ou masculin sont des barrières physiques empêchant l'accès des spermatozoïdes à l'utérus lors d'un rapport sexuel. S'ils sont correctement utilisés, ils constituent des contraceptifs très efficaces. Par ailleurs, leur enveloppe en latex ou en polyuréthane limite la transmission des IST, en empêchant le contact entre les muqueuses génitales. Leur rôle est donc double.

Préservatifs masculin et féminin. **a**

Une IST, ce n'est pas

L'insecte super teigneux

Une IST, c'est une
Infection Sexuellement Transmissible.

Pour plus d'informations, rendez-vous sur
www.info-ist.fr ou appelez le 0 800 840 800*.

* Appel gratuit depuis un poste fixe

inpes

b Campagne de sensibilisation sur les risques de contamination par les IST.

▶ Les infections sexuellement transmissibles ou IST sont nombreuses. D'origine bactérienne, parasitaire ou virale (herpes, condylome, hépatite, VIH), les IST ont des effets immédiats mais peuvent aussi avoir des conséquences à long terme en devenant chroniques, provoquant alors des cancers, des dépressions du système immunitaire ou des stérilités. Seuls les préservatifs protègent contre l'ensemble de ces infections. Les IST se transmettent très facilement et il n'y a pas toujours de signes visibles. Pour savoir si l'on est ou non atteint d'une IST, il est important de faire un dépistage.

▶ Avec plus de 350 millions de porteurs chroniques du virus et 2 millions de morts par an, l'hépatite B représente un réel problème de santé publique. Pourtant, on peut se faire vacciner contre le virus de l'hépatite B, ce qui permet d'éviter la cirrhose ou le cancer du foie qu'il peut provoquer. De même, un vaccin contre certains papillomavirus responsables de condylomes et de cancers de l'utérus est aussi disponible.

2 Dispositif Intra-Utérin ou stérilet

▶ L'utilisation des dispositifs intra-utérins (DIU) peut être prolongée jusqu'à cinq ans. Certains sont revêtus de cuivre tandis que d'autres libèrent des hormones (levonorgestrel, un progestatif). Ils sont destinés à toutes les femmes à l'exception de celles présentant des situations à risque d'IST ou de grossesse extra-utérine.

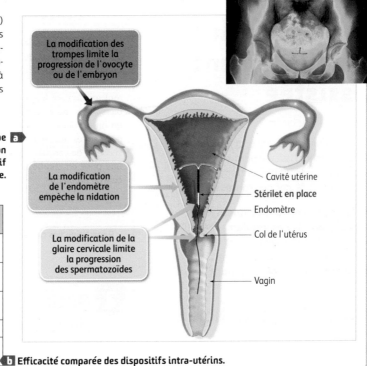

La modification des trompes limite la progression de l'ovocyte ou de l'embryon

La modification de l'endomètre empêche la nidation

La modification de la glaire cervicale limite la progression des spermatozoïdes

Cavité utérine
Stérilet en place
Endomètre
Col de l'utérus
Vagin

Schéma de l'appareil génital en coupe **a** **avec localisation et mode d'action du Dispositif Intra-Utérin et dispositif en place.**

	Année de commercialisation	Indice de Pearl
DIU plastique (Lippes)	1960	2,8 %
DIU cuivre (Nova T)	1974	1,2 %
DIU à progestatif	1976	0,2 %
Préservatif	1880	15 %
Pilule combinée	1960	8 %

b Efficacité comparée des dispositifs intra-utérins.

3 La contraception masculine

▶ Un contraceptif masculin efficace doit empêcher de manière réversible la capacité de reproduction sans perturber l'activité sexuelle. Jusqu'à présent, seul le préservatif répondait à cette définition. Des essais basés sur des injections de testostérone semblaient prometteurs mais ils occasionnaient des effets secondaires non souhaitables (prise de poids, augmentation de la taille des seins). Cependant, plusieurs études seraient sur le point d'aboutir d'ici peu.

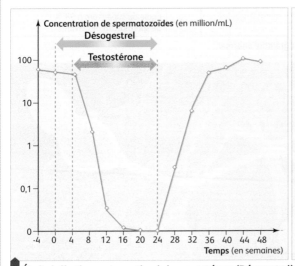

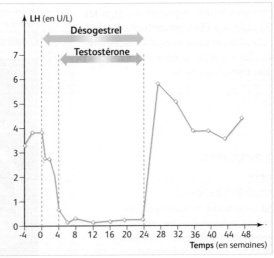

Étude de l'action contraceptive de la progestérone (Désogestrel) et de la testostérone chez l'homme.

Activité 5

La procréation médicalement assistée

Chaque année en France, la procréation médicalement assistée permet la naissance de 20 000 enfants, ce qui représente 3 % des naissances totales.

→ **Pourquoi certains couples rencontrent-ils des problèmes de fécondité et quelles sont les techniques qui pourraient les aider à concevoir un enfant ?**

Guide d'exploitation

1 (Doc 1) Expliquez pourquoi lors du bilan d'infertilité la situation des deux partenaires doit être étudiée.

2 (Doc 2 et 3) Relevez les causes possibles d'infertilité chez l'homme et la femme et expliquez en quoi elles constituent un obstacle à un début de grossesse.

3 (Doc 4) Précisez l'intérêt du traitement hormonal de préparation de la FIV.

4 (Doc 4) Expliquez l'intérêt de l'ICSI par rapport à la FIVETE classique.

5 **En conclusion**, expliquez en quoi les techniques de PMA présentées reposent sur des connaissances scientifiques précises des conditions indispensables à la conception d'un enfant.

VOCABULAIRE

FIVETE : fécondation *in vitro* avec transfert d'embryon.

ICSI : injection d'un spermatozoïde dans le cytoplasme d'un ovocyte.

Insémination artificielle : technique de PMA où l'on place directement les spermatozoïdes dans la cavité utérine.

1 Dépistage des causes d'infertilité

▶ Les couples ont en moyenne 25 % de chance de procréer durant un cycle. Certains couples très fertiles réussiront rapidement leur projet alors que pour d'autres un an ou deux ans seront nécessaires. Au-delà, il est conseillé de consulter pour une prise en charge médicale du problème.

Infertilité mixtes 39 %

Infertilité féminines 39 %

Infertilité masculines 20 %

Infertilité inconnue 8 %

Répartition des causes d'infertilité. ▶

2 Recherche de l'origine de la stérilité chez l'homme

▶ Les causes d'infertilité masculines peuvent être détectées rapidement lors de la réalisation d'un spermogramme.

Paramètres	Mr X	Critères minimum de fertilité
Volume éjaculat (en mL)	2,1	Égal ou supérieur à 1,5 mL
Nombre de spermatozoïdes (en millions)	75	Égal ou supérieur à 39 millions
Concentration (en millions/mL)	35,7	Égale ou supérieure à 15 millions/mL
Mobilité totale (en %)	43	Égale ou supérieure à 40 %
Morphologie des spermatozoïdes (en %)	20	Égale ou supérieure à 4 % de forme normale
Vitalité des spermatozoïdes (en %)	41	Égale ou supérieure à 58 % de spermatozoïdes vivants

a Spermogramme anormal.

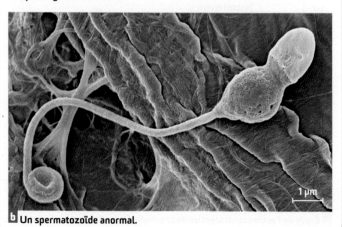

1 µm

b Un spermatozoïde anormal.

3 Recherche de l'origine de la stérilité chez la femme

▶ Pour la femme, la réalisation d'une courbe thermique, de dosages hormonaux (œstradiol, FSH, LH), d'analyses de la glaire cervicale, d'une échographie pelvienne (ovaires et utérus) voire dans certains cas d'une hystérographie (radiographie avec un produit de contraste) permettent d'éliminer les causes principales d'infertilité à savoir un trouble d'ovulation ou une anomalie de l'utérus et des trompes.

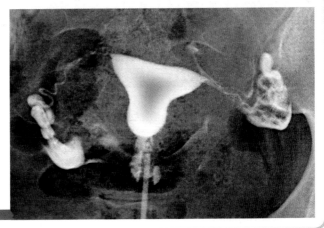

Hystérographie anormale.

4 Les aides médicales

▶ La procréation médicalement assistée (PMA) permet d'aider certains couples à avoir un enfant.

▶ Lorsque les spermatozoïdes ne parviennent pas à atteindre l'ovocyte à féconder, on a recours à l'**insémination artificielle**. Elle peut être réalisée en période d'ovulation naturelle ou couplée à une stimulation ovarienne. Elle doit avoir lieu 36 h après le déclenchement artificiel de l'ovulation par hormone de synthèse.

▶ Dans les autres cas, on a recours à une **FIVETE** ou une **ICSI**.

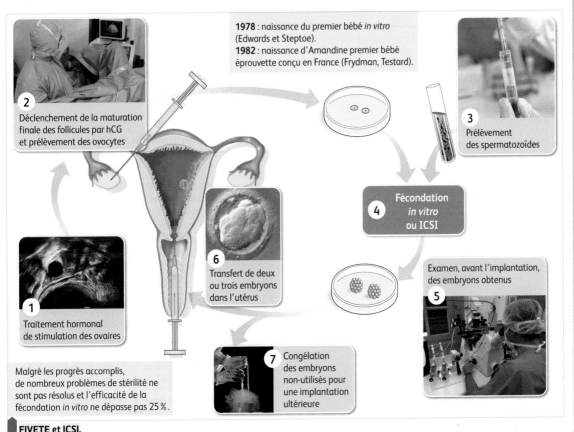

1978 : naissance du premier bébé in vitro (Edwards et Steptoe).
1982 : naissance d'Amandine premier bébé éprouvette conçu en France (Frydman, Testard).

2 Déclenchement de la maturation finale des follicules par hCG et prélèvement des ovocytes

3 Prélèvement des spermatozoïdes

4 Fécondation in vitro ou ICSI

1 Traitement hormonal de stimulation des ovaires

6 Transfert de deux ou trois embryons dans l'utérus

5 Examen, avant l'implantation, des embryons obtenus

7 Congélation des embryons non-utilisés pour une implantation ultérieure

Malgré les progrès accomplis, de nombreux problèmes de stérilité ne sont pas résolus et l'efficacité de la fécondation in vitro ne dépasse pas 25 %.

FIVETE et ICSI.

Bilan des Activités

Activité 1

Le contrôle du fonctionnement des organes reproducteurs

▶ Les personnes dont l'hypophyse et l'hypothalamus ne sécrètent respectivement pas de LH et de FSH ni de GnRH présentent une absence de développement des caractères sexuels secondaires. D'autre part, l'ablation de l'hypophyse entraîne un arrêt du fonctionnement des ovaires. On peut donc penser que le complexe hypothalamo-hypophysaire contrôle le fonctionnement des gonades.

▶ L'hypothalamotectomie supprime la production de GnRH et entraîne l'arrêt de la production de LH et FSH par l'hypophyse ainsi qu'un arrêt de la production d'hormones par les ovaires. L'hypothalamus contrôle l'hypophyse qui contrôle les gonades.

▶ L'action de l'hypophyse sur les gonades, testicules ou ovaires, est hormonale. Elle s'effectue par les hormones LH et FSH, qui stimulent la production d'hormones (testostérone et progestérone) et permettent la production de gamètes.

▶ La GnRH produite par l'hypothalamus contrôle le fonctionnement de l'hypophyse. Elle est produite par des neurones et circule dans le sang entre hypothalamus et hypophyse : c'est une neurohormone.

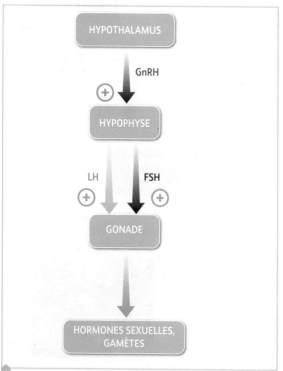

1 Action du complexe hypothalamo-hypophysaire sur les gonades.

Activité 2

Le contrôle du complexe hypothalamo-hypophysaire

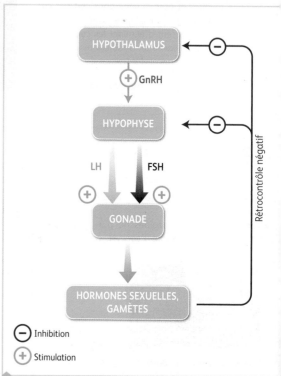

Inhibition
Stimulation

2 Régulation du fonctionnement du complexe hypothalamo-hypophysaire

▶ La castration provoque une augmentation de la concentration en LH et FSH alors que, inversement, l'injection de testostérone inhibe la sécrétion de LH et de FSH. On constate également que la testostérone est capable de se fixer sur les cellules hypophysaires. Les testicules, grâce à la testostérone qu'ils sécrètent, exercent donc un rétrocontrôle négatif sur le fonctionnement du complexe hypothalamo-hypophysaire.

▶ L'ablation des ovaires entraîne une augmentation de la concentration en LH et en FSH. L'injection d'une faible quantité d'œstrogènes diminue la sécrétion de LH alors que l'injection d'une quantité plus élevée stimule la sécrétion de LH. Comme les testicules, les ovaires exercent un rétrocontrôle sur le complexe hypothalamo-hypophysaire par l'intermédiaire de la progestérone et des œstrogènes.

▶ Ce rétrocontrôle est négatif lorsque la concentration en œstrogène est faible, c'est-à-dire durant tout le cycle sauf juste avant l'ovulation. À ce moment, la quantité d'œstrogènes devient maximale, le rétrocontrôle change et devient positif. Ce changement déclenche une forte sécrétion de LH et de FSH, un pic de LH et de FSH, qui déclenche l'ovulation.

▶ Le fonctionnement des gonades chez l'homme et chez la femme est sous le contrôle du complexe hypothalamo-hypophysaire dont la régulation dépend des gonades elles-mêmes.

Activité 3

La contraception hormonale

▶ La pilule œstro-progestative modifie les caractéristiques de la glaire cervicale au niveau du col de l'utérus, ce qui réduit le passage des spermatozoïdes. Elle limite le développement de la muqueuse utérine empêchant ainsi la nidation d'un éventuel embryon. De plus, elle bloque l'ovulation en empêchant la venue du pic de LH qui habituellement la déclenche.

▶ Les œstrogènes et progestatifs, présents dans les comprimés, exercent sur l'hypophyse un rétrocontrôle négatif empêchant ainsi la libération massive de LH et de FSH. L'absence du pic de LH et de FSH empêche l'ovulation.

▶ Seules 34 % des femmes, qui utilisent la pilule comme moyen de contraception, déclarent ne jamais oublier de la prendre. Les nouvelles formes de libération des hormones disponibles (patch, anneau, implant) ne nécessitent pas la prise régulière de comprimés. Elles présentent ainsi l'avantage de libérer les femmes du risque d'oubli.

▶ En cas d'urgence (lors d'un oubli du contraceptif ou d'un accident survenu au cours de son utilisation), on peut avoir recours à une contraception d'urgence ou pilule de lendemain. Celle-ci, si elle est prise suffisamment rapidement, supprime le pic de LH et de FSH et empêche ainsi l'ovulation.

▶ C'est la connaissance du rétrocontrôle exercé par les hormones produites par les gonades sur le complexe hypothalamo-hypophysaire qui a permis la mise au point des méthodes de contraception hormonale.

Activité 4

D'autres méthodes de contraception

▶ L'utilisation des préservatifs présente deux avantages : ce sont des contraceptifs efficaces et ils constituent une barrière de protection contre les infections sexuellement transmissibles.

▶ Pour certaines IST, une vaccination peut prévenir tout risque d'infection.

▶ Les dispositifs intra-utérins, DIU ou stérilets doivent leur propriété contraceptive aux modifications exercées sur l'utérus limitant la possibilité de rencontre des gamètes et/ou d'implantation d'un embryon. L'utilisation de nouveaux matériaux, comme le cuivre, et la libération d'hormone a permis de diminuer l'indice de Pearl, ou taux de grossesse, ce qui traduit une efficacité de plus en plus importante.

▶ Des recherches sur une contraception hormonale masculine sont basées sur des injections de testostérone. Celle-ci exerce un rétrocontrôle négatif sur le complexe hypothalamo-hypophysaire dont la production de LH chute, supprimant la stimulation des testicules, et limite ainsi la fabrication de spermatozoïdes.

Activité 5

La procréation médicalement assistée

▶ L'infertilité d'un couple peut être due à une mauvaise qualité du sperme de l'homme, à des problèmes d'ovulation chez la femme ou au deux. La situation des deux partenaires doit donc être étudiée afin d'établir un bilan.

▶ Chez l'homme, l'infertilité peut être due à l'éjaculat (volume trop faible) ou aux spermatozoïdes (nombre, concentrations ou mobilité insuffisants). Chez la femme, ce qui empêche l'ovulation (troubles hormonaux) ou limite la rencontre des spermatozoïdes et des ovules (glaire cervicale peu perméable, trompe bouchée) peut provoquer une infertilité.

▶ Dans certains cas, après détermination de la cause de stérilité, on peut préconiser une fécondation avec transfert d'embryon ou FIVETE. Les ovocytes sont prélevés sur les ovaires hyperstimulés de la femme après traitement hormonal. Ils sont mis en contact avec les spermatozoïdes du conjoint pour que la fécondation se réalise.

▶ Lorsque le nombre de spermatozoïdes du conjoint est très faible, on peut avoir recours à l'injection d'un spermatozoïde directement dans le cytoplasme de l'ovocyte : on parle alors d'ICSI. Les embryons obtenus in vitro peuvent ensuite être transférés dans la cavité utérine afin que leur implantation dans la muqueuse utérine se réalise.

▶ Les techniques de PMA reposent sur la connaissance des contrôles hormonaux et des conditions nécessaires à la rencontre de l'ovule et du spermatozoïde et à la nidation.

Retenir

Sexualité et procréation

1 Le système de contrôle de l'appareil reproducteur

▶ Dans l'espèce humaine, le fonctionnement de l'appareil reproducteur est contrôlé par le complexe hypothalamo-hypophysaire et par les gonades.

▶ Les neurones de l'hypothalamus libèrent la GnRH, une neurohormone, qui provoque la stimulation de l'hypophyse, qui libère à son tour LH et FSH, hormones ayant une action stimulatrice sur les gonades.

▶ Les gonades libèrent elles aussi des hormones : testostérone chez le mâle, œstrogènes et progestérone chez la femelle. Elles ont une action sur les organes génitaux, et les gonades, et exercent par ailleurs une action en retour sur le complexe hypothalamo-hypophysaire.

2 La contraception hormonale

▶ La connaissance de ces mécanismes permet de comprendre et de mettre au point des méthodes de contraception féminine préventive, basées sur la prise d'hormones de synthèse simulant les effets des hormones naturelles. Ainsi, la prise d'œstroprogestatifs permet d'installer un rétrocontrôle négatif sur le complexe hypothalamo-hypophysaire perturbant l'ovulation. Elle a aussi une action sur l'endomètre et les glaires cervicales.

▶ Des méthodes de contraception masculine hormonale utilisant une combinaison progestérone, testostérone sont en développement.

3 Les autres techniques contraceptives

▶ D'autres techniques contraceptives existent, comme les dispositifs intra-utérins ou les préservatifs. Ces derniers, de par leur effet de barrière mécanique, protègent contre les infections sexuellement transmissibles.

4 La procréation médicalement assistée : une application de la connaissance

▶ La connaissance des processus de régulation a permis l'élaboration de protocoles médicaux permettant une assistance à la procréation.

▶ Ainsi, des techniques se sont développées comme l'insémination artificielle, Fivete, ICSI, où le prélèvement des ovules est facilité par l'administration d'hormones de synthèse, permettant l'ovulation, et la préparation de la nidation.

MOTS CLÉS

Complexe hypothalamo-hypophysaire : Ensemble anatomique situé à la base de l'encéphale, constitué de l'hypothalamus (centre nerveux), et de l'hypophyse (glande endocrine).

LH (Lutéinizing hormon) : Hormone sécrétée par l'hypophyse, responsable de l'ovulation et du développement du corps jaune.

FSH (Folliculo-stimulating hormon) : Hormone produite par l'hypophyse, provoquant la croissance des follicules.

Méthode contraceptive : Procédé réversible utilisé pour empêcher qu'un rapport sexuel n'aboutisse à une grossesse.

Fivete : Fécondation *in vitro* et transfert d'embryon.

ICSI : Injection d'un spermatozoïde dans le cytoplasme d'un ovocyte.

Je me suis entraîné à

■ **Extraire et exploiter des informations :**
● en comparant les diverses méthodes de procréation médicalement assistée.

■ **Communiquer avec des supports variés :**
● en traduisant sous forme de schéma les contrôles de l'activité des gonades.

Je retiens par l'image

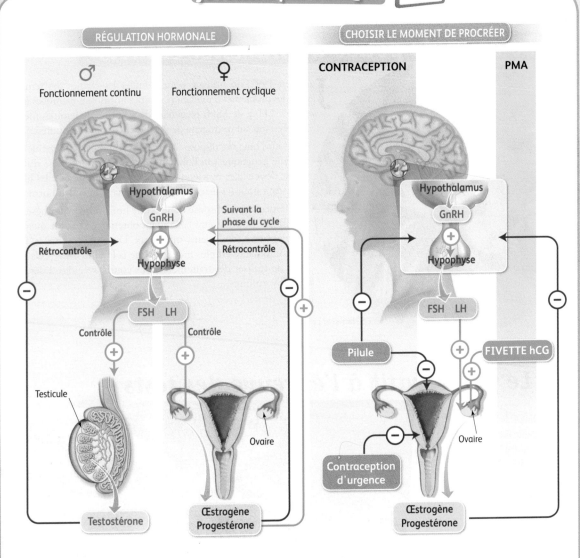

RÉGULATION HORMONALE

CHOISIR LE MOMENT DE PROCRÉER

♂ Fonctionnement continu

♀ Fonctionnement cyclique

CONTRACEPTION

PMA

Hypothalamus
GnRH
Hypophyse

Rétrocontrôle
Suivant la phase du cycle
Rétrocontrôle

FSH LH

Contrôle
Contrôle

Testicule

Ovaire

Testostérone

Œstrogène Progestérone

Hypothalamus
GnRH
Hypophyse

FSH LH

Pilule

FIVETTE hCG

Contraception d'urgence

Ovaire

Œstrogène Progestérone

SANTÉ

- Préservatif
- Vaccin
- Communication

PRÉVENTION

- Examen gynécologique
- Test de séropositivité

DÉPISTAGE

Traitements :
- Antibiotiques
- Trithérapie

THÉRAPIE

Envie de sciences

Le coup de pouce du Hamster chinois

Jusqu'en 1997, on utilisait, pour stimuler les ovaires des femmes ayant des problèmes d'ovulation, soit des hormones naturelles (mélange de LH et de FSH) recueillies dans l'urine de femmes ménopausées, soit un œstrogène de synthèse (citrate de clomifène).

Aujourd'hui, on dispose de FSH recombinante obtenue par génie génétique. On l'obtient grâce à une transgénèse réalisée sur des cellules ovariennes de hamsters chinois avec les gènes codant pour les deux sous-unités alpha et bêta de l'hormone.

Désormais, on dispose donc d'une hormone de synthèse très efficace pouvant être facilement obtenue en grande quantité et garantie sans agents infectieux. De plus, comme la FSH recombinante est plus puissante que la FSH urinaire, cela permet de réaliser des traitements plus courts avec des doses plus faibles hormones.

Le Hamster chinois.

Le préservatif à l'épreuve des tests

La norme C.E. ou N.F. présente sur l'emballage des préservatifs garantit les propriétés des préservatifs. Régulièrement au cours de leur fabrication, certains échantillons subissent des tests afin de garantir leurs propriétés. Ils sont par exemple, remplis de 300 ml d'eau et suspendus pendant trois minutes pour vérifier leur étanchéité. Pour garantir leur résistance, on les remplit d'air jusqu'à éclatement. Résultat : un préservatif peut contenir jusqu'à 40 litres d'air avant d'éclater !!!

En conclusion, les préservatifs résistent à tout sauf à une mauvaise utilisation.

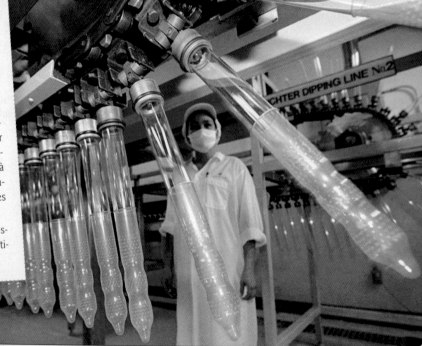

Une usine de fabrication de préservatifs.

Conseillère au planning familial

Le conseiller conjugal et familial accueille les femmes, les jeunes filles et les couples en demande d'aide pour des difficultés rencontrées dans leur vie personnelle, leur vie de couple ou leur vie familiale. Les sujets les plus souvent abordés concernent le domaine de la sexualité : contraception, prévention des IST, infertilité ou interruption de grossesse. Il soutient aussi les femmes qui sont dans des situations difficiles (interruption de grossesse, violence conjugale, infertilité). En plus du soutien psychologique apporté, il oriente parfois les personnes reçues vers un professionnel (assistante sociale, service de PMA, centre de dépistage...).

La profession s'exerce dans des centres d'information ou des centres du planning familial.

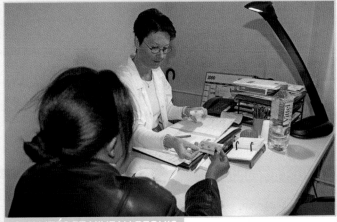

QUALITÉS ET NIVEAU REQUIS

▶ **Grande écoute**

▶ **Stabilité émotionnelle et psychologique**

▶ **Altruisme**

▶ **Diplôme d'état professionnel dans le domaine médical, paramédical, éducatif ou social suivi d'une formation spécifique de deux ans**

Les perturbateurs endocriniens

La quantité et la qualité des spermatozoïdes du sperme humain se sont effondrées dans les pays développés depuis les années 50. Non seulement la fertilité masculine baisse dangereusement mais on constate aussi une augmentation très nette des malformations génitales masculines à la naissance et des cas de cancers des testicules, ovaires, seins…

Ces dysfonctionnements pourraient trouver leur origine dans les perturbateurs endocriniens (paraben, bisphénolA, phtalates, pesticides,…) molécules présentes par exemple dans les produits cosmétiques ou certains plastiques. Ces substances perturberaient le fonctionnement hormonal de notre organisme en mimant l'action des hormones ou en les empêchant d'agir.

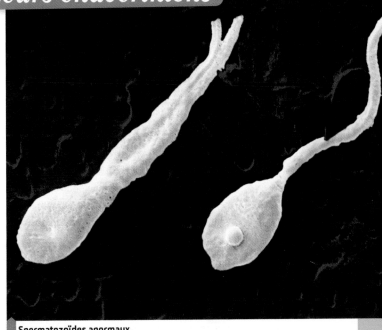

▲ Spermatozoïdes anormaux.

Utiliser un logiciel de comparaison de données moléculaires

Voici le cas d'un homme qui présente un pénis infantile et des testicules de petite taille. Des injections de testostérone ont permis le développement des poils pubiens, de la barbe, la mue de la voix, la croissance du pénis, le développement des testicules et des éjaculations. Les médecins préconisent des injections d'hCG.

➜ **Comment expliquer la stérilité du patient et y remédier ?**

Capacités évaluées

▶ Utiliser des logiciels de gestion de l'information
▶ Appliquer une démarche explicative

Matériel disponible

▶ Ordinateur
▶ Logiciel Anagène (INRP)
▶ Fichiers Anagène (protéines) de LH du patient et d'une personne normale, et de hCG disponibles sur le site Nathan.

Comparaison des chaînes alpha et bêta de la LH du malade avec celle d'un homme normal.

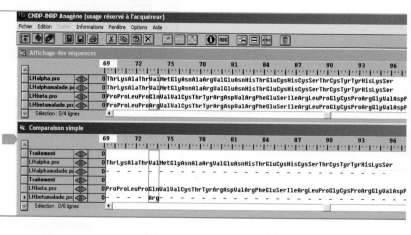

Conclusions attendues

▶ **1.** L'hormone LH mutée n'active pas le fonctionnement des testicules qui produisent peu de testostérone. En conséquence, le patient ne produit pas de spermatozoïdes et n'a pas développé de caractères sexuels secondaires.

▶ **2.** L'hormone hCG présente une structure proche de celle de la LH et permet lors du traitement de compenser son absence chez ce patient qui fabrique alors des spermatozoïdes. LH et hCG sont des protéines constituées par l'assemblage de deux sous-unités alpha et béta. Les chaînes alpha sont identiques pour ces deux hormones.

Critères de réussite

➜ L'ouverture des fichiers moléculaires.
➜ La présence en tête de comparaison de la molécule de référence d'une personne non malade.
➜ L'utilisation de l'échelle adaptée aux protéines pour localiser avec précision la mutation.
➜ L'utilisation du curseur pour lire avec précision la position de la mutation.

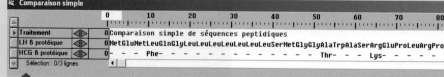

Comparaison des chaînes ß de LH et de hCG.

Évaluer ses connaissances

Tests rapides

Animation interactive

1 Quelques définitions à maîtriser

Définir brièvement les mots ou expressions suivants :
- Neurohormone ● Contraceptif ● PMA ● FIVETE
- ICSI.

2 Questions à choix multiple

Parmi les affirmations suivantes, choisissez la (ou les) réponse(s) exacte(s).

1 Le cerveau contrôle le fonctionnement des ovaires et des testicules grâce :
a. à la progestérone.　　　**b.** à la testostérone.
c. aux hormones LH et FSH.　**d.** à la GnRH.

2 Par un rétrocontrôle les ovaires et les testicules agissent sur :
a. l'utérus.
b. le complexe hypothalamo-hypophysaire.
c. les testicules.

3 Juste avant l'ovulation, les ovaires :
a. exercent un rétrocontrôle positif sur le CHH.
b. exercent un rétrocontrôle négatif sur le CHH.
c. provoquent la libération d'une grande quantité de LH et de FSH.

4 La pilule contient des hormones de synthèse qui :
a. empêchent le déclenchement de l'ovulation.
b. inhibent la libération de LH et FSH par l'hypophyse.
c. augmentent la libération d'hormones ovariennes.
d. diminuent la libération d'hormones ovariennes.

5 La contraception d'urgence aujourd'hui :
a. contient plus d'hormones de synthèses qu'avant.
b. provoque moins d'effets secondaires que dans le passé.
c. est plus efficace.

6 Les IST :
a. peuvent causer des stérilités.
b. se transmettent facilement lors des rapports sexuels.
c. sont toujours associées à des symptômes visibles.

3 Analyser un document

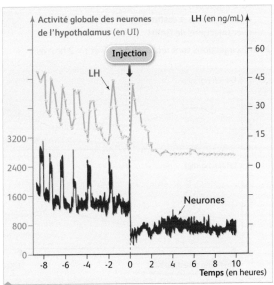

Activité globale des neurones de l'hypothalamus avec injection à $t = 0$ d'une substance qui bloque l'activité des neurones.

Parmi les affirmations suivantes, choisissez la (ou les) réponse(s) exacte(s).

1 L'activité des neurones de l'hypothalamus :
a. est tout le temps nulle.
b. est tout le temps importante.
c. est épisodique.

2 La sécrétion de LH :
a. est synchrone avec l'activité électrique.
b. précède l'activité électrique.
c. succède au pic d'activité électrique.

3 Lorsque l'on bloque le fonctionnement des neurones de l'hypothalamus, la sécrétion de LH :
a. reste identique.　　**b.** augmente.　　**c.** devient faible.

Restituer ses connaissances

5 Organiser une réponse argumentée

En quelques lignes, expliquez comment les connaissances accumulées par l'Homme sur le fonctionnement des appareils génitaux ont permis la mise au point de la pilule contraceptive.

6 Élaborer un schéma fonctionnel

Placez sur un schéma les organes suivants : testicules, hypophyse et hypothalamus.
Reliez ces organes par des flèches représentant les hormones qu'ils libèrent. Ajoutez un + ou un – à côté des flèches pour préciser la nature de leur action : stimulation ou inhibition.

Exercice guidé

7 Ovaire et CHH

▶ On mesure la concentration en LH sanguine chez des vaches dans trois conditions :
– sans injections ;
– avec injections d'œstradiol ;
– avec injections de GnRH.

▶ Deux injections sont réalisées à t = 0 et t = 2 heures.

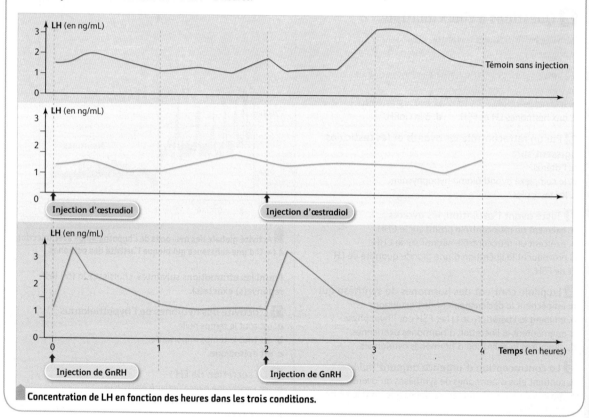

Concentration de LH en fonction des heures dans les trois conditions.

QUESTIONS

1 Indiquez comment varie la sécrétion de LH par l'hypophyse de la vache.

2 Relevez les conséquences des deux injections de GnRH réalisées chez la vache.

3 D'après cette expérience, expliquez pourquoi hypothalamus et hypophyse sont regroupés dans un même complexe fonctionnel appelé CHH.

4 Indiquez ce qui se passe lorsque l'on procède à des injections d'œstradiol.

5 Expliquez l'origine de cette dernière observation.

6 Résumez vos observations au sein d'un schéma fonctionnel où les organes et les hormones qu'ils libèrent sont représentés.

Guide de résolution

1 Observer avec précision l'évolution de la sécrétion de LH dans les 3 situations.

2 Mettre en correspondance les activités de sécrétion de LH avec le moment où on réalise l'injection de GnRH.

3 Mettre en évidence la modification de la sécrétion de LH par l'hypophyse suite à l'injection d'œstrogènes.

4 Connaître la notion de rétrocontrôle négatif exercé par l'œstradiol.

5 Placer dans l'ordre hypothalamus, hypophyse, et ovaire et compléter avec les hormones qu'ils libèrent.

Appliquer ses connaissances

8 Spermogramme

Différents couples ont consulté pour une infertilité supérieure à deux ans. Au cours des examens permettant de trouver l'origine de cette infertilité, le spermogramme du conjoint a montré une ou plusieurs anomalies.

Paramètres	Mr W	Mr X	Mr Y	Mr Z	Paramètres minimum de fertilité
Volume éjaculat (en mL)	2,1	1,8	1,2	1,9	Égal ou supérieur à 1,5 mL
Nombre de spermatozoïdes (en millions)	2,3	65	0	45	Égal ou supérieur à 39 millions
Concentration (en millions/mL)	1,1	36	0	23	Égale ou supérieure à 15 millions /mL
Mobilité totale (en %)	28	49	0	29	Égale ou supérieure à 40 %
Morphologie des spermatozoïdes (en %)	15	8	0	33	Égale ou supérieure à 4 % de forme normale
Vitalité des spermatozoïdes (en %)	60	45	0	65	Égale ou supérieure à 58 % de spermatozoïdes vivants

Tableau présentant les résultats de 1 spermogrammes.

QUESTIONS

1 Trouvez, pour chaque patient, l'origine supposée de son infertilité.

2 Associez à chaque patient le terme médical qui représente son problème de stérilité.

3 Proposez, pour chaque couple, un protocole de procréation médicalement assistée, en justifiant l'intérêt de celui-ci par rapport à la situation du couple.

4 En cas d'insémination artificielle, quelle précaution faudra-t-il prendre afin de favoriser une éventuelle fécondation ?

Azoospermie : absence de spermatozoïdes.
Oligospermie : nombre de spermatozoïdes insuffisant, inférieur à 5 millions de spermatozoïdes par mL.
Asthénospermie : spermatozoïdes peu mobiles.
Tératospermie : pourcentage réduit de spermatozoïdes normaux.
Oligoasthénotératospermie : spermatozoïdes peu nombreux, peu mobiles et anormaux.

2 Quelques définitions.

9 Comprendre un protocole de procréation médicalement assistée

Les étapes du traitement hormonal d'une fécondation *in vitro*.
1. Injection d'un agoniste du GnRH (décapeptyl), c'est-à-dire d'une molécule ayant une forme voisine du GnRH, capable d'en simuler les effets. Les sécrétions de LH et FSH naturelles deviennent négligeables.
2. Injection de FSH recombinante (obtenue par transgénèse chez le Hamster).
3. Injection de hCG, substance très proche de la LH hypophysaire, pour déclencher l'ovulation et prélèvement 36 heures après des ovocytes sous contrôle échographique.

1 Protocole de FIVETE.

QUESTIONS

1 Expliquez pourquoi l'injection de décapeptyl aboutit à des sécrétions de LH et de FSH naturelles négligeables.

2 Indiquez les conséquences de l'injection de FSH recombinante.

3 Expliquez l'importance de la première étape pour contrôler au mieux le dosage de la stimulation ovarienne.

4 Indiquez l'examen qui permet de choisir le moment de déclencher l'ovulation.

5 Expliquez l'intérêt d'utiliser l'hormone hCG pour déclencher l'ovulation.

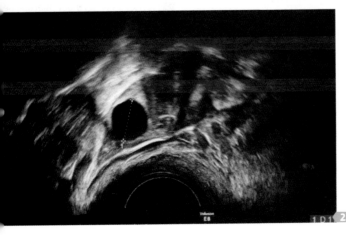

2 Échographie d'un ovaire au 12ᵉ jour.

🔟 hCG et LH : des molécules utilisées par l'Homme

▌ Les tests d'ovulation et de grossesse sont disponibles en pharmacie sans ordonnance. Les tests d'ovulation permettent de repérer la période d'ovulation des femmes désirant avoir un enfant. Les tests de grossesse permettent de savoir si une femme est enceinte ou non.

▌ Les deux tests sont basés sur la détection d'une hormone présente dans les urines des femmes.

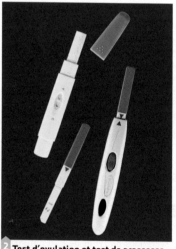

2 Test d'ovulation et test de grossesse.

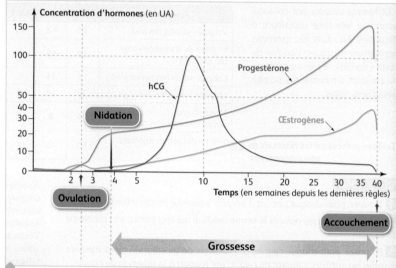

1 Évolution des concentrations sanguines de certaines hormones chez une femme au cours d'une grossesse.

QUESTIONS

1 Expliquez quelle hormone est, selon vous, détectée par le test permettant de repérer la période d'ovulation.

2 Précisez comment évoluent les sécrétions des hormones ovariennes chez la jeune femme.

3 Expliquez pourquoi leur analyse permet de savoir si une femme est enceinte ou non.

4 Expliquez pourquoi l'hormone hCG est un bon indicateur d'un début de grossesse.

1️⃣1️⃣ Testostérone et complexe hypothalamo-hypophysaire

	Individu normal	Individu normal avec injections de testostérone
Concentration en LH (en UI/L)	10,7	3,7
Fréquence des sécrétions de LH (en nb de pulse/12h)	4,5	1,5
Amplitude des sécrétions de LH (en UI/L)	10,7	2,9

1 Concentration en LH et caractéristiques de sa sécrétion chez un homme après injection de testostérone.

	Individu déficient en GnRH	Individu déficient en GnRH avec injection testostérone
Concentration en LH (en UI/L)	14,4	10,2
Amplitude des sécrétions (en UI/L)	12,6	8,2

2 Concentration en LH et amplitude de sa sécrétion chez un homme déficient en GnRH après injection de testostérone.

QUESTIONS

1 Précisez les effets d'une injection de testostérone chez un homme normal.

2 D'après vos connaissances, expliquez ce phénomène et précisez les deux sites supposés de l'action de la testostérone.

3 Expliquez pourquoi la deuxième expérience permet de valider l'action de la testostérone sur l'hypophyse.

La science AUTREMENT

Découvrir AUTREMENT

12 Les retrocontrôles en animation

▶ http://pedagogie.ac-amiens.fr/svt/info/logiciels/
cycles/anim_decomp/index.html

QUESTIONS

1 À partir des animations proposées, retrouvez le contrôle du fonctionnement de l'appareil génital féminin.

2 Indiquez comment évolue la régulation du complexe hypothalamo-hypophysaires sur le fonctionnement des ovaires au cours des cycles sexuels féminins.

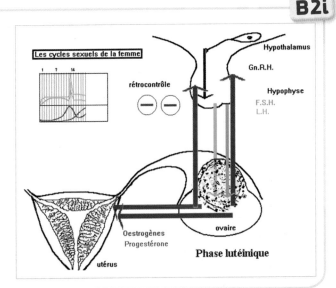

Exercer un esprit CRITIQUE

13 Dépistage du SIDA

1 Campagne de sensibilisation au dépistage du virus du SIDA.

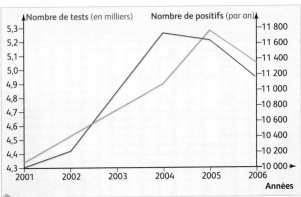

2 Nombre de dépistages du SIDA réalisés et nombre de nouveaux cas de séropositivité (en France).

QUESTIONS

1 Indiquez comment évolue le nombre de dépistage du SIDA depuis 2001.

2 Indiquez comment évolue le nombre de cas de séropositivité depuis 2001.

3 À partir de ces données, expliquez quel impact peut avoir le dépistage du SIDA sur le nombre de cas positifs.

4 Expliquez l'intérêt de maintenir régulièrement des campagnes d'information sur les IST et sur leur dépistage.

13 Variation génétique et santé

▶ L'apparition de nouveaux allèles par mutation est à l'origine de la grande variabilité existant entre individus de l'espèce humaine mais également au sein des populations d'agents pathogènes (bactéries, virus, champignons, etc.).

▶ Ces variations impliquent que nous ne sommes pas « génétiquement égaux face aux maladies » et qu'une course est engagée entre les agents pathogènes évoluant rapidement et le développement de traitements efficaces contre les maladies.

1 **Visiteur devant une représentation digitale du génome humain,** Muséum d'Histoire naturelle de New York.

2 L'épithélium des bronches est recouvert de mucus.
Le mucus piège les poussières et agents pathogènes, il est ensuite évacué vers la gorge par des cellules ciliées. Chez les individus atteints de mucovicidose, ce mucus est trop épais pour être évacué.

7 µm

3 La souris obèse dont on a modifié un gène par génie-génétique présente des signes de diabète et sert de modèle en laboratoire pour faire progresser nos connaissances sur la maladie.

0,4 µm

4 L'amoxicilline, un antibiotique qui bloque la synthèse de la paroi des bactéries en croissance.
Lorsqu'elles se divisent, les bactéries s'allongent et explosent à cause de l'absence de paroi.

Comment notre patrimoine génétique détermine-t-il nos sensibilités aux maladies ?

➞ **Activités 1, 3 et 4**

De quels moyens l'Homme dispose-t-il pour lutter contre les maladies ?

➞ **Activités 2, 3 et 5**

Comment expliquer l'apparition de résistance aux antibiotiques ?

➞ **Activité 6**

Activité 1

Génotype et mucoviscidose

La mucoviscidose est la maladie héréditaire la plus fréquente. Elle touche un nouveau-né sur 4 500 naissances en France, c'est-à-dire que près de 200 enfants sont atteints de mucoviscidose chaque année.

→ **Comment une mutation peut-elle entraîner des modifications aux différentes échelles du phénotype ?**

Guide d'exploitation

1 (Doc 1) Quelles sont les différentes fonctions perturbées chez un individu atteint de mucoviscidose ?

2 (Doc 2) En considérant l'état de l'individu III-2, déterminez les allèles portés par les individus II-1 et II-2.

3 (Doc 2) Construisez un tableau de croisement rendant compte des différents génotypes possibles des enfants du couple II-1 et II-2 et calculez la probabilité pour ce couple d'avoir à nouveau un enfant atteint de mucoviscidose.

4 (Doc 2) Sachant que la probabilité pour II-9 d'être porteur sain est de 1/40, calculez la probabilité pour le couple II-8 et II-9 d'avoir un enfant atteint de mucoviscidose.

5 (Doc 3) Identifiez la mutation à l'origine de l'allèle DF508 et indiquez sa conséquence au niveau de la protéine CFTR.

6 Pour conclure, établissez le lien entre le génotype et le phénotype macroscopique dans le cas de la mucoviscidose.

1 Les symptômes de la mucoviscidose

▶ Certains organes de notre corps produisent du mucus, substance fluide, qui humidifie les canaux de certains organes.

▶ Dans le cas de la mucoviscidose, le mucus est épais et collant, provoquant des difficultés respiratoires et digestives.

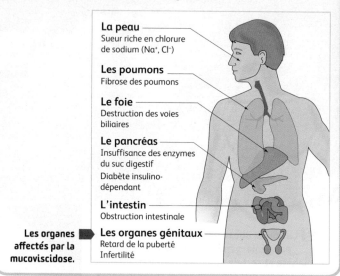

La peau
Sueur riche en chlorure de sodium (Na⁺, Cl⁻)

Les poumons
Fibrose des poumons

Le foie
Destruction des voies biliaires

Le pancréas
Insuffisance des enzymes du suc digestif
Diabète insulino-dépendant

L'intestin
Obstruction intestinale

Les organes génitaux
Retard de la puberté
Infertilité

Les organes affectés par la mucoviscidose.

2 Transmission de la mucoviscidose

▶ Le gène impliqué dans la mucoviscidose a été identifié en 1989 : il s'agit du gène *CFTR* (Cystic Fibrosis Transmembrane Regulator) localisé sur le chromosome 7.

▶ Les arbres généalogiques permettent de révéler le mode de transmission des maladies héréditaires. Dans le cas de la mucoviscidose, seuls les individus possédant deux allèles mutés sont malades. On considère qu'une personne sur 40 est porteuse d'un allèle muté responsable de la maladie (porteur sain).

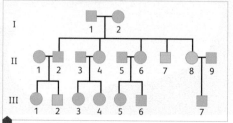

a Arbre généalogique d'une famille dont certains membres sont touchés par la mucoviscidose.

CFTR →

Localisation du gène *CFTR* sur le chromosome 7. **b**

3 Les mutations du gène *CFTR*

▶ Le gène *CFTR* code une protéine du même nom. Cette protéine intervient dans l'élaboration du mucus de nombreux organes dont les poumons.

▶ Depuis la découverte du gène *CFTR*, près de 1 800 mutations ont été identifiées. La mutation la plus fréquente du gène *CFTR* est la mutation DF508 qui représente 70 % des formes mutées du gène.

RÉALISER

1. Ouvrir avec Anagène le fichier contenant les séquences des allèles normal et muté du gène *CFTR* et les séquences protéiques correspondantes.

2. Effectuer une comparaison avec discontinuité des séquences d'ADN.

3. Comparer les séquences protéiques.

Comparaison avec alignement											
	1480	1490	1500	1510	1520	1530	1540	1550	1560	1570	
Traitement											
Identités	********************************			*	********************************						
CFTR normal	TTTTCCTGGATTATGCCTGGCACCATTAAAGAAAATATCATCTTTGGTGTTTCCTATGATGAATATAGATACAGAAGCGTCATCAAAGCATGCCAA										
CFTR muté	--- _ _ ---										
Traitement											
Identités	* *										
Pro-CFTR normal	PheSerTrpIleMetProGlyThrIleLysGluAsnIleIlePheGlyValSerTyrAspGluTyrArgTyrArgSerValIleLysAlaCysGln										
Pro-CFTR muté	- - - - - - - - - - - - Gly___ - - - - - - - - - -										
Sélection : 0/8 lignes											

a Comparaison des séquences normales et mutées du gène et de la protéine CFTR.

▶ Les structures des protéines CFTR normale et DF508 ont été déterminées et peuvent être comparées à l'aide d'un logiciel de visualisation en 3D des molécules.

RÉALISER

1. Afficher sous Rastop les protéines CFTR normale et DF508.

2. Choisir un affichage sous forme de rubans uniquement.

3. Sélectionner successivement les acides aminés 507, 508 et 509 de la protéine normale. Choisir un affichage en « boules et bâtonnets » et colorer les acides aminés respectivement en bleu, en vert et en rouge.

4. Faire de même pour les acides aminés 507 et 509 de la protéine DF508.

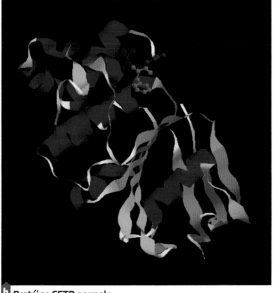

b Protéine CFTR normale.

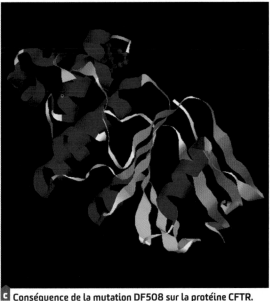

c Conséquence de la mutation DF508 sur la protéine CFTR.

Activité 2

Traitements de la mucoviscidose

La recherche de traitements efficaces contre la mucoviscidose est source de beaucoup d'espoir pour les malades. L'espérance de vie des malades atteints de la mucoviscidose est passée de 7 ans en 1965 à 46 ans actuellement.

→ **Quels sont les principes et les limites actuelles des traitements contre la mucoviscidose ?**

Guide d'exploitation

1 (Doc 1a) Relevez les différences d'aspect des bronches d'un individu malade et d'un individu sain et faites un schéma explicatif.

2 (Doc 1b) Expliquez l'intérêt des massages effectués par le kinésithérapeute pour soulager les malades atteints de mucoviscidose.

3 (Doc 1c) Justifiez le recours à l'oxygénothérapie pour améliorer les conditions de vie des malades.

4 (Doc 2) Sachant que les cellules épithéliales se renouvèlent rapidement, proposez une explication aux limites de la thérapie génique *in vivo* pour traiter la mucoviscidose.

5 (Doc 3) Présentez les espoirs fondés sur la thérapie génique *ex vivo* dans le cas de la mucoviscidose.

VOCABULAIRE

Vecteur : transporteur de matériel génétique qui est soit d'origine virale soit synthétique.

Cellules souches : cellules indifférenciées capables de se diviser et de se différencier pour donner les différents types cellulaires de notre organisme.

1 Limiter les symptômes de la maladie

▶ Parmi les symptômes de la mucoviscidose, ceux affectant les poumons sont souvent les plus handicapants car ils limitent les capacités respiratoires et favorisent le développement d'agents pathogènes.

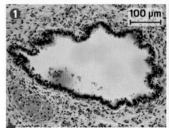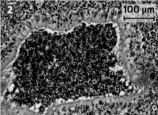

a Coupe de bronches d'individu sain **1** et d'individu atteint de mucoviscidose **2**.

▶ La kinésithérapie respiratoire est un ensemble de techniques de massage (notamment du thorax) qui fait partie des soins quotidiens des patients atteints de mucoviscidose.

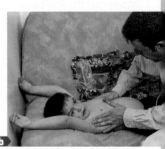

Kinésithérapie respiratoire. **b**

▶ Les individus atteints de mucoviscidose souffrent d'insuffisances respiratoires. La quantité de dioxygène transportée par l'hémoglobine des globules rouges du sang est inférieure à la normale. Les capacités à produire des efforts physiques sont d'autant plus limitées que l'atteinte est sévère.

▶ L'oxygénothérapie est une technique médicale visant à apporter au patient de l'air enrichi en dioxygène. Elle est réalisée à l'aide d'une canule nasale ou d'un masque.

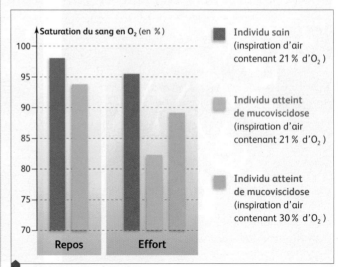

Saturation du sang en O_2 (en %)

Individu sain (inspiration d'air contenant 21 % d'O_2)

Individu atteint de mucoviscidose (inspiration d'air contenant 21 % d'O_2)

Individu atteint de mucoviscidose (inspiration d'air contenant 30 % d'O_2)

Repos — Effort

c Effet de l'oxygénothérapie.

2 Une thérapie génique à l'essai

La thérapie génique consiste à corriger le défaut génétique des malades en insérant dans les cellules atteintes l'allèle normal. Toute la difficulté d'un tel traitement réside dans la nécessité d'introduire l'ADN « normal » dans le noyau des cellules afin qu'il puisse être exprimé et permette ainsi la synthèse de protéines fonctionnelles. De plus, il faut qu'un grand nombre de cellules puissent être traitées afin que le malade retrouve un bon état de santé.

Pour l'injection de l'ADN, les médecins se sont inspirés de leurs connaissances de certains virus capables naturellement d'insérer leur ADN dans celui des cellules qu'ils infectent. Ils ont ainsi incorporé l'allèle sain dans un virus inactivé. C'est lui qui réalise le transport jusqu'au noyau, on parle alors de **vecteur**.

Dans le cas de la mucoviscidose, le vecteur est administré par aérosol. Cette méthode améliore l'état des malades temporairement et ne permet pas de supprimer tous les symptômes de la maladie.

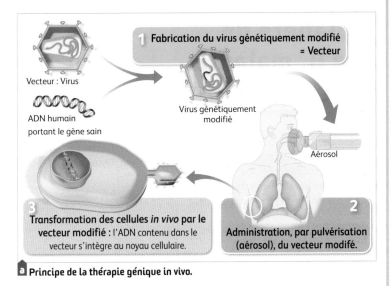

1 Fabrication du virus génétiquement modifié = Vecteur

Vecteur : Virus

ADN humain portant le gène sain

Virus génétiquement modifié

Aérosol

3 Transformation des cellules *in vivo* par le vecteur modifié : l'ADN contenu dans le vecteur s'intègre au noyau cellulaire.

2 Administration, par pulvérisation (aérosol), du vecteur modifé.

a Principe de la thérapie génique in vivo.

Expression de la protéine CFTR normale transférée par aérosol chez des malades atteints de mucoviscidose.
100 % = niveau d'expression des protéines endogènes.

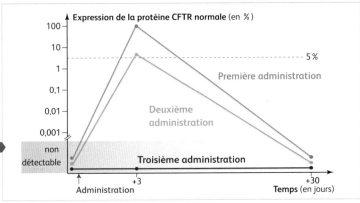

b

Expression de la protéine CFTR normale (en %)

100 —
10 —
1 —
0,1 —
0,01 —
0,001 —
non détectable

5 %

Première administration

Deuxième administration

Troisième administration

+3

+30

Administration

Temps (en jours)

3 Vers d'autres thérapies géniques

Plutôt que d'essayer de modifier toutes les cellules pulmonaires déjà en place et qui sont régulièrement renouvelées, ce qui nécessite de refaire périodiquement un traitement, on envisage de modifier des **cellules souches** qui auraient été prélevées sur le malade et traitées *ex vivo* en laboratoire.

On réimplanterait ensuite ces cellules qui, en se multipliant et en se différenciant, remplaceraient les cellules atteintes. Cette voie prometteuse est l'objet de nombreuses études.

Plutôt que de réparer des cellules atteintes, cette thérapie aurait un effet durable car elle vise à remplacer les cellules atteintes par des cellules saines.

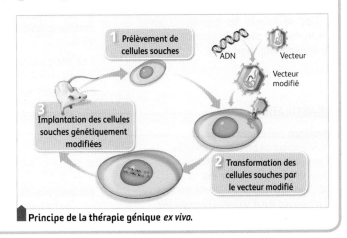

1 Prélèvement de cellules souches

ADN

Vecteur

Vecteur modifié

3 Implantation des cellules souches génétiquement modifiées

2 Transformation des cellules souches par le vecteur modifié

Principe de la thérapie génique *ex vivo*.

Le diabète de type II, maladie multifactorielle

Le diabète de type II touche actuellement 4 % de la population. Cette maladie du métabolisme est caractérisée par un excès chronique de glucose dans le sang (hyperglycémie).

→ **Comment la connaissance des facteurs intervenant dans le développement du diabète de type II permet-elle de lutter efficacement contre cette maladie ?**

Guide d'exploitation

1 (Doc 1) Décrivez et interprétez les résultats du test d'hyperglycémie obtenus chez le témoin et l'individu atteint de diabète de type II.

2 (Doc 2) Montrez que le diabète de type II a une composante génétique mais aussi environnementale et que le facteur génétique ne permet pas d'expliquer à lui seul l'origine de ce type de diabète.

3 (Doc 3) Proposez, à partir de l'étude des données présentes dans le tableau, une explication à l'expression « gène de prédisposition » pour le diabète de type II.

4 (Doc 4) Relevez les arguments justifiant la mise en place du plan de campagne national nutrition santé.

VOCABULAIRE

Prévalence : en épidémiologie, c'est le nombre de personnes atteintes par une maladie, à un moment donné et dans une population donnée.

IMC : indice de masse corporelle, est égal à la masse (en kg) d'un individu rapportée à sa taille (en m) au carré.

1 Les symptômes du diabète

▶ L'Organisation Mondiale de la Santé a défini les valeurs qui permettent de poser le diagnostic du diabète. Il repose sur la mesure, à au moins deux reprises, de glycémies anormales qui peuvent correspondre à une glycémie à jeun supérieure à 1,26 g/L, à une mesure au hasard de la glycémie supérieure à 2 g/L associée à d'autres symptômes (soif intense,…) ou à une glycémie supérieure à 2 g/L deux heures après ingestion à jeun de 75 g de glucose.

▶ Le test d'hyperglycémie provoquée consiste à mesurer l'évolution de la glycémie suite à l'ingestion chez un adulte, à jeun, de 75 g de glucose en moins de 5 min.

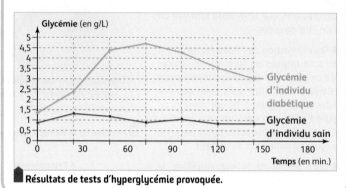

Résultats de tests d'hyperglycémie provoquée.

2 Origines du diabète de type II

▶ Une part importante de la recherche dans le domaine médical consiste à trouver les facteurs susceptibles d'exercer une influence sur la fréquence et le développement des maladies. Ces études épidémiologiques impliquent des comparaisons entre des groupes de malades et d'individus sains, à la fois sur le plan génétique et sur leur mode de vie.

▶ Parmi la population générale, 4 % des personnes développent un diabète de type II. 25 % des frères et sœurs d'un diabétique de type II sont ou seront eux aussi diabétiques. Si le père ou la mère est diabétique, le pourcentage est alors doublé. Par ailleurs, si les frères et sœurs sont de vrais jumeaux (homozygote), si l'un est atteint, l'autre l'est aussi ou le deviendra à plus de 99 %.

▶ Le pourcentage de diabète de type II de différentes populations chinoises migrantes a été comparé avec celui de la population chinoise indigène.

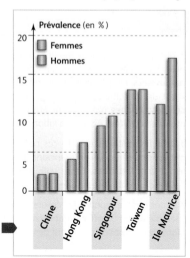

Prévalence du diabète de type II ▶ parmi la population chinoise dans différentes régions du monde.

3 Le diabète de type II, une maladie polygénique

▶ Les études épidémiologiques ont permis d'identifier à ce jour 20 gènes associés à un facteur de risque pour le diabète de type II. La fonction des protéines codées et les mécanismes les reliant au diabète restent cependant méconnus.

Gène et chromosome	Nom du variant allélique	Fonction de la protéine	Population étudiée	Année	Facteur de risque pour le diabète de type II
Calpain 10 chromosome 2	SNP43/19/63	Protéase	239 familles Américains d'origine mexicaine	2000	x 3
Calpain 10 chromosome 2	SNP43/19/63	Protéase	468 Indiens d'Amérique	2002	x 5,8 à 6,5
PPAR gamma chromosome 3	Pro12Ala	Contrôle de l'expression génétique	Analyse statistique regroupant de nombreuses publications (incluant 32,849 cas de diabètes de type II et 47,456 contrôles)	2009	x 0,8
Kir6.2 chromosome 11	Glu23Lys	Canal à potassium	225 individus caucasiens	1996	x 1
Kir6.2 chromosome 11	Glu23Lys	Canal à potassium	2 486 Britanniques	2003	x 1,2
Kir6.2 chromosome 11	Glu23Lys	Canal à potassium	490 individus souffrant d'intolérance au glucose	2004	x 6

Gènes de prédisposition au diabète de type II.

4 Alimentation et diabète de type II

▶ L'identification des facteurs de risques associés au diabète permet de mettre en place des politiques de prévention et d'envisager des traitements adaptés.

▶ Le diabète de type II concerne principalement les personnes âgées de plus de 50 ans. Cependant, une étude menée sur 20 ans au Japon a montré une augmentation du diabète de type II chez de jeunes japonais, en lien avec une augmentation de l'obésité mesurée par l'**IMC**.

▶ En France, la dernière enquête nationale révèle qu'entre 1997 et 2003, la proportion de personnes en surpoids ou obèses est passée de 36,7 % à 41,6 % et 19 % des enfants sont touchés. L'obésité est considérée comme une épidémie par l'OMS (Organisation Mondiale de la Santé).

▶ Le plan national Nutrition santé (PNNS) a été lancé en 2001. Il a pour objectif de sensibiliser chacun sur l'importance d'avoir une alimentation équilibrée, et de pratiquer une activité physique pour se maintenir en bonne santé.

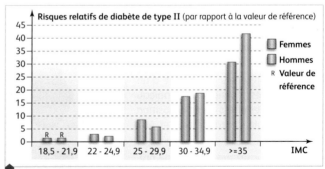

a Risques relatifs de diabète de type II en fonction du sexe et de l'IMC.

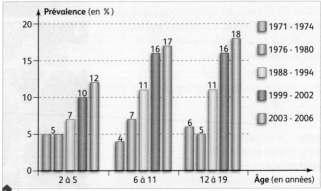

b Évolution de la prévalence de l'obésité chez les enfants et adolescents aux États-Unis.

Activité 4

Perturbation du génome et cancers

Le cancer est la première cause de mortalité en France. Malgré une très grande diversité des cancers, tous ont en commun une dérégulation du rythme de division d'un groupe de cellules de l'organisme.

→ **Quelles sont les origines possibles d'un cancer ?**

Guide d'exploitation

1 (Doc 1) Identifiez les différentes modifications du caryotype des cellules cancéreuses. Établissez le lien entre ce génotype et le phénotype « cancer » dans le cas du cancer du poumon.

2 (Doc 2) Indiquez l'influence de l'environnement sur l'apparition du cancer des poumons.

3 (Doc 2) Représentez sous forme d'un histogramme les données du tableau puis, comparez les effets d'une exposition à l'amiante seule, au tabac seul et aux deux à la fois.

4 (Doc 2) Proposez des mesures de prévention possibles pour lutter contre ce type de cancer.

5 (Doc 3) Relevez les informations qui ont permis à D. Burkitt d'émettre l'hypothèse d'une origine infectieuse pour le lymphome portant son nom.

6 En conclusion, énumérez les différentes origines possibles d'un cancer.

VOCABULAIRE

Tumeur : amas de cellules issues d'une prolifération anormale.

Mésothéliome : cancer de la plèvre (membrane enveloppant les poumons).

Lymphome : cancer touchant les lymphocytes.

1 Les cellules cancéreuses

▶ Le rythme des divisions cellulaires est soumis à des contrôles stricts. Les cellules cancéreuses accumulent des mutations qui peuvent être spontanées (notamment dans les gènes contrôlant la division cellulaire et les gènes de réparation de l'ADN). Elles échappent ainsi aux systèmes de contrôles, et se multiplient de façon anarchique, formant un amas de cellules appelé **tumeur**. La tumeur envahit les zones qui l'entourent, et modifie le fonctionnement de l'organe concerné.

▶ La technique de multi-FISH permet de caractériser les caryotypes des cellules. Chacune des 23 paires de chromosomes est repérée par une couleur par microscopie à fluorescence.

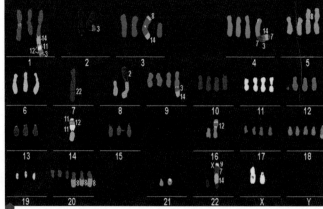

a **Caryotype d'une cellule cancéreuse du poumon** (les numéros adjacents aux chromosomes indiquent l'origine des fragments chromosomiques déplacés).

b **Alvéoles pulmonaires : ❶ alvéole saine, ❷ alvéole colonisée par une tumeur** (cellules bleues) (MEB, couleurs artificielles).

2 Environnement et cancer

> En 1979, une enquête sur les travailleurs américains et canadiens de l'isolation (utilisant de l'amiante) mettait en évidence un excès des cancers des voies respiratoires et des voies digestives. Sur les 17 800 travailleurs étudiés, il y a eu 2 271 décès, dont 21 % de cancers du poumon et 8 % de **mésothéliomes**. Alors que 320 cancers étaient statistiquement prévisibles, il y en a eu 995, soit 675 cas de plus, ce qui est considérable.
> Les nombreuses études épidémiologiques ont toutes montré sans équivoque un lien entre amiante et cancer du poumon ainsi qu'entre amiante et mésothéliome.
>
> D'après le rapport d'information n° 41 – 1997-1998 du Sénat.

a Le caractère cancérigène de l'amiante.

▶ Une étude sur l'effet cumulé de facteurs de l'environnement a été menée sur 3 000 personnes sur une période de 40 ans. Le cancer se déclare en moyenne 20 à 40 ans après le début de l'exposition. Cette étude a permis d'évaluer le risque relatif de développer un cancer des poumons en fonction du niveau de consommation de tabac et de l'exposition à l'amiante.

Risque relatif de cancer du poumon en fonction **c**
de l'exposition à l'amiante et au tabac.

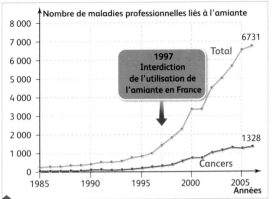

b Évolution du nombre de maladies professionnelles (MP) liées à l'amiante (source : CNAMTS).

Exposition à l'amiante	Non fumeurs	Fumeurs réguliers	
		Petits fumeurs	Gros fumeurs
Aucune	1	10,5	45,4
Faible	2,7	12,1	36,8
Forte	10,2	13,6	80,6

3 Virus et cancer

▶ Durant les années 1950, un médecin, D. Burkitt, recensa des cas de cancers rares en Afrique, et établit pour la première fois une relation entre des facteurs écologiques (température, humidité, altitude, etc.) et la distribution géographique d'un cancer, le **lymphome** de Burkitt.

▶ Ses observations l'amenèrent à la conclusion que ce cancer avait une origine infectieuse, ce qui fut ensuite démontré par A. Epstein et Y. Barr qui identifièrent l'agent pathogène, le virus Epstein-Barr (EBV).

▶ Bien que ce virus ait une répartition mondiale, le lymphome de Burkitt se développe essentiellement en Afrique, et plus particulièrement dans la zone géographique où sévit aussi le paludisme. On démontra alors le caractère plurifactoriel de ce cancer induit par le virus d'Epstein-Barr, grâce à l'association avec d'autres facteurs. L'implication de virus est démontrée dans d'autres types de cancers mais leur présence ne suffit pas à causer la maladie.

▶ Les mécanismes reliant l'infection par l'EBV et le développement du lymphome de Burkitt ne sont pas encore clairement élucidés à ce jour. Cependant les études génétiques montrent que le cancer est associé à plusieurs translocations chromosomiques et que l'on retrouve systématiquement des gènes du virus dans les cellules atteintes.

Caryotype partiel d'un lymphome de Burkitt **b**
(les flèches indiquent les échanges entre chromosomes).

a Distribution géographique du lymphome de Burkitt.

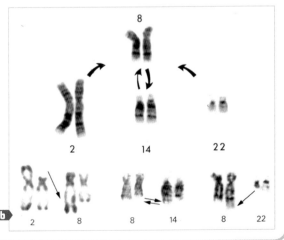

Activité 5

La lutte contre les cancers

La compréhension des mécanismes en jeu dans les processus de cancérisation permet de mettre en place des stratégies efficaces pour lutter contre ces maladies.

→ **Quels sont les moyens de lutter contre les cancers ?**

Guide d'exploitation

1 (Doc 1) Justifiez le choix de l'intervalle 50-74 ans pour le dépistage des cancers du sein.

2 (Doc 1) Expliquez les avantages d'un dépistage précoce du cancer du sein.

3 (Doc 2) Expliquez les conséquences de l'exposition aux UV sur les levures. Par analogie, montrez que des mesures simples permettent de diminuer les risques de développer un cancer de la peau.

4 (Doc 3) Relevez les arguments montrant la pertinence de la mise en place d'un programme de vaccination contre l'hépatite B en Thaïlande.

5 **En conclusion,** présentez sous la forme d'un court texte les différents moyens de lutte contre les cancers.

VOCABULAIRE

Mammographie : examen radiologique des seins.

Incidence : nombre annuel estimé de nouveaux cas de cancer.

Infection chronique : infection qui se développe lentement et persiste sur le long terme.

---

1 La prévention et les traitements du cancer du sein

❯ Le cancer du sein, avec plus de 52 000 nouveaux cas estimés en France en 2010, est le plus fréquent des cancers chez la femme. Il reste également, avec plus de 11 000 décès estimés en 2010, au premier rang des décès par cancer chez la femme.

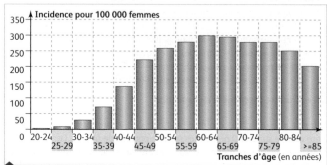

a **Évolution du nombre des nouveaux cas de cancers du sein par tranche d'âge** (étude réalisée en 2000).

❯ Le dépistage du cancer du sein, organisé par les pouvoirs publics, est généralisé à tout le territoire depuis 2004. Il concerne les femmes âgées de 50 à 74 ans à qui on propose tous les deux ans une **mammographie** gratuite.

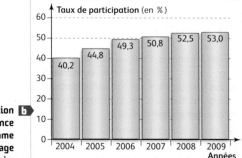

b **Taux de participation des femmes en France au programme de dépistage du cancer du sein.**

❯ Détecté à un stade précoce, la survie à 5 ans pour le cancer du sein est supérieure à 80 %. La baisse de la mortalité s'explique par les progrès thérapeutiques mais aussi par la généralisation du dépistage. De plus, un dépistage précoce permet d'envisager une chirurgie conservatrice pour enlever la tumeur plutôt qu'une ablation totale de l'organe.

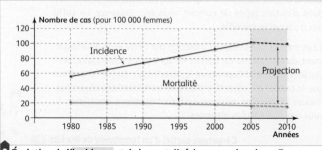

c **Évolution de l'incidence et de la mortalité du cancer du sein en France.**

2 La protection contre les UV

▶ Des expositions prolongées aux rayons UV du soleil peuvent avoir des effets néfastes, avec notamment le développement de cancer au niveau des zones les plus exposées (peau, œil).

▶ Les conséquences de l'exposition aux rayons UV sont étudiées sur des levures ade2 qui forment des colonies de couleur rouge.

RÉALISER

1. **Déposer une goutte de suspension** de levures ade2 au centre de boîtes de culture en verre.

2. **Étaler les cellules** à la surface du milieu de culture.

3. **Placer un verre solaire** filtrant 100 % des UV au-dessus de la boîte.

4. **Placer les boîtes** dans une enceinte d'irradiation aux UV équipée de lampe à UV de longueur d'onde de 250 nm.

5. **Irradier les cellules** 1 min.

6. **Placer les boîtes** une semaine à température ambiante.

7. **Observer et dénombrer** les colonies blanches et rouges.

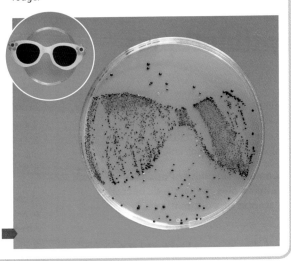

Aspect des levures ade2 en fonction de l'utilisation ou non de verre solaire.

3 La prévention et les traitements du cancer du foie

▶ L'hépatite B est une maladie virale due à une infection par le virus HBV qui infecte les cellules du foie, et provoque des cirrhoses et des cancers du foie. Environ deux milliards de personnes dans le monde sont infectées, près de 350 millions vivent avec une atteinte hépatique chronique et 600 000 personnes en meurent chaque année. Le risque de décès par cirrhose ou cancer dus au virus HBV, est de 25 % chez l'adulte porteur d'une **infection chronique** apparue pendant l'enfance.

▶ Le mode de transmission du virus de l'hépatite B (HBV) est le même que celui du VIH (sang et liquide biologique) mais il est 50 à 100 fois plus infectieux. Aussi l'OMS a recommandé en 1991 une vaccination universelle. La Thaïlande avait, dès 1984, lancé un programme de vaccination des enfants contre le virus de l'hépatite B. L'incidence des infections par le virus et de l'apparition des cancers du foie ont été évaluées avant et après cette campagne de vaccination.

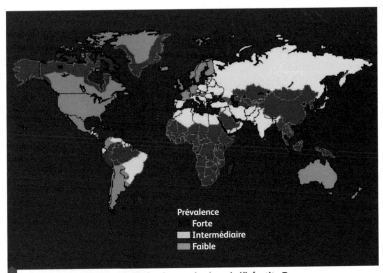

Prévalence
Forte
Intermédiaire
Faible

a **Carte de la distribution de l'infection par le virus de l'hépatite B.**

	Avant le programme de vaccination	Après le programme de vaccination
Enfants porteurs du virus dans la population	10 %	1 %
Incidence des cas de cancer du foie	0,51 à 0,54 %	0,13 à 0,20 %

b **Incidence chez des enfants de l'infection par l'HBV et du cancer du foie avant et après la campagne de vaccination en Thaïlande.**

Activité 6

La résistance aux antibiotiques

Les antibiotiques sont des molécules capables de bloquer la croissance des bactéries ou de les tuer.
Ils sont très largement utilisés pour lutter contre les souches pathogènes.

→ **Comment expliquer l'apparition de plus en plus fréquente de bactéries résistantes aux antibiotiques ?**

Guide d'exploitation

1 (Doc 1) Identifiez les antibiotiques les plus efficaces contre la souche bactérienne utilisée.

2 (Doc 2) Calculez le taux d'apparition de bactéries résistantes à la streptomycine.

3 (Doc 2) Comparez ce taux au taux de mutations spontanées chez les bactéries qui varie de 10^{-8} à 10^{-9}. Proposez alors une explication au développement de souches résistantes à la streptomycine.

4 (Doc 3) Expliquez en quoi le choix d'un antibiotique précis est nécessaire pour le traitement d'une infection bactérienne.

5 En conclusion, montrez en quoi la résistance des souches bactériennes aux antibiotiques pose un problème important de santé publique.

VOCABULAIRE

Antibiotique : substance qui a la propriété d'enrayer la multiplication des bactéries ou de les détruire si elles appartiennent à des souches sensibles.

CMI 90 : concentration minimale d'un antibiotique qui inhibe la croissance de 90 % des souches d'une espèce bactérienne donnée.

1 Détermination de l'efficacité des antibiotiques

▶ Une méthode simple pour tester l'efficacité d'un **antibiotique** sur une souche bactérienne consiste à réaliser un antibiogramme : une solution de bactéries est étalée sur une boîte de culture, puis des pastilles contenant différents antibiotiques à tester sont disposées sur le milieu de culture. Les molécules d'antibiotiques diffusent alors de façon concentrique dans le milieu de culture.

RÉALISER

1. Créer un environnement stérile à l'aide d'un bec électrique.

2. Étaler sur une boîte de culture 0,1 mL d'une solution contenant une souche d'*Escherichia coli*.

3. Déposer à l'aide d'une pince stérile les disques imbibés d'antibiotiques : ampicilline (AM), pénicilline (PC), tétracycline (TC) et acide nalidixique (NA).

4. Annoter les boîtes : nom du binôme, souche bactérienne.
Attention : les boîtes ne doivent plus être ouvertes à ce stade.

5. Placer à l'étuve à 30 °C pendant 48 h.

6. Observer les boîtes sans les ouvrir.

7. Prendre une photographie des boîtes. Mesurer la surface des plages de lyses avec Mesurim.

8. Remplir un tableau dans un tableur et représenter les résultats sous forme d'un histogramme.

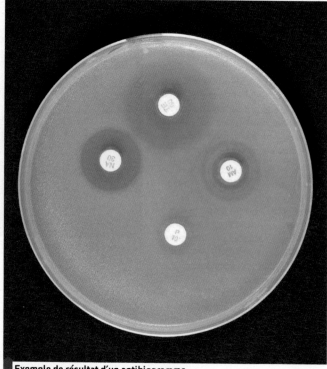

Exemple de résultat d'un antibiogramme.

2 L'apparition de formes résistantes aux antibiotiques

▶ Une souche de bactéries *Escherichia coli* sensible à la streptomycine est cultivée dans un milieu sans streptomycine afin d'assurer sa croissance.

▶ Deux suspensions contenant 10^9 cellules sont étalées l'une sur une boîte sans streptomycine et l'autre sur une boîte avec.

▶ Les deux boîtes sont placées à 30 °C pendant 48 h avant observation.

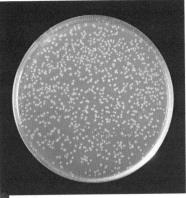

a Bactéries cultivées sur un milieu sans streptomycine.

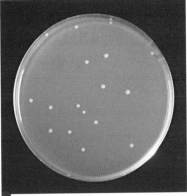

b Bactéries cultivées sur un milieu avec de la streptomycine.

3 Les multirésistances aux antibiotiques

▶ Une bactérie multi-résistante a été découverte dans les hôpitaux du Royaume-Uni en 2010. Cette souche d'entérobactéries NMD-1, qui touche les poumons et l'appareil urinaire, a été identifiée initialement en Inde et au Pakistan.

▶ La dose nécessaire pour inhiber la croissance de 90 % des bactéries NMD-1 (**CMI 90**) a été évaluée pour divers antibiotiques la souche est considérée comme résistante, à très résistante, pour une CMI au-delà de 1 mg/L.

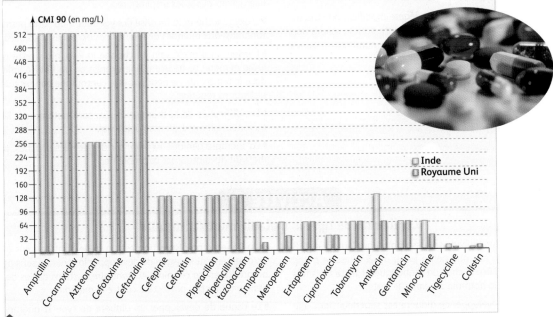

CMI90 de la souche NMD-1 en Inde et au Royaume-Uni.

▶ Plusieurs pistes sont envisagées pour faire face à l'émergence des souches pathogènes multirésistantes aux antibiotiques : limiter au maximum l'utilisation des antibiotiques, développer de nouvelles familles d'antibiotiques, et développer des thérapies visant à stimuler le système immunitaire des patients. On estime qu'il faudra attendre au moins dix ans avant que de nouvelles familles d'antibiotiques efficaces contre les souches multirésistantes soient disponibles.

Bilan des Activités

Activité 1

Génotype et mucoviscidose

▶ La mucoviscidose affecte trois fonctions : respiratoire, digestive et de reproduction.

▶ L'individu III-2 étant malade, il a reçu un allèle muté de chacun de ses parents qui sont donc porteurs sains. II-1 et II-2 portent un allèle normal (N) et un allèle muté (m).

Spermatozoïdes (II-2)	Ovules (II-1) N	m
N	(N//N) [Individu sain]	(m//N) [Porteur sain]
m	(N//m) [Porteur sain]	(m//m) [Individu malade]

1 **Tableau de croisement** donnant l'ensemble des génotypes possibles des enfants du couple II-1 et II-2.

▶ Pour le couple II-1 et II-2 la probabilité d'avoir un enfant malade est de : (½) x (½) = ¼. Pour le couple II-8 et II-9, elle est de : (1/1) x (1/40 x ½) = 1/80.

▶ La mutation DF508 est une délétion de trois nucléotides en position 1521, 1522 et 1524. Elle conduit à la perte de la phénylalanine n°508 dans la protéine CFTR.

▶ Cette mutation conduit à une légère modification structurale de la protéine CFTR, mais suffisante pour la rendre non fonctionnelle, et donc perturber dans de nombreux organes la fabrication de mucus.

Activité 2

Traitements de la mucoviscidose

▶ Les bronches d'un individu malade sont encombrées par le mucus.

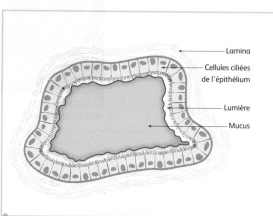

2 **Coupe de bronche d'un individu sain.**

▶ La kinésithérapie permet une évacuation mécanique du mucus trop épais pour être évacué naturellement par les cellules ciliées des voies respiratoires.

▶ L'oxygénothérapie favorise l'oxygénation du sang permettant ainsi aux malades de réaliser des exercices physiques.

▶ L'insertion d'allèle sain fonctionne *in vivo*, mais cette thérapie génique se heurte à une expression de l'allèle limitée dans le temps, qui ne peut pas être contournée par des administrations répétées.

▶ Les difficultés de la thérapie *in vivo* sont notamment liées au renouvellement du tissu épithélial.

▶ La thérapie génique *ex vivo*, sur des cellules souches, permettrait de contourner ce problème.

Activité 3

Le diabète de type II, maladie multifactorielle

▶ La glycémie d'un individu sain est maintenue autour de 0,8 à 1 g/L, alors qu'elle augmente jusqu'à 4,5 g/L suite à une absorption de glucose chez un diabétique et reste trois fois plus élevée que la normale 3 h après le test.

▶ Le risque de développer ce diabète est supérieur dans une famille présentant déjà des individus malades. Il y a donc une composante génétique à cette maladie. De plus, la prévalence de la maladie varie énormément pour une même ethnie selon le pays où elle est établie. L'environnement est donc également une composante de cette maladie.

▶ Un gène de prédisposition est un gène dont certains allèles augmentent le risque de développer la maladie sans pour autant la rendre certaine. Au contraire, certains allèles de ce gène ont un effet protecteur contre la maladie.

▶ Le risque de développer un diabète de type II augmente fortement avec l'IMC, aussi bien chez les hommes que les femmes. Des mesures doivent donc être prises pour enrayer l'augmentation de l'obésité chez les jeunes. La pratique d'une activité physique et/ou la modification des habitudes alimentaires permet de réduire les risques de développer du diabète.

Bilan des Activités

Activité 4

Perturbation du génome et cancers

▶ Le caryotype d'une cellule cancéreuse révèle des anomalies du nombre des chromosomes (perte et/ou gain de chromosomes) et des réarrangements complexes entre des fragments de chromosomes. L'accumulation de mutations dans le génome provoque l'entrée des cellules dans des divisions cellulaires incontrôlées. Au niveau macroscopique, cela conduit à la formation de tumeurs au sein du tissu concerné.

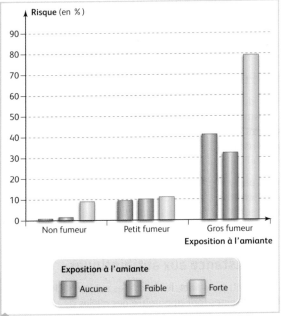

3 Influence du tabac et de l'amiante sur l'apparition de cancers.

▶ L'exposition au tabac ou à l'amiante favorise l'apparition de cancers. Le risque augmente globalement d'autant plus lorsque le sujet est exposé simultanément à deux agents mutagènes, en particulier pour les fortes doses. Inciter la population à arrêter de fumer et interdire l'utilisation de l'amiante constituent des mesures permettant de lutter contre le cancer du poumon.

▶ La présence des lymphomes de Burkitt associée à la même zone géographique que le paludisme et le virus d'Epstein-Barr permet de penser que ce cancer a une origine plurifactorielle. Comme pour le cancer du poumon, ce cancer est associé à des réarrangements des chromosomes et donc des mutations importantes.

▶ Les mutations à l'origine d'un cancer peuvent être spontanées, mais sont favorisées par l'exposition à des agents mutagènes ou à certains virus.

Activité 5

La lutte contre les cancers

▶ Les campagnes de dépistage s'adressent aux femmes âgées de 50 à 74 ans qui présentent la plus forte incidence de cancer du sein. L'augmentation de participation des femmes au dépistage a permis une baisse de la mortalité. De plus, un dépistage précoce permet d'éviter une ablation du sein.

▶ L'exposition aux rayons UV augmente la mortalité des levures. Elle favorise également l'apparition de colonies blanches capables de synthétiser l'adénine. Les rayons UV provoquent donc des mutations. Le risque de développer un cancer de la peau peut être réduit simplement en limitant son exposition au soleil et en se protégeant à l'aide de lunettes de soleil et de crème solaire.

▶ La vaccination contre l'hépatite B conduit à une nette diminution de l'incidence du cancer du foie. Elle permet donc de se protéger efficacement contre ce cancer. Elle devrait être généralisée dans les régions où le virus est très présent.

▶ La lutte contre les cancers passe, selon le type de cancer, par le dépistage, l'hygiène de vie ou encore la vaccination.

Activité 6

La résistance aux antibiotiques

▶ Dans un antibiogramme, la surface d'une plage de lyse est proportionnelle à la sensibilité des bactéries pour l'antibiotique. L'antibiotique le plus efficace est donc la tétracycline.

▶ Le taux d'apparition de bactéries résistantes à la streptomycine est de $1,7.10^8$. Ce taux est comparable à celui des mutations spontanées. En présence d'antibiotique, les quelques bactéries présentant une mutation leur permettant de résister à l'antibiotique acquièrent un avantage sélectif et se développent plus rapidement.

▶ L'apparition de bactéries pathogènes résistantes à des antibiotiques implique de réfléchir au choix de l'antibiotique à utiliser, afin de lutter contre ces bactéries.

▶ L'utilisation trop fréquente des antibiotiques conduit à une prolifération des souches multirésistantes. Ce problème est important compte tenu des délais relativement longs pour la mise au point de nouveaux antibiotiques comparés à la vitesse d'adaptation des bactéries.

Retenir

Variations génétiques et santé

1 Patrimoine génétique et maladie

▶ La mucoviscidose est une maladie génétique fréquente, aux multiples symptômes dont les plus handicapants sont pulmonaires. Elle est due à la mutation d'un seul gène, dont l'allèle muté est présent chez une personne sur 40, la maladie ne s'exprimant que chez les individus homozygotes. L'étude d'un arbre généalogique permet de prévoir le risque de transmission de la maladie. On limite les effets de la maladie en agissant sur des paramètres du milieu. La thérapie génique constitue une voie de traitement futur de la maladie.

▶ D'autres pathologies, comme le diabète de type II ou le cancer sont associées à des gènes dont certains allèles rendent plus probable le développement de la maladie, sans pour autant la rendre certaine. On parle alors de gènes de prédisposition. Dans ce cas, le mode de vie et le milieu interagissent avec le génome dans le développement de la maladie.

2 Perturbation du génome et cancérisation

▶ Certaines mutations du génome peuvent se produire dans les cellules somatiques et se transmettre à leur descendance formant un clone cellulaire porteur des mutations. La formation d'un tel clone peut aboutir à un processus de cancérisation si les mutations affectent le processus de contrôle des divisions cellulaires.

▶ De telles mutations peuvent être spontanées ou provoquées par des agents mutagènes de l'environnement ou des virus. Les études épidémiologiques et les connaissances sur les cancers permettent d'envisager des mesures de protection et de prévention.

3 Bactérie et résistance aux antibiotiques

▶ Comme tous les autres êtres vivants, les bactéries subissent des mutations spontanées dont certaines font apparaître des allèles de résistance aux antibiotiques. La présence de ces bactéries résistantes dans un milieu contenant des antibiotiques aboutit à leur sélection et à leur développement. Ainsi l'utilisation systématique des antibiotiques favorise l'émergence de bactéries résistantes difficiles à combattre.

MOTS CLÉS

Antibiotique : Molécule capable d'inhiber la croissance ou de tuer un microorganisme.

Cancer : Maladie résultant de la prolifération incontrôlée de cellules somatiques.

Épidémiologie : Étude des facteurs responsables du développement des maladies fondée sur des analyses statistiques.

Gènes de prédisposition : Gènes dont la présence de certains allèles accroît le risque de survenue d'une maladie.

Thérapie génique : Technique thérapeutique qui consiste à introduire dans l'organisme un gène préparé en laboratoire, en vue de traiter notamment des maladies génétiques, des cancers, des infections.

Je me suis entraîné à

■ **Manipuler, expérimenter et exploiter des résultats :**
- en réalisant et analysant un antibiogramme.

■ **Percevoir le lien entre sciences et techniques :**
- en découvrant que la thérapie génique repose sur les connaissances de génétique moléculaire.

Retenir

VARIATION GÉNÉTIQUE BACTÉRIENNE ET ENVIRONNEMENT

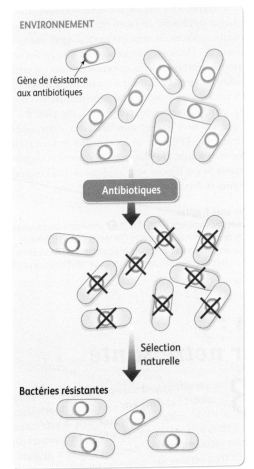

ENVIRONNEMENT

Gène de résistance aux antibiotiques

Antibiotiques

Sélection naturelle

Bactéries résistantes

GÉNOTYPE, ENVIRONNEMENT ET SANTÉ

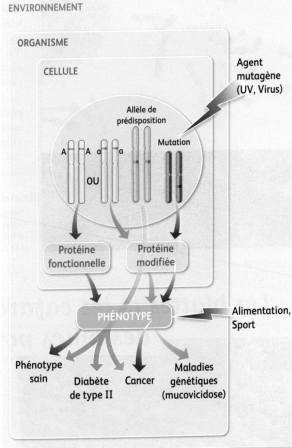

ENVIRONNEMENT

ORGANISME

CELLULE

Allèle de prédisposition

Agent mutagène (UV, Virus)

Mutation

A A a a

OU

Protéine fonctionnelle

Protéine modifiée

PHÉNOTYPE

Alimentation, Sport

Phénotype sain

Diabète de type II

Cancer

Maladies génétiques (mucovicidose)

SANTÉ

Vaccin

PRÉVENTION

- Test médicaux

- Profil génétique

DÉPISTAGE

- Radiothérapie

- Chimiothérapie

- Chirurgie

- Thérapie génique

THÉRAPIE

Envie de sciences

Des sites fragiles dans les chromosomes

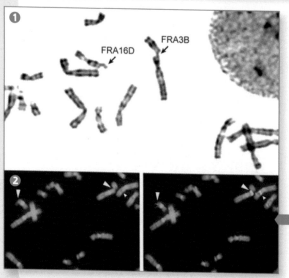

Les sites fragiles sont des locus chromosomiques où des cassures se produisent de façon répétitive quand les cellules sont en conditions de stress (présence d'agent mutagène, etc.). Au sein des chromosomes, ce sont les sites préférentiels d'échanges, de réarrangements chromosomiques ou encore d'intégration de virus. Le lien entre ces sites et le développement des tumeurs a été montré pour de nombreux cancers (poumon, rein, pancréas, sein, colon, etc.). De plus, il a été prouvé que ces sites fragiles sont conservés entre espèces, notamment entre l'Homme et les primates et même entre l'Homme et la souris. De plus, certaines données suggèrent que certaines de ces régions sont impliquées dans l'évolution des génomes et donc des espèces.

Exemple de sites fragiles.
Deux chromosomes humains (n°16 et n°3) ❶ présentent des cassures au niveau de deux sites fragiles appelés FRA16D et FRA3B (flèches)/ La technique de FISH permet de visualiser en vert le site FRA3B en rouge et FRA16D en vert. Les cassures sont désignées par les flèches jaunes ❷.

Les blattes et les cafards : des alliés pour notre santé

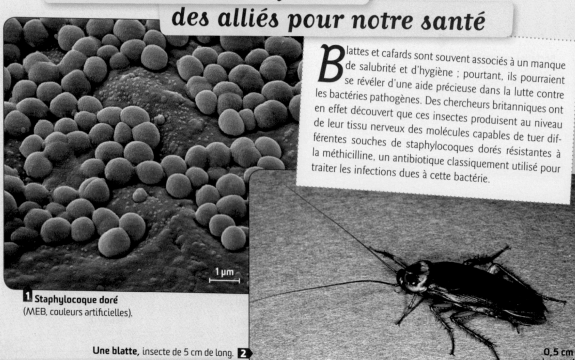

Blattes et cafards sont souvent associés à un manque de salubrité et d'hygiène ; pourtant, ils pourraient se révéler d'une aide précieuse dans la lutte contre les bactéries pathogènes. Des chercheurs britanniques ont en effet découvert que ces insectes produisent au niveau de leur tissu nerveux des molécules capables de tuer différentes souches de staphylocoques dorés résistantes à la méthicilline, un antibiotique classiquement utilisé pour traiter les infections dues à cette bactérie.

1 Staphylocoque doré
(MEB, couleurs artificielles).

Une blatte, insecte de 5 cm de long. **2**

1 µm

0,5 cm

Microbiologiste

Champignons, bactéries, protozoaires et autres micro-organismes sont les sujets d'études du microbiologiste. Le microbiologiste s'intéresse aux interactions entre les micro-organismes et l'environnement dans des domaines extrêmement variés qui vont de la médecine à l'industrie en passant par l'agriculture. Par exemple, dans le domaine médical, il permet d'identifier l'agent pathogène à l'origine d'une maladie ou de développer des nouveaux moyens de luttes efficaces contre un agent pathogène. L'expertise du microbiologiste est également utilisée dans l'industrie pour la production de produits par des migro-organismes génétiquement modifiés ou encore le développement de techniques de dépollution.

www.lesmetiers.net

QUALITÉS ET NIVEAU REQUIS

▶ Savoir travailler en équipe
▶ Être rigoureux et minutieux

▶ Baccalauréat S
▶ Master de microbiologie

Les cellules cancéreuses : des cellules immortelles

L'étude des cancers s'est longtemps heurtée à l'incapacité de maintenir en culture en laboratoire des cellules humaines. Mais en 1951, des cellules prélevées sur une patiente, Henrietta Lacks, atteinte d'un cancer du col de l'utérus ont pu être mises en culture pour la première fois. Ces cellules capables de se multiplier à l'infini ont été baptisées cellules HeLa. Plus tard on a découvert que ces cellules expriment une enzyme, la télomérase, capable de rallonger les extrémités des chromosomes (appelées télomères) qui se raccourcissent lors de chaque réplication des chromosomes, phénomène qui limite le nombre de division cellulaire que peut effectuer une cellule normale. Ces cellules ont dès lors été très largement utilisées (et le sont encore, 60 ans après la mort d'Henrietta Lacks !) dans les laboratoires comme modèle cellulaire humain et ont été source de grandes découvertes et de prix Nobel. Les chercheurs disposent actuellement de nombreuses lignées cellulaires établies à partir d'autres cellules prélevées au niveau de tumeurs de patients.

4 µm

1 Cellules HeLa, des cellules immortelles dérivées d'un cancer du col de l'utérus.

Chromosomes X et Y **2**
avec les télomères marqués en rouge.

Exercices

Appliquer ses connaissances

9 Thérapie génique pour la bêta-thalassémie

La bêta thalassémie est une maladie génétique qui touche le gène codant la chaîne bêta de l'hémoglobine, c'est-à-dire la protéine chargée du transport du dioxygène dans le sang. Les individus possédant deux allèles mutés souffrent d'anémies sévères (manque de globules rouges et d'hémoglobines), de fatigue chronique et présentent des problèmes de croissance.

Dans les formes les plus sévères, des transfusions sanguines régulières sont nécessaires pour permettre une croissance normale des enfants.

Un essai de thérapie génique a débuté en 2007 en France sur un jeune homme. Des cellules souches de sa moelle osseuse ont été prélevées et transformées *ex vivo* à l'aide d'un vecteur viral contenant l'allèle normal. Les cellules souches de sa moelle osseuse ont ensuite été détruites par chimiothérapie avant de réimplanter les cellules souches génétiquement modifiées. Trois ans après cette intervention le taux d'hémoglobine dans le sang est proche de celui obtenu après des transfusions sanguines. Le patient n'a donc plus besoin de ce traitement lourd.

Cependant, le vecteur viral s'est inséré à proximité du gène *HMGA2* qui intervient dans le contrôle des divisions cellulaires et qui est impliqué dans plusieurs types de cancers. L'évolution de la population des cellules transformées est donc particulièrement suivie chez ce patient, les médecins n'écartant pas un risque d'apparition d'une leucémie.

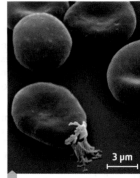
Des hématies déformées par la maladie.

QUESTIONS

1 Traduisez sous forme de schéma l'expérience de thérapie génique employée pour traiter la bêta-thalassémie.

2 Quelle est la limite de la technique employée ici ? Quel(s) problème(s) soulève-t-elle ?

10 La mort de Napoléon Bonaparte : affaire classée ?

Plusieurs hypothèses ont été avancées sur l'origine de la mort de Napoléon : empoisonnement, forme familiale de cancer gastrique ou cancer provoqué par une infection. L'autopsie à la mort de Napoléon a permis de mettre en évidence une ulcération gastrique typique d'un cancer. D'autres cas de cancers gastriques ont été également décrits dans sa famille.

Plus récemment des études épidémiologiques ont montré une relation entre les infections par la bactérie *Helicobacter pylori* et la survenue d'un cancer gastrique. Les résultats présentés sont issus de 12 études réalisées dans neuf pays.

Les modes de vie et l'alimentation sont également impliqués dans l'apparition des cancers gastriques : hygiène, tabac, alcool, faible consommation de fruits et légumes, régimes alimentaires (notamment une forte consommation de sel), etc. Ces facteurs augmentent particulièrement le risque de cancer gastrique chez les individus infectés par *H. Pylori*. Or, l'alimentation des militaires lors des longues campagnes militaires à l'époque de Napoléon se limitait à des aliments qui se conservent longtemps : viandes très cuites, aliments conservés dans le sel (un très bon conservateur), pas ou peu de fruits etc.

QUESTIONS

1 Quels sont les différents facteurs de risque des cancers gastriques ?

2 Relevez les informations qui ont permis de suggérer une forme héréditaire de cancer gastrique chez Napoléon.

3 Quels arguments permettent de penser que Napoléon a certainement développé un cancer provoqué par une infection ?

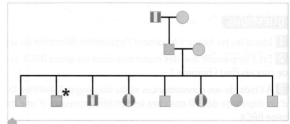

1 L'arbre généalogique de la famille Bonaparte.
Napoléon est indiqué par une étoile. En bleu : cancer gastrique vérifié à l'autopsie. Barre jaune verticale : cancer gastrique très probable.

	Cancer gastrique		Témoins	
	Nombre de cas	HP+ (%)	Nombre de cas	HP+ (%)
Royaume-uni	9	66,7	27	44,4
États-Unis I	62	88,7	62	61,3
États-Unis II	74	95,9	74	75,7
Taïwan	21	71,4	160	60,0
Finlande I	75	88,0	130	82,3
Finlande II	93	93,5	204	71,1
Chine I	114	87,7	331	82,2
Chine II	82	62,2	174	51,1
Suède	27	88,9	108	49,1
Japon	38	89,5	190	73,7
Norvège	132	90,2	614	62,9
Islande	35	77,1	176	68,8
Total	762	86,0	2250	68,6

2 Études épidémiologiques.
(HP % = pourcentage d'invididus infectés par *H. Pylori*).

3 Napoléon : un chef de guerre.

La science AUTREMENT

11 Mona Lisa, atteinte d'un xanthome ?

Léonard de Vinci a réalisé le portrait de Mona Lisa (La Joconde) en 1506. L'examen minutieux de la peinture révèle au niveau de l'œil gauche de la Joconde une poche qui fait penser à un xanthome, qui est un dépôt lipidique. Cette particularité associée à ce qui ressemble à des lipomes (tumeurs bénignes constituées de tissus graisseux) sur la main droite, a conduit des scientifiques à émettre l'hypothèse qu'elle était atteinte d'hypercholestérolémie familiale.

QUESTIONS

1 Relevez les indices permettant de montrer que le phénotype renseigne sur le génotype.

2 Le xanthome à l'œil trouve une autre explication auprès d'expert en peintures : une simple tâche de vernis ! Quels renseignements supplémentaires faudrait-il pour conforter l'hypothèse d'une maladie génétique ?

1 Le portrait de la Joconde.

2 Détails de La Joconde observée aux infrarouges.

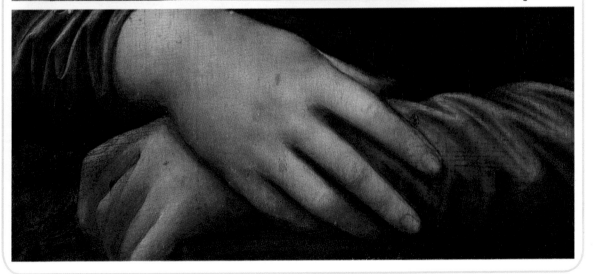

De l'œil au cerveau

▶ L'œil est un instrument d'optique naturel qui permet la réception d'une image, et transmet un message nerveux au cerveau.
Il est constitué de structures particulières : certaines sont transparentes et laissent passer la lumière ; d'autres analysent l'image reçue.

▶ Des anomalies de la vision peuvent exister dès la naissance, comme le daltonisme, ou apparaître avec l'âge, comme la cataracte.

▶ La vision est indispensable à la réalisation de différentes fonctions cognitives comme la lecture, mais c'est le cerveau qui analyse les différentes informations reçues.

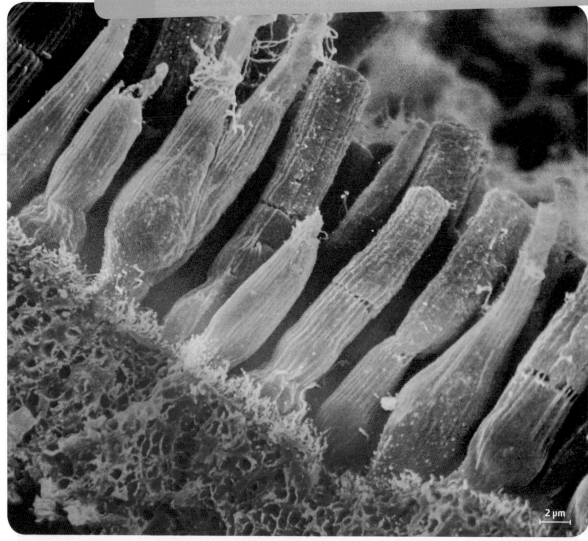

2 µm

1 **Cônes et bâtonnets de la rétine** (MEB, couleurs artificielles).

2 *Voilier dans la tempête*, **Charles Meryon, peintre daltonien, 1857.**
Pastel et crayon, Musée d'Orsay (35,9 x 67 cm).

3 Des regards différents.

Quelles sont les propriétés
du cristallin ? Comment peut-il
être responsable de certaines
anomalies de la vision ?

→ **Activités 1 et 2**

Comment est organisée
la rétine ?

→ **Activité 3**

Quels sont les apports
de la connaissance des pigments
rétiniens à l'étude de la vision ?

→ **Activités 4 et 5**

Quelles aires du cerveau
interviennent dans la perception
visuelle ? Comment leur
fonctionnement peut-il être
perturbé par le LSD ?

→ **Activités 6 et 7**

Comment le phénotype cérébral
peut-il être modifié au cours
du développement ?

→ **Activité 8**

Activité 1

Le cristallin de l'œil humain

Le cristallin est un des éléments de l'œil. Son altération, comme la cataracte par exemple, a de graves conséquences sur la perception visuelle.

→ **Quelles sont les fonctions du cristallin ?**

Guide d'exploitation

1 (Doc 1) Repérez les milieux de l'œil traversés par les rayons lumineux avant d'atteindre le fond de l'œil et donnez leur caractéristique essentielle.

2 (Doc 1) Décrivez l'image observée sur le fond de l'œil et comparez-la à l'image réelle. Déterminez les propriétés des structures traversées qui permettent d'expliquer cette observation.

3 (Doc 1) Indiquez pourquoi on peut dire que le cristallin possède les propriétés d'une lentille ?

4 (Doc 2) Déterminez la particularité de cette lentille en relation avec la formation d'une image nette sur la rétine, que l'objet observé soit proche ou éloigné.

5 (Doc 3) Déterminez les particularités de l'organisation cellulaire du cristallin.

1 Comprendre l'organisation de l'œil

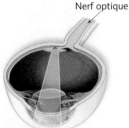
Nerf optique

▶ À l'aide d'un scalpel, on a dégagé le pourtour de l'œil d'un animal puis découpé les muscles oculaires, le nerf optique et on a extrait l'œil du crâne.

▶ On a ensuite découpé le globe oculaire suivant un plan longitudinal passant au-dessus de la pupille.

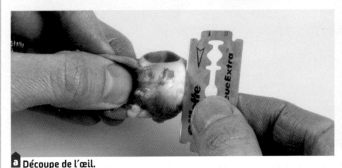

a Découpe de l'œil.

▶ On observe que l'œil est divisé en deux chambres : la chambre postérieure, contenant l'humeur vitrée recouvrant la rétine dans le fond de l'œil, et la chambre antérieure, ou humeur aqueuse, recouverte par la cornée. Le cristallin sépare ces deux chambres.

b L'utilisation d'un laser permet de visualiser le trajet de la lumière.

c Cristallin isolé placé sur une feuille imprimée.

▶ On peut reconstituer le trajet des rayons lumineux dans les différents milieux de l'œil. La vision d'un objet n'est nette que si les rayons sont correctement déviés et que l'image de l'objet se forme sur la rétine.

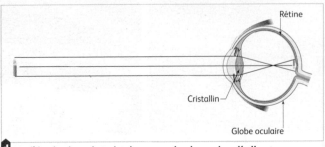
Rétine

Cristallin

Globe oculaire

d Modèle physique du trajet des rayons lumineux dans l'œil.

2 Le cristallin, lentille du vivant

▶ Le cristallin est une **lentille** biconvexe soutenue par des ligaments suspenseurs et des muscles ciliaires. Les muscles ciliaires sont relâchés lorsqu'un objet est éloigné et contractés lorsque l'objet est rapproché.

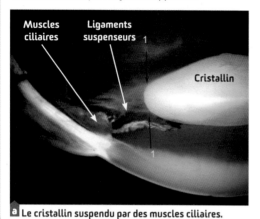

a Le cristallin suspendu par des muscles ciliaires.

Muscles ciliaires
Ligaments suspenseurs
Cristallin

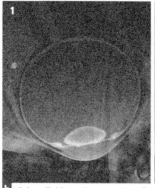
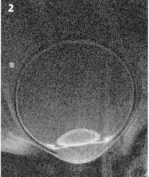

b Vision d'objets plus ou moins éloignés.
❶ Vision d'un objet rapproché. ❷ Vision d'un objet éloigné.

3 Organisation cellulaire du cristallin

▶ Le cristallin est composé de cellules vivantes appelées fibres, dont la disposition et la structure sont particulières.

▶ Ces cellules de forme allongée sont disposées en couches concentriques superposées. En section transversale, elles apparaissent comme hexagonales et étroitement juxtaposées. Tout au long de la vie de l'individu, elles ne sont jamais remplacées, mais de nouvelles cellules se forment et s'ajoutent en périphérie.

▶ Le cytoplasme de ces cellules est homogène et ne contient pas d'organites : c'est une solution de protéines particulières très solubles dans l'eau, les cristallines. Seules les cellules périphériques possèdent un noyau.

▶ Le cristallin n'est pas vascularisé et les nutriments cellulaires proviennent de l'humeur aqueuse.

2,5 µm

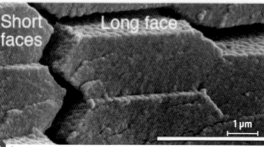

Short faces
Long face

1 µm

b Électronographie des cellules du cristallin (MEB).

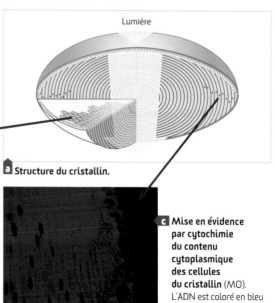

Lumière

a Structure du cristallin.

c Mise en évidence par cytochimie du contenu cytoplasmique des cellules du cristallin (MO). L'ADN est coloré en bleu et des protéines particulières, les cristallines, en rouge.

Cristallin et anomalies de la vision

Le cristallin est l'un des systèmes transparents de l'œil. Il laisse passer les rayons lumineux, et permet la formation d'une image nette sur la rétine.

→ **Comment expliquer certains défauts de la vision dus au cristallin ?**

Guide d'exploitation

1 (Doc 1a) Expliquez comment le cristallin peut être impliqué dans la myopie et indiquez l'intérêt d'une opération au laser.

2 (Doc 1b et c) Indiquez comment évolue la souplesse du cristallin avec l'âge. Mettez en relation l'évolution de la souplesse du cristallin et le défaut de vision associé.

3 (Doc 2) Déterminez comment s'effectue le renouvellement du contenu des cellules du cristallin.

4 (Doc 3) Indiquez les molécules fondamentales pour la transparence du cristallin qui ne sont pas renouvelées.

5 (Doc 2 et 3) Expliquez les causes possibles de la cataracte.

VOCABULAIRE

Myopie : incapacité de voir nettement des objets éloignés.

Presbytie : incapacité de voir nettement des objets rapprochés.

Accommodation : déformation du cristallin permettant la formation d'images nettes sur la rétine.

1 Formes du cristallin et anomalies de vision

▸ Une personne qui ne peut pas voir nettement un objet éloigné est **myope**. L'œil myope est un œil souvent trop long, mais peut être un œil normal dont le cristallin est trop convergent. Dans les deux cas, l'image d'un objet lointain se forme avant la rétine et la personne voit flou.

▸ Ce défaut peut être corrigé par une opération au laser qui permet d'éliminer certaines couches du cristallin.

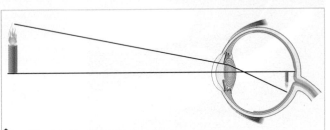

a Modèle physique de la formation d'une image dans l'œil en cas de myopie.

▸ Une personne **presbyte**, a des difficultés à voir nettement des objets rapprochés.

▸ On peut mesurer les capacités d'**accommodation** du cristallin en relation avec sa souplesse. Le ponctum proximum désigne le point le plus proche que l'on peut voir distinctement.

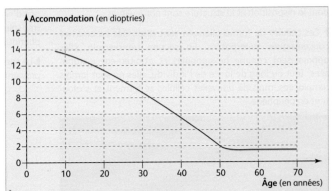

b Évolution de l'accommodation en fonction de l'âge.

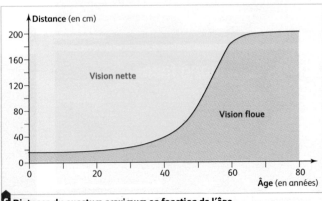

c Distance du punctum proximum en fonction de l'âge.

2 Transparence du cristallin et cataracte

▶ La cataracte résulte d'une opacification partielle ou totale du cristallin. Elle se caractérise par une baisse progressive de la vue et une gêne à la lumière.

▶ La transparence du cristallin est permise par l'absence de vascularisation, la présence de cristallines solubilisées dans le cytoplasme des cellules mais également par l'absence d'espaces entre les cellules qui le constituent.

▶ Les cellules du cristallin, dépourvues de compartiments et de noyau, reçoivent les éléments nécessaires à leur métabolisme (eau, ions, glucose) des humeurs vitrée et aqueuse. Elles possèdent dans leurs membranes des canaux capables de laisser passer ces éléments de cellule à cellule et d'évacuer les déchets.

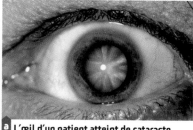

a L'œil d'un patient atteint de cataracte.

▶ Les aquaporines permettent le passage de l'eau. Elles sont disposées en microdomaines entourés de connexons, qui eux, permettent le passage des petites molécules comme le glucose par exemple.

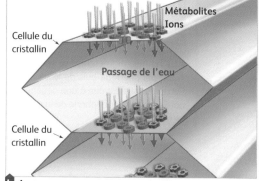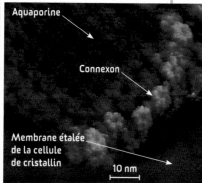

b **Étude des membranes plasmiques des cellules du cristallin** par microscopie optique AFM et schéma d'interprétation.

▶ En cas de cataracte, les aquaporines sont associées en plaques de plus grande taille au bord desquelles il manque les connexons. De l'eau remplit les espaces intercellulaires.

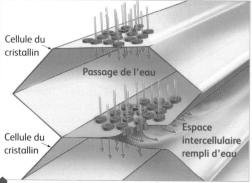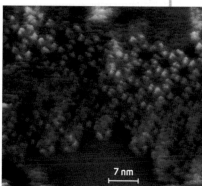

c **Étude des membranes plasmiques des cellules du cristallin d'un patient atteint de cataracte** par microscopie optique AFM et schéma d'interprétation.

3 Étude des cristallines

▶ Les protéines du cytoplasme des cellules du cristallin, comme les cristallines, ne sont jamais renouvelées mais peuvent se modifier au cours de la vie de l'individu. Elles se déforment, s'agglutinent et constituent des agrégats qui bloquent le passage de la lumière.

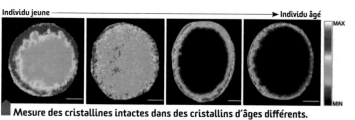

Mesure des cristallines intactes dans des cristallins d'âges différents.

Activité 3

La rétine

Les images se forment sur la rétine qui réalise la conversion du stimulus lumineux en message nerveux envoyé au cerveau.

→ **Comment est organisée la rétine ?**

→ **Quelles sont les fonctions des cellules qui la constituent ?**

Guide d'exploitation

1 (Doc 1) Repérez comment l'examen d'un fond d'œil permet de diagnostiquer une rétinite pigmentaire.

2 (Doc 1) Identifiez les cellules photoréceptrices responsables de la conversion de l'énergie lumineuse en message nerveux.

3 (Doc 1) Repérez les différentes couches cellulaires de la rétine traversées par la lumière avant d'atteindre les cellules photoréceptrices ainsi que les cellules responsables de l'envoi du message nerveux vers le cerveau.

4 (Doc 2) Déterminez la zone commune aux différents champs visuels. Indiquez à quel endroit de la rétine se forme l'image de cette zone.

5 (Doc 3) Comparez la distribution des cônes et des bâtonnets dans la rétine.

6 (Doc 2 et 3) Mettez en relation les champs visuels et la répartition des photorécepteurs, afin de déterminer les photorécepteurs responsables de la vision des couleurs, et ceux responsables de la perception de la luminosité.

7 (Doc 3) Comparez les seuils de sensibilité des cônes et des bâtonnets.

VOCABULAIRE

Fovéa : région spécialisée du centre de la rétine, située dans le prolongement de l'axe optique de l'œil.

Champ visuel : surface perceptible par l'œil sans déplacer la tête.

---

1 La rétine, couche photosensible de l'œil

▸ L'observation du fond de l'œil permet d'observer la rétine.

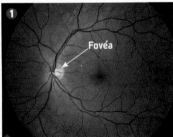
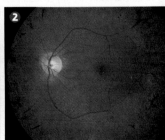

a Fond d'œil normal ❶ et fond d'œil dans le cas d'une rétinite pigmentaire ❷.

▸ La rétinite pigmentaire se manifeste par une perte progressive de la vision périphérique puis de la vision centrale jusqu'à la cécité complète. Cette maladie est due à une dégénérescence progressive des cônes et des bâtonnets de la périphérie de la rétine jusqu'à la **fovéa**. Les autres cellules ne dégénèrent pas.

2 Mesure du champ visuel

▸ Afin de mieux comprendre la perception des couleurs, on détermine le **champ visuel** en lumière colorée et en lumière blanche. Le point au centre du champ visuel forme une image sur la fovéa. Les points périphériques forment une image en périphérie de la rétine.

RÉALISER

1. Fermer l'œil gauche et fixer avec l'œil droit, à 25 cm du tableau, une croix qui sert de repère visuel. **Faire déplacer** lentement, par un autre élève, un index blanc de la périphérie vers la croix et **noter** sur le tableau l'emplacement où l'index est visible.

2. Recommencer dans huit directions différentes à partir de la croix.

5. Relier les points entre eux et établir le champ visuel pour la lumière blanche.

6. Recommencer avec des index de couleur bleue, rouge et verte et déterminer leurs champs visuels.

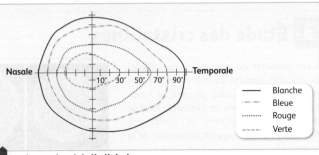

Le champ visuel de l'œil droit.

La rétine est composée de plusieurs couches cellulaires superposées dont l'organisation est complexe.

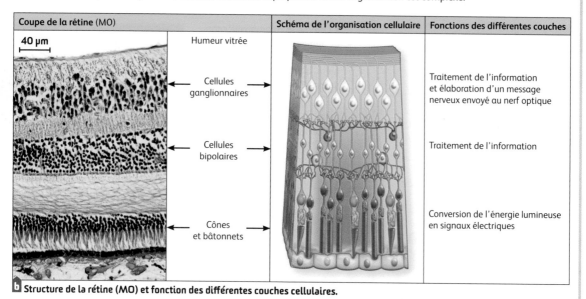

Coupe de la rétine (MO)		Schéma de l'organisation cellulaire	Fonctions des différentes couches
40 µm	Humeur vitrée		
	Cellules ganglionnaires		Traitement de l'information et élaboration d'un message nerveux envoyé au nerf optique
	Cellules bipolaires		Traitement de l'information
	Cônes et bâtonnets		Conversion de l'énergie lumineuse en signaux électriques

b Structure de la rétine (MO) et fonction des différentes couches cellulaires.

3 Les cônes et bâtonnets, des cellules photoréceptrices

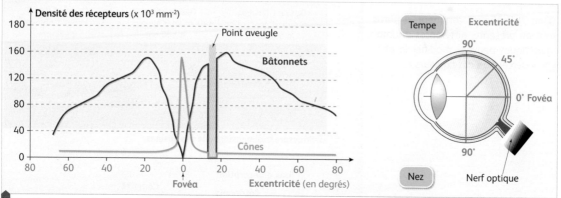

a Distribution spatiale des cônes et bâtonnets sur la rétine. Le degré d'excentricité O correspond à la fovéa.

On peut mesurer les gammes d'intensité lumineuse auxquelles fonctionnent les cellules photoréceptrices.

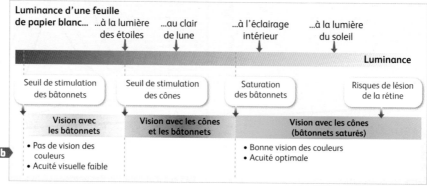

Seuil de sensibilité **b** des photorécepteurs à l'intensité lumineuse.

Activité 4

Les pigments rétiniens

Les cônes et les bâtonnets possèdent des pigments capables d'absorber la lumière.

→ **Quelles sont les propriétés des pigments rétiniens ?**

Guide d'exploitation

1 (Doc 1) Indiquez les longueurs d'ondes réfléchies par les pigments rétiniens.

2 (Doc 2) Comparez les différentes opsines (nature, structure tridimensionnelle et propriétés).

3 (Doc 3) Formulez différentes hypothèses afin d'expliquer les anomalies de vision présentées.

4 (Doc 3) Expliquez comment, à partir du tableau présenté, différentes anomalies génétiques peuvent modifier le phénotype « perception des couleurs ».

VOCABULAIRE

Pigment : molécules capables d'absorber une partie du spectre lumineux et réemettre une partie.

---

1 Les pigments rétiniens

▶ Comme la chlorophylle capte la lumière dans les cellules végétales, les **pigments** rétiniens absorbent certaines longueurs d'ondes.

▶ L'un des moyens de mettre en évidence ces pigments est l'observation de la lumière réfléchie par le fond de l'œil, par exemple lors d'une photo avec flash.

Œil rougi par un éclair de flash.

2 Propriétés des pigments rétiniens

▶ Les pigments visuels sont constitués d'une partie non protéique, le rétinal, identique pour tous les pigments, et d'une partie protéique, l'opsine.

▶ Chaque cellule photoréceptrice ne synthétise qu'un seul type de pigment photorécepteur : tous les bâtonnets synthétisent de la rhodopsine ; chaque cône synthétise une seule variété d'opsine (L, M ou S) caractérisée par la couleur ou longueur d'onde, qu'elle absorbe le plus.

Opsine L (rouge) maximum d'absorption à 560 nm	Opsine M (vert) maximum d'absorption à 530 nm	Opsine S (bleu) maximum d'absorption à 420 nm

a Structure tridimensionnelle des opsines.

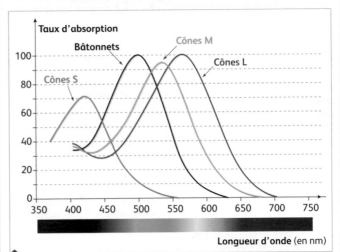

b Taux d'absorption des photons en fonction de la longueur d'onde.

3 Opsine et anomalies de la vision

▶ Les opsines sont codées par des gènes dont on connaît la localisation chromosomique. Toutes les cellules photoréceptrices possèdent les mêmes gènes, codant les différentes opsines, mais elles n'en expriment qu'un seul.

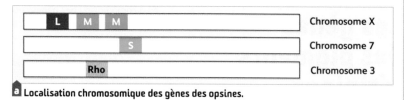

a Localisation chromosomique des gènes des opsines.

▶ Grâce aux trois types de cônes, le système visuel humain peut, à partir de la combinaison de trois couleurs reconstituer toutes les couleurs du spectre : l'Homme est trichromate.

▶ Les daltoniens ont une rétine qui possède des cônes, et pourtant ils présentent une déficience de la vision des couleurs. On classe les différentes formes de daltonisme en fonction des couleurs distinguées.

▶ Les personnes, dites dichromates, ont une altération pour la perception d'une des trois couleurs. L'altération de la sensibilité au rouge est appelée protanopie, l'altération de la sensibilité au vert est appelée deutéranopie et celle au bleu, tritanopie. Une vision en teinte de gris est appelée achromatopie.

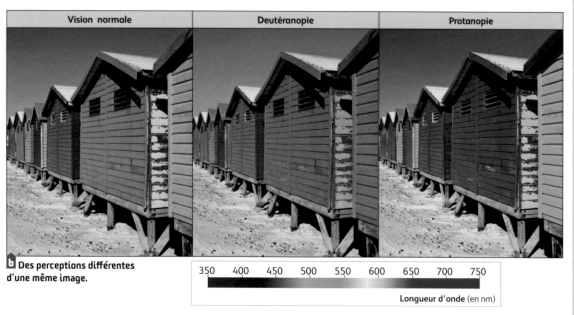

b Des perceptions différentes d'une même image.

▶ Des études génétiques du chromosome X ont été réalisées chez des individus présentant des perturbations de la vision des couleurs. Le nombre d'exemplaires du gène codant l'opsine M peut varier, dans l'espèce humaine, de 1 à 9 sans conséquence phénotypique.

	Zone de contrôle indispensable à l'expression des gènes
	Gène de l'opsine L
	Gène de l'opsine M

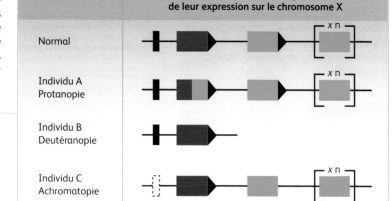

c Tableau des caractéristiques génétiques comparées de différents individus.

Activité 5

Les gènes des pigments rétiniens

Les pigments rétiniens présentent de nombreuses similitudes structurales et fonctionnelles.

→ **Quelles informations apporte la comparaison des gènes qui codent ces pigments ?**

Guide d'exploitation

1 (Doc 1) Repérez les séquences qui présentent le plus de similitudes.

2 (Doc 1) Déterminez les innovations génétiques (mutations et duplications) qui permettent d'expliquer l'existence de trois gènes dans l'espèce humaine et complétez l'histoire évolutive en reportant les innovations sur l'arbre proposé.

3 (Doc 1b) Après avoir rappelé la disposition des gènes sur les chromosomes, montrez qu'une transposition est indispensable.

4 (Doc 1) Représentez par un schéma l'ensemble des étapes expliquant l'origine de la famille multigénique des opsines.

5 (Doc 2) Déterminez en quoi l'étude de l'opsine bleue permet de placer l'Homme parmi les primates.

6 (Doc 2b) Relevez les informations qui confirment l'arbre précédent. Datez approximativement la dernière duplication génique.

VOCABULAIRE

Duplication : apparition sur le même chromosome de deux copies identiques d'un même gène.

Transposition : déplacement d'un gène sur un autre chromosome.

Famille multigénique : ensemble de gènes qui dérivent d'un même gène ancestral.

1 La famille des gènes des opsines

▶ La comparaison des gènes codant les différents pigments rétiniens des cônes permet d'évaluer le pourcentage de ressemblance entre les séquences nucléotidiques.

	Gène de l'opsine rouge (L)	Gène de l'opsine verte (M)	Gène de l'opsine bleue (S)
Gène de l'opsine rouge (L)	100 %		
Gène de l'opsine verte (M)	97,7 %	100 %	
Gène de l'opsine bleue (S)	57,1 %	57,6 %	100 %

a Pourcentage de similitudes entre les séquences des gènes codant les opsines des cônes.

▶ On suppose que les gènes qui présentent des séquences nucléotidiques proches dérivent d'un unique gène ancestral, qui se serait **dupliqué** et dont les copies auraient divergé par mutations successives. Certaines copies peuvent également subir un déplacement sur un autre chromosome, ou **transposition**. L'ensemble des gènes issus du même gène ancestral forme une **famille multigénique**.

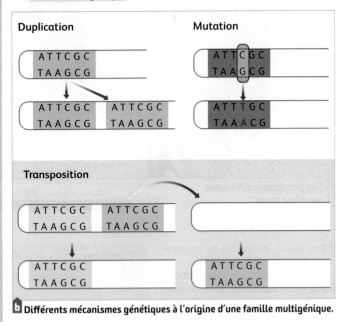

b Différents mécanismes génétiques à l'origine d'une famille multigénique.

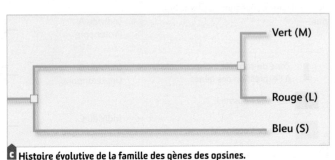

c Histoire évolutive de la famille des gènes des opsines.

2 Les opsines chez les primates

▶ Tous les primates possèdent le gène codant l'opsine bleue ayant un pic d'absorption voisin de 430 nm. La comparaison des séquences des gènes de différentes espèces permet d'établir des relations de parenté. On suppose que deux espèces ont un ancêtre commun d'autant plus récent que les différences entre les gènes sont faibles.

▶ Parmi les primates, on distingue : les singes de l'ancien monde (Afrique, Asie, Europe) : Bonobo, Chimpanzé, Gorille et Macaque et les singes du nouveau monde (Amérique) : Alouate.

RÉALISER

1. Ouvrir le logiciel Phylogène.

2. Suivre « Parenté entre êtres vivants actuels et fossiles » « Phylogenèse, évolution » « Parenté au sein des primates » « Gène de l'opsine bleue (Shortwave – bleu) ».

3. Charger le fichier Opsprimates.edi.

	Homme	Chimpanzé	Gorille	Macaque	Alouate
Homme	100				
Chimpanzé	100	100			
Gorille	99,7	99.7	100		
Macaque	96	96	95,7	100	
Alouate	92,3	92,3	92	92,3	100

a Tableau de comparaison des séquences protéiques de l'opsine bleue pour différents primates.

▶ Un nœud représente un ancêtre commun des espèces qui en dérivent.

▶ Les espèces, comme les singes de l'Ancien Monde, ainsi que l'Homme, présentent les gènes L, M et S et sont trichromates. Les singes du Nouveau Monde possèdent le gène S et un seul gène codant une opsine sur le chromosome X, soit le gène L soit le gène M : ils sont dichromates.

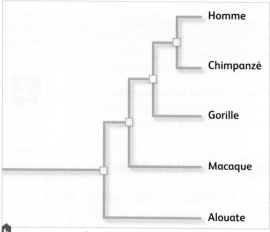

b Arbre des parentés entre espèces établi à partir de la comparaison des données moléculaires.

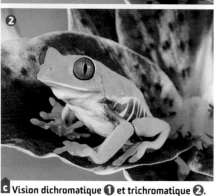

c Vision dichromatique ❶ et trichromatique ❷.

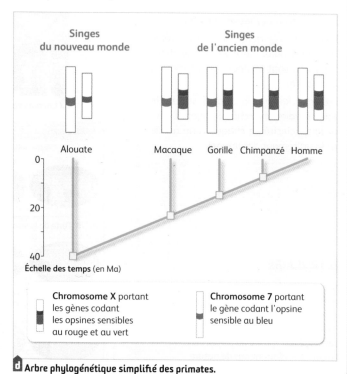

d Arbre phylogénétique simplifié des primates.

Activité 6

De l'œil au cerveau : la perception visuelle

Les cellules photoréceptrices de la rétine, cônes et bâtonnets, transforment le stimulus lumineux en messages électriques conduits vers le cerveau.

→ Quelles sont les voies visuelles et les zones du cerveau impliquées dans l'élaboration d'une image ?

Guide d'exploitation

1 (Doc 1) Localisez les aires visuelles impliquées dans le traitement des informations visuelles.

2 (Doc 2) Déterminez le trajet des informations visuelles entre la rétine et les aires visuelles et résumez-les sur un schéma.

3 (Doc 3) Déterminez si les caractéristiques d'un objet observé (mouvement et couleurs) sont traitées par les mêmes aires visuelles.

4 (Doc 3) Repérez la caractéristique de l'image étudiée chez chaque sujet et indiquez la spécificité de chaque zone active dans le traitement des images.

1 Imagerie médicale et cortex visuel

❯ Lorsqu'une aire du cerveau participe à l'exécution d'une tâche, les neurones sont actifs, ce qui augmente le débit sanguin. La tomographie par émission de positons (TEP) permet de mesurer ce débit, et de mesurer ainsi l'activité du **cortex cérébral** d'un sujet. La zone du cortex cérébral actif varie en fonction de l'activité réalisée.

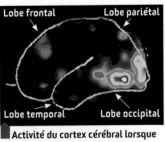

Activité du cortex cérébral lorsque le sujet voit une forme (TEP).

2 Les voies visuelles

❯ Toute lésion du lobe occipital entraîne une cécité : il contient les aires visuelles qui reçoivent les messages issus de la rétine. L'analyse de différentes lésions provoquant des déficits du champ visuel permet de préciser les voies anatomiques impliquées.

a **Champs visuels normaux** (bleu : œil droit ; rouge : œil gauche).

b **Champs visuels des yeux droit et gauche suite à des lésions.**

Œil gauche	Œil droit
A Cécité unilatérale	
B Perte de la vision latérale	
C Perte de la vision latérale gauche	

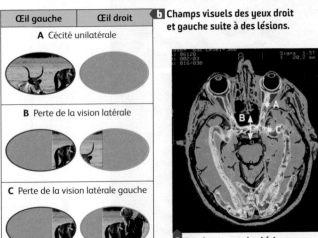

c **Emplacement des lésions correspondantes sur une IRM.**

3 Des aires visuelles spécialisées

▶ Une image comporte différentes informations telles que la couleur, la forme et le mouvement. Des sujets ayant subi des lésions cérébrales dans le lobe occipital peuvent présenter des troubles visuels qui n'affectent qu'une des caractéristiques : incapacité de percevoir les couleurs, absence de reconnaissance des formes ou de perception du mouvement.

▶ On cherche à comprendre l'implication des aires visuelles dans l'analyse des caractéristiques d'une image.

▶ Le logiciel Eduanatomist est une banque d'images du cerveau réalisées par IRM. Il permet de visualiser les aires visuelles qui s'activent lors de différents protocoles de stimulation sensorielle.

Il est téléchargeable à l'adresse suivante :
http://acces.inrp.fr/acces/ressources/neurosciences/Banque-donnees_logicielneuroimagerie/eduanatomist/?searchterm=eduanatomist

RÉALISER

1. **Ouvrir** la banque d'images.
2. **Étape 1 : visualiser l'anatomie**
   - **Entrer** le numéro du sujet : 131321 et ouvrir « IRM sujet 131321anat ».
   - **Régler** le seuil de sensibilité noir et blanc : inf = 5 et sup = 20.
   - **Repérer** les différentes parties du cerveau.
3. **Étape 2 : Superposer une image fonctionnelle** en sélectionnant « fonction vision mouvement ».
   - **Régler** la sensibilité.
   - **Faire défiler** les coupes de façon à localiser la zone la plus activée.
4. **Répéter** l'opération pour le sujet 131331.

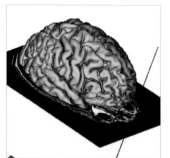
a Choix du plan de coupe.

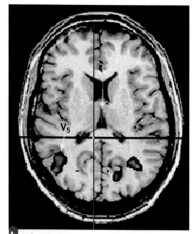
b Sujet 131 321

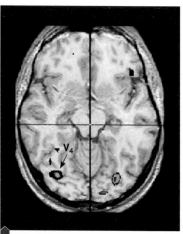
c Sujet 131 331

▶ On a présenté au sujet 131 321, une spirale blanche en rotation. L'aire V_5 (= MT) est activés en plus des aires V_1 et V_2.

▶ Pour le sujet 131 331, on a présenté des formes et des couleurs mais sans aucun mouvement. L'aire V_4 est activée en plus des aires V_1 et V_2.

▶ Les résultats de l'exploration fonctionnelle du cortex visuel ont amené les scientifiques à repérer différentes **aires visuelles**.

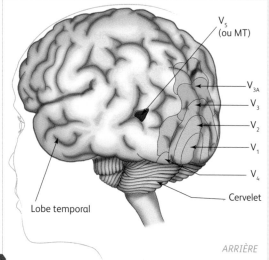

V_5 (ou MT)

V_{3A}
V_3
V_2
V_1
V_4
Cervelet

Lobe temporal

ARRIÈRE

Les aires cérébrales sollicitées par la vision. **d** ▶

Activité 7

La perception visuelle

La perception visuelle est une sensation élaborée par le cerveau, et qui peut être perturbée par l'usage de substances comme le LSD.

→ **Quelles aires interviennent dans la perception visuelle ?**

→ **Comment des substances, comme le LSD, peuvent-elles modifier cette perception ?**

Guide d'exploitation

1 (Doc 1) Recherchez des arguments qui permettent de dire que la rétine, les voies visuelles et les aires visuelles primaires sont fonctionnelles chez le patient étudié.

2 (Doc 1) Dites si la reconnaissance d'une image repose seulement sur les aires visuelles situées à l'arrière du cerveau.

3 (Doc 1) Localisez les aires qui interviennent dans la reconnaissance et la mémorisation des visages. Proposez une hypothèse permettant d'expliquer l'agnosie.

4 (Doc 2) Relevez les caractéristiques des images perçues sous l'effet du LSD et justifiez le terme d'« hallucinations ».

5 (Doc 3) Proposez une explication à la modification de la perception visuelle après une ingestion de LSD.

6 (Doc 3) Relevez les dangers liés à une utilisation de ces substances.

---

1 La perception d'une image

▶ Certains patients souffrent d'agnosie visuelle : ils sont capables de recopier les objets mais sont incapables de les identifier, ni de comprendre ce qu'ils ont dessiné.

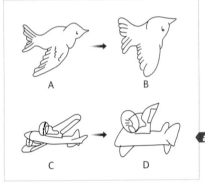

a **Dessins réalisés par un sujet atteint d'agnosie.** (À gauche : modèle ; à droite : dessin recopié).

▶ La résonance magnétique fonctionnelle est une technique basée sur la mesure de l'augmentation du débit sanguin associée à une zone cérébrale active. On présente différentes images à un sujet et on détermine les régions du cerveau activées dans chaque cas.

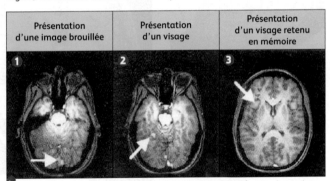

Présentation d'une image brouillée	Présentation d'un visage	Présentation d'un visage retenu en mémoire

b **IRM obtenu dans chaque situation (coupe axiale à différents niveaux).**

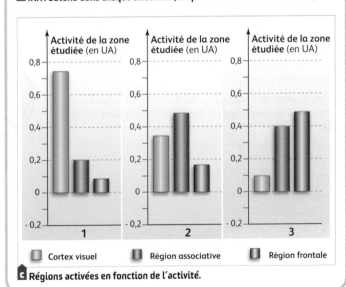

☐ Cortex visuel ☐ Région associative ☐ Région frontale

c **Régions activées en fonction de l'activité.**

2 LSD et hallucinations visuelles

▶ En 1943, le chimiste suisse A. Hoffmann ingère accidentellement une substance sur laquelle il travaille : l'acide lysergique diéthylamide ou LSD. Pris de vertiges, assailli de sensations visuelles, il rentre chez lui mais ingère le lendemain volontairement 250 µg de LSD afin d'en comprendre les effets. Il décrit ainsi certaines de ses sensations.

« Ce n'est qu'avec beaucoup d'effort que je pus écrire les derniers mots. [...] Les modifications et les sensations étaient du même genre que la veille, seulement bien plus prononcées. [...] Tout ce qui entrait dans mon champ de vision oscillait et était déformé comme dans un miroir tordu. [...] Mon environnement se transforma alors de manière angoissante. Les objets familiers prirent des formes grotesques et le plus souvent menaçantes. Ils étaient empreints d'un mouvement constant, animés, comme mus par une agitation intérieure. La voisine n'était plus Madame R. mais une sorcière maléfique et sournoise au visage coloré. [...] Des images multicolores, fantastiques arrivaient sur moi en se transformant à la manière d'un kaléidoscope, s'ouvrant et se refermant en cercles et en spirales, jaillissant en fontaines de couleur, se réorganisant et se croisant, le tout en un flot constant. »

Extrait de « Les drogues et le cerveau » Pour La Science, éd. Belin.

3 Le LSD dans le cerveau

▶ Peu après son administration, on retrouve le LSD fixé en quantité importante dans les corps genouillés latéraux, principale zone de relais entre les neurones issus de la rétine et le cortex visuel.

RÉALISER

1. Ouvrir le logiciel Rastop et **afficher** une molécule de sérotonine dans la fenêtre à l'aide du menu déroulant : « Fichier / Ouvrir ».

2. Refaire la même opération pour une molécule d'acide lysergique (LSD).

3. Afficher les deux fenêtres en mosaïque verticale à l'aide du menu déroulant « Fenêtres ».

▶ Des molécules appelées neurotransmetteurs existent dans le cerveau, et assurent la transmission du message nerveux d'un neurone à l'autre. La sérotonine est un neurotransmetteur. Seule une petite partie de cette molécule se fixe aux neurones et assure la transmission du message.

▶ Le LSD provoque une diminution du renouvellement des récepteurs à la sérotonine sur les membranes des neurones : pour obtenir le même effet, le consommateur de drogue doit augmenter progressivement les doses de produit. C'est le phénomène de tolérance.

▶ Le LSD peut causer des troubles psychiatriques. Il peut déclencher des maladies mentales durables dès la première prise.

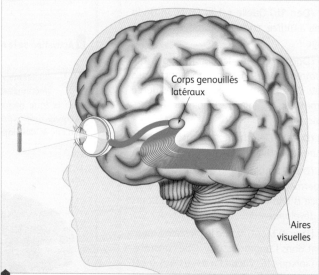

Corps genouillés latéraux

Aires visuelles

a Cible du LSD.

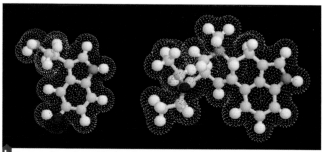

b Comparaison de molécules : à gauche la sérotonine, à droite le LSD.

Activité 8

Plasticité cérébrale et vision

Différentes aires corticales participent à la vision et sont localisées précisément dans le cortex.

→ **Comment se réalise la mise en place du système cérébral impliqué dans la vision ?**

Guide d'exploitation

1 (Doc 1a) Repérez dans quels cas la zone étudiée est la plus activée.

2 (Doc 1b) Quelle est la fonction de la zone étudiée chez l'Homme et chez le singe ?

3 (Doc 1) Relevez les informations qui montrent que la reconnaissance des mots chez l'Homme peut être considérée comme un témoin de la plasticité cérébrale.

4 (Doc 2) Déterminez les catégories de neurones activés dans chacun des cas. .

5 (Doc 2) Indiquez en quoi le document 3 permet de mettre en évidence l'existence d'une plasticité cérébrale au cours du développement.

6 (Doc 3) Montrez que la plasticité intervient dans l'apprentissage. Que constate-t-on lorsque les circuits nerveux liés à cet apprentissage ne sont plus sollicités ?

VOCABULAIRE

Inné : que l'on possède dès la naissance.

Plasticité : capacité qu'a le cerveau de modifier les réseaux de neurones en réponse à une demande environnementale.

---

1 Mémoriser des mots et des visages

▶ Certains patients, frappés d'alexie, sont incapables de lire car ils ne reconnaissent plus les mots (les autres fonctions visuelles ne sont pas touchées). On peut mettre en évidence des lésions dans une même région cérébrale dont on peut étudier l'activité lorsque des personnes non malades regardent des mots.

1	2	3	4	5	6
Lettres inconnues	Lettres peu fréquentes	Lettres fréquentes	Deux lettres fréquentes	Quatre lettres fréquentes	Mot
ЛПЖҶҌ¥	JZWYWK	QOADTQ	QUMBSS	AVONIL	MOUTON

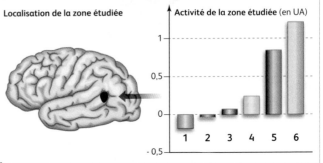

Localisation de la zone étudiée — Activité de la zone étudiée (en UA)

a Activation de la région de reconnaissance des mots.

> La même région remplit chez le singe des fonctions générales de reconnaissance visuelles des objets et des visages. [..] Chez l'Homme, la zone spécialisée dans la perception visuelle des mots n'a pas pu évoluer tout exprès pour les besoins de la lecture. Il faut donc admettre qu'elle se développe chez l'enfant lorsque ce dernier apprend à lire.
>
> L. Ungerleider – La Recherche

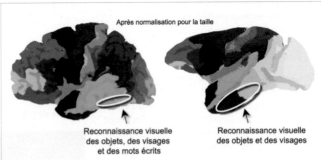

Après normalisation pour la taille

Reconnaissance visuelle des objets, des visages et des mots écrits — Reconnaissance visuelle des objets et des visages

b Zones de reconnaissances visuelles chez l'Homme et le singe.

▶ On localise les aires cérébrales d'un cerveau humain et d'un cerveau de singe auxquelles on attribue une couleur en fonction de leurs rôles respectifs. On constate que leur localisation est **innée** et identique pour tous les individus de la même espèce.

▶ Chez l'homme, la région associée à la reconnaissance visuelle des mots est associée à la région de reconnaissance des objets et des visages qui existe chez tous les Primates.

2 Développement et plasticité cérébrale

▶ Lors du développement du cerveau, des circuits nerveux se mettent en place et des connexions entre neurones se réalisent. On cherche à comprendre si la structure du réseau neuronal présente une **plasticité**.

▶ On réalise des expériences de suture des paupières sur des chatons. Chez l'adulte normal, au 38e mois, on remarque que les neurones du cortex visuel réagissent par groupe, dont on peut mettre en évidence sept catégories.

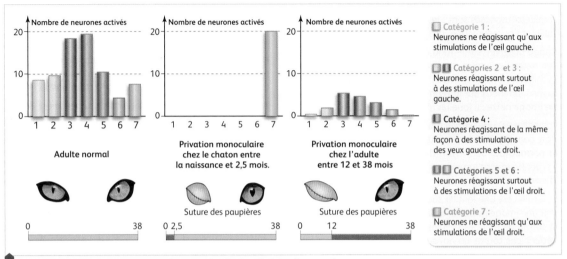

☐ **Catégorie 1 :**
Neurones ne réagissant qu'aux stimulations de l'œil gauche.

☐☐ **Catégories 2 et 3 :**
Neurones réagissant surtout à des stimulations de l'œil gauche.

☐ **Catégorie 4 :**
Neurones réagissant de la même façon à des stimulations des yeux gauche et droit.

☐☐ **Catégories 5 et 6 :**
Neurones réagissant surtout à des stimulations de l'œil droit.

☐ **Catégorie 7 :**
Neurones ne réagissant qu'aux stimulations de l'œil droit.

Nombre de neurones corticaux activés par catégorie chez l'adulte de 38 mois.

3 Apprentissage et plasticité

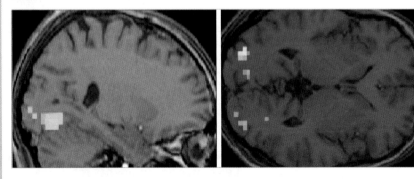

a Localisation de la région étudiée.

▶ Des groupes de volontaires ont appris à jongler. On a mesuré par résonance magnétique l'incidence de cet apprentissage sur le développement cérébral. On constate que ces volontaires montrent un changement temporaire dans certaines zones du cerveau associées au traitement et au stockage de ce mouvement visuel complexe.

Variation du pourcentage de corps cellulaires dans la zone étudiée. **b**

Bilan des Activités

Activité 1

Le cristallin de l'œil humain

▌ Les milieux traversés sont : la cornée, l'humeur aqueuse, le cristallin et l'humeur vitrée. Ils sont tous transparents.

▌ L'image observée sur le fond de l'œil est plus petite, inversée et nette. La lumière traverse successivement les différents milieux transparents de l'œil qui, à eux tous, amènent les rayons lumineux sur la rétine et permettent la formation d'une image nette : il joue un rôle de lentille convergente.

▌ Le cristallin est une lentille à bords minces, ou convergente, qui fait converger les rayons lumineux sur la rétine. Le cristallin permet, par son rayon de courbure variable, de faire converger les rayons lumineux sur la rétine quel que soit l'angle d'entrée dans l'œil.

▌ Le cristallin est une lentille souple et déformable : il permet d'avoir une image nette sur la rétine, c'est l'accommodation. Il est formé de longues cellules juxtaposées. Ces cellules ne possèdent pas toutes un noyau, et leur cytoplasme est particulier : il est dépourvu d'organites, et riches en protéines appelées cristallines.

Activité 2

Cristallin et anomalies de la vision

▌ Le rayon de courbure anormal du cristallin fait converger les rayons lumineux en avant de la rétine. Ainsi, l'image formée sur la rétine est floue.

▌ L'accommodation diminue avec l'âge car la souplesse du cristallin diminue. La modification de sa forme grâce à la contraction des muscles ciliaires, nécessaire pour la vision rapprochée, se fait de moins en moins bien. L'accommodation ne se fait plus et les objets rapprochés sont flous.

▌ Les cellules du cristallin possèdent dans leur membrane différents canaux qui permettent tous les échanges nécessaires à leur survie : l'eau et les nutriments peuvent entrer et les déchets peuvent sortir. Les cristallines ne sont pas renouvelées.

▌ La membrane plasmique peut être modifiée, et ne plus posséder de connexons. L'eau passe en grande quantité et s'accumule entre les cellules qui s'espacent : la lumière ne franchit plus le cristallin. Les protéines cristallines contenues dans le cytoplasme se modifient avec l'âge, et peuvent former des agrégats qui arrêtent les rayons lumineux.

Activité 3

La rétine

▌ Les cellules photoréceptrices, ou photorécepteurs, responsables de la conversion de l'énergie lumineuse en message nerveux, sont les cônes et les bâtonnets.

▌ Les différentes couches cellulaires traversées par la lumière sont successivement les cellules ganglionnaires et les cellules bipolaires. Ce sont les cellules ganglionnaires qui envoient le message vers le cerveau.

▌ La zone de la rétine où les champs visuels se recoupent est la zone centrale qui se projette sur la fovéa.

▌ La fovéa ne contient qu'un type de photorécepteurs, les cônes, qui sont responsables de la vision des couleurs. Les bâtonnets permettent la perception de la luminosité.

▌ Le seuil de stimulation à l'intensité lumineuse est beaucoup plus faible pour les bâtonnets que pour les cônes, qui réagissent donc aux lumières colorées de forte intensité lumineuse.

Activité 4

Les pigments rétiniens

▌ Les opsines sont toutes de nature protéique, et possèdent des formes tridimensionnelles semblables. Elles sont capables d'absorber la lumière, mais absorbent préférentiellement une longueur d'onde.

▌ On constate que les daltoniens protanopes et deutéranopes possèdent une insensibilité à une des couleurs absorbées par les cônes, on peut supposer que ces cellules sont absentes de la rétine, qu'elles ne contiennent pas de pigment ou bien qu'il n'est pas fonctionnel.

▌ L'individu A possède un gène modifié codant l'opsine rouge, on peut donc supposer que cette opsine est modifiée et incapable d'absorber les longueurs d'onde correspondant au rouge. L'individu B ne possède pas le gène codant l'opsine verte, les membranes des cônes ne peuvent donc pas contenir ce pigment. Pour l'individu C, c'est la région de contrôle indispensable à l'expression des gènes qui est absente : les cellules photoréceptrices ne possèdent aucun pigment mais les bâtonnets sont présents, et permettent une vision en nuances de gris.

Activité 5

Les gènes des pigments rétiniens

▌ On constate que les séquences des gènes codant les opsines rouge et verte sont très semblables.

▌ Chaque nœud de cet arbre correspond à une duplication d'un gène en deux copies identiques qui évoluent ensuite par accumulation de mutations différentes apparaissant au hasard.

▌ Un gène ancestral subit une première duplication en deux copies dont l'une subit également une duplication.

▌ Les gènes codant les opsines rouge et verte sont sur le chromosome X, et le gène codant l'opsine bleue est sur le chromosome 7. Il est indispensable, afin d'expliquer la disposition actuelle des gènes, d'envisager une transposition d'une des copies au cours du temps.

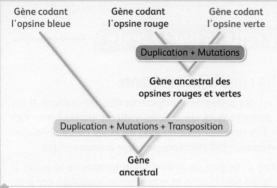

Gène codant
l'opsine bleue

Gène codant
l'opsine rouge

Gène codant
l'opsine verte

Duplication + Mutations

Gène ancestral des
opsines rouges et vertes

Duplication + Mutations + Transposition

Gène
ancestral

1 Famille multigénique.

▶ L'ancêtre commun est d'autant plus ancien que le nombre de différences entre les espèces existantes est important. Les séquences protéiques des opsines bleues du Chimpanzé et de l'Homme indiquent qu'ils partagent un caractère commun qui n'existe pas pour les autres primates. On peut donc supposer que ces deux espèces possèdent un ancêtre commun plus récent que celui partagé avec les autres primates.

▶ Seul l'Homme et les singes de l'ancien monde possèdent trois gènes codant les opsines, alors que les singes du nouveau monde ne possèdent que deux gènes. La duplication à l'origine des gènes codant les opsines verte et rouge a dû avoir lieu après la séparation de la lignée des singes de l'ancien monde de celle des singes du nouveau monde, soit environ entre 40 et 20 Ma.

Activité 6

De l'œil au cerveau : la perception visuelle

▶ La zone la plus active du cerveau lorsque le sujet regarde une image est le lobe occipital, où doivent se trouver les aires visuelles.

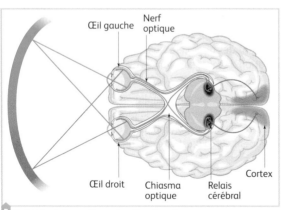

Œil gauche

Nerf
optique

Cortex

Œil droit

Chiasma
optique

Relais
cérébral

2 Trajet des informations visuelles dans le cerveau.

▶ Le traitement des différentes caractéristiques d'un objet, sa forme, sa couleur et son mouvement, sont traitées par des aires visuelles différentes.

▶ Les aires V1 et V2 sont toujours stimulées mais l'aire V5 analyse le mouvement alors que l'aire V4 analyse les formes colorées.

Bilan des Activités

Activité 7

La perception visuelle

▶ Les personnes qui souffrent d'agnosie visuelle perçoivent les images : la rétine, les voies visuelles et les aires visuelles sont donc fonctionnelles. L'image perçue n'étant pas reconnue ; on peut supposer que la reconnaissance des images repose sur d'autres aires corticales.

▶ Quand des images brouillées sont présentées au sujet, ce sont surtout les régions visuelles de son cerveau qui s'activent. Quand les visages sont présentés, ce sont les régions associatives et les régions frontales qui deviennent plus actives. Quand le sujet mémorise un visage, les régions frontales sont les plus actives alors que les régions visuelles le sont très peu. Les aires visuelles interviennent mais la reconnaissance et la mémorisation font intervenir les régions associatives et des régions frontales.

▶ Lors de l'absorption de LSD, toutes les caractéristiques des images observées, forme, mouvement et couleur, sont modifiées. Certaines images perçues ne correspondent à aucune image réelle : ce sont des hallucinations. On peut supposer que le LSD se fixe à la place de la sérotonine sur les neurones et engendre ainsi des messages nerveux non créés par des stimulations des cellules photoréceptrices de la rétine.

Activité 8

Plasticité cérébrale et vision

▶ La zone étudiée est fortement activée uniquement lors de la reconnaissance des mots. Cette zone intervient dans la reconnaissance des objets et des visages chez les primates mais également des mots chez l'Homme.

▶ Si la localisation et l'organisation de la région de reconnaissance des objets et des visages sont communes à l'Homme et au macaque, on peut penser que l'organisation de cette région ainsi que sa localisation étaient déjà ainsi chez l'ancêtre commun à ces deux espèces et qu'il s'agit de structures innées, issues de l'évolution.

▶ On peut supposer que la zone qui intervient dans la reconnaissance des visages et des objets chez les autres primates se développe lors de l'apprentissage de la lecture et repose sur la plasticité cérébrale.

▶ Chez le chaton, la privation de la vision d'un œil entraîne l'absence de cellules du cortex visuel, qui réagissent aux informations envoyées par cet œil même après ouverture de l'œil occlus. L'environnement conditionne la mise en place de l'architecture des réseaux de neurones du système nerveux qui présente donc une certaine plasticité.

▶ La répétition d'un même geste entraîne une augmentation du nombre de corps cellulaires dans la région étudiée. Il existe donc encore une certaine plasticité chez l'adulte.

Retenir

De l'œil au cerveau

1 Le cristallin : une lentille vivante

▶ Le cristallin est l'un des systèmes transparents de l'œil humain. Il est formé de couches concentriques de cellules vivantes particulières. Ces cellules survivent et fonctionnent tout au long de la vie de l'individu, en échangeant en permanence des éléments avec leur environnement.

▶ Le cristallin peut être à l'origine de différentes anomalies de la vision. Il peut posséder une forme particulière, et empêcher la formation des images observées sur la rétine. Avec l'âge, sa transparence et sa souplesse peuvent être altérées et provoquer respectivement cataracte et presbytie.

2 Des cellules photoréceptrices spécialisées

▶ La rétine est une structure complexe qui transforme l'énergie lumineuse en message compréhensible par le cerveau. Les cellules photoréceptrices sont les cônes et les bâtonnets localisés dans la rétine. On distingue trois types de cônes, sensibles au bleu, au vert et au rouge, alors que les bâtonnets sont sensibles à l'intensité lumineuse. Les cellules photoréceptrices transforment le stimulus lumineux en message nerveux.

3 Les pigments rétiniens

▶ Les cellules photoréceptrices contiennent des pigments rétiniens qui possèdent des sensibilités différentes. Les anomalies de ces pigments se traduisent par des perturbations de la vision. La comparaison des séquences des gènes permet de montrer qu'ils sont issus d'un même gène ancestral et constituent une famille multigénique et de placer l'Homme parmi les primates.

4 Cerveau et vision

▶ Le message nerveux est acheminé de l'œil au cerveau par le nerf optique. Plusieurs aires corticales sont impliquées dans la vision et coopèrent dans l'élaboration de la perception visuelle. Des substances comme le LSD perturbent le fonctionnement des aires cérébrales et provoquent des hallucinations. La consommation de telles substances peut provoquer des lésions graves et définitives.

▶ La maturation des systèmes cérébraux impliqués dans la vision repose sur des structures innées mais également sur la plasticité cérébrale. L'apprentissage, qui nécessite la sollicitation répétée des mêmes circuits neuroniques, repose également sur la plasticité cérébrale.

MOTS CLÉS

Aire corticale : Partie du cortex cérébral impliquée dans une même fonction.

Aire visuelle primaire : Partie du cortex qui reçoit des informations nerveuses en provenance de la rétine.

Cellule photoréceptrice : Cellule photosensible de la rétine capable de transformer le stimulus lumineux en message nerveux.

Cristallin : Lentille vivante qui fait converger les rayons lumineux vers la rétine.

Cortex cérébral : Partie superficielle de l'encéphale.

Famille multigénique : Ensemble de gènes qui proviennent d'un même gène ancestral par duplication et mutation.

Plasticité cérébrale : Faculté du système nerveux de se développer et de se réorganiser sous l'action de divers stimuli périphériques.

Je me suis entraîné à

■ **Recenser, extraire et organiser des informations :**
● en comprenant l'organisation et le fonctionnement du cristallin.

■ **Utiliser les technologies de l'information et de la communication :**
● En utilisant les logiciels Phylogène, Rastop et Eduanatomist.

Je retiens par l'image

Animation interactive

DE L'OEIL AU CERVEAU : QUELQUES ASPECTS DE LA VISION

De la lumière au message nerveux

Image

CRISTALLIN

Lentille vivante

Milieu transparent

RÉTINE

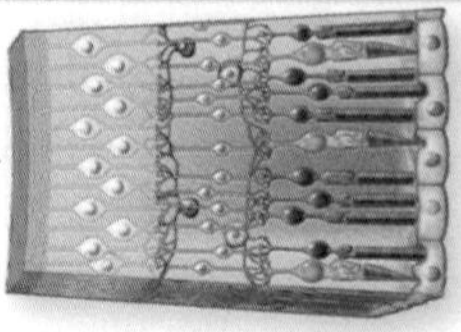

Cônes — Couleurs

Bâtonnets — Intensité lumineuse

Opsine

De la rétine au cerveau

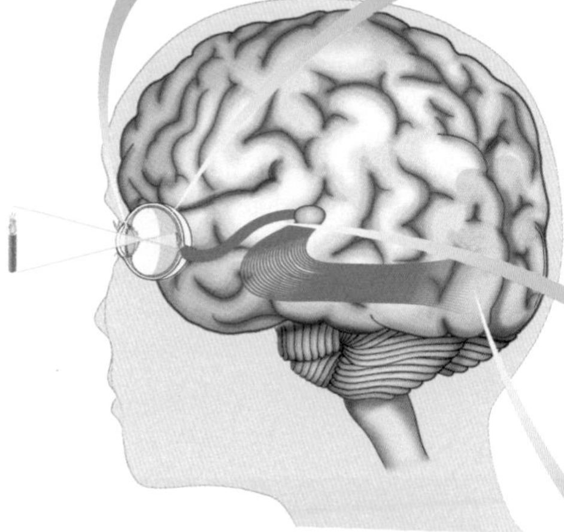

Vision et évolution

étude comparée du gène codant

Opsine

Alouate — Macaque Gorille — Chimpanzé — Homme

0
20
40

Échelle des temps (en Ma)

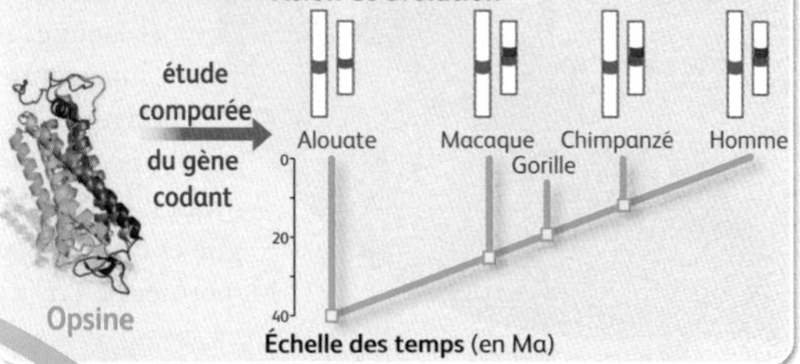

Message nerveux acheminé par le nerf optique

CERVEAU

L'image naît de la collaboration d'aires corticales :

- Aires corticales innées

- Aires corticales remaniées lors du développement et des apprentissages

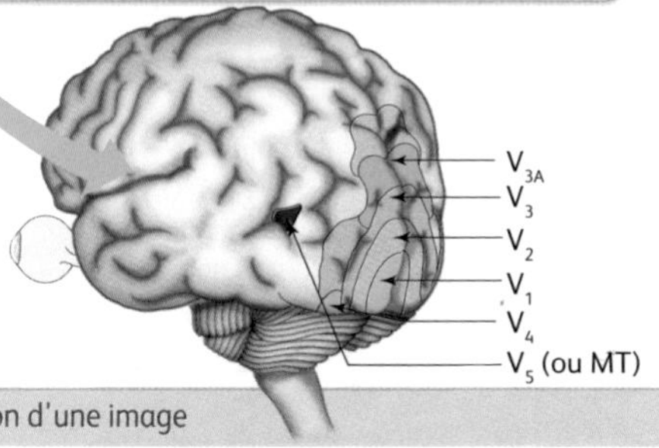

V_{3A}
V_3
V_2
V_1
V_4
V_5 (ou MT)

Le cerveau et l'élaboration d'une image

SANTÉ

CRISTALLIN

PRÉVENTION

Chirurgie
Lunettes

→ Forme, transparence

↓

Cataracte
Myopie

RÉTINE

PRÉVENTION

Lunettes de soleil

→ Destruction des récepteurs

↓

DMLA

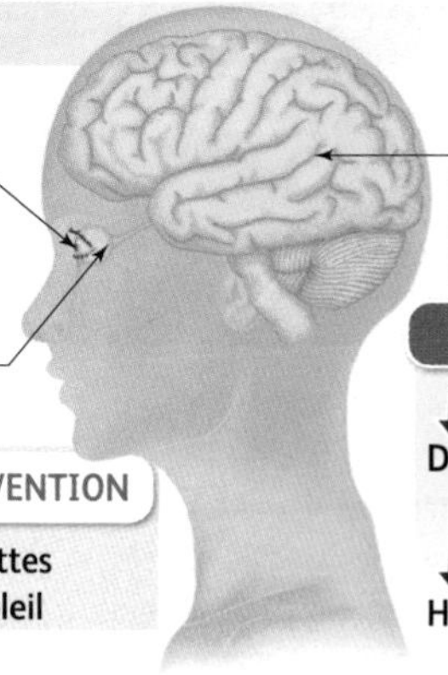

SYNAPSE

↓ Drogue ← **PRÉVENTION**

Information

↓

Hallucination

Envie de sciences

De nouvelles façons de voir

La rétine est responsable de l'élaboration d'un message nerveux conduit de l'œil au cerveau ce qui permet la vision consciente. Actuellement des cas étonnants amènent à reconsidérer cette définition.

Certaines personnes souffrent de cécité mais possèdent une « vision aveugle » et sont capables de se déplacer en évitant des obstacles alors qu'elles ne les voient pas consciemment.

Par ailleurs, vient d'être mis au point un appareil qui permet de « voir avec la langue ». Des chercheurs ont eu l'idée d'implanter sur la langue, riche en capteurs sensoriels, un connecteur relié à une caméra miniature portée par les lunettes du non-voyant. Celle-ci convertit les images en suite d'impulsions électriques envoyées sur le connecteur dont les électrodes émettent des mini-décharges électriques. L'individu ressent des picotements à différents endroits de la langue et un message est envoyé au cerveau. L'interprétation de ces signaux lui permet de créer une « représentation mentale de l'environnement ».

Craig Rundberg, soldat britannique testant le système.

Histoire et sciences

Le docteur Tatsuji Inouye (1880-1976) est l'un des premiers scientifiques à avoir étudié les aires cérébrales associées à la vision. Son étude porta sur des soldats blessés lors de la guerre russo-japonaise de 1905 qui présentaient des troubles visuels. Lors de cette guerre, les fusils russes envoyaient des projectiles capables de traverser le crâne sans le faire exploser ! Constatant cela, le docteur eut l'idée de localiser très précisément les zones lésées de l'encéphale et de soumettre à des tests visuels les malheureux blessés. C'est ainsi qu'il localisa le premier les aires cérébrales impliquées dans la vision.

Estampe japonaise, *Séoul, guerre russo-japonaise*, musée des deux guerres mondiales, Paris.

Un métier de science : opticien

Plus de 50 % des Français ont des problèmes de vue et sont amenés à rencontrer un opticien régulièrement. C'est le seul professionnel qui peut délivrer des lunettes de vue ou des lentilles de contact prescrites par l'ophtalmologiste. L'opticien doit réaliser des tests de vision et de perception visuelle afin d'établir l'équipement nécessaire. Il conseille également le client sur son choix : lunettes ou lentilles, jetables ou permanentes, verres progressifs ou non....Il doit avoir le sens du contact mais aussi posséder des qualités de visagiste ! Le travail comporte également une partie technique en relation avec la réalisation des lunettes.

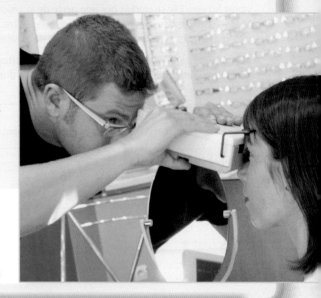

QUALITÉS ET NIVEAU REQUIS

▶Sens des contacts humains.   ▶Sens de l'esthétique.

▶Après un bac S, le BTS opticien lunetier se prépare en deux ans et peut être poursuivi par une licence professionnelle de sciences de la vision.

www.lesmetiers.net

L'œil : de la mouche à l'Homme

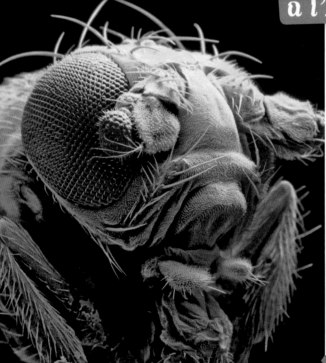

On connaît chez les mammifères des mutations qui affectent le développement de l'œil. Elles touchent notamment le gène *pax6* commun à la souris et à l'Homme. Mais on a également découvert qu'il existe chez la drosophile un gène tout à fait similaire : le gène *eyeless*. Lorsqu'on active ce gène dans différentes parties du corps de la mouche, on constate la présence d'yeux sur les pattes, les ailes, les antennes… Par ailleurs, le transfert du gène *pax6* dans une larve de mouche provoque également l'apparition d'yeux surnuméraires. Il est donc surprenant de constater que l'embryologie de l'œil de mouche et de l'œil de l'Homme soit gouvernée par un gène semblable alors que le dernier ancêtre commun à ces deux espèces date de 500 millions d'années et que les yeux mis en place sont totalement différents.

■ Œil surnuméraire d'une drosophile.

Réaliser des observations au microscope

La dégénérescence maculaire liée à l'âge, ou DMLA, est la première cause de cécité en France après 50 ans. Elle se traduit par une perte de la vision centrale. Une petite surface de la rétine, la fovéa, située dans l'axe central de l'œil dégénère. L'observation d'une section horizontale de l'œil permet d'étudier les particularités de la rétine dans cette zone.

➡ **Quelles sont les particularités de la rétine située dans l'axe central de l'œil et quelles cellules peuvent être impliquées dans la DMLA ?**

Capacités évaluées

▶ Manipuler et communiquer dans un langage scientifiquement approprié

Matériel disponible

▶ Un microscope à éclairage intégré
▶ Lame de section horizontale d'œil

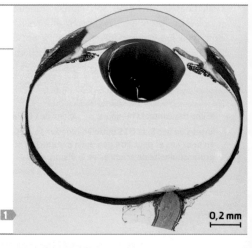

Coupe d'œil observée au microscope. **1**

0,2 mm

Conclusions attendues

▶ 1. Réaliser un schéma de la section observée et déterminer la projection rétinienne d'une image centrale.

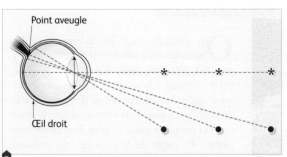

Point aveugle

Œil droit

2 **L'image observée se projette sur la fovéa dans l'axe de l'œil.**

▶ 2. L'observation au fort grossissement permet de constater que la rétine dans cette zone est constituée essentiellement d'une seule catégorie de cellules photoréceptrices : les cônes. On peut supposer que ce sont ces cellules qui dégénèrent dans la DMLA.

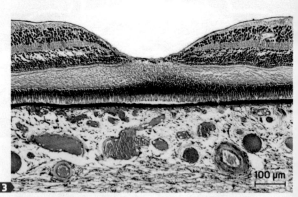

100 µm

Observation de la rétine dans la fovéa. **3**

Critères de réussite

➡ La préparation microscopique est observée aux différents grossissements dans un ordre croissant.
➡ L'éclairage et la netteté sont correctement réglés.
➡ La région adaptée à la recherche conduite est observée.
➡ Un schéma est réalisé pour traduire l'observation.
➡ Un texte explicatif est rédigé dans un langage scientifiquement correct.

Évaluer ses connaissances

Tests rapides

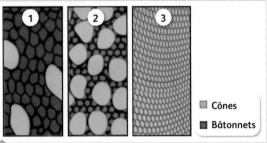

1 Quelques définitions à maîtriser

Définir brièvement les mots ou expressions suivants :
● Cristallin ● Rétine ● Photorécepteurs ● Plasticité du cerveau

2 Questions à choix multiple

Parmi les affirmations suivantes, choisissez la (ou les) réponse(s) exacte(s).

1 Le cristallin :
a. est l'un des systèmes transparents de l'œil.
b. est formé de cellules renouvelées au cours du temps.
c. peut présenter des anomalies qui modifient la vision.
d. est une lentille.

2 Les cônes et les bâtonnets :
a. contiennent les mêmes pigments photosensibles.
b. sont également répartis dans toute la rétine.
c. possèdent des sensibilités différentes à l'intensité lumineuse.
d. permettent la formation d'un message nerveux.

3 La rétine :
a. est uniquement formée de cellules photoréceptrices.
b. est identique en tout point.
c. possède une fovéa qui correspond au départ du nerf optique.
d. permet la conversion du stimulus lumineux en message nerveux.

4 Les pigments rétiniens :
a. sont codés par différents gènes qui forment une famille multigénique.
b. sont les mêmes pour toutes les catégories de cônes.
c. sont localisés dans toutes les cellules photoréceptrices.
d. ont des spectres d'absorption identiques.

5 Lorsqu'une personne a un champ visuel modifié « en canon de fusil », on peut supposer que :
a. toutes les zones de la rétine sont touchées.
b. seule la fovéa est déficiente.
c. les cellules photoréceptrices périphériques sont touchées.
d. les cônes de la fovéa sont fonctionnels.

6 Les gènes d'une famille multigénique :
a. possèdent la même séquence nucléotidique.
b. sont toujours localisés sur les mêmes chromosomes.
c. sont issus d'un même gène ancestral.
d. codent des protéines identiques.

7 La reconnaissance des formes :
a. se fait par la même aire visuelle que la reconnaissance du mouvement.
b. nécessite une collaboration entre fonction visuelle et mémoire.
c. ne peut pas être perdue si les aires visuelles primaires sont fonctionnelles.

8 Le cortex visuel :
a. comporte des aires spécialisées.
b. est localisé dans la partie antérieure du cerveau.
c. est organisé de façon définitive à la naissance.
d. possède une plasticité.

3 Analyser un document

Parmi les affirmations suivantes, choisissez la (ou les) réponse(s) exacte(s).

□ Cônes
■ Bâtonnets

▲ **Disposition des cellules photoréceptrices dans différentes parties de la rétine.**

a. la figure 3 correspond à la fovéa.
b. la figure 2 correspond à une zone plus périphérique de la rétine que la figure 1.
c. les figures 1, 2 et 3 sont observées symétriquement de part et d'autre du nerf optique.
d. les cônes observés sur la figure 3 ont tous le même spectre d'absorption.

Restituer ses connaissances

4 Organiser une réponse argumentée

Expliquez en quoi les propriétés et la répartition des cellules photoréceptrices de la rétine permettent de comprendre certaines caractéristiques de la vision.

5 Élaborer un schéma

Montrez comment, à partir d'un unique gène ancestral, on peut obtenir trois gènes, localisés sur deux paires de chromosomes différentes et qui appartiennent à la même famille multigénique.

Exercices

6 Lecture et plasticité cérébrale

▶ La lecture implique la reconnaissance des mots et son apprentissage est à mettre en relation avec la plasticité du cerveau. On cherche à préciser certaines caractéristiques de la plasticité.

Sujet n°1
Détermination par IRM des zones activées dans le cerveau d'un individu en train de lire.
Les zones activées sont colorées.

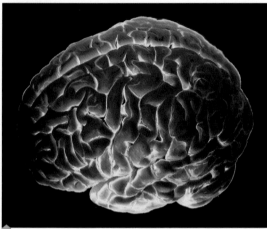

1 Localisation des zones activées lors de la lecture.

Sujet n°2
On réalise une radio chez un patient adulte qui souffre d'alexie complète ou incapacité de reconnaissance des mots. Ce patient reconnaît les mots lorsqu'ils sont épelés ou tracés sur sa peau.

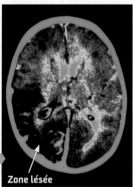

Localisation des zones lésées par un accident vasculaire cérébral. **2** **Zone lésée**

Sujet n°3
Cerveau d'une enfant souffrant du syndrome de Sturge-Weber qui a imposé une ablation partielle de l'encéphale à l'âge de 4 ans, observable sur la radio ci-dessous :

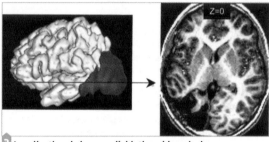

Z=0

3 Localisation de la zone d'ablation chirurgicale.

L'enfant ayant subi cette ablation partielle a appris à lire sans trop de difficultés.
On réalise chez le même enfant, âgé de 11 ans, une IRM lors d'un exercice de lecture afin de localiser la zone en activité.

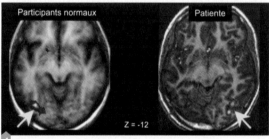

Participants normaux · Patiente · Z = -12

4 Localisation des zones activées lors de la lecture.

Des mesures chronométriques très fines ont permis de montrer que la lecture est légèrement ralentie de quelques dizaines de millisecondes.

QUESTIONS

1 Expliquez les symptômes observés chez le sujet n°2. Indiquez pourquoi il conserve la capacité de reconnaissance des mots épelés ou dessinés sur sa peau.

2 Localisez la capacité de reconnaissance des mots chez le sujet n°3. Pourquoi est-elle étonnante ?

3 Pourquoi montre-t-elle la plasticité du cerveau ?

Guide de résolution

1 Bien repérer et orienter les différentes coupes.

2 Localiser dans le cerveau du sujet n°1 la zone de reconnaissance visuelle des mots et la repérer sur les images obtenues avec les sujets n°2 et 3.

3 Définir la plasticité et la mettre en relation avec les faits observés.

Appliquer ses connaissances

7 Une vision des couleurs modifiée

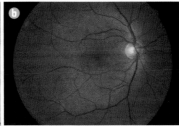

Document 1 :
Vision du patient ⓐ et fond d'œil ⓑ.

Un patient possède une vision modifiée : il est achromate. Il est également extrêmement gêné par la lumière vive et possède une faible acuité visuelle (2/10). Deux de ses frères présentent les mêmes symptômes que lui.

QUESTIONS

1 Comparez la vision du patient et de l'individu témoin.

2 Formulez une hypothèse pour expliquer les symptômes observés.

3 Comparez les rétines observées dans le fond d'œil. Que peut-on conclure sur la présence des cellules photoréceptrices ?

4 En utilisant le document 3, expliquez l'absence de vision colorée du patient.

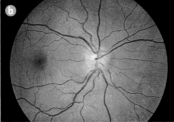

Document 2 :
Vision normale ⓐ et fond d'œil du témoin ⓑ.

> L'individu présente une anomalie génétique sur le chromosome X qui possède une délétion de 570 paires de bases, située à proximité des gènes qui codent les pigments rouge et vert dans une région indispensable à leur expression.

Document 3.

8 Étude d'une famille multigénique

La vision des couleurs mobilise trois types de photorécepteurs rétiniens contenant un pigment photorécepteur constitué d'une partie protéique : l'opsine.

On utilise la comparaison des séquences protéiques afin de préciser si les gènes codant les opsines appartiennent à une même famille multigénique.

QUESTION

En prenant en compte l'ensemble des données, justifiez l'appartenance des gènes codant les opsines à une même famille multigénique.

	R		V		Chromosome X

		B			Chromosome 7

1 Localisation des gènes L, M et S sur les chromosomes de l'Homme.

	Opsine « rouge » (L)	Opsine « verte » (M)	Opsine « bleue » (S)
Opsine rouge (L)	100 %		
Opsine verte (M)	95,9 %	100 %	
Opsine bleue (S)	42 %	43,1 %	100 %

2 Pourcentage de ressemblance entre les molécules d'opsines.

Appliquer ses connaissances

9 UV et cataracte

▷ Les UV peuvent provoquer ou accélérer l'apparition d'une cataracte.

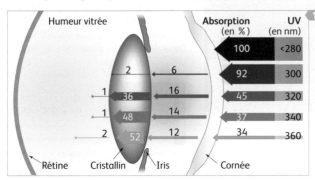

1 Absorption des différentes longueurs d'onde d'UV par les structures de l'œil.

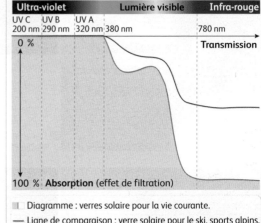

QUESTIONS

1 Rappelez le rôle du cristallin dans l'œil.

2 Que deviennent les UV lorsqu'ils pénètrent dans l'œil ? Pourquoi peuvent-ils être à l'origine d'une cataracte ?

3 Quelles sont les consignes concernant l'absorption des rayonnements UV par les verres solaires ?

4 Pourquoi des lunettes qui ne laissent pas passer le rayonnement visible (lunettes foncées) mais laissent passer les UV sont-elles dangereuses ?

☐ Diagramme : verres solaire pour la vie courante.
— Ligne de comparaison : verre solaire pour le ski, sports alpins.

2 Courbe de transmission des différentes catégories d'UV conseillée pour des verres solaires de bonne qualité.

10 Plasticité cérébrale

▷ On détermine l'activité corticale d'individus dans différentes conditions :
– activité des aires corticales d'individus témoins lorsqu'ils entendent des sons ou lorsqu'ils observent des images ;
– activité des aires auditives d'individus sourds lorsqu'ils voient des gestes ;
– activité des aires visuelles d'individus aveugles lorsqu'ils localisent des sons.

QUESTIONS

1 Localisez les aires cérébrales impliquées dans l'audition (aire auditive) et dans la vision (aire visuelle).

2 Quelles sont les aires activées chez les sujets étudiés ? En quoi est-ce étonnant ?

3 Pourquoi peut-on parler de plasticité cérébrale ?

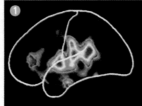

1 Mesure de l'activité cérébrale chez des sujets sourds de naissance quand ils voient des gestes.
(La flèche indique l'aire auditive).

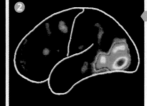

2 Mesure de l'activité cérébrale chez des sujets aveugles de naissance lorsqu'ils entendent des sons.

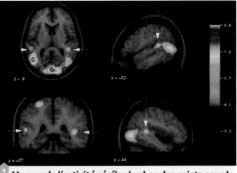

3 Résultats obtenus lorsqu'un sujet témoin réalise différentes actions.
❶ Aires auditives actives.
❷ Aires visuelles actives.

La science AUTREMENT

11 Voir les infrarouges

Seules les longueurs d'onde comprises entre 400 nm et 700 nm sont visibles par l'Homme. Les infrarouges (entre 740 nm et 10^6 nm), émis par tous les objets en fonction de leur température, sont invisibles à nos yeux. Certains serpents, comme les crotales, possèdent dans des fossettes localisées entre les yeux et les narines, un système capable de convertir les infrarouges reçus en message nerveux. Ils sont capables de repérer leur proie même dans l'obscurité totale. Pour l'Homme, des caméras thermographiques permettent de détecter les infrarouges émis dans l'environnement. Le rayonnement reçu est traduit en signaux électriques puis affichés sur un écran. L'image observable est alors constituée de couleurs compréhensibles par l'œil humain.

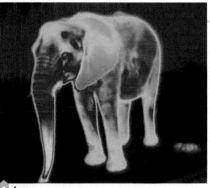

1 Éléphant.

QUESTIONS

1 Rappelez les longueurs d'ondes captées par les cellules photoréceptrices : les cônes et les bâtonnets. Quelles molécules sont capables de convertir le signal lumineux en message compréhensible par le cerveau ?

2 Indiquez la particularité des molécules contenues dans les fossettes du crotale.

3 Quelles doivent être les longueurs d'onde utilisées dans l'image restituée par une caméra thermographique afin de la rendre visible par l'Homme ? Recherchez des utilisations possibles de ces caméras.

2 Chien.

12 Les couleurs des Berinmos

Pendant notre enfance nous apprenons à distinguer les couleurs et à leur attribuer un nom. Une équipe de chercheurs a présenté un nuancier de 160 couleurs à des européens ainsi qu'à une tribu de chasseurs cueilleurs de Nouvelle-Guinée, les Berinmos, afin de regrouper les couleurs en catégories. Si nous distinguons huit catégories (marron, rouge, rose, orange, jaune, vert, bleu et violet), les Berinmos en distinguent cinq (map, mehi, kel, nol et wor). Les frontières des différentes catégories ne se superposent pas : nous distinguons le bleu et le vert alors qu'il s'agit d'une couleur unique pour les Berinmos : le nol. La perception des couleurs dépend de la conversion du stimulus lumineux en message nerveux mais également de l'interprétation du message reçu par le cerveau.

QUESTIONS

1 Formulez deux hypothèses afin d'expliquer que Berinmos et européens ne distinguent pas les mêmes couleurs.

2 Discutez des méthodes réalisables afin de valider ou d'infirmer ces hypothèses.

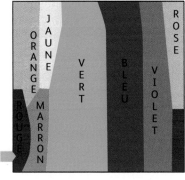

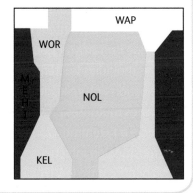

Les couleurs distinguées par les européens (à gauche) **et par les Berinmos** (à droite).

Corps humain et santé

Procréation, sexualité, plaisir

Si la reproduction est une fonction vitale des êtres vivants, elle devient chez les primates, et en particulier chez l'Homme, une fonction complexe, connectée à des composantes psychologiques et sociales. Au-delà des considérations biologiques de la procréation, et de la distinction morphologique entre hommes et femmes, la sexualité est associée au plaisir, et aux libertés de choix de chaque individu.

Une procréation choisie

La compréhension de la fonction de reproduction chez l'Homme a permis la mise au point de méthodes contraceptives, permettant de choisir le moment de la conception d'un enfant, mais également d'élaborer des techniques permettant de résoudre les problèmes de fertilité de certains couples.

Prévenir plutôt que guérir

L'organisme humain peut être la cible de micro-organismes, ou connaître des dérèglements internes, sources de pathologies parfois mortelles. Les progrès de la médecine ont été considérables au cours du XXe siècle, mais certaines problématiques demeurent. Ainsi, les micro-organismes infectieux, comme tout être vivant, présentent une variabilité génétique issue des mutations. Et alors que l'on croyait que les antibiotiques régleraient définitivement le cas des maladies bactériennes, on voit apparaître sous l'effet de la sélection naturelle, de nouvelles souches résistantes, mais aussi des souches mutantes provenant d'espèces qui ne s'attaquaient pas jusqu'alors à l'Homme. Dans tous ces cas, la prévention de la transmission infectieuse est primordiale, comme par exemple le préservatif contre le VIH, ou la vaccination contre l'hépatite.

DÉPISTAGE **ORGANISÉ**
DU CANCER DU SEIN DÈS 50 ANS.
4 MILLIONS DE FEMMES L'ONT CHOISI. ET VOUS ?

Parlez-en avec votre médecin.
CANCER INFO SERVICE 0810 810 821 (prix d'un appel local)

Dépister pour lutter

Parmi les dérèglements affectant l'organisme humain, le cancer, dû à une prolifération anarchique de cellules, est la principale cause de mortalité. Si nous ne sommes pas tous génétiquement égaux devant le cancer, puisque certains gènes de prédisposition existent, la prévention de comportements à risque comme l'alcoolisme ou le tabagisme permettent de limiter cette maladie. Le cancer est une pathologie évolutive et les chances de guérison sont d'autant plus importantes que le diagnostic est précoce. Les dépistages qui se généralisent permettent une prise en charge du malade avec une meilleure chance de guérison.

Percevoir le monde

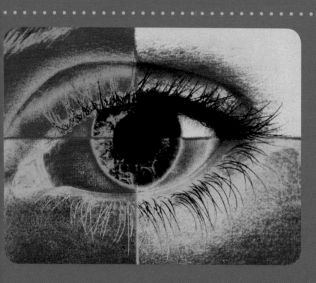

La vision n'est pas simplement la sensation de la lumière. Elle permet aussi la réalisation de tâches complexes comme la lecture. Cette sensation peut même se produire sans stimulation lumineuse extérieure, comme dans le cas des rêves ou des hallucinations. Elle dépend aussi de l'environnement et du vécu de chacun, où la perception d'une couleur peut donner lieu à des variations dans sa qualification, la mer étant bleue ou verte suivant les individus. Ainsi ne discute-t-on pas des goûts et des couleurs.

Garder un œil sur sa vision

Du fait de sa complexité, la perception visuelle est un sens fragile pouvant être affecté par de nombreuses pathologies. Ainsi, l'œil peut-il être affecté par des augmentations de pression interne comme dans le cas des glaucomes, ou par des altérations du cristallin comme pour la cataracte, ayant pour conséquences des cécités, qui peuvent être limitées par des mesures préventives.

Expression, stabilité et variation du patrimoine génétique

Restitution organisée des connaissances

1 Reproduction cellulaire

▶ Dans un organisme pluricellulaire, les cellules qui meurent sont en permanence renouvelées afin d'assurer le fonctionnement de l'organisme.

Expliquez comment les différentes étapes du cycle cellulaire permettent d'assurer la reproduction conforme d'une cellule.

Votre exposé devra être structuré par une introduction, un développement et une conclusion. Il devra être accompagné de schémas explicatifs en choisissant pour simplifier 2n = 6.

Exercices sur documents

2 Exploitation d'un document

▶ *Expérience de Taylor (1957)*

La réplication est étudiée par incorporation d'un nucléotide à thymine marqué radioactivement dans l'ADN, la thymidine tritiée. Des racines de Jacinthe sont cultivées pendant la durée d'un cycle cellulaire sur un milieu contenant de la thymidine tritiée puis placées dans un milieu dépourvu de thymidine tritiée pendant la durée d'un deuxième cycle cellulaire. À la fin de chaque cycle cellulaire, lors de la mitose, on réalise un caryotype puis la thymidine tritiée est repérée à l'aide d'une autoradiographie.

QUESTION

▉ Montrez que l'expérience de Taylor valide l'hypothèse d'une réplication semi-conservative de l'ADN.

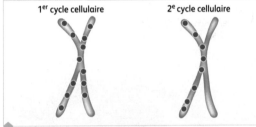

1ᵉʳ cycle cellulaire   2ᵉ cycle cellulaire

▲ **Résultats de l'expérience de Taylor.**
Chromosome métaphasique à la fin du premier (à gauche) et du second (à droite) cycle cellulaire. Les points noirs indiquent la présence de thymidine radioactive dans la molécule d'ADN.

3 Exploitation de documents et utilisation des connaissances

▶ Au cours du cycle cellulaire, l'entrée en mitose est un événement majeur qui aboutit à la formation de deux cellules filles identiques.

QUESTION

▉ À partir des informations extraites des documents, mises en relation avec vos connaissances montrez que la molécule MPF déclenche l'entrée en mitose de la cellule et proposez un rôle aux molécules Wee1 et Cdc25 dans le contrôle de l'entrée en mitose.

Expériences de fusion cellulaire (d'après Rao & Johnson 1970). 1
On réalise des expériences de fusion cellulaire entre des cellules de peau à différentes étapes du cycle cellulaire puis on observe le devenir des chromosomes dans les cellules obtenues.

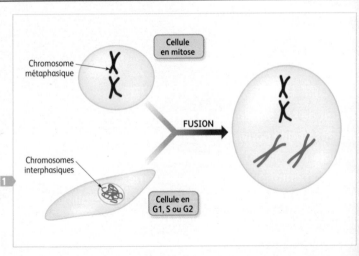

Chromosome métaphasique

Cellule en mitose

Chromosomes interphasiques

Cellule en G1, S ou G2

FUSION

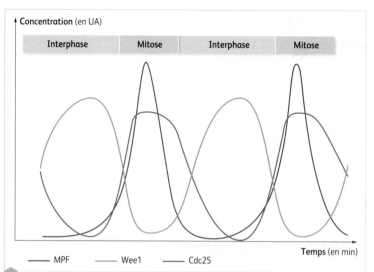

2a Évolution de la concentration en MPF, Wee1 et Cdc25 actifs dans une cellule de levure.

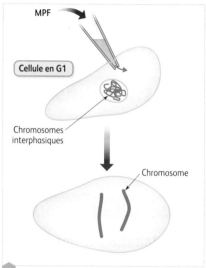

2b Expérience d'injection de MPF dans une cellule en interphase.
Du MPF est extrait à partir de cytoplasme de cellules en mitose puis injecté à une cellule en interphase.

▶ Au cours du cycle cellulaire, l'entrée en mitose est un événement majeur qui aboutit à la formation de deux cellules filles identiques. Le tableau suivant résume les expériences de Paul Nurse (Prix Nobel 2001) dont l'objectif est de comprendre le rôle des molécules Wee1 et Cdc25.

	Souche témoin	Cdc25 Mutant	Wee1 Mutant
Expression de Wee1	+	+	-
Expression de Cdc25	+	-	+
Temps de génération (en minutes)	90	Blocage en phase G2	45

3 Expérience de Nurse (+ expression de la molécule ; – absence d'expression de la molécule).
Des levures incapables d'exprimer Wee1 ou Cdc25 sont mises en culture *in vitro* puis leur temps de génération est mesuré. Leur morphologie est suivie en microscopie.

La tectonique des plaques : l'histoire d'un modèle

Restitution organisée des connaissances

1 Élaboration d'un modèle scientifique

À l'aide de vos connaissances, présentez les grandes étapes significatives de l'histoire du modèle de la tectonique des plaques.

Exercices sur documents

2 Exploitation de documents et utilisation des connaissances

▶ Dans le modèle de la tectonique des plaques, la lithosphère est découpée en plaques lithosphériques mobiles les unes par rapport aux autres et aux frontières desquelles se concentre l'essentiel de l'activité géologique : volcanisme, sismicité et déformation des roches.

QUESTION

■ À partir de l'analyse des documents suivants et de vos connaissances, expliquez en quoi les points chauds posent *a priori* problème par rapport au modèle de la tectonique des plaques. Montrez par une argumentation précise comment les points chauds permettent pourtant un enrichissement du modèle de la tectonique des plaques.

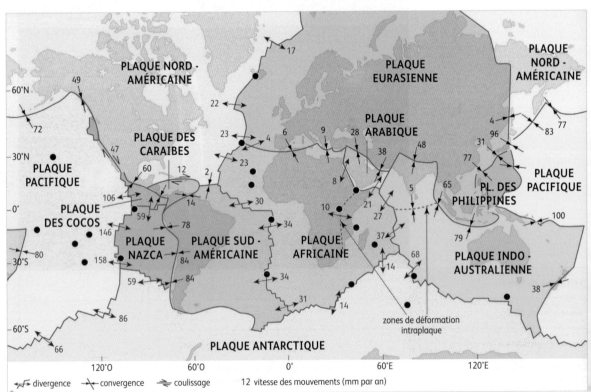

1 **Mouvements relatifs aux frontières de plaques et localisation des principaux points chauds.**
Les chiffres indiquent la vitesse du mouvement relatif déduit de l'étude des anomalies magnétiques océaniques et exprimée en mm/an.

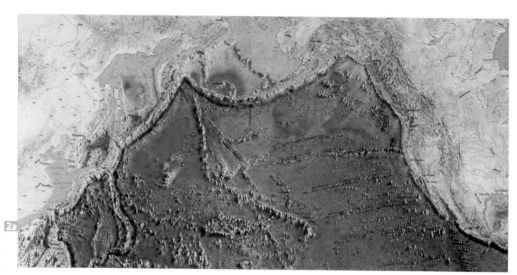

Carte des fonds **2a**
océaniques
de l'océan
Pacifique nord.

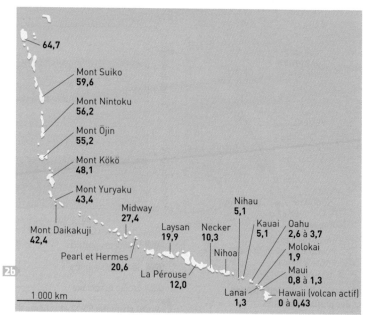

64,7

Mont Suiko
59,6

Mont Nintoku
56,2

Mont Öjin
55,2

Mont Kökö
48,1

Mont Yuryaku
43,4

Mont Daikakuji
42,4

Midway
27,4

Pearl et Hermes
20,6

Laysan
19,9

La Pérouse
12,0

Necker
10,3

Nihoa

Nihau
5,1

Kauai
5,1

Oahu
2,6 à 3,7

Molokai
1,9

Maui
0,8 à 1,3

Lanai
1,3

Hawaii (volcan actif)
0 à 0,43

Alignement volcanique de l'archipel **2b**
des îles Hawaii : localisation et âges
des dernières manifestations volcaniques
sur les principaux volcans.

1 000 km

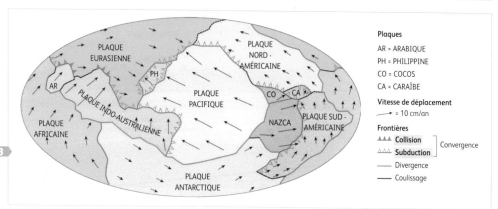

Carte **3**
des mouvements
absolus des plaques
dans le repère fixe
des points chauds.

Plaques

AR = ARABIQUE
PH = PHILIPPINE
CO = COCOS
CA = CARAÏBE

Vitesse de déplacement
→ = 10 cm/an

Frontières
▲▲▲ **Collision**   ⎫ Convergence
△△△ **Subduction** ⎭
— Divergence
— Coulissage

PLAQUE EURASIENNE
PLAQUE NORD-AMÉRICAINE
PLAQUE AFRICAINE
PLAQUE INDO-AUSTRALIENNE
PLAQUE PACIFIQUE
PLAQUE SUD-AMÉRICAINE
PLAQUE ANTARCTIQUE
AR
PH
CO
CA
NAZCA

La tectonique des plaques : l'histoire d'un modèle

Exercices sur documents

1 Exploitation de documents et utilisation des connaissances

On considère que le golfe d'Aden est un jeune océan animé d'un mouvement d'expansion de part et d'autre d'une dorsale située entre l'Arabie et l'Afrique.

Les sédiments les plus anciens, accumulés sur la marge du golfe d'Aden du fait de la subsidence liée aux mouvements crustaux guidés par les failles normales, sont datés de 35 Ma.

Les sédiments âgés de moins de 18 Ma recouvrent quant à eux la plupart des failles normales de la marge sans avoir été affectés par leurs mouvements.

QUESTION

■ À partir de l'exploitation des documents et de vos connaissances, justifiez cette interprétation. Vous en préciserez la chronologie et évaluerez une vitesse d'expansion pour cet océan.

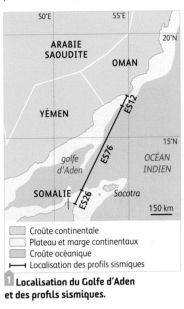

1 Localisation du Golfe d'Aden et des profils sismiques.

Légende :
- Croûte continentale
- Plateau et marge continentaux
- Croûte océanique
- Localisation des profils sismiques

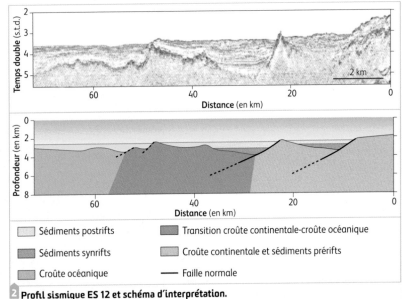

Légende :
- Sédiments postrifts
- Sédiments synrifts
- Croûte océanique
- Transition croûte continentale-croûte océanique
- Croûte continentale et sédiments prérifts
- Faille normale

2 Profil sismique ES 12 et schéma d'interprétation.
(voir Fiche technique p.401).

3 Profil sismique de la partie supérieure de la lithosphère dans la région du golfe d'Aden et interprétation en densité des structures.

② Exploitation de documents et utilisation des connaissances

On trouve, dans les Alpes, des associations de roches appelées ophiolites (du grec « ophis » qui signifie « serpent », car certaines de ces roches, les serpentinites en particulier, ont un aspect rappelant une peau de serpent). C'est le cas, par exemple, dans le massif du Chenaillet, situé à proximité de Briançon.

Les géologues supposent que ces ophiolites sont des restes d'une ancienne lithosphère océanique.

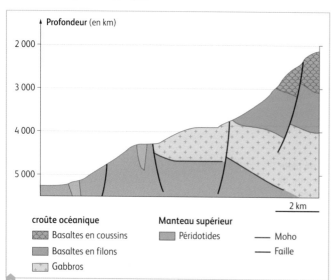

1 Coupe géologique simplifiée de la partie supérieure de la lithosphère océanique au niveau de la faille transformante de Vema (océan Atlantique).

La serpentinisation est une transformation minéralogique due essentiellement à l'action de l'eau de mer sur les olivines et les pyroxènes de la péridotite.

Par rapport aux basaltes continentaux, les basaltes de la croûte océanique sont caractérisés par une teneur en SiO_2 comprise entre 49 % et 52 % ainsi qu'une très faible teneur en potassium ($K_2O < 0,5$ %).

Oxydes	Basalte océanique de la dorsale Pacifique	Basalte du Chenaillet	Basalte continental
SiO_2	49,80	49,18	45,60
TiO_2	1,77	1,21	3,16
Al_2O_3	16,25	16,65	15,30
$FeO + Fe_2O_3$	9,78	7,11	12,20
MnO	0,17	0,13	0,17
MgO	7,55	7,71	7,13
CaO	11	9	9,03
Na_2O	3,08	4,22	2,83
K_2O	0,41	0,03	1,70

4 Comparaison des compositions chimiques de différents basaltes (en pourcentage d'oxydes).

QUESTION

À partir de l'exploitation des documents, de leur mise en relation, et de vos connaissances, retrouvez des arguments en faveur de cette hypothèse.

2 Affleurement de basalte au mont Chenaillet.

3 Coulée de basalte dans le fond de l'océan Pacifique.

5 Panorama du massif du Chenaillet. **A** : basaltes en coussins ; **B** : gabbros avec quelques filons de basaltes ; **C** : péridotites serpentinisées (= serpentinites).

Nourrir l'humanité

Restitution organisée des connaissances

1 Fonctionnement d'un agrosystème

Justifiez les différentes interventions humaines réalisées dans un champ cultivé en les mettant en relation avec les flux de matière et d'énergie nécessaires au fonctionnement de cet agrosystème.

Une introduction, un développement structuré et une conclusion sont attendus.

Exercices sur documents

2 Exploitation d'un document

QUESTION

■ À partir des informations données pour un agrosystème de plein champ qui produit du maïs utilisé dans l'alimentation humaine et pour un agrosystème d'élevage ovin (moutons) destiné uniquement à la production de viande, montrez que la consommation d'aliments d'origine animale n'a pas le même impact environnemental que la consommation de produits dérivés de végétaux.

	Grandes cultures : exemple du maïs	Production de viande ovine
Fioul consommé	99	44
Autres produits pétroliers	10	13
Électricité	29	12
Énergie/eau	44	1
Achats aliments	–	86
Engrais et amendements	216	30
Phytosanitaires	19	0
Semences	11	1
Jeunes animaux	–	5
Matériels	45	21
Bâtiments	4	14
Autres achats (médicaments…)	–	11
Total des entrées	475	238
Lait	–	0
Viande	–	98
Végétaux	2 255	0
Total des sorties	2 255	98

	Grandes cultures : exemple du maïs	Production de viande ovine
Dioxyde de carbone	0,94	0,48
Méthane	0	2,15
Oxyde d'azote	1,23	1,5

Comparaison des consommations énergétiques pour deux agrosystèmes (valeurs moyennes en mégajoules obtenues pour un ensemble de fermes de référence) **et sorties de matière** (cas de trois gaz émis par le fonctionnement des deux agrosystèmes en équivalent tonne de CO_2/hectare/an).

Corps humain et santé

Restitution organisée des connaissances

1 Le phénotype masculin

Après avoir décrit l'appareil génital indifférencié d'un fœtus, expliquez les mécanismes qui, chez un individu de caryotype XY, conduisent à la formation d'un l'appareil génital masculin fonctionnel.

Votre réponse comprendra une introduction, un développement structuré et une conclusion présentée sous la forme d'un schéma fonctionnel.

On s'intéressera ici uniquement aux gonades et voies génitales, à l'exclusion des glandes annexes et des organes génitaux externes.

Exercices sur documents

2 Exploitation d'un document

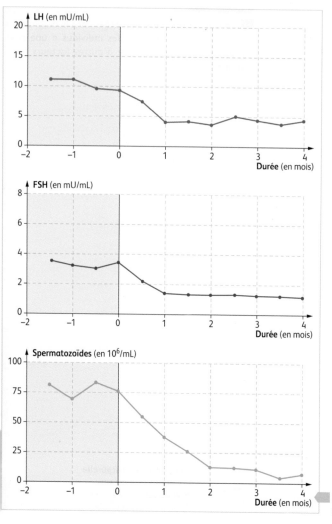

▶ On pratique des injections hebdomadaires de testostérone chez des personnes volontaires (zones blanches des graphiques).

▶ On mesure les taux de concentration de LH et FSH, ainsi que la concentration des spermatozoïdes dans l'éjaculat. L'ensemble des résultats est récapitulé sous la forme des graphiques suivants.

QUESTION

■ Expliquez le fait que l'injection de testostérone puisse être utilisée comme moyen contraceptif chez l'homme. Proposez une explication à son mode d'action.

Concentration de LH, FSH et des spermatozoïdes en fonction du temps.

Restitution organisée des connaissances

1 Patrimoine génétique et maladie

« Les hommes ne sont pas génétiquement égaux devant la maladie ».

Expliquez, en vous appuyant sur des exemples précis, la signification de cette affirmation.

Votre exposé comportera une introduction, un développement structuré et une conclusion.

Exercices sur documents

2 Exploitation d'un document

▶ L'indice de masse corporelle est un indicateur permettant de décrire l'état de corpulence des individus.

▶ Les jumeaux monozygotes, ou « vrais jumeaux », sont issus de la même cellule-œuf et possèdent le même patrimoine génétique. Les jumeaux dizygotes ou « faux jumeaux » sont issus de deux cellules-œufs différentes et possèdent des patrimoines génétiques différents.

QUESTION

■ À partir des données présentées dans le diagramme, montrez que la corpulence des individus a une composante génétique mais que d'autres facteurs interviennent aussi.

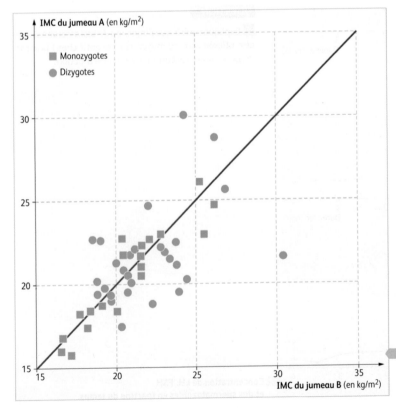

Indice de masse corporelle de couples de jumeaux.
Monozygotes = « vrais jumeaux ».
Dizygotes = « faux jumeaux ».

3 Exploitation de documents et utilisation des connaissances

▶ Une jeune femme consulte le médecin pour une absence de cycle menstruel.

QUESTION

■ À partir de l'exploitation de l'ensemble des documents et de vos connaissances, expliquez l'origine des signes cliniques observés (arrêt de la croissance des follicules ovariens avec absence d'ovulation) chez cette patiente.

Hormones dosées (hormones fonctionnelles)		LH (en UI/L)	FSH (en UI/L)	Œstrogènes (œstradiol en pg/ml)
Taux mesurés chez une femme aux cycles normaux	Phase folliculaire	1,5 à 10	2 à 17	30 à 90
	Pic ovulatoire	18 à 90	9 à 26	90 à 400
	Phase lutéale	1 à 16	2 à 8	50 à 200
Taux mesurés chez la patiente		21	< 0,5	25

1 Comparaison des dosages des quantités de LH, FSH œstradiol chez une femme normale et chez la patiente.

Hormones dosées (hormones fonctionnelles)	Taux avant injection	Taux 30 min après injection	Taux 60 min après injection
LH (en UI/L)	33	170	130
FSH (en UI/L)	< 0,6	< 0,6	< 0,8

2a Test hormonal de stimulation par injection de GnRH.

> Une thérapie par administration de FSH a permis une croissance des follicules et un déclenchement de l'ovulation.

2b Traitement par FSH.

Séquence de référence	A G T G C C C G G C T G T G C T
	150 165
Séquence du sujet	A G T G C C C G G C C G T G C T
	150 165

3 Partie du brin non transcrit du gène codant pour la FSH.

Amplification en chaîne de l'ADN

▶ Sur une scène de crime, la police scientifique retrouve souvent des échantillons de sang ou de peau contenant quelques cellules de l'individu à identifier. Ces cellules recèlent de l'ADN qui pourra être utilisé comme une empreinte génétique permettant d'identifier chaque individu de façon unique. Toutefois les quantités recueillies sont infimes et ne peuvent être exploitées directement.

▶ Les procédures modernes utilisent la technique de PCR (Réaction d'amplification par Polymérisation en Chaîne) afin d'augmenter artificiellement la quantité d'ADN prélevée. Cette technique nécessite de l'ADN polymérase, des nucléotides et des amorces d'ADN simple brin. Les amorces sont choisies de façon à encadrer la zone d'ADN à amplifier.

▶ La PCR est une succession de plusieurs cycles identiques. Chaque cycle se décompose en trois étapes :

■ dénaturation de l'ADN à température élevée : les deux brins de la molécule d'ADN se séparent ;

■ fixation par complémentarité des sondes ADN simple brin sur chaque brin de l'ADN matrice ;

■ copie des deux brins matrices par l'ADN polymérase.

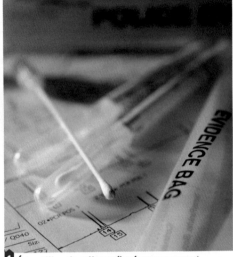

1 Échantillon de salive prélevé sur un suspect.

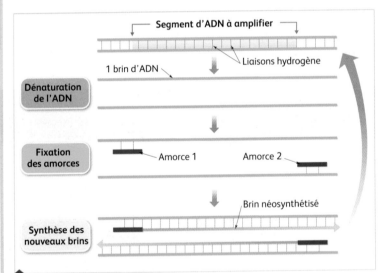

2 Principe de la réaction d'amplification par polymérisation en chaîne (PCR).

▶ **Les puissances de 2**

■ Pour chaque cycle on a multiplié par 2 la quantité d'ADN.

■ Au bout de deux cycles on a donc multiplié par 4 (2^2).

■ Pour x cycles on a donc 2^x quantités d'ADN.

■ 2^x est une fonction de type exponentielle.

PISTES D'EXPLOITATION

→ Indiquez le nombre de copies de la zone ADN à amplifier à partir d'une molécule, sachant qu'une PCR complète comporte généralement entre 30 et 40 cycles.

→ RECHERCHE DOCUMENTAIRE : présentez les principaux domaines d'utilisation de la PCR.

Les agents mutagènes dans l'environnement

▶ Il existe dans l'environnement de nombreux agents potentiellement mutagènes. L'une des conséquences les plus visibles des mutations est l'apparition de cancers.

▶ Le gène codant pour la protéine p53 est muté dans plus de la moitié des cancers chez l'Homme. De nombreuses études épidémiologiques ont permis d'établir des liens possibles entre un facteur de l'environnement et un type de mutation.

▶ L'amiante est un minéral fibreux qui a été utilisé pendant plus d'un siècle dans les constructions pour sa résistance au feu et ses propriétés isolantes. Classé comme cancérigène depuis 1973 par le CIRC (Centre International de Recherche sur le Cancer), son utilisation a été interdite en France en 1997. De gros chantiers de désamiantage sont entrepris depuis dans la plupart des infrastructures, comme à l'université Pierre et Marie Curie à Paris où cela dure depuis 1976.

▶ La phénacétine était un analgésique très utilisé au XXᵉ siècle pour soulager douleurs et fièvres. Il a été retiré du marché pharmaceutique en 1983 et remplacé par le paracétamol, un produit dérivé de la phénacétine qui a des propriétés similaires sans les effets secondaires.

1 Le désamiantage de l'université Pierre et Marie Curie, Paris.

2 La phénacétine, un analgésique mutagène.

RÉALISER

1. Ouvrir le fichier « p_53epidemiologie.xls » à l'aide d'un tableur.

2. Trier les données par ordre croissant selon la colonne « Épidémiologie I ».

3. Recenser les principaux facteurs associés à des cancers.

	Nature de la tumeur	Pays	Épidémiologie I	Épidémiologie II
H		I	J	K
	BRONCHES ET LANGUE	USA	ex-fumeur	amiante
	BRONCHES ET LANGUE	USA	ex-fumeur	amiante
	BRONCHES ET LANGUE	USA	ex-fumeur	amiante
	BRONCHES ET LANGUE	USA	ex-fumeur	amiante
	BRONCHES ET LANGUE	USA	ex-fumeur	antécédent familial
	BRONCHES ET LANGUE	USA	ex-fumeur	antécédent familial
	BRONCHES ET LANGUE	USA	ex-fumeur	antécédent familial
	VESSIE	Germany	ex-fumeur	benzidine
	VESSIE	Germany	ex-fumeur	benzidine
	VESSIE	Germany	ex-fumeur	benzidine
	TETE ET COU	USA	ex-fumeur	ETOH
	TETE ET COU	UK	ex-fumeur	HPV-
	TETE ET COU	UK	ex-fumeur	HPV-
	TETE ET COU	Swiss	ex-fumeur	non-"buveur"
	REINS	Australian	ex-fumeur	phenacetin
	REINS	Australian	ex-fumeur	phenacetin
	REINS	Australian	ex-fumeur	phenacetin
	REINS	Australian	ex-fumeur	phenacetin
	BRONCHES ET LANGUE	USA	ex-fumeur	
	BRONCHES ET LANGUE	USA	ex-fumeur	
	BRONCHES ET LANGUE	USA	ex-fumeur	
	BRONCHES ET LANGUE	USA	ex-fumeur	
	BRONCHES ET LANGUE	USA	ex-fumeur	
	BRONCHES ET LANGUE	USA	ex-fumeur	

H	I	J	K
BRONCHES ET LANGUE	USA	fumeur	amiante
BRONCHES ET LANGUE	USA	fumeur	amiante
BRONCHES ET LANGUE	USA	fumeur	amiante
BRONCHES ET LANGUE	USA	fumeur	amiante
BRONCHES ET LANGUE	USA	fumeur	amiante
BRONCHES ET LANGUE	USA	fumeur	antécédent familial
BRONCHES ET LANGUE	USA	fumeur	antécédent familial
BRONCHES ET LANGUE	USA	fumeur	antécédent familial
BRONCHES ET LANGUE	USA	fumeur	antécédent familial
BRONCHES ET LANGUE	USA	fumeur	antécédent familial
BRONCHES ET LANGUE	USA	fumeur	antécédent familial
BRONCHES ET LANGUE	Japanese	fumeur	mustard gas
BRONCHES ET LANGUE	Japanese	fumeur	mustard gas
BRONCHES ET LANGUE	Japanese	fumeur	mustard gas
BRONCHES ET LANGUE	Japanese	fumeur	mustard gas
BRONCHES ET LANGUE	Japanese	fumeur	mustard gas
BRONCHES ET LANGUE	USA	fumeur	pesticides
BRONCHES ET LANGUE	USA	fumeur	radon
BRONCHES ET LANGUE	USA	fumeur	radon
BRONCHES ET LANGUE	USA	fumeur	radon
BRONCHES ET LANGUE	USA	fumeur	radon

3 Quelques exemples de résultats épidémiologiques.

PISTES D'EXPLOITATION

➔ Recensez les agents mutagènes et les principales catégories auxquelles ils appartiennent.

➔ **RECHERCHE DOCUMENTAIRE** : présentez succinctement les mécanismes à l'origine d'une mutation pour les principaux agents mutagènes identifiés.

Le champ magnétique terrestre et ses variations

▶ Le champ magnétique terrestre détermine la direction que prend l'aiguille aimantée d'une boussole qui s'oriente suivant les lignes de champ. Il forme un angle avec la direction du Nord géographique (NG), c'est la déclinaison. Il incline son pôle Nord vers le sol dans l'hémisphère magnétique Nord conformément aux trajectoires entrantes et convergentes vers le pôle Nord magnétique (NM), c'est l'inclinaison, dont l'orientation est inverse dans l'hémisphère magnétique Sud.

▶ En toute rigueur, pôle Nord magnétique et pôle Sud magnétique sont en fait, conformément aux conventions physiques, respectivement un pôle Sud et un pôle Nord en magnétisme.

▶ La localisation des pôles change au cours du temps de sorte qu'à un endroit donné le champ magnétique que l'on peut mesurer varie en direction et en intensité au cours du temps. Ainsi, au cours des sept dernières années, le pôle Nord magnétique s'est déplacé de 300 km, causant en France une baisse de la déclinaison d'environ 1° en chaque endroit. Dans le même temps, l'intensité du champ magnétique global a baissé de 0,6 %.

▶ L'une des premières formulations de l'existence d'inversions du champ magnétique terrestre date de 1905 et fut publiée par Brunhes. À la même époque, le japonais Matuyama étudie le magnétisme de diverses laves qu'il date et conclut à l'existence d'inversions multiples à travers les temps. Ces résultats tombèrent dans l'indifférence jusqu'en 1959, année qui scelle la naissance du paléomagnétisme du fait de la mise au point de l'utilisation de magnétomètres précis.

▶ Les mesures permirent d'abord de reconstituer la position des pôles à l'époque de refroidissement de chacune de ces laves et de reconstituer des « trajectoires d'errance du pôle Nord » à partir de l'étude de nombreux échantillons d'âges variés issus de divers continents. L'hypothèse d'unicité du pôle Nord magnétique à un moment donné conduisit à interpréter ces « trajectoires » comme les marqueurs de déplacements des masses continentales : la théorie de Wegener refaisait surface.

▶ Au début des années 1960, Vine et Matthews étendent l'étude paléomagnétique aux domaines océaniques tandis que les données de plus en plus nombreuses permettent de bâtir un calendrier des inversions magnétiques.

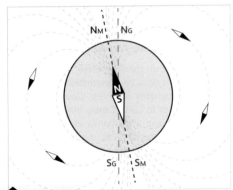

1 Modèle dipolaire pour le champ magnétique terrestre. Les lignes de champ sont sortantes au Sud et entrantes au Nord.

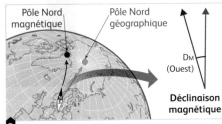

2 Déclinaison magnétique.

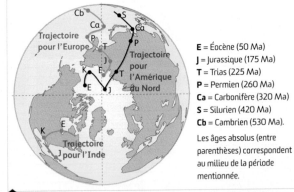

E = Éocène (50 Ma)
J = Jurassique (175 Ma)
T = Trias (225 Ma)
P = Permien (260 Ma)
Ca = Carbonifère (320 Ma)
S = Silurien (420 Ma)
Cb = Cambrien (530 Ma).

Les âges absolus (entre parenthèses) correspondent au milieu de la période mentionnée.

3 Trajectoires d'errance du pôle Nord magnétique établies à partir de roches prélevées en Inde, en Amérique du Nord et en Europe.

PISTES D'EXPLOITATION

→ Caractérisez les mouvements relatifs des continents Europe et Amérique du Nord depuis 225 millions d'années.

→ De quelle information doit-on disposer pour comparer les positions géographiques de deux points au cours du temps ?

→ **RECHERCHE DOCUMENTAIRE** : décrivez succinctement les variations des déclinaisons magnétiques dans le monde depuis le XVᵉ siècle.

Le GPS, pour se repérer exactement dans le temps et dans l'espace

▶ Le GPS (Global Positioning System) comporte un ensemble de satellites NAVSTAR dont l'orbite est quasi-circulaire à une altitude de 20 184 km au-dessus de la surface terrestre.

▶ À tout moment il est en effet possible de capter en tout point du globe les informations de 8 à 10 satellites sur les 31 actuels. Chaque satellite émet un signal complexe qui comporte une information sur la position du satellite et l'heure exacte lors de l'émission de chaque signal. Les satellites contiennent des horloges atomiques qui permettent une précision sur l'heure d'émission du signal de l'ordre de 10^{-12} s.

▶ La détermination de la position du récepteur repose sur la connaissance des distances entre le récepteur et plusieurs satellites.

> **Distance = durée x vitesse**

▶ Le principe est illustré de façon simplifiée sur la figure 1. La connaissance précise des distances entre un récepteur et trois émetteurs localisés permettrait la détermination exacte de l'emplacement du récepteur au point A. Mais, en raison de l'erreur induite par l'imprécision de la mesure du temps par le récepteur, la grandeur obtenue (en divisant le temps mis par le signal à parvenir au récepteur par la vitesse de la lumière) est appelée « pseudo-distance ».

▶ À condition de disposer des pseudo-distances pour au moins quatre satellites, il est possible de résoudre un système d'équations pour trouver une estimation beaucoup plus précise des distances et de déterminer l'erreur sur l'heure du récepteur. L'algorithme de calcul contenu dans les récepteurs GPS est encore plus compliqué car il y a de nombreuses autres sources d'erreur comme par exemple la variation de la vitesse de la lumière dans l'ionosphère et la troposphère influencée par l'humidité, la température de l'air et les éruptions solaires.

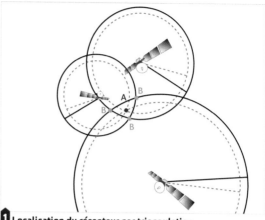

1 Localisation du récepteur par triangulation.

▶ Il est néanmoins possible d'améliorer la précision de la localisation des récepteurs en augmentant la durée de localisation, en utilisant un maximum de satellites, en utilisant en plus des satellites du GPS des satellites géostationnaires, et en ayant recours à des algorithmes très sophistiqués. Des précisions de l'ordre du millimètre peuvent être atteintes dans des cas particuliers, comme la surveillance de pipelines ou la mesure des dérives des plaques lithosphériques en géologie.

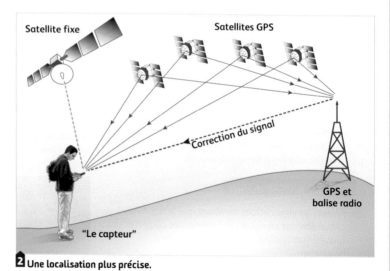

2 Une localisation plus précise.

PISTES D'EXPLOITATION

➔ Sachant que la vitesse de la lumière est de 299 792 458 m/s, combien de temps met le signal pour parvenir à un récepteur GPS situé à la verticale d'un satellite NAVSTAR ?

➔ Calculez l'erreur sur l'estimation de la distance entre le récepteur et un satellite entraînée par une erreur de 10^{-6} s sur l'heure du récepteur. En vous inspirant du document 2, indiquez si à votre avis l'erreur sur l'emplacement du récepteur peut être supérieure à l'erreur sur la distance.

PISTES DE RECHERCHE

Résistances aux antibiotiques et maladies nosocomiales

▶ Le staphylocoque doré (*Staphylococcus aureus*) est une bactérie très fréquemment présente sur la peau et les muqueuses (en particulier au niveau du nez). Il se transmet par simple contact et peut entraîner de graves infections (pneumonies). Cependant, le risque de développer une infection est principalement associé à la présence de plaies notamment en milieu hospitalier.

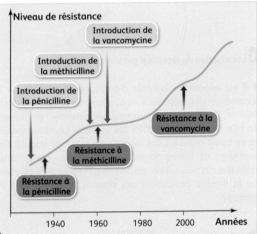

2 **Apparition des résistances aux antibiotiques chez** *Staphylococcus aureus*.

▶ Le staphylocoque doré est naturellement sensible à presque tous les antibiotiques. Cependant il acquiert facilement des résistances par transfert horizontal de gènes provenant d'autres bactéries ou par mutations chromosomiques. Ainsi, 19 % des infections développées en milieu hospitalier (infections nosocomiales) sont dues à des formes de staphylocoques multi-résistantes à des antibiotiques.

PISTES D'EXPLOITATION

➜ Relevez les informations montrant que le staphylocoque doré est un agent pathogène face auquel il faut être particulièrement vigilant en milieu hospitalier.

➜ Expliquez pourquoi les antibiothérapies ne sont pas des solutions généralisables pour lutter durablement contre les infections dues aux staphylocoques.

➜ Entre 2001 et 2006 le taux de patients infectés à l'hôpital par des staphylocoques dorés résistants aux antibiotiques a diminué de 38 % en France. Expliquez en quoi les mesures d'hygiène ont permis cette évolution.

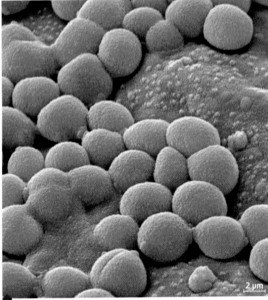

1 *Staphylococcus aureus* observés au MEB.

▶ Depuis la fin des années 90, le Conseil supérieur d'hygiène publique de France a mis en place des recommandations pour lutter contre les infections nosocomiales qui ont concerné en 2009 près de 5 % des patients hospitalisés. Ces recommandations servent de référence pour les personnels de santé et contiennent un ensemble de mesures sur l'hygiène des locaux, la gestion du linge, à la fois des patients mais aussi du personnel soignant. On trouve également des règles à suivre avant une opération comme prendre une douche préopératoire, effectuer dans certains cas des décontaminations nasales, etc.

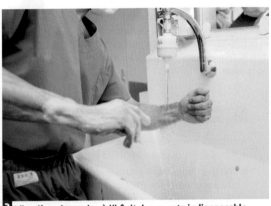

3 L'hygiène des mains à l'hôpital, un geste indispensable.

Cancers et politiques de prévention

▶ Le nombre de nouveaux cas de cancers en Europe est estimé à environ 3,2 millions par an. Parmi ces nouveaux cas, 53 % sont des hommes et 47 % des femmes.

▶ Le diagramme du document 1 présente les proportions des différents cancers diagnostiqués chez les femmes.

▶ Les papillomavirus humains (HPV) sont des virus fréquents infectant la peau et les muqueuses. On connaît environ 40 formes d'HPV susceptibles d'infecter les organes génitaux. L'infection survient au début de la vie sexuelle et ne donne la plupart du temps ni symptôme ni lésion. Généralement le virus est éliminé naturellement en un à deux ans, mais dans certains cas l'infection persiste et donne des lésions précancéreuses qui peuvent se transformer en cancer en 10 à 20 ans.

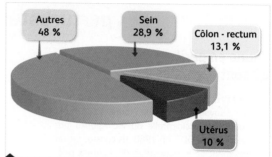

1 Cancers les plus fréquemment diagnostiqués chez la femme.

▶ Une dizaine de formes HPV sont retrouvées dans 99,7 % des cancers du col de l'utérus. Les plus fréquemment impliquées sont le HPV 16 (impliqué dans 55 % des cas) et le HPV 18 (12 % des cas).

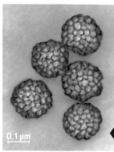

0,1 µm

2 Le papillomavirus impliqué dans le cancer du col de l'utérus.

▶ En France un vaccin est désormais disponible contre les HPV 6, 11, 16 et 18. L'efficacité de ce vaccin a été testée vis-à-vis des lésions provoquées par les papillomavirus et les cancers du col de l'utérus sur 17 000 femmes sur une période de deux ans.

▶ En France, le Conseil supérieur d'hygiène publique regroupe des experts chargés de faire des recommandations auprès du ministre de la santé sur les modalités de lutte contre les maladies.

▶ En 2007, ce conseil a renouvelé certaines recommandations relatives à la lutte contre les papillomavirus et en a émis de nouvelles.

	Efficacité contre les lésions cervicales et les cancers du col provoqués par les HPV 16 et 18	Efficacité contre les condylomes (verrues génitales) provoqués par les HPV 6, 11, 16 et 18
Femmes non infectées par les papillomavirus avant la vaccination	95 %	95 %
Femmes déjà infectées par les papillomavirus avant la vaccination	70 %	40 %

3 Efficacité du vaccin tétravalent contre les HPV.

Le Comité Technique des vaccinations et le Conseil supérieur d'hygiène publique de France :

▪ rappellent leur recommandation d'organiser le dépistage des lésions précancéreuses et cancéreuses du col de l'utérus par frottis cervico-utérin sur l'ensemble du territoire ;

▪ rappellent leur recommandation pour qu'une campagne de communication visant à promouvoir le dépistage du cancer du col de l'utérus et à rappeler son intérêt soit mise en place ;

▪ recommandent la vaccination des jeunes filles de 14 ans, afin de protéger les jeunes filles avant qu'elles ne soient exposées au risque de l'infection HPV ;

▪ recommandent que le vaccin soit également proposé aux jeunes filles et jeunes femmes de 15 à 23 ans qui n'auraient pas eu de rapports sexuels ou au plus tard, dans l'année suivant le début de la vie sexuelle.

4 Extrait de l'avis du Conseil supérieur d'hygiène publique de France du 9 mars 2007.

PISTES D'EXPLOITATION

→ Relevez les arguments justifiant la mise en place d'une politique de prévention pour lutter contre le cancer du col de l'utérus en France.

→ Expliquez l'intérêt des différentes recommandations du Conseil supérieur d'hygiène publique dans la lutte contre le cancer du col de l'utérus. Montrez en quoi elles sont complémentaires.

→ Identifiez les limites actuelles de ce type de vaccination dans la lutte contre le cancer du col de l'utérus.

→ **RECHERCHE DOCUMENTAIRE :** décrivez les variations de l'incidence et de la mortalité du cancer du col de l'utérus en France depuis 1975.

Les perturbateurs endocriniens

Faune en péril : où sont les mâles ?

▶ Dans les années 80, des scientifiques étudient la faune sauvage des lacs de Floride suite à une contamination accidentelle du lac Apopka par un insecticide, le DDT, en 1980. Ils constatent un effondrement de la population d'alligators, phénomène qu'ils ne retrouvent pas dans d'autres lacs.

▶ Non seulement la mortalité des œufs est anormalement forte mais aussi les jeunes mâles éclos présentent fréquemment des anomalies sexuelles : micropénis, féminisation avec baisse du taux de testostérone dans le sang, diminution du nombre des tubes séminifères dans les testicules, présence parfois d'ovocytes dans les testicules…

▶ **Le DDT serait-il incriminé dans la féminisation des alligators de Floride ?** Les chercheurs ont appliqué du DDT sur des œufs d'alligators provenant d'un lac non pollué : une féminisation des jeunes mâles est observée à l'éclosion. Grâce à d'autres expériences, ils ont montré que le DDT agit comme des œstrogènes et provoque une féminisation des mâles ; il conduit donc à leur raréfaction et à un déclin rapide de la population.

▶ Le cas des alligators du lac Apopka n'est pas isolé ; selon les spécialistes, 25 % des espèces aquatiques sauvages souffrent de troubles hormonaux : amphibiens, poissons, tortues, escargots…

La Floride, état contaminé par le DDT en 1980. **1**

2 Un bébé alligator sortant de sa coquille.

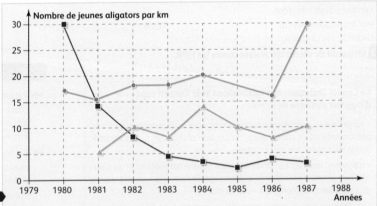

Évolution du nombre de jeunes **3** alligators en fonction du temps.

Nombre de jeunes aligators par km

— Lac Apopka
— Lac Griffin
— Lac Jessup

PISTES D'EXPLOITATION

➡ Relevez les informations montrant que le DDT agit sur le développement sexuel des animaux aquatiques.

➡ **RECHERCHE DOCUMENTAIRE :** identifiez les principales substances d'origine humaine induisant des troubles hormonaux.

Corriger les déficiences du cristallin

▶ Le cristallin est la lentille naturelle de l'œil. Il permet, par des variations de sa courbure et par sa transparence, la formation d'une image nette sur la rétine. Cependant, il perd lentement sa capacité à modifier sa courbure et, au-delà de 45 ans, la lecture sans lunettes devient difficile : c'est la presbytie. De plus, avec l'âge, le cristallin peut s'opacifier et affecter voire empêcher la vision : c'est la cataracte.

▶ Si le port de lunettes permet de corriger la presbytie, la chirurgie est le seul traitement efficace de la cataracte. L'opération consiste à pratiquer une incision de la cornée puis à enlever le cristallin défectueux de son enveloppe et à le remplacer par un implant.

▶ Des progrès permanents sont réalisés. Les incisions sont de plus en plus petites (de 10 mm à 1,4 mm) et les implants de plus en plus performants. Certains implants, dotés de petits anneaux permettent de voir de près comme de loin et corrigent donc cataracte et presbytie, d'autres comportent des filtres à UV et protègent la rétine.

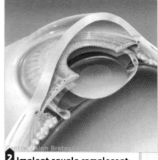

2 Implant souple remplaçant le cristallin.

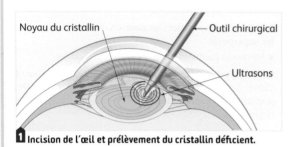

Noyau du cristallin — Outil chirurgical — Ultrasons

1 Incision de l'œil et prélèvement du cristallin déficient.

PISTES D'EXPLOITATION

→ Indiquez les caractéristiques indispensables d'un implant intraoculaire pour corriger la cataracte et la presbytie.

→ RECHERCHE DOCUMENTAIRE : identifiez de nouvelles pistes pour corriger des déficiences de l'œil comme la myopie.

La vision des couleurs chez les Vertébrés

▶ La vision des couleurs dépend des différents pigments des cellules photoréceptrices de la rétine. Tous les vertébrés dotés d'une vision des couleurs ne possèdent pas les mêmes systèmes.

▶ Chez l'Homme et la plupart des primates, la vision des couleurs dépend de trois sortes de pigments, chacun étant sensible à une couleur différente. La vision basée sur trois types de photorécepteurs est appelée trichromatique.

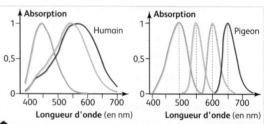

1 Courbes d'absorption des pigments rétiniens de deux espèces.

▶ Mais ce n'est pas le cas de toutes les espèces. Presque tous les mammifères non primates ne possèdent que deux types de pigments et sont dichromates. Certains mammifères marins comme les dauphins, sont monochromates car ils ne possèdent que les cônes « verts ». Il est donc difficile d'imaginer ce que voient d'autres espèces.

2 Une cape rouge agitée par un torero. Cela ne ferait sans doute pas de différence si la cape était d'une autre couleur puisque ces animaux ne distinguent pas le rouge.

PISTES D'EXPLOITATION

→ Relevez la différence essentielle à l'origine de différentes visions des couleurs chez les Vertébrés.

→ RECHERCHE DOCUMENTAIRE : présentez comment on procède pour déterminer les couleurs visibles par différentes espèces.

Utiliser une banque de données moléculaire

PRINCIPE

▶ Le logiciel RasTop permet de représenter en trois dimensions une molécule, à partir des coordonnées spatiales des différents atomes qui la constituent et de leurs liaisons entre eux.

▶ Il est ainsi possible de visualiser des molécules d'ADN dans l'espace.

MATÉRIEL UTILISÉ

▶ Un ordinateur, le logiciel RasTop et les fichiers de données des molécules sont nécessaires.

▶ Le logiciel RasTop peut être téléchargé à l'adresse : http://www.inrp.fr/Acces/biotic/rastop/data/programmes/

▶ Différentes molécules d'ADN peuvent être ajoutées à la base de données initiale du logiciel : http://www.inrp.fr/

MISE EN ŒUVRE

▶ **Modifier l'aspect de la molécule**
■ Cliquer sur l'une des icônes suivantes :

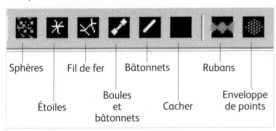

| Sphères | Fil de fer | Bâtonnets | Rubans |
| Étoiles | Boules et bâtonnets | Cacher | Enveloppe de points |

▶ **Modifier la position et l'échelle d'observation de la molécule**
■ Effectuer une rotation de la molécule :
faire un clic gauche sur la souris et tourner en maintenant le clic.

■ Déplacer la molécule sur l'écran :

1 sélectionner la case « Univers » ;

2 activer la fonction « Trans./Zoom » ;

3 déplacer le curseur x pour un mouvement transversal, le curseur y pour un déplacement vertical, et le curseur z pour effectuer des zooms avant et arrière.

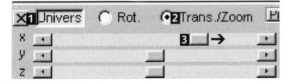

▶ **Colorer un élément de la molécule**
■ Pour colorer, par exemple, les nucléotides A d'une molécule d'ADN en rouge :

– sélectionner l'élément à colorer : `Éléments ▼ Propriétés ▼`

– activer la sélection : 🔲

– activer la palette de couleurs : ▓▓

– cliquer sur la couleur voulue : ■

▶ **Comparer deux molécules dans un même univers – les superposer**
■ Afficher la première molécule, ne pas la modifier.

■ Afficher la seconde molécule dans le même univers. Pour cela, cliquer sur « *Fichier* », puis « *Ajouter* » et choisir la molécule souhaitée. Les deux molécules peuvent alors subir les mêmes déplacement.

EXEMPLE DE RÉSULTAT

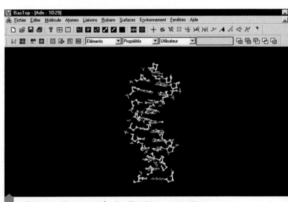

Affichage d'une molécule d'ADN sous RasTop.

RÉSOUDRE DES PROBLÈMES

▶ **La molécule a disparu de l'écran :**
Vérifier que les curseurs x, y et z sont en position médiane. Cliquer sur l'icône « Cacher » de la ligne de commande permettant de modifier l'aspect de la molécule.

▶ **L'élément sélectionné ne se colore pas, toute la molécule ou un autre élément se colore à sa place :**
Vérifier que la commande « Nouvelle sélection » c'est-à-dire l'icône 🔲, est bien activée, et renouveler l'opération décrite ci-contre.

Utiliser Mesurim
pour réaliser un schéma

PRINCIPE

▶ Le logiciel Mesurim comporte un programme qui permet notamment de traiter des images et de réaliser un schéma à partir de celles-ci.

MATÉRIEL UTILISÉ

▶ Le logiciel Mesurim se télécharge à l'adresse :
http://www.ac-amiens.fr/pedagogie/svt/info/logiciels/Mesurim2/Index.htm

MISE EN ŒUVRE

▶ **Charger la photographie et amorcer le schéma**

■ Lancer le logiciel Mesurim. Récupérer l'image en cliquant sur « *Fichier*», puis « *Ouvrir* » et choisir l'image correspondante, puis « *Ouvrir* ».

■ Cliquer dans le menu sur « Outils » puis sur « *Schéma* » : une nouvelle fenêtre s'ouvre.

■ Cliquer dans le menu «*Amorcer un schéma*».
Après quelques instants, celui-ci s'affiche.

▶ **Modifier l'aspect du schéma, son contraste**

■ Pour modifier l'aspect du schéma, agir sur les curseurs :

■ Les paramètres du schéma peuvent également être affinés en cliquant sur « Choix », puis « Afficher » les paramètres d'affichage. Agir ensuite sur la barre d'outils qui s'affiche :

EXEMPLE DE RÉSULTAT

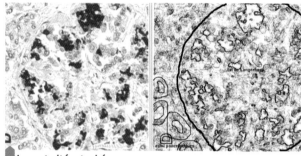

■ **Image traitée et schéma.**

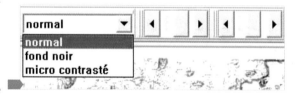

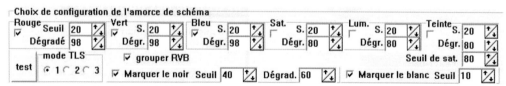

▶ **Délimiter des éléments du schéma et le légender**

■ Utiliser la barre d'outils. La fonction de chaque icône apparaît dans une bulle, quand on place le curseur de la souris sur l'icône.

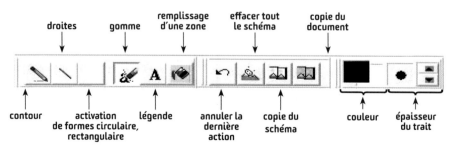

L'électrophorèse

PRINCIPE

▶ L'électrophorèse est une technique utilisée pour séparer des molécules chargées suivant leur charge et/ou leur masse. En général, on place les protéines dans un milieu basique où elles acquièrent une charge globale négative. Déposées sur un support spécial et placées dans un champ électrique, les protéines migrent de la cathode (pôle négatif ; fils noir) vers l'anode (pôle positif, fils rouge).

▶ Les protéines se séparent en bandes parallèles que l'on peut ensuite colorer. Cette technique s'applique également aux acides nucléiques.

MATÉRIEL UTILISÉ

▶ Un générateur de courant continu relié à une cuve d'électrophorèse contenant une solution tampon.

▶ Un portoir permettant de déposer le support, comme par exemple une bande de polyacétate de cellulose.

▶ La solution de protéines à séparer.

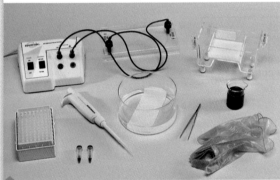

1 Matériel utilisé.

MISE EN ŒUVRE

▶ **Préparation du support avant le dépôt du mélange de protéines**
■ Vérifier tout d'abord que le générateur est hors tension.
■ Placer une ou des bandes de polyacétate de cellulose sur le portoir en s'assurant qu'elles sont parfaitement planes. Pour cela, il faut ouvrir la cuve et la remplir de tampon (environ 1 cm) de façon à ce que seules les extrémités des bandes plongent dans le tampon.

▶ **Dépôt des protéines**
■ Prélever l'échantillon à l'aide d'une lamelle ou d'une micropipette.
■ Réaliser sur la bande un dépôt rectiligne, perpendiculairement à la longueur de la bande.

▶ **Migration et séparation des protéines**
■ Fermer la cuve à électrophorèse.
■ Repérer les pôles – (noir) et + (rouge) et relier les fils de la cuve au générateur.
■ Mettre en marche l'alimentation puis s'assurer que le voyant lumineux est éclairé et attendre environ 1 heure. Il ne faut pas toucher à la cuve tant qu'elle est sous tension.

Une fois que la migration est terminée, il faut arrêter le générateur et le débrancher avant d'ouvrir la cuve.

EXEMPLE DE RÉSULTAT

Pour certaines protéines qui sont naturellement colorées, comme par exemple l'hémoglobine, la lecture des résultats est directe. Pour les protéines incolores, l'exploitation des résultats nécessite une coloration.

▶ **Coloration des protéines**

■ Plonger les bandes dans le rouge ponceau (5 g pour 1 L d'acide trichloroacétique). La face mate doit être tournée vers le colorant. Terminer cette opération en agitant 5 minutes.

■ Sous la hotte, sortir les bandes du colorant (à l'aide des pinces) et les plonger dans trois bains successifs d'acide acétique à 5 % jusqu'à la disparition totale de la couleur de fond.

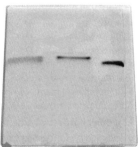

2 Résultat de l'électrophorèse.

RÉSOUDRE DES PROBLÈMES

▶ **La migration ne démarre pas :**
Vérifier toutes les connexions.
Changer le générateur en cas de surchauffe (voyant LED orange). Diminuer également le volume de tampon de migration de la cuve avant de remettre sous tension.

▶ **À la fin de la migration, les protéines ne sont pas visibles :**
Vérifier que le branchement n'a pas été réalisé à l'envers (auquel cas, les protéines se sont dispersées dans le tampon de la cuve).
S'assurer que le dépôt a bien été fait sur la face mate (côté du gel et non côté du support, brillant) et qu'une quantité suffisante de solution a été déposée.

▶ **Les bandes des différentes protéines séparées ne sont pas parallèles entre elles :**
S'assurer que le support est correctement tendu.
S'assurer que le dépôt se fait sur toute la largeur de l'applicateur.

L'autoradiographie

PRINCIPE

▶ L'objectif d'une autoradiographie est de suivre l'incorporation et/ou le devenir d'une molécule particulière dans des cellules ou des tissus.

▶ Pour cela, on utilise un précurseur radioactif qui joue le rôle de traceur.

▶ On choisit un élément (C^{12}, H^1,…) qui entre dans la composition de la molécule que l'on veut suivre à la trace. On utilise un isotope radioactif de cet élément (C^{14}, H^3,…) et on l'incorpore à la molécule à la place de l'isotope stable. La molécule que l'on veut suivre et qui contient cet élément radioactif est alors « marquée ».

▶ L'élément radioactif se désintègre au cours du temps et émet un rayonnement qui permet de suivre le devenir de la molécule dans les tissus et les cellules.

PROTOCOLE

▶ La cellule ou le tissu est mis en présence du précurseur radioactif pendant un temps donné.

▶ Puis les cellules sont placées dans le même milieu non radioactif pendant un temps variable : les cellules continuent leurs activités normalement sauf qu'elles incorporent maintenant des éléments non radioactifs. Ainsi, les molécules radioactives non fixées sont éliminées et les précurseurs radioactifs incorporés sont intégrés à l'activité cellulaire.

▶ La préparation microscopique des cellules (ou tissus) est réalisée puis la lame est recouverte d'une émulsion photographique contenant des ions argent Ag^+ (gélatine contenant du bromure d'argent).

▶ Les molécules radioactives présentes dans l'échantillon « impressionnent » l'émulsion photographique et les ions argent Ag^+ précipitent sous la forme de grains d'argent, à l'endroit précis où sont localisées les molécules radioactives.

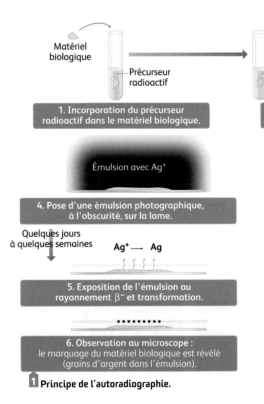

Matériel biologique

Précurseur radioactif

Milieu « froid » contenant le précurseur non radioactif

1. Incorporation du précurseur radioactif dans le matériel biologique.

2. Arrêt de l'incorporation.

3. Étalement sur lame ou réalisation d'une coupe de matériel biologique.

Émulsion avec Ag^+

4. Pose d'une émulsion photographique, à l'obscurité, sur la lame.

Quelques jours à quelques semaines

$Ag^+ \longrightarrow Ag$

5. Exposition de l'émulsion au rayonnement β^- et transformation.

6. Observation au microscope : le marquage du matériel biologique est révélé (grains d'argent dans l'émulsion).

1 Principe de l'autoradiographie.

EXEMPLE DE RÉSULTAT

▶ Les grains d'argent opaques à la lumière et aux électrons révèlent la présence et la localisation précise des molécules dans la cellule ou le tissu étudié (sous la forme de grains ou tâches noires).

▶ Un temps de chasse variable permet de « suivre » l'évolution de ces molécules marquées.

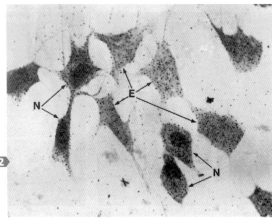

Autoradiographie de cellules animales avec noyau (N) et sans noyau (E) en culture, après incubation avec des acides aminés marqués. **2** Les points noirs permettent de localiser la radioactivité, c'est-à-dire les protéines nouvellement synthétisées.

L'imagerie médicale

PRINCIPE

▌ **L'imagerie médicale permet d'examiner l'intérieur du corps d'un patient sans l'opérer.**

▌ L'imagerie par résonance magnétique nucléaire (IRM) est la technique d'imagerie médicale la plus récente et la mieux adaptée à l'observation du cerveau en deux ou trois dimensions. L'échographie n'est en effet pas adaptée à l'étude du cerveau car les ultrasons ne traversent pas la boîte crânienne.

▌ Placés dans un champ magnétique intense, ces protons s'orientent. Dès que ce champ magnétique cesse, ils se relaxent en émettant des ondes radio qui sont enregistrées.

▌ Cet examen ne nécessite l'injection d'aucun produit et n'irradie pas, mais il est encore coûteux et délicat à mettre en œuvre.

OBTENIR DES IMAGES FONCTIONNELLES

▌ On peut observer différents tissus avec des contrastes très élevés car la résolution spatiale est nettement meilleure que celle du scanner à rayons X.

▌ Pour rendre compte d'un volume, trois sections suivant trois plans différents sont nécessaires. L'avancée des techniques actuelles permet de balayer suivant ces trois plans tout le volume d'un organe comme le cerveau.

▌ L'imagerie par résonance magnétique fonctionnelle (IRMf) est une application de l'imagerie par résonance magnétique à l'étude du fonctionnement du cerveau. Elle consiste à faire alterner des périodes d'activité (par exemple la stimulation tactile de la paume d'une main) avec des périodes de repos, tout en recueillant les signaux de l'intégralité du cerveau toutes les 1,5 à 6 secondes.

▌ La localisation des zones cérébrales activées est fondée sur une propriété magnétique de l'hémoglobine contenue dans les globules rouges du sang.

▌ Dans les zones activées par la tâche effectuée, une petite augmentation de la consommation d'oxygène par les neurones induit une augmentation locale de flux sanguin. Il en résulte une diminution de la concentration de désoxyhémoglobine. Ainsi, le signal IRM augmente légèrement pendant les périodes d'activation.

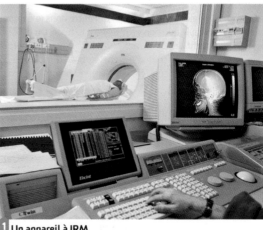

1 Un appareil à IRM.

▌ L'onde de résonance est proportionnelle à l'intensité du champ magnétique. Plus le champ magnétique est fort et plus la résolution des images est meilleure. Les avancées de la technologie permettent de fabriquer des aimants de plus en plus puissants refroidis à l'hélium liquide. Soumis à un bruit intense, le patient doit rester immobile.

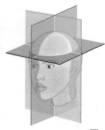

Les trois plans de section **2** habituellement utilisés.

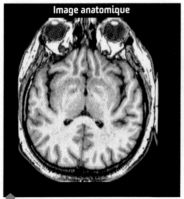
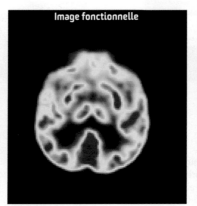
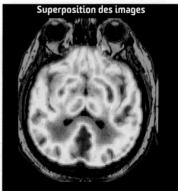

Image anatomique   Image fonctionnelle   Superposition des images

3 **Obtention d'une carte des zones cérébrales activées.** On superpose l'image anatomique et l'image fonctionnelle.

Utiliser un microscope polarisant

PRINCIPE

▶ Le microscope polarisant est un instrument d'optique muni de filtres spéciaux pour l'observation et l'identification des minéraux. Il utilise pour cela les propriétés optiques des cristaux qui modifient les caractéristiques de la lumière qui les traversent.

▶ Lorsqu'une lame mince de roche (30 micromètres d'épaisseur) est traversée par la lumière naturelle, il est souvent difficile d'identifier les différents cristaux car ils ont tous des couleurs relativement voisines et faciles à confondre.

▶ Les deux filtres du microscope polarisant, de même nature sont capables de modifier la façon dont la lumière se propage. On dit que ces filtres polarisent la lumière.

▶ L'intérêt de la lumière polarisée réside dans le fait qu'un cristal donné agit de manière caractéristique sur la lumière polarisée.

FONCTIONNEMENT

▶ Le premier filtre est le « polariseur ». Le deuxième filtre est l'« analyseur ». Ce dernier est escamotable pour permettre une observation en lumière polarisée non analysée (LPNA) ou en lumière polarisée et analysée (LPA).

▶ Lorsqu'on allume un microscope polarisant, si les deux filtres sont croisés et qu'il n'y a pas de lame mince sur la platine, aucune lumière n'est visible dans l'oculaire : on a « fait le noir ».

▶ En effet, lorsque le polariseur et l'analyseur sont croisés, c'est-à-dire perpendiculaires l'un par rapport à l'autre, la lumière sortant du polariseur est arrêtée par l'analyseur : il y a extinction. Aucune lumière n'est visible dans l'oculaire.

▶ Lorsqu'un cristal est placé entre le polariseur et l'analyseur, ce cristal dévie la lumière polarisée issue du polariseur et modifie ses caractéristiques. L'analyseur agit ensuite sur la lumière polarisée en modifiant les teintes, qui sont ainsi caractéristiques du cristal observé. Ces couleurs de polarisation servent alors de « signature » pour identifier les minéraux.

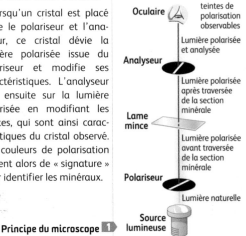

Principe du microscope polarisant. **1**

MISE EN ŒUVRE

▶ Disposer correctement le microscope sur la table.

▶ Le brancher puis « faire le noir » en croisant les filtres.

▶ Placer la lame mince sur la platine tournante, et centrer l'objet à observer.

▶ Faire une première mise au point, en lumière polarisée non analysée.

▶ Régler le diaphragme et le condenseur.

▶ Affiner la mise au point à l'aide de la vis micrométrique.

▶ Explorer l'ensemble de la préparation pour rechercher une zone pertinente. Pour changer d'objectif, tourner le barillet, la mise au point se corrige à l'aide de la vis micrométrique

▶ Insérer l'analyseur et poursuivre les observations.

EXEMPLE DE RÉSULTAT

▶ L'objet que vous observez doit être net, correctement éclairé et placé au centre du champ.

▶ Le grossissement utilisé doit être adapté à l'objet que vous observez.

Vis de réglage (mise au point)

Oculaire
Analyseur
Objectif
Platine tournante
Diaphragme
Lumière avec polariseur

2 **Microscope polarisant.**

RÉSOUDRE DES PROBLÈMES

▶ **Tout est noir avec une lame mince en place :**
Vérifier que la lumière est allumée.
Vérifier que le diaphragme est ouvert.
Vérifier que les objectifs ne sont pas encrassés (attention, le nettoyage doit se faire avec des produits spéciaux).

▶ **La mise au point est impossible :**
Vérifier que vous avez débuté avec le faible grossissement.

▶ **Les couleurs en lumière polarisée analysée ne correspondent pas à celle décrites dans la clé de détermination des minéraux :**
Vérifier qu'en absence de lame mince sur la platine, et avec l'analyseur, il n'y a aucune lumière de visible dans l'oculaire. Si ce n'est pas le cas, tourner le polariseur afin de le placer perpendiculairement à l'analyseur.

Étudier une lame mince

OBSERVATION EN LPNA

▶ **Couleur**

■ De nombreux minéraux sont incolores tels que le quartz, le feldspath, les micas blancs, la calcite.

■ Certains sont naturellement colorés comme les amphiboles (beiges à vertes) et les micas (beiges à bruns).

▶ **Forme**

■ Les minéraux qui cristallisent les premiers sont automorphes, c'est-à-dire qu'ils développent un réseau cristallin régulier et acquièrent une forme caractéristique.

■ Les minéraux qui cristallisent plus tardivement sont **xénomorphes** : leur forme est fonction de l'espace disponible.

▶ **Clivage et altération**

■ Les minéraux présentent des plans de fragilité de leur réseau cristallin : **les plans de clivage** ou **clivage**.

■ Les clivages peuvent être parallèles : c'est le cas des micas. Ils peuvent aussi présenter un angle caractéristique : c'est le cas des clivages à angle droit des pyroxènes et des clivages à 120° des amphiboles.

■ Les minéraux s'altèrent en général sur leurs bords ou le long des plans de clivage, donnant un aspect « sale » au cristal. C'est le cas par exemple des paillettes d'argiles ou de micas dans les feldspaths. Le seul minéral qui ne s'altère pas est le quartz.

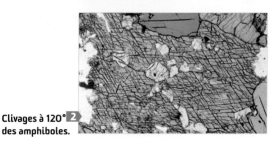

1 Clivages parallèles des micas.

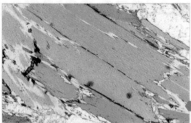

Clivages à 120° **2** des amphiboles.

3 Quartz non altéré en LPNA.

OBSERVATION EN LPA

▶ **Teintes**

■ Les « couleurs » artificielles de chaque minéral sont liées à leurs propriétés particulières dont celle de dévier le plan de polarisation de la lumière.

Premier ordre couleurs peu vives, allant du blanc au gris et à l'orange terne	Second et troisième ordres couleurs vives : jaune, violet, bleu et vert	Ordres supérieurs couleurs pastels

4 **Palette de teintes en LPA.** L'échelle chromatique est divisée en « ordres ».

5 Teintes de 1er ordre : exemple du quartz.

6 Teintes de 2e ordre : exemple du pyroxène.

7 Teintes de 3e ordre : exemple de l'olivine.

La sismique-réflexion et la sismique-réfraction

PRINCIPE

▶ Les techniques de sismique-réflexion et de sismique-réfraction permettent d'explorer la structure géologique du sous-sol : couches sédimentaires, socle, déformations.

▶ Ces techniques consistent à émettre des vibrations (par camion vibreur ou par explosion de petites charges) en milieu continental ou des explosions (par canon à air) en milieu océanique.

▶ Les ondes produites se propagent alors dans l'eau et le sous-sol. Des récepteurs enregistrent les échos des ondes réfléchies et réfractées par les surfaces limitant des structures de propriétés physiques différentes. Ces surfaces, ou **réflecteurs**, sont nommées **surfaces de discontinuité**.

▶ En milieu continental, ces récepteurs sont placés sur le sol. En milieu océanique, les récepteurs de la sismique-réflexion sont disposés sur des flûtes tractées par le bateau en ligne droite et pouvant être disposées à différentes profondeurs. Ceux de la sismique-réfraction sont placés sur les fonds océaniques.

OBTENTION DU PROFIL SISMIQUE

▶ Une fois traitées par des filtres mathématiques, les données obtenues pour un capteur (document 2) sont juxtaposées avec celle des autres capteurs. On obtient ainsi un **profil sismique** (document 3).

▶ Ce profil montre des discontinuités, des réflecteurs d'ondes, mais ne correspond pas à une coupe géologique des structures.

▶ L'échelle horizontale est **en mètre ou kilomètre**. L'échelle verticale est en **temps double** : on mesure le temps d'aller et retour des ondes, c'est-à-dire la durée entre le moment de leur émission et le moment de leur enregistrement après leur réflexion et/ou leur réfraction sur une discontinuité.

INTERPRÉTATION DES RÉSULATS

▶ À partir des profils sismiques et des résultats de forages qui permettent de déterminer la nature des roches du sous-sol, les géologues évaluent la vitesse des ondes dans les structures.

▶ La vitesse des ondes étant estimée, il est possible de déterminer la profondeur des discontinuités et de construire une image des structures en profondeur.

Obtention du profil sismique. Les traits rouges indiquent les **3** discontinuités. Pour distinguer des surfaces de réflecteur, il faut parfois regarder le profil de loin.

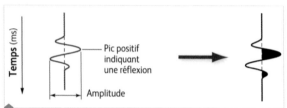

1 Sismique-réflexion et sismique-réfraction en milieu océanique.

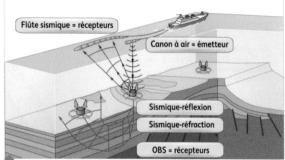

2 Interprétation de la trace sismique enregistrée par un capteur.

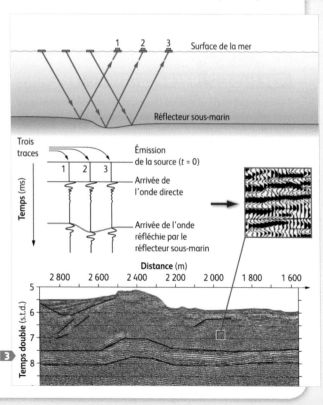

La tomographie sismique

PRINCIPE

▶ La tomographie sismique est une méthode pouvant être assimilée à un scanner pour la Terre.

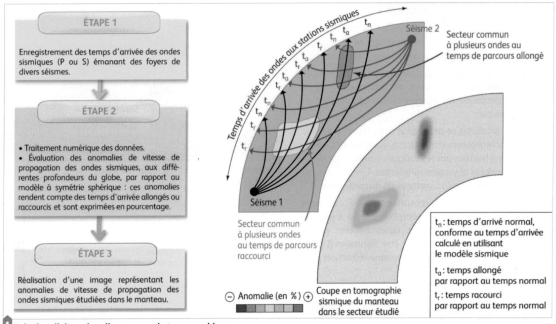

ÉTAPE 1

Enregistrement des temps d'arrivée des ondes sismiques (P ou S) émanant des foyers de divers séismes.

ÉTAPE 2

• Traitement numérique des données.
• Évaluation des anomalies de vitesse de propagation des ondes sismiques, aux différentes profondeurs du globe, par rapport au modèle à symétrie sphérique : ces anomalies rendent compte des temps d'arrivée allongés ou raccourcis et sont exprimées en pourcentage.

ÉTAPE 3

Réalisation d'une image représentant les anomalies de vitesse de propagation des ondes sismiques profondes étudiées dans le manteau.

Secteur commun à plusieurs ondes au temps de parcours allongé

Secteur commun à plusieurs ondes au temps de parcours raccourci

⊖ Anomalie (en %) ⊕

Coupe en tomographie sismique du manteau dans le secteur étudié

t_n : temps d'arrivé normal, conforme au temps d'arrivée calculé en utilisant le modèle sismique

t_a : temps allongé par rapport au temps normal

t_r : temps racourci par rapport au temps normal

1 Principe d'obtention d'une coupe de tomographie.

EXEMPLE D'INTERPRÉTATION

▶ Les anomalies de vitesse de propagation des ondes sismiques sont interprétées en terme de variations de température du manteau par rapport à celles proposées pour les différents endroits étudiés dans le modèle sphérique de Terre :
■ les zones **plus lentes** sont interprétées comme étant **plus chaudes** et donc moins denses,
■ **les zones plus rapides** sont interprétées comme **plus froides et donc plus denses**.

▶ En admettant un modèle convectif pour le manteau, il est possible d'établir un schéma d'interprétation dynamique pour le secteur mantellique étudié par tomographie sismique. On peut alors distinguer :
■ des secteurs profonds anormalement chauds susceptibles d'animer des panaches ascendants,
■ des secteurs superficiels plus froids susceptibles de plonger.

▶ **Attention !** Les images de tomographie sismique permettent seulement de localiser des mouvements de remontée ou de descente dans le manteau. Elles ne permettent pas de dessiner entièrement des boucles convectives en complétant les mouvements verticaux par des mouvements horizontaux.

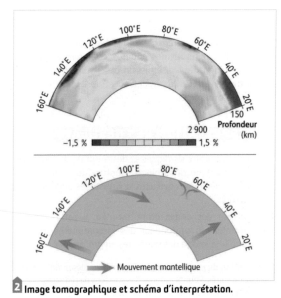

2 Image tomographique et schéma d'interprétation.

Utiliser Google Earth un visualiseur de données

PRINCIPE

▌ Le logiciel Google Earth permet de visualiser en 3D des données géoréférencées, de les superposer, d'accéder à des banques de données actualisées comme ADES (données sur les eaux souterraines), USGS (Séismes), NASA (balise GPS,…) NOAA (temp érature de la mer) et bien d'autres, de se déplacer dans l'espace et de passer d'une échelle mondiale à une échelle régionale.

▌ Ce logiciel permet également d'explorer la Lune et Mars.

MATERIEL UTILISÉ

▌ Le logiciel se télécharge à cette adresse : http://earth.google.com/intl/fr/

▌ Quelques fichiers .kmz utilisables avec ce logiciel sont disponibles à cette adresse : http://eduterre.inrp.fr/eduterre-usages/outils/kmz , vous pouvez également en trouver sur d'autres sites.

EXEMPLE DE RÉSULTAT

▌ Mettre en relation et discuter des relations entre les peuplements et les différentes formes de l'utilisation de l'eau.

▌ Modifier la transparence des couches en utilisant le curseur.

MISE EN ŒUVRE

▌ Lancer le logiciel puis faire Fichier/ouvrir et chercher sur votre disque dur le fichier à ouvrir ou cliquer sur un fichier .kmz.

Afficher les données

■ Dans «Infos pratiques» ou «Données géographiques» afin d'éviter l'encombrement de la carte : tout décocher puis cocher seulement le relief.

■ Modifier le facteur d'élévation afin de mieux voir le relief «Outils»/ Options… Facteur d'élévation = 1,5 ou 2.

■ Ouvrir un dossier cliquer sur + puis cocher les données qui vous intéressent. Les couches se superposent selon l'ordre dans lequel elles ont été cochées.

Jouer avec la transparence

■ Cocher une couche et utiliser l'onglet qui est situé sous les données.

Se déplacer dans l'espace

■ Utiliser le curseur de zoom.

■ Utiliser le joystick de navigation pour faire tourner le globe et le joystick d'observation pour le faire basculer et voir le relief.

■ Cliquer sur le Nord pour rétablir une vue normale.

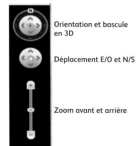

Orientation et bascule en 3D

Déplacement E/O et N/S

Zoom avant et arrière

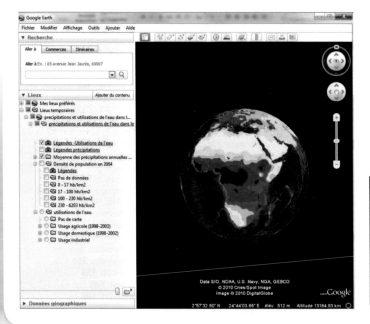

RÉSOUDRE DES PROBLÈMES

La carte est blanche :
▌ Vérifier que vous êtes à la bonne échelle en zoomant ou en dézoomant.

Le globe est tout en bas de votre écran :
▌ Le repositionner à l'aide du joystick d'observation, en cliquant sur la petite flèche du bas.

Index

Réponses aux Tests rapides et aux Quiz

Chapitre 1 (p. 29)

1. Quelques définitions à maîtriser

- **Mitose** : division cellulaire permettant à une cellule mère de former deux cellules filles (reproduction conforme).
- **Interphase** : période qui sépare deux mitoses.
- **Caryotype** : photographie de l'ensemble des chromosomes d'une cellule en métaphase classés selon leur taille et leur morphologie.
- **Réplication semi-conservative** : processus de copie de l'information génétique basé sur la complémentarité des bases. Chaque nouvelle copie d'ADN est formée d'un brin ancien et d'un brin nouveau.
- **Chromatide** : filament constitué d'une molécule d'ADN et formant un chromosome.

2. Questions à choix multiple

1. a et b / 2. c / 3. c / 4. b et c / 5. b et c / 6. b / 7. b

3. Analyser un document

1. a et c / 2. c

Chapitre 2 (p. 55)

1. Quelques définitions à maîtriser

- **Transcription** : mécanisme qui assure la synthèse d'un ARN messager, composé d'une séquence de nucléotides complémentaires de la séquence du brin transcrit d'un gène de l'ADN.
- **Traduction** : mécanisme qui assure le décodage d'une séquence de nucléotides d'un ARN messager en une séquence d'acides aminés de protéine.
- **ARN pré-messager** : molécule d'ARN strictement complémentaire du brin transcrit de l'ADN.
- **Code génétique** : système de correspondance entre codons de nucléotides de l'ARN et acides aminés d'une protéine.
- **Codon** : triplet de nucléotides de l'ARN ; un codon code pour un acide aminé au moins (le code génétique étant redondant, plusieurs codons spécifient le même acide aminé).
- **Épissage** : étape de transformation d'un ARN pré-messager en ARN messager (mature) dans une cellule eucaryote.

2. Questions à choix multiple

1. a, b et c / 2. a et c /3. b et d / 4. d / 5. b / 6. a et c

3. Analyser un document

1. c / 2. b

Chapitre 3 (p. 77)

1. Quelques définitions à maîtriser

- **Phénotype** : ensemble des caractères apparents d'un organisme, d'une cellule, résultant de l'expression d'un génotype.
- **Allèle** : une des variations possibles d'un gène.
- **Dominance** : état d'un allèle qui s'exprime à l'état hétérozygote ou homozygote.
- **Récessivité** : état d'un allèle qui ne s'exprime qu'à l'état homozygote.

2. Questions à choix multiple

1. a et b / 2. a / 3. b, c et d / 4. a et c / 5. b

3. Analyser un document

1. a et b / 2. a / 3. a

Chapitre 4 (p. 99)

1. Quelques définitions à maîtriser

- **Mutation** : modification d'une séquence d'ADN.
- **Allèle** : variante de la séquence d'un gène présent dans une population.
- **Lignée somatique** : ensemble des cellules d'un organisme qui ne devient pas des gamètes.
- **Lignée germinale** : ensemble des cellules d'un organisme destiné à devenir des gamètes.

2. Questions à choix multiple

1. a et c / 2. b et d / 3. b / 4. b / 5. a, b et e / 6. a

3. Analyser un document

a, b et e.

Chapitre 5 (p. 127)

1. Quelques définitions à maîtriser

- **Modèle** : représentation simplifiée de la réalité : exemple le modèle Prem de structure interne de la Terre.
- **Discontinuité** : surface séparant dans le globe terrestre deux milieux ayants des propriétés différentes.
- **Croûte** : enveloppe rigide la plus superficielle de la Terre.
- **Manteau** : enveloppe rigide située sous la croûte (sous le Moho).

2. Questions à choix multiple

1. d / 2. a, b et d / 3. b, d / 4. a, b et c / 5. b / 6. a, b et d.

3. Analyser un document

1. b / 2. b / 3. b

Chapitre 6 (p. 153)

1. Quelques définitions à maîtriser

- **Lithosphère** : enveloppe superficielle et rigide du globe terrestre, formée de la croûte et du manteau supérieur lithosphérique et limitée à sa base par le sommet de la LVZ. Elle est découpée en portions peu déformables, les plaques lithosphériques, mobiles les unes par rapport aux autres au-dessus de l'asthénosphère qu'elles recouvrent.
- **Asthénosphère** : portion du manteau située sous la lithosphère, au sommet de laquelle de situe la LVZ, et caractérisée par un compor-

tement ductile de la péridotite qui la compose ; elle est animée de mouvements de convection.

• **Plaque lithosphérique** : portion de lithosphère rigide et peu déformable sauf à ses frontières, en mouvement par rapport aux autres secteurs lithosphériques voisins au-dessus de l'asthénosphère ductile.

• **Anomalie magnétique** : écart (positif ou négatif) entre la valeur mesurée et la valeur calculée de l'intensité du champ magnétique en un endroit.

• **Faille transformante** : frontière de deux plaques en coulissage l'une par rapport à l'autre.

• **Subduction** : Mouvement de convergence au cours duquel une plaque, le plus souvent océanique, s'enfonce sous une autre plaque dans le manteau.

• **Point chaud** : remontée magmatique d'origine mantellique à l'origine d'édifices volcaniques, notamment des alignements volcaniques intraplaques.

2. Questions à choix multiple

1. a et d / 2. aucune / 3. a / 4. c / 5. c

3. Analyser un document

1. a / 2. a

Chapitre 7 (p. 179)

1. Quelques définitions à maîtriser

• **Dorsale océanique** : relief océanique allongé, de profondeur moyenne 2 500 m et dominant les plaines abyssales.

• **Rift** : fossé situé sur l'axe de la dorsale et limitée par des failles normales.

• **Divergence** : mouvement relatif de deux secteurs conduisant à leur écartement.

• **Expansion océanique** : Formation d'une nouvelle lithosphère à l'axe des dorsales.

• **Failles normales** : failles résultant d'un mouvement d'extension.

• **Subduction** : Mouvement de convergence au cours duquel une plaque, le plus souvent océanique, s'enfonce sous une autre plaque dans le manteau.

2. Questions à choix multiple

1. b, c et d / 2. b / 3. b et d / 4. b et c / 5. c / 6. c

3. Analyser un document

1. b / 2. b et c / 3. a et b

Chapitre 8 (p. 209)

1. Quelques définitions à maîtriser

• **Marge passive** : zone située en bordure de continent qui marque la transition entre lithosphère continentale et lithosphère océanique à l'intérieur d'une même plaque.

• **Subsidence** : enfoncement progressif d'un bassin sédimentaire entretenant des conditions favorables au dépôt et à l'accumulation de sédiments.

• **Gisement pétrolier** : partie d'un bassin sédimentaire constituée de la superposition d'une roche-mère dans laquelle se sont formées des hydrocarbures par maturation de matière organique, d'une roche-réservoir poreuse et perméable dans laquelle ils peuvent s'accumuler après migration, et d'une roche-couverture imperméable ayant pu interrompre les hydrocarbures au cours de leur remontée.

2. Questions à choix multiple

1. c / 2. a, b et d / 3. c / 4. b / 5. c

3. Analyser un document

1. b / 2. a / 3. c / 4. a et b

Chapitre 10 (p. 257)

1. Quelques définitions à maîtriser

• **Écosystème** : ensemble composé d'êtres vivants (biocénose) en interaction avec le milieu (biotope).

• **Agrosystème** : écosystème, piloté par l'Homme, utilisé pour la production végétale ou animale.

• **Intrants** : éléments entrant dans l'écosystème (engrais, produits phytosanitaires).

• **Rendement énergétique** : Rapport sorties énergétiques/entrées énergétiques.

• **Pratiques culturales** : ensemble des techniques de culture.

Pratiques alimentaires collectives : habitudes alimentaires communes à une communauté d'individus.

2. Questions à choix multiple

1. a, b, c et d / 2. a et c / 3. a et c / 4. a, c et d / 5. a, b et d

3. Analyser un document

b

Chapitre 11 (p. 289)

1. Quelques définitions à maîtriser

• **Phénotype sexuel** : ensemble des caractéristiques prises à différentes échelles propres à un sexe, féminin ou masculin : morphologie générale, caractères sexuels secondaires, gonades, voies génitales…

• **Sexe génétique** : assortiment de chromosomes sexuels : XX chez la femme et XY chez l'homme.

• **Sexe gonadique** : type de gonade présente chez un individu : ovaires chez une femme normale, testicules chez un homme normal.

• **Puberté** : phase d'achèvement du phénotype sexuel au cours de laquelle les caractères sexuels secondaires se mettent en place et les gonades deviennent fonctionnelles (production de gamètes et d'hormones sexuelles).

• **Caractères sexuels secondaires** : caractéristiques morphologiques visibles extérieurement propres à un sexe.

• **Cycle ovarien** : évolution des follicules au sein des ovaires, répétitive cycliquement ; ce cycle est subdivisé en deux phases, la phase folliculaire et la phase lutéinique séparée par l'ovulation.

- **Cycle utérin** : évolution cyclique de la muqueuse utérine, induite par le cycle ovarien.
- **Hormones sexuelles** : molécules produites par les gonades, sécrétées dans le sang et agissant sur différents organes cibles possédant les récepteurs correspondants ; le testicule sécrète la testostérone et l'AMH, l'ovaire sécrète les œstrogènes et la progestérone.

2. Questions à choix multiple

1. a et b / 2. b et c / 3. a et d / 4. b et c / 5. a et d / 6. b et c / 7. a et c

3. Analyser un document

1. b et d / 2. a et b

Chapitre 12 (p. 313)

1. Quelques définitions à maîtriser

- **Neurohormone** : hormone libérée par un neurone dans la circulation sanguine.
- **Contraceptif** : médicament ou dispositif visant à empêcher une grossesse.
- **PMA** : procréation médicalement assistée.
- **FIVETE** : fécondation in vitro avec transfert d'embryon.
- **ICSI** : injection intra-cytoplasmique d'un spermatozoïde dans le cytoplasme d'un ovocyte.

2. Questions à choix multiple

1. c et d / 2. b / 3. a et c / 4. a, b et d / 5. b et c / 6. a et b

3. Analyser un document

1. c / 2. a et c / 3. c

Chapitre 13 (p. 339)

1. Quelques définitions à maîtriser

- **Maladie génétique** : maladie provoquée par la mutation d'un gène.
- **Mutation** : modification d'une séquence de nucléotide.
- **Gène de prédisposition** : gène dont certains allèles favorise l'apparition d'une maladie.

2. Questions à choix multiple

1. b / 2. c / 3. b / 4. a et c / 5. b et c / 6. c / 7. b

3. Analyser un document

1. b / 2. a

Chapitre 14 (p. 369)

1. Quelques définitions à maîtriser

- **Cristallin** : lentille vivante qui fait converger les rayons lumineux vers la rétine.
- **Rétine** : membrane tapissant le fond de l'œil constituée de plusieurs couches cellulaires dont les cellules photoréceptrices capables de transformer le stimulus lumineux en message nerveux.
- **Photorécepteurs** : cellules photosensibles de la rétine capables de transformer le stimulus lumineux en message nerveux.
- **Plasticité du cerveau** : Propriétés du système nerveux de se développer et de se réorganiser sous l'action de divers stimuli périphériques.

2. Questions à choix multiple

1. a, c et d / 2. c et d / 3. d / 4. a et c / 5. c et d / 6. c / 7. b / 8. a et d

3. Analyser un document

3. a

QUIZ

Quiz (p. 9)
Faux - Vrai - Vrai - Faux - Faux - Vrai - Faux - Vrai - Vrai - Vrai

Quiz (p. 107)
Faux - Faux - Faux - Faux - Faux - Faux - Vrai - Faux - Vrai - Faux - Faux - Faux

Quiz (p. 189)
Faux - Faux - Faux - Faux - Vrai - Faux - Faux - Faux - Faux

Quiz (p. 231)
Vrai - Faux - Faux - Faux - Faux - Vrai - Vrai

Quiz (p. 267)
Faux - Faux - Vrai - Faux - Faux - Faux - Faux

Crédits photographiques

RESPONSABLE D'ÉDITION : Élisabeth Pinard
COUVERTURE : Élise Launay
CONCEPTION GRAPHIQUE : Frédéric Jély
MISE EN PAGE : Frédérique Buisson, en complément : Stéphan Cellier et Langage Graphique
ICONOGRAPHIE : Juliette Barjon
ILLUSTRATIONS : Laurent Blondel, Blaise Fontanieu, Yannick Garbin – Corédoc et Sandrine Marchand
FABRICATION : Pascal Mégret
GRAVURE : KEY GRAPHIC

N° d'éditeur 10187273
Dépôt légal Juillet 2012
Imprimé en Espagne par Graficas Estella